Das große Spektakel

INGE MERKEL

DAS GROSSE SPEKTAKEL

Eine todernste Geschichte,
von Windeiern aufgelockert

Residenz Verlag

Die Verfasserin warnt den prospektiven Leser ernsthaft vor der auch ihr selbst vertrauten und von ihr geübten Unart, die gelehrten Partien des Buches auszulassen oder nur zu überfliegen und sich zur Unterhaltung ausschließlich den Windeiern zu widmen; er bringt sich um den Genuß derselben, wenn er dies tut. Geistig, weil er sie dann nicht richtig versteht, moralisch, weil sich der Mensch in dieser elenden Welt sogar das Lachen schwer verdienen muß.

Ein langes Vorwort,
das aber nicht
überschlagen werden darf

DER NEUE MIETER UND DIE FRAGWÜRDIGE NATUR
DER WIENER ZINSHÄUSER

Mit erwachtem Argwohn sah ich schon von weitem, daß vor meinem Haus ein Möbelwagen das halbe Trottoir verstellte. Mit offenen Flügeln klaffte das Tor. Grobschlächtige Männer hoben, schoben und schleppten unter rauhen Leitsignalen Schwergewichtiges durch Gang und Stiegenhaus. Ich konnte eine Weile nicht hinein, weil zwei Packer sich mit geblähten Halsadern abrakkerten, einen überdimensionalen Schreibtisch durch die Eingangspforte zu fädeln, der sich diesem Ansinnen mit einer obstinaten Beharrlichkeit widersetzte, die etwas Menschliches hatte: ein sperriger Protest der Würde.

Unbehagen schoß auf, als ich vernahm, daß das Ziel dieser Betriebsamkeit die Wohnung unter mir war, die lange leergestanden hatte. Zwar ist das Haus solid gebaut, großräumig und mit hohen Plafonds, wie man noch im vorigen Jahrhundert baute, trotzdem war mir das Bewußtsein verläßlicher Stille unter meinen Füßen zur angenehmen Selbstverständlichkeit geworden. Ich betrat den Aufzug mit nervöser Beklommenheit.

Gleichzeitig mit mir stieg die Hausmeisterin ein, eine kleinwüchsige, feiste Vierzigerin mit der Geschwätzigkeit eines Kuckucks. Sie fuhr mit Kübel und Fetzen auf und versah mich mit Faktenmaterial über den neuen Mieter.

»Ein älterer Herr, alleinstehend.« Der Umstand beruhigte mich. Wenigstens kein Kindersegen und lärmende Gesellschaften.

»Fast keine Möbel hat der Herr«, erfuhr ich ungefragt; »nur Kisten voller Bücher und Regale ... nicht einmal eine ordentliche Schlafzimmergarnitur!« wurde angemerkt mit geschürzter Lippe; »nur Ottomanen und kein Buffet. Dafür zwei Schreibtische! Was braucht ein alleinstehender Herr zwei Schreibtische?« fragte sich die Hausmeisterin und lachte kehligen Hohn.

Vor dem Aussteigen im vierten Stock erfuhr ich noch,

daß der neue Herr sie für jeden Donnerstag zum Putzen engagiert habe; nachmittags.

»Wer putzt am Nachmittag?« fragte sich die Hausmeisterin; noch dazu wolle der Herr um keinen Preis während des Putzens zu Hause sein. Sie mißbilligte dieses in sie gesetzte Vertrauen, erwähnte noch einmal das Fehlen von Schlafzimmergarnitur und Buffet mit greller Lache und schwenkte prallsteißig mit Kübel und Fetzen in die offene Wohnung ein.

Trotz masochistischen Horchzwanges vernahm ich am nächsten Tag von unten her nur gedämpftes Rumoren, dann nichts mehr.

Als ich einmal mit dem Aufzug die vierte Etage passierte, sah ich durch die Glasscheibe den neuen Mieter en profil von unten emporwachsen. Bequem ausgetretene Schuhe verloren sich in legere Hosenbeine aus abgewetztem Schnürlsamt. Sodann kamen breite, knochige Hände ins Blickfeld, die zornig mit dem Schlüsselloch kämpften. Im Höherschweben registrierte ich einen ausgeprägten Hinterkopf mit grau gekräuseltem Haarkranz, scharfnasig mit Brille.

Während ich meiner Mansarde zutrieb, streifte mich das vage Gefühl, diese Erscheinung irgendwann schon einmal gesehen zu haben.

Ich hätte den neuen Fußnachbar vergessen, weil er sich so ruhig verhielt, wenn nicht an jedem Donnerstag zwischen drei und fünf Uhr die Hausmeisterin unten mit dem Staubsauger gewerkt hätte, wozu Ö 3 auf voller Lautstärke erscholl. Alle musikalischen Darbietungen des Senders wurden von der Weibsperson mit durchdringendem Gesang begleitet. Ich gewöhnte es mir an, meine Besorgungen auf diese Zeit zu verlegen.

An einem solchen Donnerstag nachmittags war es auch, daß ich in der nahe gelegenen Bäckerei den stillen Herrn vor dem Ladentisch stehen und zahlen sah. Als er sich umwandte, um hinauszugehen, standen wir einander frontal gegenüber.

»Was! Sie sind das?« entfuhr es mir.

»Es scheint so«, quittierte er meine etwas törichte

Frage mit hochgezogenen Brauen und spöttischen Mundwinkeln. Im prompten Gegenzug ließ ich – während ich der Verkäuferin meine Wünsche bekanntgab – beiläufig fallen: »Wissen Sie eigentlich, daß wir Kopfnachbarn sind?«

Weit entfernt, sein Erstaunen einzugestehen, schlug er – ganz der alte Singer – einen boshaften Haken: »Was Sie nicht sagen! So sind also Sie die Person, die sich gegen Abend bisweilen auf dem Klavier ergeht. Mit echter Empfindung, muß ich einräumen – wofür der reichliche Pedalgebrauch spricht.«

»Nur ein schwacher Ausgleich für die Reinigungsorgien Ihrer Raumpflegerin, die mir jeden Donnerstag die Ohren blessieren!«

Bei dieser Bemerkung schreckte Singer hoch, sah auf die Uhr und blickte gequält: »Erst halb fünf! Da dreht sie sich noch herum in meiner Wohnung«, kam es mit gedrückter Stimme.

»Warum verbitten Sie sich nicht wenigstens Ö 3?«

»Trauen werd ich mich!«

Seite an Seite gingen wir die paar Schritte auf das Haus zu. Bereits als der Aufzug der zweiten Etage zuschwebte, quoll uns hingebender Gesang entgegen. »Die Kanaille ist noch in Aktion!« knirschte Singer.

Ich lud ihn ein, die fehlende Zeitspanne mit mir beim Kaffee abzusitzen. »Dabei kann ich Sie auch bequem darüber ausnehmen, warum und wohin Sie so plötzlich verschwunden sind. Gleichsam vom Erdboden gefegt und ohne ein Wort der Ankündigung oder des Abschieds. Acht, zehn Jahre muß das jetzt her sein?«

Singer reagierte nicht auf diese Anspielung, schloß sich mir aber in seinem Fluchtstreben vor dem hausmeisterischen Frohsinn widerspruchslos an.

»Eine Zwillingswohnung zu meiner!« stellte er nach dem Eintreten fest und sah sich um.

»Bis auf diese kleine Anrüchigkeit da«, sagte ich und zeigte ihm, daß sich in meinem Vorzimmer hinter einem blauen Vorhang noch eine Türe befand, eine weißlackierte Tür mit Messingschnalle.

»Warum ist die Tür verhängt? Verstecken Sie da Ihre Leichen?« – »Nur zum geringsten Teil meine eigenen. Zumeist sind es die meiner Vorgänger, die großteils schon selbst ins Gras gebissen haben.« – Natürlich wollte er das gezeigt bekommen. Ich drehte den Schlüssel im Schloß und griff nach dem Lichtschalter. Staubgeruch wölkte auf. Sperriges Gerümpel türmte sich im schwachen Licht, alles überzogen von der unaufhaltsamen Emsigkeit des Verrottens; Spinnweben und Staub, schräg durchquert von einem Lichtbalken, der von der Luke kam. Fasziniert horchte Singer in die körperhafte Stummheit hinein, die ausrangierte Möbel um sich verbreiten. »Ein Dachboden! Ein echter Dachboden mit Ziegelpflaster, Schrägbalken, Querbohlen und schwarzen Kamintürchen!« – »Die allerdings ins Unbekannte führen. Was sie jedoch nicht hindert, bisweilen puffende Rußstöße von sich zu geben.« – Singer bekam gierige Augen: »Eine plötzliche Auskröpfung mitten in einer bürgerlichen Wohnung, vollgestopft mit Lebenströdel und hinter einer weißlackierten Tür mit Messingschnalle als Tarnschürzchen!« Er konnte sich von diesem Anblick lange nicht lösen.

Als wir dann beim Kaffee saßen, wiederholte ich meine Frage nach seinem abrupten Verschwinden: »Meine Briefe kamen zurück mit der Aufschrift: Adressat verzogen mit unbekanntem Aufenthalt! Ich wußte nicht, ob ich mich sorgen oder beleidigt sein sollte. – Sie fehlten mir auch. Die geistige Erfrischung unserer brieflichen Gefechte ging mir ab. Ich hatte mich so daran gewöhnt.«

Singer sah mich scharf an, dann ließ er seinen Blick seitwärts schweifen und brummte: »In Amerika war ich. Ein Lehrauftrag.« – »Und warum kein Wort darüber zu mir? Warum diese Nacht- und Nebelaktion?«

»Wenn Sie sich gütigst erinnern wollen, haben Sie mich damals gerade – mein Vertrauen mißbrauchend – in einem Roman vorkommen lassen. Da sieht man sich plötzlich in den Auslagen herumliegen. Nie hätte ich mich in eine so offenherzige Korrespondenz mit Ihnen eingelassen, wenn ich diese Hinterhältigkeit geahnt hätte. – Ich war Ihnen gram!«

»Es wußte doch niemand, daß Sie es sind, der vorkommt«, verteidigte ich mich schlechten Gewissens; »und außerdem kommen Sie ja ganz gut weg in diesem Roman ... Sie sprechen das wie ein Ekelwort aus! ... Und überhaupt! Das ist ja nur eine Ausrede! Und noch dazu eine recht matte. Dieser ›Roman‹ ist nicht der wirkliche Anlaß für Ihr überstürztes Verschwinden gewesen!«

Singer sah zu Boden und rieb nervös die Hände zwischen den Knien. »Nun ja, Sie haben ja recht. Der eigentliche Grund war es nicht.«

»Und was war der eigentliche? Ich meine, wenn Sie darüber reden wollen.«

»Aber ja. Vielleicht ist es sogar gut, darüber zu reden ... nur, mit zwei Worten kann ich es nicht sagen ... ich muß da schon etwas weiter ausholen ...«

»Tun Sie nur. Ich höre gern zu.«

»Ich hatte damals gerade eine Arbeit abgeschlossen ... Nun, so etwas, was man sein Lebenswerk nennen möchte, genierte man sich nicht des Pathos eines solchen Wortes. Etwas jedenfalls, in das man alles hineinverarbeitet hat, was man gelernt, erfahren, geklärt zu haben glaubt ... Das Thema? – Mein Gott! Welches Thema ist es denn schon, das heute einen Historiker reizt, quält, verfolgt, verstrickt und nie losläßt?« – »Die Unfaßbarkeit dessen, was wir erlebt haben?« – »Ja! – Aber das beschränkt sich nicht auf die paar Jahre, die Hitler und sein Gefolge Europa in Blut und Unrat getränkt haben. Da stehen zweitausend Jahre abendländischer Kultur dahinter; die Kultur der Bibel und des Christentums, im Guten wie im Bösen. Zweitausend Jahre geistiger Mühe zur Humanisierung dieses Planeten und seiner Bewohner, Irrtümer und Hoffnungen, Niederlagen und Neuansätze. Und die zweitausend Jahre sind in einer Dekade zertrümmert, zernichtet, besudelt und ad absurdum geführt worden. Nicht etwa von einem satanischen Giganten übermenschlichen Maßes.

10

Nein! Von einem mediokren Halbirren mit kriminellem Größenwahn, wie sie zu allen Zeiten und überall in der Welt herumlaufen und Unheil stiften, bis die Polizei oder ein Irrenwärter sie einfängt.« – »Und warum ist das bei uns nicht geschehen? Warum hat man den Augenblick, wo das noch möglich gewesen wäre, verpaßt, hat ihm die Macht gegeben, die halbe Welt zu ruinieren? Unsere ganze – wie Sie sagen – zweitausend Jahre alte Kultur?«

»Nicht ein Hitler konnte unsere Kultur zerstören, sondern unsere Kultur war soweit, daß sogar ein Hitler sie zerstören konnte. Nicht die Barbarenzüge aus dem Norden und dem Osten haben das römische Imperium zertrampelt, sondern Rom war schon so siech, daß sogar Barbarenhorden es zu zerstören vermochten.«

»Von dieser Voraussetzung also sind Sie bei Ihrer Arbeit ausgegangen? Das ist ein weiter Schwung. Und nach welchem Konzept?«

»Ich bin davon ausgegangen, daß Menschengeschichte ein Zweig der Naturwissenschaft ist. Daß der Mensch sich – gleich dem Tier – in seinem Denken und Handeln leiten läßt vom Streben nach Selbsterhaltung. Von diesem Trieb würden alle politischen, sozialen, wirtschaftlichen Entwicklungen bestimmt.

Da aber der Mensch den sicheren Instinkt des Tieres großteils durch Lernen und Intellekt ersetzt hat, ist sein Planen und Wollen dem Irrtum unterworfen, anfällig für alle nur möglichen Fehlgriffe. So interpretiert, ist Geschichte eine Kette von Versuchen, sich möglichst heil und unverletzt durch die verminten Wege des Lebens zu schlagen; Minen zu erkennen, zu entschärfen und dabei nicht die Nerven zu verlieren ... Ja, das hab ich auch geglaubt, daß jede Ungeheuerlichkeit in einem Versagen der rationalen und moralischen Kräfte wurzelt, die durch die Instinkte nicht genügend unterstützt werden ... Ja und? So schien es mir auch. Jahrelang hindurch war ich von diesem Konzept überzeugt – bis ich merkte, daß ich einem Irrtum, einer Fehleinschätzung des Menschen aufgesessen bin ... Wie so plötzlich? – Nun, plötzlich war es gar nicht. Es ist mir auch nicht eigentlich eingefallen. Genau gesehen müßte ich sagen: nicht mein Hirn hat es gemerkt, sondern der Körper, die Nerven ... es traten auf einmal lästige Erscheinungen körperlicher Art auf: Atemnot, Schwindel, Herzjagen, Beklemmungen mit kaltem Schweiß. Ich bekam es mit der Angst und suchte Ärzte auf. Man fand nichts. Vegetative Dystonie ist die Paradediagnose für dergleichen. Man empfahl Ruhe, gesunde Luft, Ortswechsel, kam mir mit Streß und Abgasen. Aber im Grunde wußte ich selbst, was mir die Beklemmungen machte. Ich wehrte mich nur dagegen, es mir einzugestehen. Denn die wirkliche Ursache meiner Malaise war mir unerträglicher, als es eine organische Unregelmäßigkeit gewesen wäre, die man mit Tabletten beheben konnte ... Was die wirkliche Ursache war? Nun, nichts weniger als die Erkenntnis, daß ich von falschen – oder, was noch beschämender ist –, von zu primitiven Voraussetzungen ausgegangen bin ... ich sagte Ihnen schon, daß es keine Einsicht, keine rationale Erkenntnis war, die mir diese peinliche Offenbarung einbescherte. Ich hatte auch keinen sogenannten Geistesblitz. Ich *sah* einfach ... Sie kennen diese föhnigen Märztage in Wien, an denen es im böigen Wechsel sehr warm und plötzlich wieder eisig sein kann; wenn die Atmosphäre überklar ist und doch alle Formen verzerrt und fragwürdig erscheinen?

Ich machte einen Spaziergang durch die Innere Stadt, und schlagartig *sah* ich. *Sah* mit brutaler Überdeutlichkeit ... nein, eine reale Wahrnehmung war es nicht. Mein Kopf war leergeblasen, nur die Augen übersichtig. Keine Vision oder Halluzination. Dergleichen liegt mir nicht. Ein klares, unverschwommenes, konturenscharfes Sehen ... Was ich sah? – Ja! Die Häuser waren plötzlich durchsichtig, die Mauern wurden diaphan. Ich sah unter den Dachfirsten die Gerümpelböden, unter dem Pflaster die Keller und Katakomben.«

Singer starrte schweigend zu Boden und rang die Hände zwischen den Knien, wie er es bei Verlegenheit und in Verwirrung immer tat. Als er wieder zu sprechen begann, merkte man eine starke Erregung in der Stimme, und in seinem Gesicht war ein Zug von Degout, durchsetzt mit Beklommenheit.

»Ich sah diesen hinterfotzigen Wiener Häusern hinter ihre glatten Fassaden. Sah die Rohrleitungen, die in keinem Zusammenhang mit dem geschlossenen System stehen; Blinddärme, die Tropfgeräusche von sich geben, die kein Installateur zu orten weiß. Ich sah alle die halbdunklen Gänge und Korridore, die in sich selbst münden oder in Sackgassen enden. Ich hörte die Waschmuscheln und Aborte plötzlich übersättigt aufrülpsen und dann lange nachmurmeln, Beschwörungen und Beschreyungen; besonders nachts. Ich sah alle die versteckten Fußfallen und Selbstschußanlagen, magischen Frotzeleien, Alpschreck und Hexengekuder in den Rumpelkammern, Kellerlöchern und Nischen, aus denen einen das Gespenst anspringt und Ungeheuerlichkeiten ins Ohr keckert. – Basiliskenbäuche sind diese alten Wiener Zinshäuser. Sie würgen ein und verdauen dich ganz langam, still und unauffällig – alles hinter einer weißlackierten Tür mit Messingschnalle, adrett getarnt.«

Singer hatte sich zurückgelehnt und sah zum Fenster hinaus auf die Dächer. Seine Hände lagen auf den Armlehnen. Er war ruhiger geworden. »Sehen Sie«, sagte er, immer noch zum Fenster hinausblickend, »damals ist mir schlagartig aufgegangen, daß *dieses* die wahre Geschichte ist. Nichts, was sich im Salon abspielt. Auch nicht in Küche und Schlafzimmer. In diesen Abseitsräumen, die wohlweislich verrammelt und getarnt sind, weben die Spinnen des Verhängnisses in geduldigen Netzen das Grundmuster; im hellen Wohnbereich bekommt's dann nur mehr ein modernes Design. An diesem windigen Föhntag wurde mir bewußt, daß meine jahrelange, quellenuntermauerte, mit dem chirurgischen Besteck der Logik ausgeführte Sezierarbeit nichts war als eitle Klügelei. Ich habe die Keller und die Dachböden übersehen – oder gescheut; ich habe mit Opera-

13

tionslampen überstrahlt, was sich im funsigen Licht verstaubter Glühbirnen abspielt: das wirkliche Menschenleben.«

»Sind nicht die unzähligen Irrtümer, die Dummheiten und Niederträchtigkeiten, die im ›Salon‹ begangen werden, Elends genug und Ursache endlosen Leidens und Gewürges um nichts als ums knappe Überleben, um die Selbsterhaltung dieser unseligen Spezies Mensch?«

»Sicher, da haben Sie schon recht! Leidens genug, und wir hätten wahrhaftig alle Hände voll zu tun, um mit Hilfe unseres bißchen Verstandes das Elend, das uns die Natur zugemessen hat, zu bekämpfen und in den Griff zu bekommen, um zu überleben, die paar uns zugeteilten Jahre halbwegs in Frieden durchzustehen. Nur, wir begnügen uns nicht damit. Wir wollen kein schmerzstillendes oder lebensverlängerndes Mittel. Wir wollen das ewige Leben schlechthin! – Unser Selbsterhaltungstrieb ist ausgewuchert über die Grenzen hinaus, welche die Natur uns setzt. Das Widernatürlichste am Menschen ist, daß er sich mit dem Tod nicht abfinden kann. Und das Schrecklichste, daß ihm kein Preis zu hoch, kein Mittel zu schlecht ist, um sich ein ›ewiges Leben‹ zu erraffen – obwohl er unter dem zeitlichen schon so leidet! In dieser süchtigen Verzweiflung durchstößt er die Schallmauer der Wirklichkeit und stolpert ins verbotene Abseits, in die Dämmerräume des Irrationalen, wo er sich verirren, wo er scheitern muß. – Sehen Sie, das ist es, was man, wenn man Geschichte schreibt, so leicht übersieht; dafür sind auch die Quellen rar. In unserer Salongeschichte fretten wir uns redlich oder unredlich von Hürde zu Hürde; manchmal scheinen wir sogar ein paar Schritte vorwärts zu kommen. In den Abseitsräumen aber spielt sich unsere eigentliche Geschichte ab, die Geschichte unserer panischen Flucht vor dem unausweichlichen Tod. Und dieser Fluchtweg ist gesäumt von den Meilensteinen der Vergeblichkeit, von den Ruinen verrottender Illusionen. Lebensabhub und Leidenströdel, auf dem wir niederhocken, räudige

Geier mit den geknickten Flügeln unserer mißglückten Aufschwünge.«

»Und alle die religiösen und philosophischen, meinethalben sogar ideologischen Entwürfe, die der Absurdität eines zum Tod verurteilten Daseins Halt und Sinn zu geben versuchen?«

»Löcher, die man in die Sperrmauer der Wirklichkeit scharrt mit den blutigen Nägeln der Angst. Da wollen wir uns durchzwängen in ein Jenseits, in dem wir nichts verloren haben, für das weder unsere Organe noch die Nerven noch die Sinne ausgestattet sind; in einen hallenden Abgrund der Leere, wo – vielleicht! – Gott ist, aber nicht für unsere Augen.

Dann fangen wir in blankem Entsetzen zu lügen und zu phantasieren an und rüsten die Leere der Ewigkeit aus mit den schäbigen Versatzstücken aus den Rumpelkammern unserer Wünsche und Hoffnungen, verstellen unsere Furcht mit den Bühnenausstattungen von Himmel und Hölle und den stehenden Rollen des uralten Mysterienspiels vom Menschen, des ›Großen Spektakels‹: Das Opfer Mensch – bedroht vom Bösen – gerettet und erlöst von einer göttlichen Person. Wir inszenieren unsere Existenz. Dort, wo der Mensch die Herrschaft über sein reales Dasein verliert, macht er Theater, setzt er es in Szene. Die fünf Akte als Halt und Ordnungspfeiler, wo sich die Wirklichkeit in der großen Ungewißheit des Todes und Gottes verliert.«

»Und trotzdem! Mögen diese Inszenierungen auch nichts als Phantasmagorien sein, Fieberträume eines Verirrten in der Wüste der Todesangst, mögen all diese filigranen Heilsgebäude auf hohlen Bühnenbrettern stehen! Gehören sie nicht zum Schönsten, was wir gemacht haben auf dieser elenden Erde?«

»Schön? Da haben Sie schon recht. Sie können sogar sagen: dieser Todesschweiß der Furcht ist es, der den Garten der Künste gedüngt und ihre schönsten Blüten ausgetrieben hat. Tiere, die den Tod nicht kennen, haben auch keine Kunst. Aber dieser gleiche früchteschwangere Humus der Angst nährt auch Kerker und

Kriegswut, aus ihm sprossen die Gifttriebe der Folterkammern und der Scheiterhaufen, und er ist es, der die Henker fett macht. – Dies allerdings nicht prunkend im Licht, nicht in Schlössern und Kathedralen, in Museen und Bibliotheken, sondern in den halbdunklen Abseitswinkeln des Gartens, wo in verschwiegener Fertilität der Kompost lagert. Wir haben von den Heilsgebäuden gesprochen, die auf hohlen Bühnenbohlen stehen, nicht auf der festen, redlichen Erde der Wirklichkeit. Jedes Gebäude aber, mag es noch so filigran und geistig sein, bedarf verläßlicher Stützpfeiler.«

»Kann denn dort, wo das Wissen und die Erfahrung nicht hinreichen, nicht auch der Glaube ein solcher Stützpfeiler sein? Für einen, dem die Gnade geschenkt ist, ist der Glaube stärker als jede redlich beweisbare Gewißheit. Vielleicht eine falsche Gewißheit. Aber er fürchtet den Tod nicht mehr.«

»Ich bin der letzte, der jemandem den Trost des Glaubens mißgönnte. – Wenn Glaube nur nicht so gefährlich wäre.«

»Gefährlich?«

»Für den Glaubenden nicht, aber für alle, die seinen Glauben nicht teilen und Zweifel säen. Für die kann sein Glaube tödlich sein! Ja, tödlich, weil jeder Glaube etwas Absolutes ist. Und die absolute Wahrheit ist in den Händen der Menschen gefährlicher als die tödlichste Waffe. Wissen, durch die Vernunft erworbenes Wissen, ist immer vorläufig, schließt nie die Möglichkeit einer Korrektur aus. Das macht bescheiden und tolerant.

Wahrheit dagegen ist unantastbar, erhebt Endgültigkeitsanspruch. Jeder Zweifel ist Blasphemie. Wahrheiten verteidigt man nicht mit Argumenten, sondern mit Krallen und Reißzähnen. Für das ewige Leben ist dem Menschen keine Gemeinheit und keine Grausamkeit je zu schlecht gewesen, und die größten Unmenschlichkeiten hat man im Namen eines schönen Heilskonzeptes begangen.«

»Man kann es sogar verstehen. Der Preis ist hoch und sehr tief die Angst.«

16

PARAGONVILLE WÜNSCHT SICH EINE JUBELSCHRIFT

Da die Hausmeisterin unter unseren Füßen noch immer fegte, stob und schrillte, machte ich frischen Kaffee. Durch die Unterbrechung kamen wir wieder an den vergleichsweise harmlosen Anfang des Gesprächs zurück.

»Nach all dem, was Sie jetzt erzählt haben, Singer, von der fertiggestellten Arbeit, an der Sie plötzlich zweifelten, von den unklaren Unpäßlichkeiten und Ihren jähen Föhngesichtern – ich begreife immer noch nicht, was Sie gerade in Amerika gesucht haben?«

»Konnte ich in Wien bleiben? Wo mir aus jedem dunklen Hausflur, aus jeder Dachluke und jedem vergitterten Kellerloch der nackte Hohn entgegengrinste? Über mein ›Meisterwerk‹, in dem ich die Nebenräume vergessen hatte! – Das verfolgte mich, schnürte mir den Atem ab. Ich mußte weg, nicht nur aus Wien, aus Europa, von überall weg, wo es Dachböden und Keller gibt ... Amerika! Warum, fragen Sie? – Wenn einer dort die Wohnung wechselt, stellt er auch die Möbel aufs Trottoir. Da braucht man keine Abstellräume. Alles spielt sich in offenen Räumen ab, zwischen Möbeln, die frei sind vom Schimmelpilz der Erinnerung, vom pochenden Holzwurm eines Versagens, einer scheintoten Hoffnung. In Amerika glaubt man noch, daß menschliches Leben von der Vernunft geregelt und durchgestanden werden kann. Dort weiß man noch nicht, daß es ein dauerndes Wegarbeiten von Angst und von Leiden ist. Das Leben ist noch eine Jagd nach Erfolg, und der Tüchtigste macht die größte Beute. Geschichte ist ein Stufenweg aufwärts. Noch träumen sie die Trugfabel vom Fortschritt. – Anfangs war das für mich Sanatoriumsluft, frei von den Schwebstoffen des Vergangenheitssmogs. Ich war – wie die Anekdote sagt – ›happy‹.«

»Aber Sie haben das doch alles nicht geglaubt, Sie sind doch nicht hineingefallen?« – »Deshalb sag ich auch nicht freie Luft, sondern Sanatoriumsluft. Ein

Ausnahmszustand, eine Genesungspause.« – »Und Sie dachten jetzt besser von Ihrem Buch?« – »Nein und ja. Ich habe in Boston über europäische Geschichte gelesen. Und ich habe es so getan, wie ich es in meinem Buch geschrieben habe. Warum? – Stellen Sie es sich doch vor. Da saßen sie mir zu Füßen, alle die jungen Vernunftgläubigen, gutwillig, wißbegierig und naiv. Ihnen gegenüber konnte ich mein Versagen als ein humanes Verdienst ansehen. Einen Akt der Rücksichtnahme, zugebilligte Schonzeit. Was ist schon die Wahrheit, wenn sie lähmt und in Verzweiflung führt? – Früh genug schleicht sie sich an und drückt einem von hinten die Gurgel zu.«

»Irgendwo gönne ich denen ihre Selbstzufriedenheit nicht, den törichten, überheblichen Eifer, mit dem sie sich in jedes Übel der Alten Welt hineinmischen mit ihren dummdreisten Erfolgsrezepten, die mehr Schaden stiften, als sie je genützt haben. Das Allheilmittel Wohlstand und materielle Sicherheit! Das einzige Heilsgebäude, das auf ihrem eigenen Boden gewachsen ist. Unsere alten Seligkeitskonzepte haben sie zwar mitgeschleppt und dort im Glashaus ausgesetzt. Aufgegangen aber ist eine amerikanische Variante Calvins.« – »Ihr Fortschrittsglaube und Wohlstandsheil sind schon etwas angenagt. Sie wollen es nur noch nicht wahrhaben.« – »Und woran merkt man das?« – »Was ist es denn, was den naiven Lebensoptimismus früher oder später Lügen straft?« – »Der Tod?« fragte ich, nachdem ich eine Weile nachgedacht hatte. – »Ja, der Tod. Man könnte den Reifegrad von Menschen und Kulturen daran messen, wie sie sich zur Tatsache stellen, daß gestorben sein muß; wirklich und real gestorben, nämlich mit dem Körper und allem, was nach dem Tod mit diesem geschieht, ganz gleich, was angeblich der Geist macht.« – »Sie meinen, daß es ein Verrecken und kein Entschlafen ist?« – »Das ist etwas kraß ausgedrückt. Ich meine den toten Körper, den man bewohnt und geliebt hat und der der Verwesung überantwortet wird, in die ICH nicht mehr eingreifen kann, weder bei mir selbst noch bei ei-

18

nem, der mir lieb war. – Hören Sie, ich muß Ihnen etwas erzählen, ich glaube, es war sogar einer der Anlässe – und nicht der geringste – warum ich Amerika ziemlich überstürzt wieder verlassen habe ...

Ich saß in einem Park und döste in der Sonne. Da fiel mein Blick auf eine Tafel im Rasen. Darauf ein Name, Lebensdaten. Ein diskreter Denkstein für einen verdienstvollen Mann, denk ich mir. Seh dann aber genauer um mich und merke, daß überall, zwischen Büschen und Blumenstücken verteilt, solche Tafeln waren. Da begriff ich, daß ich in einem Friedhof saß, der sich als Park getarnt hat. Da fiel mir auch ein, was ich von ihren Bestattungsgebräuchen gelesen habe. Der ›Tod in Hollywood‹ fiel mir ein, und es packte mich die makabre Vorstellung, daß unter dieser Blumenwiese keine redlich verwitternden Kadaver lagen, sondern rosig lächelnde, kosmetisch aufgeputzte Leichen, und es gruselte mich. Ich hielt es dort nicht aus. Ich bin davongerannt. Einerseits hat mir gegraust, anderseits hat es mich auch empört. Ein Friedhof soll ein Friedhof sein und kein Kinderspielplatz. Auch die Ägypter haben ihre Leichen hergerichtet und der Verwesung entzogen, aber sie wohnten in Totenstädten. Man hat sie nicht als Tote verleugnet.«

»Hängt es damit zusammen«, sagte ich nachdenklich, »daß sie keine Keller und Dachböden haben und keinen Lebenströdel aufbewahren? Fürchten sie sich vor der unkontrollierten Lebendigkeit dessen, das im Abseits haust, der Lebendigkeit der Verwesung und Verrottung?« – »Sie möchten diese Lebendigkeit nicht wahrhaben. Aber ganz können sie sich der Erkenntnis doch nicht verschließen. Sie sind in einem Zustand zwischen Abgestoßensein und Angst auf der einen und einem fast süchtigen Interesse daran auf der anderen Seite. Deshalb ihr Europatourismus, natürlich immer sicher in großen Gruppen, aus denen sie sich nie entfernen und vereinzeln. Deshalb auch ihre Gier nach europäischer Geschichte, vor allem den Morastperioden derselben. Dann können sie sich mit fröstelndem Behagen sagen:

So etwas ist bei uns gottlob nicht möglich! – Einem solchen Verlangen habe ich meine Berufung nach Boston zu verdanken.«

»So hat Sie Wien also wieder«, sagte ich bewußt leger, um den Ernst, der sich ungewollt durch dieses Gespräch breitgemacht hatte, etwas aufzulockern. »Darf ich fragen, woran Sie jetzt arbeiten?«

»Mein Gott«, sagte Singer und sah aus, als hätte er unversehens auf einen wehen Zahn gebissen; »ich recherchiere, wälze Literatur. Versuchsbohrungen. Sie wissen ja, wie es ist. Ob etwas daraus wird, weiß ich noch nicht ... ehrlich gesagt, ich weiß nicht einmal, ob ich will, daß etwas draus wird.«

»Was heißt das: ob Sie wollen, daß etwas draus wird?«

»Ja, sicher! Das ist schwer zu verstehen – und noch schwerer zu erklären.« Singer kaute mehr den Satz, als er ihn sprach: »Ein Mitbringsel aus der Neuen Welt, das Thema. Vertrackt und lächerlich.«

»Sie machen mich neugierig! Haben Sie die europäische Geschichte an den Nagel gehängt? Jahrtausende für schäbige zweihundert Jahre Amerika?« – »Ärger. Ich soll sie gegeneinander abwägen und die zweihundert sollen schwerer ins Gewicht fallen als die Jahrtausende ... Ja, meine Liebe, ich habe mich verkauft!« – »Zur Geschichtsfälschung?« – »Wenn das so einfach zu sagen wäre. Im Grunde weiß ich nicht einmal, ob es wirklich eindeutige Fälschung ist.« – »Sie müssen schon ein bißchen deutlicher werden.« – »Ja, ja, ich weiß, und wahrscheinlich tut's mir sogar gut, wenn ich einmal darüber rede ... aber es ist eine lange Geschichte, ich muß ein bißchen ausholen.« – »Nur zu, ich hab Geschichten gern. Vielleicht erinnern Sie sich noch daran, daß ich sehr neugierig bin.«

»Also gut. Ich werde es möglichst kurz machen. Unterbrechen Sie mich, wenn ich breit werde. Man wird gerne breit, wenn man eine Schande zu rechtfertigen hat.« – »Da schau her! Da bin ich gleich noch neugieriger. Also, fangen Sie bitte an. Ich höre.«

»Mit meiner Hochschultätigkeit in Boston war auch

die Verpflichtung verbunden, dann und wann Gastvorträge an anderen Universitäten zu halten, bisweilen sogar in Colleges oder lokalen Kulturvereinen. Die Amerikaner sind da empfindlich und deuten es leicht als Hochmut aus, wenn man sich entzieht. Außerdem konnte ich es mir gar nicht leisten, mich zu entziehen, denn gerade diese kleinen und mittelgroßen Nester zahlen oft erstaunlich gut, und da ich über kein fixes Einkommen verfüge, muß ich auch an diese Seite der Medaille denken.

So führte mich einmal eine Vortragsreise – natürlich österreichische Geschichte, Monarchie, Kaiserhausanekdoten etc. – in eine texanische Kleinstadt, Paragonville geheißen.« – »Also Musterstadt? Ein recht anmaßender Name!« – »Ach ja, das fällt mir jetzt erst auf! Aber es paßt. Paßt genau. Sie werden noch hören. – Nun, dieses Paragonville ist eine jener Städte, die sich dank eines Ölvorkommens innerhalb kurzer Zeit aus einer ländlichen Pioniersiedlung zu einer Industriestadt gemausert haben. Das bringt Wohlstand. Und dieser Wohlstand erweckt in der zweiten, dritten Generation oft den Ehrgeiz, sich nun auch den Luxus der Bildung und gehobener Interessen zu gönnen. Man leistet sich ein College, veranstaltet musikalische Sommerfeste, Ausstellungen moderner, aber nicht zu moderner Kunst, und man organisiert auch wissenschaftliche Wochen. Im Rahmen einer solchen Woche, die den eindrucksvollen Namen ›Historisches Symposion‹ trug, gab ich vor einem andachtsvoll lauschenden, seine Pelze und Perlen ausstellenden Publikum Pikantes aus dem Wiener Hof- und Kunstleben der ersten Vorkriegszeit zum besten, gewürzt mit ein paar Moritaten zum Gruseln. Ein bewährtes Rezept, das dort immer Anklang gefunden hat und das ich schon auswendig hersagen konnte.

Man war beeindruckt. Es wurde mir anhaltender Beifall gespendet. Anschließend der übliche Empfang, die obligate Stehparty, bei der mich zuvorkommende Stadtväter mit den näheren Bewandtnissen ihres Gemeinwesens bekannt machten, auf das sie nicht wenig stolz waren ... Ich muß das erzählen, es gehört zur Geschichte, und da wir ja glücklicherweise sitzen, kann ich es Ihnen auch zumuten: Gegründet wurde Paragonville in den achtziger Jahren des vorigen Jahrhunderts vorwiegend von Angelsachsen und Deutschen, zu denen sich bald osteuropäische Juden gesellten. Die ersteren betrieben mit Fleiß und Erfolg Viehzucht. Auch der Weizen gedieh und brachte mäßigen, aber sicheren Gewinn. Die Juden ließen sich im städtischen Bereich als kleine Handwerker nieder, betrieben Geschäfte und Gastwirtschaften. Man stand einander nicht im Weg, sondern ergänzte sich. So gab es keine Reibungsflächen. Da fand sich durch Zufall im Territorium des Landstädtchens eine Ölquelle. Keine Schatzgrube, aber doch so ergiebig, daß der Ort einen raschen Aufschwung erlebte, ohne daß ein nennenswerter Zuzug an Glücksrittern erfolgte. Man blieb unter sich. Die ehemaligen Viehzüchter stellten nun die geschäftliche Oberschicht dar und waren in allen Zweigen der Ölindustrie und ihrer Verwertung tätig; Familienbetriebe, die einander kaum Konkurrenz machten. Die jüdischen Sippen profitierten indirekt von dieser Prosperität, die mehr Geld in Umlauf brachte. Sie schickten mindestens einen ihrer Söhne an die Universität, von wo sie dann als Juristen, Ärzte oder Zeitungsmänner zurückkehrten und eine intellektuelle Oberschicht bildeten, die sich mit der industriellen glücklich ergänzte. Die Ölherren zogen sie gerne als Anwälte oder Ärzte heran, weil sie ihnen weniger mißtrauten als Leuten, die von außen kamen. Hatten sie doch schon bei deren Eltern die Schuhe gekauft und die Anzüge schneidern lassen. Man empfand die Solidarität der gemeinsamen schweren Anfänge, des gemeinsamen Emporgekommenseins.

Die niedrigen Arbeiten wurden übrigens fast ausschließlich von Schwarzen verrichtet, im Gastgewerbe etablierten sich ein paar Italiener. Kein aufmüpfiges Proletariat. Sie haben mitsamt ihren Familien ein recht gutes Auskommen. Sie sind sich ihrer Notwendigkeit bewußt und haben noch nichts von Ausbeutung gehört.

Von der Einwanderungswelle im Zusammenhang mit dem Zweiten Weltkrieg war Paragonville kaum berührt worden.

Am Sonntag sieht man die Familien der Großindustrie in leisen Riesenlimousinen vor ihren Gotteshäusern vorfahren; meist Baptisten oder Methodisten. Am Samstag vollzieht sich der gleiche Vorgang bei der Synagoge. In der katholischen Kirche tänzeln die Neger, die in billigeren Autos herankommen. Die Glaubenszugehörigkeit ist mehr eine Sache der Gesellschaft und Gewohnheit als eine der konfessionellen Bindung. Man begeht zwar andere Feiertage und heiratet gewöhnlich innerhalb der Gruppe, aber die Kinder besuchen die gleichen Schulen, Tanzstunden und Sportclubs. Man wählt konservativ, denkt liberal, verabscheut und fürchtet gemeinsam die Kommunisten, Mittellosen und Linksintellektuellen – die man übrigens nur vom Hörensagen kennt. Ein liberalisiertes Juden- und Protestantentum puritanischer Prägung hat ja unter der Oberfläche viel Gemeinsames. Den Fleiß, die Sparsamkeit, ein moralisch getöntes Erfolgsstreben und eine tiefe Scheu vor jeder Art der Ausschweifung und Verschwendung. Sogar den Eigendünkel teilen sie und verfolgen in den Zeitungen mit hybriden Schauern die schwülen Skandale, die sich im Morast der Erfolglosen abspielen – Zeigefinger von Gottes Verwerfung.

Im Lauf dieser aufklärenden Unterhaltung mit den Paragonviller Stadtvätern teilte man mir auch mit, daß man vorhabe, das hundertjährige Bestehen des Gemeinwesens und dessen Werdegang im folgenden Jahr in einer würdigen Form zu feiern. Der Stolz auf die gesellschaftlichen Verhältnisse und auf die ihrer Überzeugung nach lange, dabei durchwegs friedliche Geschichte hatte nun den Plan reifen lassen, die paar noch erhaltenen Gassen und Plätze der ursprünglichen Siedlung für die Dauer der Festtage zu einer Art Freilichtbühne auszustaffieren, wobei sich die Paragoneser jeder Altersstufe in historischer Tracht zwischen Pferdefuhrwerken, Werkstätten, Läden und Saloons historisch gewordenen Tätigkeiten widmen sollen. Leider haben sich in den Familien kaum Erinnerungsstücke gefunden, weil man ja Überholtes wegwirft. Man hält sich an Leihgaben aus den Filmstudios.

Es versteht sich von selbst, daß bei dieser Großveranstaltung auch Kunst und Wissenschaft nicht zu kurz kommen sollen. So ist etwa ein heimisches Museum geplant, das den Nachfahren die kargen Lebensformen sowie die zielbewußte Strebsamkeit der Pioniere plastisch vor Augen führen soll, der Jugend, die sich leider an den Wohlstand schon so gewöhnt hat, daß sie ihn für selbstverständlich hält und beunruhigende Zeichen von einer ganz unrealistischen Kritik aufweist, die man nicht ohne Sorge beobachtet.

So plauderte man also dahin. Im Stehen natürlich. Meine Sohlen brannten, und mein Steiß wimmerte nach einem Sessel. Aber falls welche im Hause waren, hatte man sie versteckt. Sie kennen das, obwohl die europäische Stehparty nur ein brustschwaches Dekadenzprodukt der amerikanischen ist. Ihr fehlt der sakrale Geist, der puritanische Ernst. Müßiggang muß einen Wehstachel haben, um die Zensur passieren zu dürfen! – Aber jetzt Schluß mit der Abschweifung, sonst kommen wir nie zu einem Ende. Denn das Bisherige war nur das Präludium.

Ich muß vorausschicken, daß ich während meines Aufenthalts in Paragonville meine Mahlzeiten in einem kleinen italienischen Lokal einzunehmen pflegte, das noch nicht paragonvillisiert war und wo man noch italienische Pasta asciutta bekam ohne Ketchup-Zusatz. Dort bediente ein junger, erst kürzlich eingewanderter Sizilianer, der stark an Heimweh litt. Mit meinem bißchen Italienisch hatte ich sofort sein Herz gewonnen, und er dankte es mir mit bevorzugter Bedienung und dem gesamten Stadtklatsch.

Was ich Ihnen jetzt erzähle, ist die Quintessenz, wie ich sie dem gesten- und bilderreichen Verschwörergetuschel meines jungen Gewährsmannes entnahm. Er hatte nämlich etwas erlauscht und wortgetreu behalten, was mich persönlich anging, und brannte darauf, es mir zu hinterbringen. Es war ein Gespräch, das sich zwischen zwei Paragonviller Honoratioren abgespielt hatte, einem Großindustriellen, Mr. J. J. Watson, und dem Internisten der Stadt, Dr. Sam Earstone.

Ich schildere das Bild, das sich mir dank der glänzenden Schauspiel- und Redegabe des vifen Peppino von selbst in meiner Vorstellung formte: James Jonathan Watson sitzt vor seinem hochpolierten, leeren Riesenschreibtisch mit drei Telephonapparaten und überblickt aus dem 17. Stockwerk seine Stadt und deren Weichbild. Da wird er – ganz gegen seine sonstige Wesensart – von einer Vision heimgesucht. Er sieht vor sich ein in Feinleder gebundenes Buch mit Goldschnitt – so stellt er sich wissenschaftliche Werke vor –, ein Buch, auf dessen Deckblatt in Zierschrift der Name seiner Stadt und sein eigener steht mit einer ausschweifenden Dankadresse an den ›Initiator und großzügigen Förderer‹. Ein historisches Werk.

Dem gewichtigen Mann schwebt nichts weniger vor als ein fesselnder Überblick über die europäische Geschichte mit Bevorzugung ihrer Greuel- und Irrsinnsabschnitte, lehrhaft gipfelnd in einer Apotheose der hundertjährigen Geschichte von Paragonville, wo nüchterner Verstand und Bürgersinn, gepaart mit gesundem Erfolgsstreben, Unordentlichkeiten, wie die Alte Welt sie sich geleistet hat, zu vermeiden wußte. Solider Sparschweiß und hartes Gewinnstreben – Mahnfinger vom Segen des Herrn – lassen den Bürger nicht in den Pfuhl des Müßigganges sinken, die jene seelische und geistige Ausschweifung ausbrütet, die regelmäßig in Raub, Mord, Armut und Enteignung ausartet. Gottes Gnade wohnt bei denen, die solchen satanischen Luftgespinsten und Utopien wackeren Widerstand leisten, brav gehalten durch den bitterlichen Schweiß des Sparsinns und Erwerbsfleißes.

Ein solches Werk nun – erkannte der Mann in seiner prophetischen Anwandlung – würde nicht nur die Jubelfeier krönen, sondern den Ruhm der Stadt und ihrer

Bürger wie deren schlichte Verdienste über die Grenzen des Gemeinwesens hinaus verkünden; im Bundesstaat, in den ganzen Vereinigten Staaten, ja, warum nicht sogar in Europa, jener Brutstätte der Fehlhaltungen. J. J. träumte vor sich hin mit einer gewissen Erschlaffung der unteren Gesichtspartie. Bald wurde diese aber unvermittelt wieder kantig hart, er schlug mit der flachen Hand auf die glänzende Schreibtischfläche und sprach laut vor sich hin: ›Das ist dann nur mehr Sache des Managements und der gezielten Werbung.‹ Er war jetzt wieder ganz nüchtern. In diesem Zustand erledigte er noch ein paar Anrufe und Unterschriften, diktierte einen Brief und teilte seinem Sekretariat mit, daß er in den nächsten zwei Stunden im ›Italienischen Restaurant‹ zu erreichen sei. Dort befand sich zu dieser Zeit nämlich Dr. Sam Earstone, Facharzt für Innere Medizin, der in der Stadt den Ruf einer extravaganten Allgemeinbildung genoß, was ihm nur deshalb nicht schadete, weil auch sein Bankkonto in Ordnung war. So konnte man ihn in einschlägigen Fragen ungescheut zu Rate ziehen.

Wie vermutet, saß Earstone, als J. J. eintrat, bereits auf seinem Stammplatz vor einem schweren Frühstück, drei bis vier Tablettenschachteln vor sich und mit der Gesichtsfarbe eines an der Galle Leidenden. Mister Watson begann – weil noch voll davon – ziemlich übergangslos, seine Vision zu schildern.

Aus angeborener sowie beruflich entwickelter Neugier machte sich mein schwarzgelockter Peppino daran, in Horchnähe des Honoratiorentisches saubere Gläser zu putzen.

›Alles, was Edition, Ausstattung, Auflage und Vertrieb betrifft, übernehme selbstverständlich ich‹, sprach Watson; ›aber sehen Sie, Earstone‹ – dabei bekam sein Kantengesicht etwas knabenhaft Ratloses –, ›einer muß es ja wohl schreiben?‹ – Der Doktor hatte aufmerksam zugehört, ohne dabei den morosen Ausdruck abzulegen, der keineswegs dem Projekt galt, sondern in welchem Gallensaft und grundsätzliche Weltsicht zu einer kristalle-

26

nen Substanz zusammengeschossen waren. Nach einiger Überlegung sagte er: ›Da ist doch jetzt dieser Singer in der Stadt. Er soll als Historiker einen guten Namen haben. Der äußeren Aufmachung nach ist er allerdings nicht gerade vom Solidesten, und wie ich höre, logiert er billig.‹ – ›Er wird also Geld brauchen‹, seufzte J. J. erleichtert und sah das Problem gelöst. Earstone nahm eine Tablette aus der Schachtel, auf welcher ›nach der Mahlzeit‹ stand, und sagte: ›Am besten, man nimmt ihn in die Zange, solange er noch in der Stadt ist.‹ – ›Zange, warum Zange‹, fragte Mr. Watson verständnislos, ›wenn er Geld braucht? Wir werden ihm ein anständiges Honorar zahlen!‹ – ›Ja, wissen Sie‹, sagte der Doktor, ›die Leute von drüben sind oft eigen!‹ Dann zahlte er und versprach noch, sich dieses Singers anzunehmen.

Als ich nach Abgang der beiden Herren meinerseits das Lokal betrat, schoß mir der sizilianische Adonis mit Mafiosenblick entgegen und zischte mir das Komplott ins Ohr, noch ehe ich richtig saß. Ich mußte ihn nochmals um gelassene und möglichst folgerichtige Wiedergabe bitten. – So war ich nicht ganz ungefaßt, als mich im Hotel ein Billett erwartete, das mich für den Abend zu einem ›zwanglosen Beisammensein‹ mit den Honoratioren der Stadt bat.

So zwanglos war es dann gar nicht, und ich konnte mich des Eindrucks nicht erwehren, mit meinem für solche Fälle langjährig gehüteten Paradeanzug nicht die vorteilhafteste Figur zu machen. Die Damen in Hals- und Ohrengeglitzer und tadellosen Kunstgebissen schätzten mich kurz und mit der Sicherheit eines gewiegten Diamantenhändlers ab, wobei sie es gekonnt vermochten, die Schärfe des Prüfblicks mit einem gewinnenden Dauerlächeln zu kombinieren. Ich wurde herumgereicht wie ein seltenes Schaustück, und man versicherte mich, daß mein Vortrag faszinierend gewesen sei. Nach diesen Präludien zog mich dieser Ohrenstein in ein stilles Kabinett, wo schon Watson und zwei, drei andere Paragoneser saßen, die seine Brüder hätten sein können. Man saß vor einem mit erlesenen Delika-

tessen und Spirituosen bestückten Tischchen in Leder-
fauteuils, die so konstruiert waren, daß bereits das Einsinken eine vollendete Korruption war. In mir schoß ein
tierisches Mißtrauen auf, und ich verlangte Mineral-
wasser. Nun trug man mir den Plan der Festschrift vor,
worauf ich dank der Aufmerksamkeit meines jungen
Komplizen schon vorbereitet war. Die Vision des Ölkö-
nigs war indessen zu präziseren Formen gediehen. So
erfuhr ich, daß man nichts weniger als einen Abriß der
gesamten europäischen Geistesgeschichte erwartete,
und zwar unter dem Aspekt einer Art moralischen Defekts. Die Ursache sah man in Paragonville darin, daß
das alte Europa starrsinnig in irrationalen Gespinsten
festwurzle, denen man eine höhere Wertschätzung angedeihen lasse als dem Streben nach solidem Wohlstand. Den Herren schwebte eine Art Blütenlese aus
den Schreckensperioden der europäischen Geschichte
vor, die wir uns im Lauf der Jahrhunderte immer selbst
eingebrockt hätten eben durch jenen unsachlichen Hang
zum Spirituellen.

So absurd es klingen mag, vom Stand weg hätte ich
diesem logischen Kurzschluß gar nicht zu widersprechen vermocht. Krasse Vereinfachungen komplexer
Sachverhalte haben es oft an sich, daß man aufs erste
ratlos ist und passen muß. Ich schwieg also und versuchte, kein dummes Gesicht zu machen; dabei gelingt
einem manchmal ein bedeutendes.

Darauf nannte man mir ein Honorar und sah mich
erwartungsvoll an. Es war so geartet, daß ich meine Verblüffung nicht rasch genug zu unterdrücken vermochte. So runzelte ich auf alle Fälle zunächst einmal die
Stirn, worauf man zu meiner größten Verwunderung
das Honorar erhöhte. Aus lauter Überraschung entfuhr
mir ein Grunzton, was zu einer nochmaligen Erhöhung
führte. Jetzt dämmerte mir endlich, daß ich in einer Art
Viehhandel begriffen war. Ich mußte tief Atem holen.
Der Betrag, den man mir genannt hatte, war für meine
Verhältnisse fürstlich. Nun aber war ein alteingeboren-
ner Bazargeist in mir erwacht. Hastig bemühte ich

28

mich, mir ein einsames Alter in Armut vorzustellen, siech und entbehrungsvoll. Dieses innere Bild, das ich kräftig schürte, begann sich wunschgemäß in meinen Zügen zu spiegeln. Die Herren deuteten den Ausdruck als schmerzliche Bekümmerung über die mangelnde Kenntnis der Preise von Wissenschaft, besonders der meinen. Das wollten sie keinesfalls auf sich sitzen lassen. Man verständigte sich mit einem kurzen Blick und erhöhte die Summe noch einmal saftig. Ein uralter Instinkt gab mir ein, daß das Limit erreicht war, und ich glättete meine Züge. Man nahm das als Zustimmung und schritt nunmehr mit sichtlicher Erleichterung zu den Details. Eine Sache war es, die den Herren besonders auf dem Herzen lag. Das Opus müsse einerseits – und da sei man bei mir ganz unbesorgt – vom wissenschaftlichen Standpunkt her von höchster Qualität sein und jeder Fachkritik gewachsen. Anderseits aber – und jetzt wurde ich hellwach – müsse es so abgefaßt werden, daß es nicht in Fachseminaren und Universitätsbibliotheken verrotte, sondern eine breite Schicht von Lesern auch mäßigen Bildungsgrades hinreiße. Nicht nur allgemeine Verständlichkeit und ein ansprechender Stil schwebe den Herren vor, sondern Spannung, Unterhaltung, Action. Kurz, etwas wie ein wissenschaftlicher Bestseller.

Hier mußte ich mit einem scharfsauren Druck kämpfen, der sich brennend meine Speiseröhre hinunterwürgte und einen kurzen Magenkrampf auslöste. Ich sagte etwas von Überdenken und verabschiedete mich mit schlecht verhohlener Hast. Dann, im Hotel, flach auf dem Rücken liegend und bis übers Kinn zugedeckt, schimpfte ich zunächst einmal lange und phantasievoll vor mich hin. Als das Gefühl des Überdrucks nachließ, sagte ich mir einige Male mit fester Stimme das Honorar vor. ›Bin ich feil?‹ fragte ich mich selbst laut. – ›Bin ich denn frei?‹ wisperte es betreten aus der Dunkelheit zurück. Ich stieß das Deckbett zur Seite und gab mich zufleiß der Kälte preis; dabei stellte ich mir mit masochistischer Akribie mein Bankkonto vor. Unfähig, auch nur minutenweise zu Schlaf zu kommen, erhob ich mich, wickelte mich in die Bettdecke und setzte mich vor den winzigen Hotelzimmertisch. Ich nagte an einem Brief. Darin ließ ich die hochgeehrten Herren wissen, daß ich ihren werten Vorschlag hochinteressant fände und ihn mir durch den Kopf gehen lassen wolle. Allerdings müßte ich – die Tatsache war mir neu – gleich nach dem Aufenthalt in ihrer gastfreundlichen Stadt zurück nach Europa, wo man mich dringend erwarte. Endgültigen Bescheid könne ich daher erst aus Wien geben. Bis dahin noch vielen Dank für das ehrende Angebot und Vertrauen. Den Brief gab ich dem Etagenkellner zur raschen Beförderung. Ich lag noch in einem dumpfen Morgenschlaf befangen, als mir auf einem Tablett die Antwort gereicht wurde.

Die Herren hätten viel Verständnis dafür, daß ein solches Unternehmen gründlich erwogen und überdacht werden müsse. Meine Besonnenheit erhöhe nur das in mich gesetzte Vertrauen. Allerdings dränge die Zeit. ›Falls Sie, verehrter Herr Professor, den Auftrag übernehmen, wie wir alle hoffen, erlauben wir uns, um baldige Zusendung einer Probe zu ersuchen. Wir setzen Ihr Verständnis dafür voraus, daß wir uns – ehe der Auftrag endgültig vergeben wird – ein Bild darüber machen möchten, ob Ihre Auffassung und Behandlung des Themas unseren Vorstellungen und Intentionen entspricht. Sie werden zweifellos Verständnis für diese im Geschäftsleben übliche Gepflogenheit haben. Für das Festgremium gez. J. J. Watson und Sam Earstone.‹

Eine Warenprobe wollen sie«, zischte Singer mich an, als hätte *ich* sie von ihm gefordert; »soweit kommt's mit einem, daß sie eine Warenprobe verlangen wie für eine Zahnpasta: historisch unanfechtbar und lesbar wie ein Kriminalreißer!« – »Was haben Sie geantwortet?« – Da blickte Singer zu Boden und sagte leise: »Ich habe mein Geld gezählt.« – »Und dann?« – »Dann hab ich mir einen Vorschuß geben lassen.«

THUGUT UND DIE KERNFRAGE,
OB GOTT EIN MANN ODER EINE FRAU IST
ODER WEDER NOCH

Das nächste Mal traf ich Singer unten im Hof. Er versuchte gerade, den Aufzug herunterzulocken. Der versagte sich leider, wie es bei feuchtkaltem Wetter oft geschieht. Ich klärte den Murrenden über die Eigenheiten dieses Hochbetagten auf, der zwar mit Sitzbank, Spiegel und geätzten Zierscheiben versehen ist, seine eigentliche Funktion aber nur mehr nach Laune wahrnimmt.

Wir machten uns also daran, uns mit Hilfe des ausschweifend geschmückten Gußeisengeländers auf eigenen Füßen das dunkle Stiegenhaus emporzuwinden. Da wir dabei redeten, mußten wir naturgemäß oft stehenbleiben. Ich fragte nach Neuigkeiten betreffs der Jubelschrift für Paragonville. Singer bekam sofort ein versorgtes Gesicht und erzählte, er habe mit einem kundigen Finanzberater seine Vermögensverhältnisse durchgesprochen, und dabei habe sich herausgestellt, daß er es sich gar nicht leisten könne, den Auftrag abzulehnen. Dank eines kleinen, über die Kriegswirren herübergeretteten Vermögens lebte er als Privatgelehrter ohne feste Bezüge. Da er mit dem Alter immer heikler wurde, sowohl in der Produktion selbst als auch in der Auswahl von Lehraufträgen, befand er sich in einer unbehaglichen Klemme. Er zehrte bereits am Kapital.

Im übrigen erwarte er heute einen Gast, sagte er, von dem er wünsche, daß ich ihn kennenlerne. Ob ich Zeit hätte, bei ihm zu einem Türkischen einzusitzen.

»Ein interessanter Mensch, er wird Ihnen gefallen. Wir kennen uns von der Schule her. Dann haben wir uns ganz aus den Augen verloren, und unlängst spricht er mich plötzlich in der Bibliothek an. Ich hätte ihn gar nicht erkannt. Vielleicht in normaler Kleidung, aber in Kitteln!« – »Er trägt Kittel? Ist er ein Transvestit? Schöne Bekannte haben Sie.« – »Woran Sie gleich denken! Ein Ordenskleid trägt er. Er ist Benediktiner. Aber ich muß gestehen, das hat mich fast ebenso verblüfft. In der

Schule hat er gerade nicht zu denen gehört, denen man eine geistliche Karriere vorausgesagt hätte.« – »Singer, ich habe noch keinen Bedarf nach priesterlichem Zuspruch!« – »Da können Sie ganz unbesorgt sein. Die Einzelseele interessiert ihn wenig. Er ist Verhaltensforscher und, soviel ich erraten konnte, eine Kapazität in seinem Fach. Natürlich auch in der Theologie sehr bewandert. Im Zusammenhang mit einer wissenschaftlichen Arbeit ist er vom Stift beurlaubt.«

»Ich sehe keinen Zusammenhang zwischen Naturwissenschaft und Theologie. Es sei denn in der Gestalt des Heiligen Geistes. Aber ich muß gestehen, daß mir das Geheimnis dieser besonderen Taube stets verschlossen geblieben ist. Ich werde mich blamieren vor Hochwürden und möchte auf diese Bekanntschaft doch lieber verzichten.« – »Sie würden es bereuen. Da entginge Ihnen was. Glauben Sie mir, wenn ich als Hebräer das sage. Schauen Sie sich den Floris einmal an, ehe Sie vorschnelle Entscheidungen treffen. Ich habe ihm übrigens schon von Ihnen erzählt. Er ist neugierig auf Sie.« – »Floris heißt er?« – »Floris Thugut. Sein Ordensname ist Pater Florian. In der Schule nannten wir ihn wegen seines seltsamen Wuchses, aber vor allem auch wegen seiner bemerkenswerten Talente, Floris, den Floh. Als Schüler entsprach er nämlich sehr wenig dem Namen Thugut. Er war ebenso faul wie die meisten von uns und kämpfte gegen Jahresschluß immer ums Überleben. Nur in den Methoden unterschied er sich dabei von der breiten Menge. Und diese Methode war es, die ihm – nebst seiner dünnbeinigen Kugelgestalt – den Spitznamen eintrug. Während wir uns nämlich umflorten Hirns und mit unökonomischen Arbeitsanfällen durch das ganze Schuljahr schleppten, bewahrte Thugut im Regen der Mahnzettel absolute Ruhe und Gelassenheit und lebte bequem bis knapp vor der Katastrophe. Wenn unsereiner aber endgültig die Nerven verlor, entwickelte er äußerste Konzentration. Er verstand es gerade im richtigen Moment, den Lehrstoff mit einem Jagdsprung anzufallen und sich dann kraft eines Beißstachels tief in ihn einzubohren und festzusaugen. So rettete er sich immer rechtzeitig vor dem Untergang und genoß vorher das Leben.

Das imponierte uns natürlich, aber keiner vermochte es ihm gleichzutun ... Warum er Priester geworden ist? Ich weiß es nicht ... O ja, natürlich hab ich ihn gefragt, aber er zog es ins Komische, nannte sich spöttisch einen Spätberufenen. Ich weiß nur, daß er den ganzen Krieg hindurch Soldat war und dann mit der Zoologie begonnen hat. Nach dem Abschluß dieses Studiums erst wandte er sich der Theologie zu und nahm die Weihen. Der Lebensstil im Orden behage ihm, sagt er, mit Askese und Zölibat nehme man es bei den Benediktinern nicht übermäßig genau. Ich bin aber sicher, daß er sich nicht aus Bequemlichkeit der Kirche verschrieben hat. Er ist ein stilles Wasser und hat schon immer Dinge, die ihm ernst waren, mit einem Witz kaschiert. – Die Paragonviller Geschichte kennt er übrigens.«

Wir traten in Singers Wohnung ein. Ich sah sie zum erstenmal, und er führte sie mir vor. Den Räumen nach entsprach sie genau der meinen, sehenswert war nur die Art, wie er sie sich eingerichtet hatte. Alle Zimmer waren wandhoch mit Bücherregalen verstellt. Im mittleren standen ein Tischchen und ein paar Fauteuils. Rechts und links davon aber befand sich je ein Arbeitsraum mit einem gewaltigen josefinischen Schreibtisch.

»Dieser Raum«, erklärte Singer, »ist mein Heckbauch. Da exzerpiere ich und schreibe die Erst- und Zwischenbearbeitungen mit der Hand. Dort drüben im zweiten Arbeitszimmer bringe ich die Elaborate in überschaubare Form. Sie werden getippt und erhalten Schliff und Erziehung. Bis zur Endform wird natürlich mehrmals hin und her übersiedelt.«

Bei näherer Betrachtung merkte ich auch an allerhand Einzelheiten den grundverschiedenen Charakter dieser Behausungen.

Das Drillzimmer hatte etwas Karges, Asketisches. Es drückte sich in der Polsterlosigkeit und in der strengen Steilheit der Sessellehne aus. Auch die Schreibsachen waren rechtwinkelig ausgelegt. Der Raum der Disziplin war mit einer insektenhaften Büroleuchte ausgestattet, die kalte Helligkeit aufs Papier schreckte. Eine nüchterne Kühle wehte einem entgegen.

Dagegen hauchte der Heckwanst Dschungelbrodem aus, sodaß man schon rein atmosphärisch mitbekam, daß hier Fruchtbarkeitszauber getrieben wurde. Ein weich gepolsterter Sessel lud zu sinnendem Zurücklehnen ein. Der Fußsohle schmeichelte ein dicker Teppich. Die Schreibfläche war in unübersichtlichem Durcheinander mit Büchern, Papier und Schreibzeug bedeckt. Eine mit einem grünen Seidenschirm bespannte Lampe spendete gedämpftes Licht. Geschirrstücke mit Resten deuteten darauf hin, daß Singer hier während der Arbeit bisweilen auch etwas zu sich nahm.

Da läutete es auch schon. Singer wies mir im mittleren Zimmer einen Fauteuil an und ging aufmachen.

Fast wäre mir ein unartiges Gelächter entfahren, als im Türrahmen der Gast auftauchte, weil seine Erscheinung so sehr der Beschreibung entsprach, die Singer mir vorher gegeben hatte.

Eintrat mit elastischem Elan ein kleiner, dunkelbrauner Herr. Der runde Kopf mit den glatten schwarzen Haaren saß fast halslos auf der größeren Rundung eines Halbballons – eine Art Schulterbauch –, welcher in einer schwarzen Soutane steckte. Soweit man sich in dieser Kleidung eine Abschätzung der Proportionen erlauben konnte, war die Beinlänge gemessen am Rumpf deutlich überdehnt. Aus dem Rundkopf stach schnabelartig eine schmalrückige Nase hervor. Die schwarzen, weit auseinanderliegenden, etwas vortretenden Augen blickten scharf und neugierig. Lange bewegliche Lippen und eine abgerundete Gestik ließen an rhetorische Schulung und Gewandtheit denken. Die zahlreichen Fältchen an den äußeren Augenrändern und um den Mund sprachen für Humor.

Thugut und ich musterten einander ohne besondere Zurückhaltung, Singer sah uns mit Interesse zu.

»Wir haben gerade von Paragonville geredet«, sagte

Singer, »und daß ein beleibtes Sparbuch etwas Beruhigendes sei.«

»Damit gibst du ja deinen Paragonvillern recht«, sagte Thugut, der ganz im Bilde war; »sie gründen darauf ihre Politik und ihren Seelenfrieden.«

»Ist dieses Konzept nicht ganz vernünftig? Auf die zweifellos interessanteren Lebensentwürfe, die sich dann in der Geschichte niederschlagen, kann ich gern verzichten«, meinte ich; »jedenfalls ist ein feistes Bankkonto etwas sehr Realistisches.«

»Leider ist die Realität fast nie vernünftig«, raunzte Singer; »da redet eine Menge hinein von dem, was unser Freund in seiner Fachsprache ›das Fleisch‹ nennen würde; und dieses hat ja nicht viel Hirn.«

»Du hast also den Auftrag angenommen. Und wie ich dich kenne, ist dir jetzt die Sache tödlich ernst, und du beabsichtigst, ein tiefschürfendes wissenschaftliches Werk zu liefern, das gegen jede Kritik abgesichert ist.« – »Ich hab einen Ruf zu verlieren. Außerdem freut's mich nicht, Belletristik zu schreiben«, schmollte Singer. – »Und mit welchem historischen Paukenschlag wirst du anfangen? Vermutlich bei Adam und Eva oder zumindest im Neolithikum, wo äffische Urhorden einen hochpotenten Dämon durch Bestechung und unappetitliche Riten für ihre Sorgen einzuspannen suchen. Ein Götzenbild von monströser Art, von dem man nicht einmal das Geschlecht bestimmen kann.« – »Das mit dem Geschlecht hängt ab vom Zustand der Horde, ob sie umherschweift oder bereits seßhaft wird.« – »Wieso?« fragte ich. – »Ganz einfach: die Schweifenden brauchen einen Leithengst, einen, der stärker und tüchtiger ist als die Herde, unter dessen Schutz sich das Volk sicher ernähren und großhecken kann.« – »Und die Seßhaften brauchen ein Weib, das die Zyklen der Fruchtbarkeit beherrscht?« – »Jawohl, die Göttinnen der frühen Stadtkulturen.« – »Nachdem aber die Seßhaftigkeit der fortgeschrittene Zustand ist, müßten die weiblichen Götter die männlichen abgelöst haben. Wie kommt's dann, daß wir im Alten und im Neuen Testament einen männlichen Gott haben?« – »Haben wir ihn? Offiziell ja, aber tatsächlich? Fragen Sie den Thugut. Vor welchem Altar werden Kerzen gestiftet: vor dem Vater oder wenigstens dem Sohn vielleicht?« – »Nein, das ist wahr, die Marienaltäre sind es, an die man sich in Klemmen wendet. Wie kommt das wirklich?«

»Denken Sie nach: Wer ist in kriegerischen Auseinandersetzungen im Vorteil? Eine Meute wetterfester Vagabunden oder friedliche Ackerbauern?« – »Vermutlich die Wetterfesten.« – »Gut! Und was tun sie mit der eroberten Stadt?« – »Plündern, notzüchtigen, fressen, saufen, metzeln.« – »Also! Und dabei kommen sie allmählich drauf, daß es sich zwischen vier Wänden und unter einem Dach und mit vollen Scheunen behaglicher lebt als in der zugigen Steppe.« – »Das heißt, sie setzen sich fest. Aber sie sind ja gar nicht fähig, Häuser zu bauen und Scheuern zu füllen.« – »Das müssen jetzt für sie die Unterworfenen machen.« – »Sie blähen sich also zu einer Art Herrscherkaste auf. Aber was hat das mit den Göttern zu tun?« – »Die der Herren müssen angebetet werden, die alten werden zu Dämonen erklärt. Aber sie bleiben lebendig, werden von heimlichen Opfern genährt und bei Kraft gehalten und korrumpieren ganz in der Stille die Neuen. So entstehen dann die weitläufigen Göttersippen, wie etwa die Olympier. Vorsitz führt zwar der Blitzeschwingende, aber von den Frauen eingeseift.«

»Und im Christentum?« – »Das ist sein Ressort!« Singer zeigte auf Thugut, setzte aber selbst mit seiner Aufklärung fort: »Offiziell kommen in eurem ›Credo‹ nur der Vater und der Sohn vor. Eure Kathedralen aber sind großteils der Maria geweiht. Oder etwa nicht?« – »Freilich«, bestätigte ihm Thugut und lachte, »aber nach diesem hochinteressanten Lehrstück in ethnologischer Theologie frag ich dich noch einmal, Singer! Wo wirst du anfangen bei dem Florilegium unserer Geschichte nach Paragonviller Zuschnitt?« – »Eben da, genau an diesem Punkt, wo die große Auseinandersetzung der beiden Religionskonzepte beginnt und wo sich der Aus-

36

gang schon klar abzeichnet. In Ephesos!« – »Ich hab's Ihnen gesagt«, sagte Thugut zu mir; »billiger gibt er's nicht.« – »Kommt mit mir«, sagte Singer eifrig, »ich zeig euch was!«

Er nahm jeden von uns an einem Arm und führte uns in eines seiner Arbeitszimmer, und zwar in den Heckbauch. Dort lag auf dem Schreibtisch ein dickes Buch aufgeschlagen. Eine ganze Seite war eingenommen von einer Abbildung, die eine etwas beschädigte Statue einer Frauengestalt zeigte: majestätisch in der Haltung, auf dem Haupt ein dreistöckiger Kopfputz, darunter unter starken Brauen etwas schräggestellte Augen, die Nase leider abgeschlagen, dafür aber die Mundpartie gut erhalten. Sie lächelte. Aber zusammen mit diesen besonderen Augen war dieses Lächeln trotz der einladend ausgebreiteten Arme kein gütiges Lächeln. Es hatte etwas eigentümlich Vieldeutiges. Dies wurde dem leicht bestürzten Betrachter dunkel verständlich, wenn er bei genauerem Hinsehen erkannte, daß dort, wo sich gewohnterweise der Doppelhügel der Brust erhob, die ganze Vorderseite der Göttin – es war einem unbezweifelbar klar, daß es sich um eine Göttin handelte – die ganze Vorderfront bis zum Schoß hinunter eingenommen war von einer Riesentraube nackter, strotzender Brüste. – Der Pater und ich, wir gafften.

»Ihr solltet euch jetzt sehen«, sagte Singer befriedigt; »Frau Doktor vermögen sogar noch zu erröten, worüber ein katholischer Ordensmann natürlich hinaus ist. Ein kleiner Schock trotz allem! Nicht wahr?« – »Schock würde ich es nicht nennen«, sagte ich nachdenklich; »eher eine Art feierliche Betretenheit. Diese pompöse Verheißung! Verheißung immerwährender Fruchtbarkeit und Gnade!« – »Es ist übrigens die Artemis von Ephesos«, sagte Singer und schob uns zum Kaffeetischchen zurück. »Leider nur eine hellenistische Nachbildung, aber das Wesentliche unterschlägt sie uns nicht.«

DIE DREI PAUKENSCHLÄGE UND SINGER LEGT
DEN TÜRKISCHEN KAFFEE AUS

»Das ist die aus der Apostelgeschichte?« – »Ja, ganz recht, die ist es.« – »Dann wundert's mich nicht mehr, daß Paulus gerade in dieser Stadt gegen das Bildermachen gepredigt hat und für den Unsichtbaren! Soviel ich mich erinnere, gab es sogar eine Demonstration der Gilde der Silberschmiede gegen diese Predigten. Vermutlich lebte eine Menge Leute von der Herstellung der Götzin im Kleinformat, am Hals zu tragen, zu Hause aufzustellen zum Anflehen, Küssen und Betasten und was es sonst für menschenübliche Methoden gibt, Gnade zu erpressen.« – »Ich kann noch hinzufügen, daß diese Devotionalie im gesamten Raum des Imperiums gehandelt wurde, nicht nur in Ephesos selbst.« – »Da haben sich also den Silberschmieden noch die Händler zugesellt und die Gastwirte, die von den Wallfahrten profitierten?« – »Sicher! Die Apostelgeschichte berichtet auch von einer ›turbatio non minima‹, einem ziemlichen Wirbel.« – »Gab es da nicht sogar so etwas, das knapp an einem Lynchgericht vorbeiging? Ein ganzes Theater voll tobender Menschenmassen, die schrien: ›Megale Artemis Ephesion‹, Groß ist die Artemis von Ephesos! Das klingt nicht nach einer Demonstration geschäftlich Geschädigter, das klingt nach Volksaufstand. Aber, frag ich mich, was schert den besitz- und arbeitslosen Hafenpöbel der Profit des Großgewerbes? Der lockt sie doch nicht auf die Straße? – Es muß diese besondere Göttin sein«, grübelte ich. »Sie hingen offenbar an ihr; wahrscheinlich gerade an dieser heiligen Monstrosität. Sie wollten nicht dulden, daß da ein Hergelaufener Stimmung machte und das Maul aufriß gegen die hohe Trösterin und ihre sicht- und tastbare Verheißung. Dem Juden Paulus mit seiner griechischen Bildung mußte natürlich gerade dies ein schwerer Anstoß gewesen sein, gegen den er nicht beißend genug wettern konnte. Aber was kümmert Geschmack das Volk!« – »Das Volk«, sagte Thugut, »fliegt auf das, was man in der

38

Tierwelt Signalwirkung nennt. Das gilt genauso für den Menschen, auch wenn man es nicht wahrhaben will.« – »Sie meinen einen krapproten Kropf oder eine buntschillernde Sträubung, die bei Vögeln oder Fischen anzeigen, daß sie sich zu einer bestimmten Tätigkeit lustig fühlen?« – »Ja, das meine ich. Aber nicht nur bei Fischen und Vögeln. Denken Sie an den Kopfputz einer alpenländischen Blaskapelle oder an die ausgesprochen unpraktischen Helmzierden. All das erzeugt beim Beschauer eine von sehr tief unten aufsteigende Begeisterung. So mag das auch mit der Epheserin und ihrer überreichen Ausstattung mit Labungssignalen gewesen sein.«

»Die große Artemis im Bilde der Verhaltensforschung«, spottete Singer; »ob sich die eine leibhaftig ins Bett gewünscht hat? Ich glaube, er wäre schreiend davongestoben angesichts des Überangebots! Aber wie immer. Mich interessiert viel mehr, was die Theologie, was die Kirche von jener denkt?« – »Nun«, sagte Thugut, ohne im geringsten zu zögern, »die Kirche findet – besonders die katholische natürlich –, daß das eine großartige Göttin ist, und bedauert mit offenem Neid, daß man sie nicht kanonisieren kann. Gegen die kommt euer Unsichtbarer nicht auf, der nur aus dräuenden Wolken spricht und dann meistens unfreundlich. Übrigens auch nicht unser Schmerzensmann, der sich im Augenblick seiner tiefsten Schwäche zeigt. Da hängt man sich lieber etwas Pralles um den Hals, um danach zu greifen und anzuklammern, wenn man sich in Nöten fühlt.« – »Als ob ihr sie euch nicht ohnehin unter den Nagel gerissen hättet«, hohnlachte Singer; »wenn auch mit äußerlichen Korrekturen. Was geschah denn anno 431 in einer gewissen Synode? Schau mich nicht so unschuldig an! Du weißt genau, was ich meine. Um die schlichte Maria von Nazareth ging es, die in den Evangelien eine sehr beiläufige Rolle spielt. Die habt ihr euch damals zugerichtet zu einer potenten Mutter-Göttin. Unter dem Vorwand theologischer Feingespinste um die wahre Natur Christi habt ihr dieser einfachen, versorgten Zim-

mermannsgattin den Beinamen ›theotokos‹, Gottesgebärerin, angehängt, wodurch sie göttlichen Status bekam.
Ein kirchenpolitisches Manöver von unerhörter Breitenwirkung und Nachhaltigkeit. Verstehen Sie den
Schachzug«, wandte sich Singer mir zu, »man holte sich
die Spenderin unter einem anderen Namen zurück zum
Trost der glaubens- und gnadensüchtigen Menge und
erhielt dadurch starken Zuzug.« – »Du weißt ganz genau«, unterbrach ihn Thugut, »daß es damals zwei Parteien gegeben hat, und daß die, welche du, bewußt ungenau, mit der Kirche gleichsetzt, sich nur durch
infame Winkelzüge die Mehrheit verschafft hat, unterstützt durch eigens mitgebrachte Schlägertruppen.« –
»Die anderen blieben in dieser Hinsicht nichts schuldig!« konterte Singer. – »Ich bitte um Aufklärung«,
mischte ich mich in das Gezänk, »ich bin in der Geschichte der Synoden leider nicht besonders beschla-
gen.«

»Also, stellen Sie sich vor«, sagte Singer, »Ephesos an
einem Sommertag. Die Synode tagt seit dem frühen
Morgen in der Marienkirche. Auf dem Platz davor harrt
in der brütenden Gluthitze Kopf an Kopf, schweißtrie-
fend und mit brennenden Füßen das Volk. Der Vormittag verstreicht, der hohe Mittag; der Nachmittag bringt
kaum fühlbare Linderung. Unverrückbar steht das Volk
und starrt auf die geschlossene Pforte. Da endlich in
den Abendstunden springen die Torflügel auf. Rumor
und Geschnatter verstummen mit einem Schlag, und in
die hochgespannte Stille hinein gibt der Sprecher den
Konzilsbeschluß bekannt. Natürlich verstanden sie kein
Wort von der gewundenen, klauselbeladenen Theolo-
genprosa. Aber eines verstanden sie: ›Maria theotokos‹,
Maria hat einen Gott geboren, ist also selber Göttin. Als
sie das begriffen hatten, war es ein einziges Jubelge-
brüll. Das schrie und tobte und hüpfte, tanzte, fiel einander um die verschwitzten Hälse, schluchzte und jo-
delte, schlug nebenbei ein paar Schädel ein und trat ein
paar Alte und Kinder tot. ›Megale Maria theotokos‹,
brüllte die ganze Stadt, daß man es weit hinaus zu den

40

Schiffen hörte. – Und was klingt da an?« – »Megale Artemis Ephesion«, sagte ich. – »Die war seit fast zweihundert Jahren zertrümmert, vergessen, der Tempel dem Erdboden gleichgemacht«, spöttelte Thugut, »lassen Sie sich von der dämonischen Beredsamkeit des Singer nicht zu eitlen Phantasien hinreißen. Wer wußte noch von der Artemis? Glauben Sie, der Pöbel denkt historisch? Der behält höchstens die Brotpreise von gestern.« – »Vielleicht erinnerten sich die Mauern und Pflastersteine ...« – »Und sonderten in der Bruthitze des Abends Urwissen ab!« – Das Lächeln des Benediktiners war derartig, daß meine Phantasieschwellung augenblicks zum Schrumpfen kam. »Die Eingeweide«, meinte ich und geriet schon ins Stottern, »die seelischen Innereien. Es soll ja so etwas geben wie eine Kollektiverinnerung«, trotzte ich auf, schlug aber dabei beschämt die Augen nieder. Da sprang mir Singer bei und unterbrach schroff den Pater, der gerade das Thema der »träumerischen Eingeweide von Ephesos« bewitzelte. Um vom Fachgezänke abzulenken, warf ich ein: »Da gab es dann doch noch einmal eine Gegenbewegung gegen den heidnischen Unfug in Byzanz? Einen Bilderstreit mit Feuer und Schwert und Nasen- und Ohrenabschneiden?«

»Ganz recht«, sagte Singer mit einem satten Seitenblick auf den dicken Thugut; »ja, ja, das Spiel mit den Götzchen, das war immer ein heikler Punkt, ein chronisches Geschwür am Leibe der heiligen Ecclesia. Anno 726 brach es auf in Konstantinopel, und was herauskam, war gar nicht appetitlich. Das Schindludertreiben mit dem frommen Bildwerk ließ sich nicht mehr vertuschen und rechtfertigen.« – »Hören Sie nicht auf ihn«, empfahl Thugut, »es waren nur der Pöbel und der Mob der Kirche, die Mönche. Der höhere Klerus versuchte radikal aufzuräumen mit dem Mißbrauch. Übrigens unterstützt vom Kaiserhaus.« – »Jawohl«, mischte sich Singer ein, »Kaiser Leon III. und sein Sohn Konstantin. Die Tüchtigsten ihres Jahrhunderts. Sie warfen für Menschenalter die andringenden Bulgaren und Sarazenen zurück und retteten die Stadt und das Volk vor Plünderung, Brandstiftung und Gemetzel. Und was war der Dank? ›Retter des Reiches‹ hätte man Konstantin nennen müssen!« – »Nun? Hat man es nicht getan?« – »Wissen Sie, welchen Beinamen man ihm gab? – ›Kopronymos‹; der nach Kot Benannte, kurz ›Scheißname‹, und warum? Weil er ihnen das fetischhafte Bilderabschlekken verbieten wollte. Deshalb haßte ihn das Volk, und die Mönche hußten. – Wie«, sagte er mit einem Seitenblick auf Thugut, »die frommen Brüder stets Hasser und Hetzer gewesen sind!« Die Kugel in Ordenstracht blieb ungerührt. »Und wieso gibt es doch wieder Bilder in den katholischen Kirchen?« fragte ich. – »Die Witwe des Kopronymos hat das durchgesetzt, eine Athenerin, ein bildersüchtiges Weib und den Mönchen hörig.« – »Das Konzil von Nikäa«, berichtigte Thugut; »man wollte ein Ende machen mit diesem widerlich ausartenden Streit, in welchem Augen ausgestochen, erschlagen und zertrampelt und hervorragende Körperteile abgeschnitten wurden.« – »Von beiden Seiten, Lieber!« warf Singer ein. – »Hab ich es geleugnet? Also schweig! Im Konzil einigte man sich auf eine sehr vernünftige Formel, die beiden Seiten gerecht wurde: Bilderanbetung ist verboten, der Kult erlaubt, in welchem das Bild nur eine symbolische Bedeutung hat, Vergegenwärtigung sozusagen.« – »Ich bitte Sie«, fuhr Singer auf und wandte sich mir zu, »sagen Sie selbst! Als ob ein simples Gemüt imstande wäre, Kult und Anbetung auseinanderzuhalten!« – »Natürlich können sie es nicht auseinanderhalten«, räumte Thugut ein, »aber hat denn die Kirche je mit der Vernunft gerechnet? Dazu ist sie immer eine zu gute Menschenkennerin gewesen.« – »Und wozu dann bitte der Aufwand mit Synoden und Konzilen und der ganzen theologischen Filetstrickerei? Alle die lieben Heiligen und Märtyrer, Talismane und Winkelbilder und Fetische, die sich verkrochen hatten, aperten wieder heraus zu frischfroher Götzendienerei. Der Bodensatz hat den Streit entschieden. – Immer entscheidet bei euch der Bodensatz. Das hält euch bei Leibesfülle!« giftelte Sin-

42

ger, den Daumen auf Thugut gerichtet. – »Nichts als Neid«, erwiderte dieser mit einem Gegendaumen, »weil ihr mit eurem Überheiklen immer nur eine kleine Schar erlesener Geister mit masochistischem Einschlag bei der Stange halten konntet.«

Beide Herren sprachen jetzt nur auf mich ein, ohne einander anzublicken.

»Lesen Sie bei den Propheten nach, wie sie zanken und mahnen und Unheil künden, weil das auserwählte Völkchen so abfallsüchtig war und dauernd den Baalen opferte und der Aschera Kuchen buk. Sogar an der Tempelmauer hockten die Weiber und klagten um Tammuz, den schönen Geliebten der Ischtar, der in die Unterwelt entrafft worden war – woraus sie ihn unter eher peinlichen Begleitumständen wieder herausgeholt hat.« – »Und wer, frag ich«, schoß Singer dazwischen, »wer stieg nach genau dem gleichen Muster, und auch von Frauen beklagt, hinunter in die Hölle, um am dritten Tage wieder aufzuerstehen von den Toten? Der ist es, von dem ihr behauptet, daß er der Sohn Gottes gewesen sei, wobei euch nie gestört hat, daß Gott keine Weibergeschichten hat. Da mußte eine komplizierte Einfließung von oben ausgeklügelt und eine jungfräuliche Schwangerschaft dogmatisiert werden. Geniert, muß ich sagen, geniert habt ihr euch nie!«

Thugut lehnte betont lässig im Armstuhl und machte in Richtung Singer eine abfällige Handbewegung. Dieser saß mit federndem Gesäß am äußersten Sesselrand und stach mit einem empörten Zeigefinger nach Thugut.

»Und wie, frag ich dezidiert, wie rechtfertigt man die Tatsache, daß die heilige katholische Kirche hurtig und ohne das leiseste Zögern sich für ihre dogmatisch erhöhte Nazarenerin, die nach den authentischen Quellen ein bißchen ärmlich ausstaffiert war, dreist – ja, ich sage mit Absicht: dreist – bei der alten Artemis bediente, um eine passende Aussteuer zu erraffen? Ausgeräubert habt ihr sie bis aufs Hemd. All die Ehrennamen, Anrufungen und Litaneien, die Kultformen und Feiertage habt ihr zusammengestohlen von der Isis und der Artemis. Und warum? Aus kalter Berechnung. Seelenfängerei niedrigster Sorte.

Und da komme ich auf Ihre Erinnerungen auswabernden Mauern und Pflastersteine zurück, die der da bespöttelt hat. Die Kirche wußte wohl, daß es so etwas gibt und nützte es für sich in abgefeimter Weise. Sie bediente sich der alten, vergangenheitsträchtigen Namen und Formeln, eben *weil* sie etwas zum Anklingen brachten, *weil* sich unterirdische Verknüpfungen herstellten, nicht mit einer bestimmten Figur, aber mit Heiligkeit. Nicht in den Windungen des Gehirns sitzt dieses Gefühl von Heiligkeit, sondern in den Windungen der Gedärme. – So, und jetzt darfst du reden!« schloß Singer und erteilte Hochwürden mit einer schnalzenden Handbewegung Sprecherlaubnis, wobei er sich zurücklehnte und hochmütig ein Bein über das andere schlug.

Thugut saß behaglich und ganz unbetroffen, was Singer sichtlich reizte: »Schauen Sie sich ihn an! Die katholische Kirche in Person. Sitzt auf breitem Hintern und lächelt kryptisch ... Die sind moralisch viel ausgefressener als unsereiner«, setzte er neidisch, aber mit widerwilliger Bewunderung hinzu. – »Kann ich was dafür, daß eure Synagoge so leibarm ist«, lachte Thugut wohlgelaunt, »eifernd hat sie euch an den kratzbürstigen Unsichtbaren geschmiedet, der aus Feuer und Rauch schimpft und verflucht. Natürlich macht euch das Magensäure und Gallenfluß und hält euch mager.« – »Und ihr habt euch Schritt für Schritt ins tiefste Heidentum zurückfallen lassen, absichtlich und mit vollem Bewußtsein. Es hat sich ja auch gelohnt. Fett geworden seid ihr durch eure gewissenlosen Zugeständnisse an eure Schafe. Die Allesverdauerin Kirche!« – Dann, etwas ruhiger: »Ich habe ja nichts gegen einen guten Magen. Aber ihr macht es eurem Volk zu leicht, verhätschelt es, und wenn man ihm nur einen Deut von seinen fragwürdigen Heilsgeschenken abzwicken will, kommt es zu mörderischen Ausartungen.« – »Was ist schon der Mensch, vom Halbaffen bis zum Homo sapientissimus:

44

ein Leidender, Ratloser; daher anfällig und verführbar.«
– »Hören Sie ihn? Der reinste Jakobiner und Bolsche-
wik! Für euch sind alle gleich. Alle hängen sie am gleichen Baum und kratzen sich versonnen. Das ist aber
nicht wahr! Die Menschen sind nicht gleich!« – »Sind
Herr Professor etwa ein Gegner der Demokratie?« –
»Nein, aber ich bin ein Freund der Wirklichkeit.

Schauen Sie sich einmal diesen Türkischen da an«,
wandte sich Singer mir zu. »Oben eine Schicht klarer,
duftender Essenz, die den kopferhellenden Geist enthält. Die Mittelschicht ist schon etwas trübe von Schwe-
bestoffen der Materie. Und unten die schlammige Masse, der dumpfe Bodensatz, der kaum mehr eine Spur des
anregenden Geistes enthält und sich einem nur pelzig
an den Gaumen legt.

Das Ganze zusammengenommen ein Menschenhau-
fen, aufgekocht in Gottes oder des Teufels Küche.

Nach oben steigt, was des Geistes ist: Denker, Künstler, Erfinder und jene, die gescheit genug sind, zu verstehen, was diese sich ausdenken.

Eine Etage tiefer sind die, welche die Ideen der obe-
ren in die sogenannte Realität umsetzen: Staaten bilden,
Schulen gründen, Kirchen organisieren. Da muß schon
allerhand ordinärer Stoff in Kauf genommen werden,
der die Zunge belegt.«

»Und aus dem Bodensatz kann man nur mehr wahrsagen«, warf ich ein. – »Wahrsagen vielleicht auch. Aber
wenn's nur das wäre! Das wär ja harmlos. Die Wirklichkeit jedoch ist nie harmlos, und dieser Bodensatz ist
sehr kompakte Wirklichkeit; aber jede Wirklichkeit hat
eine besondere Tücke in sich.« – »Und was ist die Tücke
des Bodensatzes?« – Singer hatte sich vorgebeugt und
starrte vor sich hin, dachte nach. »Die Tücke des Bodensatzes? Ich weiß es nicht genau, aber ich glaube, es
ist die winzige Spur von Geist, die auch der ausgekoch-
teste Absud noch enthält; gerade so viel, um ihm die
dumpfe Harmlosigkeit des Tierischen zu nehmen. Und
das Schreckliche daran ist, daß dieser Rest von Geist im
Bodensatz der Gewöhnlichkeit zu einem Gär- und Gift-

stoff pervertiert. Er berauscht die träge Materie und verwandelt sie in einen blasenschlagenden Morast, der in unerschöpflicher Emsigkeit Sumpfgeburten wirft, entsetzliche Monstren aus Dummheit, Gemeinheit, Brutalität und Niedertracht. Und all das zusammengewirrt, verfilzt sich zu einem Stoff von ungeheurer Tatenlust und Energie.«

»Ist die Masse nicht eher faul? Vollbefaßt mit den Leiden und Gelüsten ihrer zahllosen Bäuche? Was schert die schon, was der Oberstock heraustüftelt an religiösen oder philosophischen Konzepten?« – »Etwas gibt es, was die Masse fürchterlich munter macht. Nicht, wie sie Gott zu sehen hat, nicht, was die Aufgabe des Menschen ist, sondern wer schuld am Elend hat, am Elend, dem sie sich hilflos ausgeliefert fühlt. Wenn sich dann einer findet, der einen Schuldigen stellt, auf einen hinzeigt und schreit, das ist er, faßt ihn, zerreißt ihn, dann ist alles gut! Das bringt den Bodensatz in Wallung, das macht ihn giftig und grausam und ungeheuer lebendig.« – »Und wer sollte das sein, der das verkörperte Böse dingfest macht?« – »Ich glaube, es ist einer, der im Kaffee aufsteigen wollte in die Essenz, aber die Läuterung verfchlt hat. Ein Halbfertiger, der nirgends hingehört. Ein Versager. Ist es nicht auffällig, daß Demagogen und Volksverhetzer so oft Leute sind, die zwar den Ehrgeiz zum Höheren haben, denen aber die richtige Begabung fehlt? Dann suchen sie für persönliches Versagen einen Schuldigen. Daher haben sie eine solche Überzeugungskraft für andere Versager, die sich aus sich selbst heraus nicht aufraffen können zum Handeln, zur Rache ... und gegen diese«, sagte Singer zu Thugut gewandt, »habt ihr immer zu wenig getan. Da habt ihr einfach zugeschaut – und überdauert. Sie werden sich schon selbst erledigen. Hauptsache ist, daß wir, die Kirche, den längeren Atem haben.« – »Ist es so etwas Schlechtes, zu überdauern? Auch ihr habt überdauert.« – »Aber nicht durch Korruption.« – »Das nicht. Ihr habt aus Starrsinn überdauert. Es hat euch viel Elend gekostet, so viel, daß vor ein paar Jahrzehnten fast keiner mehr übrig geblieben wäre, der starrsinnig hätte sein können. Aber was hast du gegen das Überdauern, Singer?« – »Nicht *daß* man überdauert, sondern *wie* man's tut. Um welchen Preis, den andere zahlen. Denn für den Starrsinn zahlen nur wir selbst. Ihr aber überdauert um den Preis eurer wesentlichen Grundsätze, um den Preis eurer Glaubwürdigkeit, und das bezahlen eure Gläubigen.« – »Und du meinst, zu unseren wesentlichen Grundsätzen gehöre es, daß wir alle paar Generationen einmal, wenn der Pöbel wieder ins Brodeln kommt, uns opfern und als Märtyrer in den Himmel auffliegen müßten?« – »Und was sonst sollen eure Grundsätze sein?« – »Daß wir unsere Martyriumsüchtigen im Auge behalten.« – »Damit ihr sie auch rechtzeitig selig und heilig sprechen und ein paar Reliquien verhökern könnt?« – »Das auch, aber eher nebenbei. Vor allem passen wir auf, daß diese Überfrommen und Glaubenshelden nicht überhandnehmen.« – »Da schau einmal einer an! Und das sagt ein Sohn der Kirche? Ich als einer, der sich in den Geheimgängen eurer Politik nicht zuhause fühlt, war der Meinung, daß ihr vor allem die Sünder im Auge habt; und jetzt hör ich, daß es die Heiligen sind?« – »Das deckt sich gar nicht so selten!« sprach Thugut und lächelte in sich hinein. Ich war starr vor Verblüffung: »Die Sünde der Heiligkeit?« entfuhr es mir. Thugut lächelte.

»Na«, sagte Singer nach einer Weile, »hab ich Ihnen zuviel versprochen? Das ist ganz er: Floris, der Floh, pulex irritans. Sitzt still und lauert, während wir uns plagen und gescheit reden. Dann plötzlich ein Satz, und der Stechrüssel bohrt sich ins Fleisch.«

»Irgendwie fühle ich mich hineingelegt«, sagte ich verstört.

»Kratzen Sie sich und gewöhnen Sie sich daran. So ist er eben. Zuletzt zieht er sich immer aus der Schlinge. – Flöhen fehlt schon rein anatomisch die Leibeskerbe, in der sich eine Schlinge zuziehen könnte«, setzte er boshaft hinzu. »Er ist die vollendete Verkörperung der heiligen katholischen Kirche.«

EINE ÜBERGELEHRTE ABHANDLUNG, MÜHSAM
ZU LESEN, ABER LEIDER UNENTBEHRLICH

In den nächsten Tagen ließ sich Singer nicht sehen. Nach den Geräuschen zu schließen, war er im »Bauch« tätig, in seinem Heckzimmer. »Die Warenprobe«, dachte ich. – Zwei, drei Tage erscholl das Geräusch einer Schreibmaschine aus dem Gegenzimmer, erzeugt von einem erst suchenden, dann mit Nachdruck anschlagenden Finger je einer Hand. Es sägte ziemlich an den Nerven.

Nachmittags trafen wir zufällig auf dem Postamt zusammen. Singer gab ein großes dickes Couvert eingeschrieben mit Luftpost auf. Ich konnte den Bestimmungsort lesen: Paragonville Texas U.S.A.

»Ja, ja, Sie sehen schon recht«, sagte er bitter, »die Warenprobe!« und warf den Portobetrag auf das Schalterbrett; »die haben mir schon auf das lästigste zugesetzt.« – »Und darf man wissen, was Sie geschickt haben zur Beschau?« – »Eine Abhandlung über die Epheserin, jenes omnipotente Wunsch- und Urbild alles wehleidigen Schnullertums der Menschheit. – Da haben Sie ein Duplikat. Ich war grade in der Kopieranstalt.«

Er öffnete die Aktentasche und schleuderte mir ein paar Blätter hin. »Lesen Sie's, und wenn Sie nicht anders können, spötteln Sie, kritteln Sie. Eine Nachtkästchenlektüre ist es nicht geworden.« Damit drehte er sich wortlos um und schritt dem Hause zu.

Ich hatte noch ein paar Angelegenheiten zu besorgen. Als sie erledigt waren und ich einen Kaffee genommen hatte, setzte ich mich in den Ohrenstuhl mit dem Manuskript, bei dessen Anblick mich schon bei der Übernahme beziehungsweise beim Hinwurf ein leichtes Schaudern angeweht hatte. Ich hatte gesehen, daß einen großen Teil der Seiten die Fußnoten einnahmen, was für harte Wissenschaft sprach. Das ließ bestimmte Befürchtungen in mir aufsteigen hinsichtlich der Paragonviller Vorstellung von ›leicht und flüssig lesbar‹. Die Überschrift des Abschnitts klang auch nicht gerade in der flott reißerischen Art populärer Sachliteratur, sondern trocken wie Wintergras. Ich nahm einen kleinen Wodka und setzte mich ahnungsschwanger in den Ohrenstuhl.

Die Artemis von Ephesos – Eine Schlüsselgestalt der abendländischen Kultur- und Religionsgeschichte

Das Artemision von Ephesos beherbergte eine der vieldeutigsten Gottheiten des griechisch vorderasiatischen Raumes; ebenso vergangenheits- wie zukunftsträchtig im religiösen Denken unseres abendländischen Kulturbereichs. Die ephesische Artemis verkörpert in Bild, Kult und Mythos alle Aspekte des Weiblichen in wahrer Omnipotenz: jungfräuliche Spröde bis zu grausamer Mordlust, weibliche Hingabe und nährende, beschützende Mütterlichkeit sowie sexuelle Unbezähmbarkeit, Verruchtheit und Raserei. Leben und Tod in einer Gestalt. Das erste Abbild der Großen Artemis ist, der Sage nach, als Schnitzfigur aus Zypressenholz vom Himmel gefallen[1] und wurde – allmählich mit entsprechender Kleidung ausgestattet[2] – in einem Tempel aufgestellt, dessen letzte und prächtigste Form das sogenannte Artemision (eines der Sieben Weltwunder) gewesen war.

[1] Das von oben herabgefallene Idol (diopetes) ist ein uraltes kleinasiatisches Motiv. Ich verweise auf das Schnitzbild der Pallas von Troja, das Athene aus Verärgerung wegen einer Vergewaltigungsgeschichte über Ilion zur Erde geworfen hatte (Ovid, Fasti VI, 420 ff, Apollodorus III, 12), sowie aus neuerer Zeit auf die Gründersage von Maria Zell, wonach der fromme König von Ungarn nach einem einschlägigen Traum ein Marienbild auf seiner Brust liegen fand, das ihn ermunterte, ein vierfach überlegenes Türkenheer anzugreifen und vernichtend zu schlagen.

[2] Ausstaffierung hölzerner Statuen, zumal weiblicher Gottheiten, mit prächtigen Gewändern, auch Wechselgarderoben, ist bezeugt aus Babylon und heute noch üblich in manchen Gnadenorten (beispielsweise Maria Zell).
(ad 1 und 2: Es wäre hochinteressant, den genauen Weg von Babylon über Troja, Ephesos bis Maria Zell zu verfolgen, die Untersuchung würde aber den Rahmen dieser Abhandlung sprengen.)

Die nunmehr in Stein ausgeführte Kultstatue wurde als Stadtgöttin von Ephesos verehrt, wofür der dreistöckige Kopfputz (Polos) zeugt. Darüber hinaus jedoch verbreitete sich der Kult in der ganzen Provinz Asia und strahlte bis an die Grenzen des Imperiums aus.[3] Rund um das Heiligtum entwickelte sich eine ausgedehnte Devotionalienindustrie. Die Göttin sowie der Tempel wurde in allen Größen und Preislagen als Statuette, Münze, Halsschmuck und Amulett hergestellt und fand starken Absatz.[4]

Gewand und Kopfschmuck der ephesischen Artemis sind dicht besetzt mit Protomen (plastische Halbreliefs): Tiere, Pflanzen und Mischformen von bestimmter Bedeutung, die auch anderen Gottheiten dieses Kultraums zugeordnet werden. Nach dem religiösen Denkstil der Zeit bedeutet das Wesensgleichheit. Die Protome stellen Abbreviaturen bestimmter Eigenschaften der Göttin dar und weisen sie als eine der zahlreichen Erscheinungsformen der Großen Mutter oder Himmelskönigin aus, die in Kleinasien und im östlichen Mittelmeer unter verschiedenen Namen verehrt wurde. Es ist der Prototyp einer weiblichen Gottheit, die sowohl Leben wie Tod beziehungsweise das Leben im Tod beherrscht. Die meisten Symbole weisen auf bestimmte Phasen des Fruchtbarkeitszyklus hin, der von den Gestirnen, den Jahreszeiten und der Witterung abhängt. So teilt sich das Jahr in zwei Hälften: die Zeit des Wachstums und der Reife und die Zeit des Sterbens und der Unfruchtbarkeit, wobei aber das Welken in der Unterwelt Voraussetzung für das erdumschlossene Keimen zu neuem Wachstum ist.

Auf diese Großphasen deuten Mondsichel und Zodia-

---

3 »Maiestas eius (Dianae), quam tota Asia et orbis colit« (Apg. 19/27).

4 Für die weite Verbreitung sprechen zahlreiche Funde bis nach Massilia, dem westlichsten Großhafen des Imperiums. Die Göttin erfreute sich besonderer Beliebtheit beim seefahrenden Volk, wofür auch die zahlreichen Billigherstellungen zeugen.

kus[5] sowie die Sphyngen: Die Sphynx, ein Löwenkörper mit Frauenkopf und Schlangenschweif, verkörpert das thebanische Jahr, dessen aufsteigende Hälfte im Zeichen des Löwen, die absteigende im Zeichen der Schlange steht.[6]

Eng mit der Fruchtbarkeit verbunden ist der Regen. Die ephesische Artemis trägt ein Halsband aus Eicheln und Immortellen, welche im Regenzauber eine tragende Rolle spielen. Der Hirsch, das Lieblingstier der klassischen Artemis beziehungsweise Diana, galt ursprünglich als Gewitterdämon und stellt eine hochwichtige

---

5 Diese Embleme teilt die Artemis von Ephesos mit den Astralgöttinnen des gesamten Kultraumes: etwa die Mondbarke der Isis, (heute noch sichtbar an einer Marienstatue in der Kathedrale zu Veracruz in indianischer Abwandlung). Ferner der Sichelmond, der die jungfräuliche Phase der griechischen Artemis darstellt. Dieser Sichelmond ist in den katholischen Marienbildern zwar beibehalten, aber von den Kirchenvätern in herabsetzender Absicht entsexualisiert worden. Als Symbol der Unbeständigkeit des weiblichen Geschlechtscharakters umgedeutet, wird sie von Maria nicht mehr auf dem Haupt getragen, sondern in verächtlicher Absicht mit den Füßen getreten. Der Prophet Jeremias bereits ereifert sich 44/17 über halsstarrige jüdische Frauen, die sich nicht abhalten lassen, eine »Himmelkönigin« (melechet ha schamaim) mit kultischem Backwerk zu verwöhnen.

6 Die Sphynx ist die Frucht einer inzestuösen Verbindung des Orthros (Sirius) mit seiner leiblichen Mutter Echidne, einer Schlangengöttin, die ihn mit ihrem Gatten Typhon (dessen Gliedmaßen ebenfalls Schlangen sind), nebst drei anderen Kindern geboren hat. Typhon seinerseits stammt aus einer Verbindung von Gaia (Erdmutter) und Tartaros (Unterwelt); ein Akt der Rachsucht Gaias, die sich Werkzeuge gegen ihre Enkel, die dünkelhaften Olympier, schaffen wollte, denen sie wegen der schlechten Behandlung der Giganten gram war, welche ebenfalls ihre Kinder waren. Tartaros erschien ihr ein geeigneter Partner, ein chthonisches Ungeheuer auszuhecken, das die eingebildeten Olympier vernichten könnte, eine Rechnung, die allerdings nicht aufging. Abgesehen von der wissenschaftlichen Bedeutung dieser Zusammenhänge, ist festzuhalten, daß die Fruchtbarkeitsphase, soweit sie sich in der Unterwelt, im Schoß der Erde vollzieht, durch die Schlange vertreten ist. – Erst im Judentum und im Christentum ist dieses Symboltier zum eindeutig Bösen, zur Verführerin zur Sünde umgedeutet worden (siehe Genesis), offenbar aus Angst vor der lebhaften Zeugungspotenz, die jederzeit mit den eindrucksvollsten Ergebnissen praktisch eingesetzt werden konnte.

51

Beziehung zwischen Artemis und Dionysos Zagreus, dem wilden Jäger, dar. In Euböa wurden beide als Paar verehrt.[7]

Das Tierkreiszeichen der aufsteigenden Jahreshälfte ist der Löwe, das Begleittier der phrygischen Kybele[8], die viele Bezüge zur Artemis von Ephesos hat.[9] Unter anderem auch die Biene als Symboltier, die ihrerseits wieder hinweist auf die Bienengöttin von Kreta, die

---

7 Von Hirschen begleitet rast das dämonische Liebespaar als »Wilde Jagd« durch Sturmgewitter, womit die Göttin Artemis ihren hexischen Einschlag offenbart, Dionysos seine Eigenschaft als Rauschgott. Dieses Motiv spielt eine wichtige Rolle im Kult der ephesischen Göttin (davon später).

8 In der Überlieferung kommt es bei Attis, dem Geliebten der Kybele (der auf sehr verwickelte Weise auch ihr Enkelsohn ist), zur Entmannung. Über die näheren Umstände dieser Verstümmelung existieren mindestens drei Versionen, über welche eine reiche gelehrte Literatur vorliegt, die ich an dieser Stelle aber nicht diskutieren möchte. Sicher ist, daß im Kult der phrygischen Göttin ihre Priester sich in Ekstase selbst entmannten und daß der Oberpriester (Megabyzes) der Diana von Ephesos Eunuch war. Die Entmannung ist stellvertretend für ein Ganzopfer anzusehen und hängt mit dem in den Stadtkulturen des vorderen Orients geübten Brauch der »Heiligen Hochzeit« (hieros gamos) zusammen, wo sich jährlich die Oberpriesterin in Stellvertretung der Göttin mit einem Jahreskönig vermählte, der – um den Mythos von der Unterweltsphase des Geliebten zu wiederholen – nach der Hochzeit beziehungsweise Schwängerung der Priesterin, die die Göttin vertrat, erdrosselt, in feinnervigeren Zeiten durch einen Bock oder Sklaven ersetzt wurde. Da die dritte Phase des Mythos, die Heraufholung des Geliebten aus der Unterwelt, schwerlich rituell nachgeahmt werden konnte, wurde ein neuer Jahreskönig gewählt, mit dem man dann wie mit dem vorhergehenden verfuhr. Es ist nicht bekannt, daß sich ein Mann dieser Wahl entzogen hätte!

9 Der Löwe spielt auch im Sagenkreis um die babylonische Ischtar eine Rolle, die sich seiner als Liebhaber sowie als Rachewerkzeug bediente (Gilgamesch). Die negative Seite des Löwen zeigt sich in der Heraklessage: Kampf mit dem Nemeischen Löwen, eines der Ungeheuer aus dem erwähnten Inzestverbindung Orthros–Echidne, also ein Bruder der Sphynx, die in ihrer Gestalt Löwe und Schlange verbindet. (Es darf nicht vergessen werden, daß die Jahreshälfte des Löwen im südlichen Bereich in der Zeit der Dürre endet, dem eigentlichen Tod, während in der Hälfte der Schlange das verdorrte Leben bereits in der Unterwelt neue Keimkräfte sammelt.)

»männerraffende Ker« (Aischylos, Sieben gegen Theben, 777).[10] Die Biene entsteht einer Sage nach aus Kadavern und ist somit ein chthonisches Tier; Honig ist auch die bevorzugte Gabe an die Götter der Unterwelt.

Die außerordentliche Beliebtheit und Verbreitung der ephesischen Artemis, besonders beim niedrigen Volk, beruht, wenigstens teilweise, zweifellos auf der üppigen Ausgestaltung ihrer Vorderseite, die ihr in der ganzen antiken Literatur den Beinamen »die Vielbrüstige« eingetragen hat.[11] Es wäre allerdings ein Fehler, einer engstirnigen Modeströmung unserer Zeit entsprechend, diese inbrünstige Verehrung der Göttin auf verdrängte sexuelle Wünsche und Phantasien der Männer zurückzuführen. Die besondere anatomische Abweichung vom Üblichen bedeutet vielmehr eine sicht- und tastbare Verheißung von Fruchtbarkeit, Nahrungsfülle und Leben, eine Versicherung gegen den Tod.

In Gelehrtenkreisen schwelt ein erbitterter Zank, der immer wieder um die Bedeutung der heiligen Traube auflodert.[12] Antiken Quellen nach wurde die Artemis

---

10 Ker oder Kar heißt Schicksal, Untergang.
11 Hieronymus, Patr.Lat. 3/304; Minucius Felix, Octavius 21: Beide verurteilen ganz in der frauen- und fleischfeindlichen Linie des Christentums den Kult der Göttin, zweifeln aber nicht daran, daß es sich bei diesem Leibesschmuck um Brüste handelt.
12 Dem Phänomen wurden von der Altertumswissenschaft tiefschürfende Studien gewidmet. Nach dem gegenwärtigen Stand der Forschung soll es sich nicht um Brüste, sondern um Stier- oder sogar Menschenhoden handeln. Diese Interpretation verficht mit profunder Sachkenntnis und Nachdruck Seiterle in »Antike Welt« 10, wobei er sich auf die »Passio Sancti Symphoriani« stützt, worin ein solches Ritual im Kult der Kybele erwähnt wird (mit dezidiertem Abscheu des unbekannten Verfassers!). Die Vermutung verdient immerhin, diskutiert zu werden, wenn man einräumt, daß die Priester der Kybele sich in Ekstase selbst entmannten, wie oben bereits erwähnt.
Andererseits widerspricht es dem Stil des Mythos und der Zeit geradezu peinlich und spricht für einen erstaunlichen Sensibilitätsmangel der Gelehrtenschaft, einer dieser Personifikationen der Fruchtbarkeitsgöttinnen zu unterstellen, sie habe sich gewissermaßen mit den Trophäen ihrer Eroberungen geschmückt. Die Herren erlauben sich damit eine ganz unzeitgemäße, von Modevorurteilen beschränkte Auffassung der Frau. Persönlich bin ich

von Ephesos in orgiastischen Ritualen verehrt.[13] Die Priesterkollegien der Korybanten[14] bedienten sich dabei ekstasefördernder Musik, wie man aus den dabei verwendeten Instrumenten erschließen kann.[15] Die Verehrung der Göttin wurde von den Christen selbstverständlich streng verurteilt und nach Möglichkeit unterdrückt. Nach den apokryphen Johannesakten brachte der Apostel durch inbrünstiges Beten Statue sowie Tempel zum Einsturz, wobei sich noch eine wunderbare Heilung an einem alten Weiblein ereignete.[16]

Spätestens nach dem Konzil von Ephesos 431, in welchem Maria, der Mutter Jesu, der Beiname »theotokos«

---

eher geneigt, mich der antiken Auffassung anzuschließen: der Labungsvision. Ich stelle zur Frage, ob der Anblick einer Hodentraube bei den Huldigern der Artemis eine ähnliche rauschartige Verzückung hätte auslösen können, wie sie von Zeitgenossen berichtet wird (darüber später).

Glosse zur Glosse: Mit größter Vorsicht wage ich den Hinweis auf die mehrfach belegten Visionen asketisch lebender oder siecher Mönche und Einsiedler, die über wundersame Labungen aus den Brüsten der Muttergottes berichten. Man kann sich allerdings nicht genug davor hüten, in diese naiven, aber überaus lebensnahen Schilderungen ein grob sexuelles Moment hineinzudeuten. Es ist vielmehr an den Säuglingsinstinkt zu denken, der in jedem, zumal einem darbenden Manne wohnt. Ein Instinkt, den man allenfalls als »Schnullekstase« bezeichnen könnte.

Man darf bei der Analyse des Phänomens den Umstand nicht übersehen, daß es kein einziges Zeugnis dafür gibt, daß einer frommen, mystisch heimgesuchten Frauensperson je eine ähnliche Gunst der Gottesmutter zuteil geworden ist!

13 Apollonios von Tyana verurteilt heftig die lasziven Gebräuche während der Prozession. Thimotheus von Milet nennt die Göttin Fragm. 18 eine »Rasende« und findet absprechende Worte. Auch Achilleus Tatios, IV,3, geißelt das Treiben auf den Straßen während des orgiastischen Festakts mit entsetztem Abscheu.

14 Auch im Dienst der Kybele bezeugt: teils entmannt, teils nicht.

15 Flöte, Syrinx, Tympanon und Schellen, die Kultinstrumente des Dionysos. Sie stehen im Gegensatz zu den »apollinischen« Instrumenten, Kithara und Leier, denen eine harmonisierende, die sittliche Haltung fördernde Wirkung zugesprochen wird.

16 Joh. Akt. XLII: »Sobald Johannes seine Rede gehalten hatte, zerbarst der Altar der Artemis in tausend Stücke, desgleichen die Götterbilder. Die Hälfte des Tempels stürzte ein, sodaß auch die Priester alsbald erschlagen wurden.«

– Gottesgebärerin – zugesprochen wurde, sind Symbole und Verehrungsformen der Artemis auf Maria übertragen worden; selbstverständlich nach sorgfältiger Entsexualisierung.[17]

Der Mythos berichtet: der Gatte, Geliebte oder Sohn beziehungsweise alles gleichzeitig der Großen Göttin findet einen gewaltsamen Tod, steigt ab in die Unterwelt und verweilt dort eine bestimmte Zeit (die Dürreperiode!). Sodann kehrt er kraft einer energischen Intervention der Göttin wieder für die Zeit der Fruchtbarkeitsphase ins Leben zurück. Die Kultgeschichte, die sich auf diesem Mythos aufgebaut hat, besteht demnach aus drei Akten: 1. »Heilige Hochzeit« – feierlicher Beischlaf der Göttin in Gestalt der Oberpriesterin mit dem Erwählten unter begeisterter Teilnahme des Volkes; 2. Abschluß des Zyklus mit der Tötung des Geliebten beziehungsweise Jahreskönigs durch einen Vertreter der Unterwelt, einer Personifikation des Bösen;[18] 3. Wiederauferstehung des Toten (im Ritus Neuwahl eines Jahreskönigs) mit Hilfe der Göttin, welche die Mächte der Unterwelt besiegt.

Mythos und Kultform sind der wesentliche Inhalt der

---

17 Bestimmte Festtage, der Mai als heiliger Monat, Anrufungen der Lauretanischen Litanei aus Isishymnen (Apuleus, »Der Goldene Esel«, 11. Buch, 2). Siehe auch: Akanthistos des Meloden Romanos. Der Zodiakus wurde umgedeutet in die 12 Stämme Israel oder die 12 Apostel.

18 Im Isis-Osiris-Mythos ist es Seth, eine Gleichsetzung mit dem Sirius beziehungsweise Orthros, dem bereits erwähnten inzestuösen Sohn der schlangengestalteten Echidne, in anderen Überlieferungen ein Nilpferd, der alttestamentarische Behemot. Im Ischtar-Tammuz-Mythos wird der Mann von Ereschkigal, der eifersüchtigen Schwester der Ischtar, in der Unterwelt festgehalten und vermag nur durch eine Reihe von Demütigungen (siebenfache Entkleidung) der Ischtar wieder der Oberwelt gewonnen werden. Die syrische Erscheinungsform des Tammuz, Adonis, wird von einem Keiler geschlagen, ebenfalls ein verächtliches chthonisches Tier. Der kanaanitische Baal wird von Mot, dem Tod selbst, umgebracht und von seiner Schwester beziehungsweise Geliebten Anat wie-

sogenannten griechischen Mysterienreligionen, welche den homerischen Götterglauben abgelöst und sich bis in die hellenistisch römische Zeit lebendig gehalten haben, gleichzeitig mit dem entstehenden Christentum und identisch mit dem im Judentum mit Abscheu genannten »Götzendienst«. Soviel man aus den spärlichen Andeutungen über die Aufnahmeriten in eine Mysteriengemeinschaft schließen kann, wurden im Kultus die oben erwähnten drei Stationen symbolisch nachgespielt. So mußte etwa der Adept einen Gang durch die »Unterwelt« simulieren (siehe das Zeremoniell der Freimaurerlogen, ferner die Schreckensstationen der Volksmärchen, an deren Überwindung eine Art Erlösung gebunden ist!).

Mit entsprechender Vorsicht kann man Parallelen zwischen diesen Mysterienkulten und der Passion Christi ziehen, besonders auf Grund des Johannesevangeliums, das ja auch sonst von der jüdischen Denkweise zugunsten einer hellenistisch gnostischen abweicht. Von Jesus selbst kann angenommen werden, daß er die zu seiner Zeit sehr verbreiteten Mysterienreligionen gekannt hat, besonders wenn man bedenkt, daß er in Gali-

---

dererweckt, die bei dieser Gelegenheit den Tod überwältigt und sorgfältig in winzige Stücke zerreibt.

Im für die künftige religiöse Entwicklung wichtigsten Dionysos-Mythos wird der Gott von den Mächten des Bösen, den Titanen, zerlegt, gekocht und verzehrt, wobei – obwohl bereits keine Mutterreligion im eigentlichen Sinne mehr – Frauen es sind (Demeter oder Athene), die den wichtigsten Teil des Zerstückelten retten; die Meinungen gehen auseinander, ob es sich um das Herz oder den Penis handelt.

Ich verweise darauf, daß in den Evangelien es abermals Frauen sind, die als erste das Grab Christi besuchen, in der Absicht, ihn zu salben und zu wickeln, das heißt Verwesung zu verhindern.

Glosse zur Glosse: Es sollte nicht unerwähnt bleiben, daß dieser Gang der drei Marien zum Grab und die marktschreierische Erwerbung der Einbalsamierungsingredienzien ein Lieblingsthema des mittelalterlichen Mysterienspiels geworden sind, was – wegen ihres derben Charakters – dazu beigetragen hat, daß die Spiele vom Kircheninneren auf den Marktplatz verlegt wurden.

läa aufgewachsen war, dem am meisten hellenisierten Teil Palästinas.

Es gibt besonders bei Johannes zahlreiche Hinweise einer Annäherung der Jesusgeschichte an die Formen- und Bilderkreis der Dionysos-Mythen.[19]

---

19 a) Dionysos ist der einzige der olympischen Götter, der einen vorübergehenden Tod leidet, geröstet und verzehrt wird (siehe Joh. 6/54: »Wer mein Fleisch isset und trinket mein Blut ...«).
b) Sowohl in der Bibel als auch im Dionysoskult findet sich die Formel: »Er sitzet zur rechten Hand Gottes« (nach der Auferstehung).
c) Das Wunder der Weinverwandlung in Kanaa entspricht ähnlichen Taten des Dionysos und ist bezeichnenderweise nur im Johannesevangelium erwähnt.
d) Weinlaub und Efeu, die typischen Pflanzen des Dionysos, finden sich bis in die Neuzeit auf Christusbildern oder gelten als Hinweis auf Jesus.
Glosse zur Glosse: Auffallend ist – wobei ich mich einer Deutung enthalte –, daß im Rahmen der in dieser Zeit sehr verbreiteten Gleichsetzungen in religiösen Dingen Christus gerade mit dem Rauschgott Dionysos in Verbindung gebracht wird und nicht etwa mit Apollon; ebenso wird Maria mit den Symbolen der Isis und Artemis ausgeschmückt und nicht mit der keuschen Hestia verglichen!

(Der geneigte Leser wird dringend ersucht, im Interesse der weiteren Ausführungen, diese Fußnoten nicht zu überschlagen, wie es leider eine oft gewohnte Gepflogenheit ist!)

*

Als ich Singers Elaborat zweimal mit großer Aufmerksamkeit gelesen, oder genauer, durchstudiert hatte – denn ohne erhebliche Anstrengung vermochte ich nicht zu einem Genuß dieser hochinteressanten Ausführungen zu kommen –, stellte ich mir mit peinlicher Deutlichkeit die Paragonviller Leserschaft vor und fühlte mich daher zu folgendem Kurzbrief genötigt, den ich unter Singers Wohnungstür durchschob, wobei ich anläutete und sah, daß ich wegkam.

»Geehrter! Erdrückt von der Überfülle an beinhartem Wissen liege ich auf dem Sofa, erstens, um die mir größtenteils neuen Stoffmassen zu verdauen, zweitens, um mich von der beträchtlichen sportlichen Anstrengung zu erholen, die mir das Hin- und Herspringen zwischen Text und Fußnote bereitet hat. Darf ich Sie – in aller Bescheidenheit – darauf aufmerksam machen, daß die zahlreichen Zifferchen, die fliegenschißartig über den Text verstreut sind, den gewissenhaften Leser in eine Art Denkstottern hineintreiben, das den Fluß der Lektüre ziemlich beeinträchtigt?

Ich erlaube mir, auf die Klausel Ihrer Herren Auftraggeber zu verweisen, wonach das Werk wissenschaftlich fundiert zwar, aber desungeachtet ›leicht lesbar‹ sein soll.

Sonst – wie immer – ganz zu Ihren Füßen!«

Nach einer knappen Viertelstunde riß mich ein Sturmläuten vom Sessel und ließ mich an die Wohnungstür hetzen. Auf dem Fußabstreifer lag ein Schreiben, genau gesagt ein aus einem Heft herausgefetztes Papier, das mit jagender Handschrift bedeckt war.

»Fußnote und Originalzitat«, entzifferte ich mit einer gewissen Mühe, »sind – Ihrer vorlauten Reaktion zum Trotz – das ehrenhafte Gerüst, an das der Gelehrte von Selbstachtung sich freiwillig fesselt, um sich vor dem Abgeschwemmtwerden in eitle Spekulationen zu bewahren, vor welcher Romanschreiber natürlich nicht zurückschrecken.

Oder sollte ich in Ihnen eine Anhängerin des sogenannten Sachbuchs sehen, dieses neumodischen Bankerts aus Journalismus und Halbwissen, der von ersterem die Gewissenlosigkeit und von zweiterem die Anmaßung zu einer Mißgeburt ausgeheckt hat, die unter dem Schreititel ›Information‹ auf einen gierigen Markt geworfen wird? Solche dreisten Machwerke ersetzen dann freilich die Glosse durch farbige Glanzphotos, unter welchen dann ein Kurztext steht à la: Sie sehen hier den Zeigefinger Sir Stanleys vom Archeological

Institute of Philadelphia, der auf die von ihm nach jahr-
zehntelanger Forschungsarbeit entzifferte Schrift eines
Tontäfelchens weist, das die Wochenabrechnung eines
frühsumerischen Beamtenhaushalts enthält. Auf der
technisch perfekten Photographie stemmt sich ein
selbstbewußter Zeigefinger mit Ehering auf einen rötli-
chen Scherben mit verwaschenem Ritzmuster.

Da ich den Verkehr mit Ihnen nicht sofort wieder ab-
brechen möchte, unterziehe ich mich der Mühe, Ihnen
ein letztes Mal Sinn und Zweck der Fußnote klarzuma-
chen:

Die Fußnote ist das Rapier des Gelehrten. Es muß mit
allen Finten beherrscht werden, will der Forschende
sich im Hornissennest akademischen Intrigantentums
heil und gesund erhalten. Die Glosse dient der Veranke-
rung einer Aussage in breitestem Felde und hat die stra-
tegische Funktion, arglistigen Feindseligkeiten der
Fachkollegenschaft zuvorzukommen und sie mit der
Klatsche souveränen Allgemeinwissens niederzuschla-
gen. Sind doch gerade die Zanksüchtigsten der Experten meist nur röhrenförmig gebildet, haben jedoch innerhalb ihres winzigen Blickfeldes jedes Beinchen ihres
speziellen Tausendfüßlers gezählt, registriert, diskutiert
und eingespeichert und damit eine Überlegenheit gewonnen, die sie einem bei jeder Gelegenheit ins Fleisch
bohren wie Moskitos ihren Steißstachel. – Gerade der
kleine Geist ist lästig.

So kann es leicht sein – um ein Beispiel zu nennen –,
daß in irgendeinem Wespenloch einer sitzt, der Zeit,
Vermögen und Gesundheit dem Studium des Hemden-
wechsels der ephesischen Artemis geopfert hat und nur
darauf lauert, seine Prävalenz auf diesem Gebiet einem,
der nur daran streift, zu beweisen durch einen Giftstich
in Form einer ›Diskussionsbemerkung zum letzten
Machwerk Herrn Singers‹. Deute ich nun in einer Ne-
benglosse möglichst beiläufig an, daß mir die Zusammenhänge dieser heiligen Hemden bis hinein ins Maria
Zellerische vertraut sind, bekommt es der kleine Geist
mit der Furcht. Er zieht sich ins Loch zurück und harrt

auf die billigere Beute eines Leichtfußes, der glossenlos vor sich hingeschrieben hat, ohne sich breit abzusichern.

Ich räume ein, daß Sie das nicht wissen können. Die bittersten Literaturrezensenten können nicht so gnadenlos sein wie eine Handvoll Fachkollegen einer wissenschaftlichen Disziplin. Es ist traurig, wieviel geistige Energie der Gelehrte der Forschung entziehen muß, um sie auf gewöhnliche Überlebensstrategie zu verzetteln.

Er befindet sich dauernd in der Lage eines Reisenden, der sich nächtens durch das Straßengewirr einer südlichen Stadt tastet, gewärtig, daß hinter jeder Ecke ein Bravo hervorbricht, der ihn der gesamten Habe und Kleidung beraubt, sodaß er im Morgenfrost nackt und beschämt vor der – wissenschaftlichen! – Welt steht und von Glück sagen kann, wenn man ihm die Unterhosen gelassen hat!«

EINE INTERVENTION EMPFIEHLT SICH

Ich war betreten. Vor allem schämte ich mich wegen des flotten Tons, den ich mir erlaubt hatte. Ich hätte mir denken müssen, daß Singers Nerven in diesen Tagen schwer beansprucht waren, und hätte Schonung walten lassen müssen. – Ich sah und hörte nichts von Singer und saß über einem Beschwichtigungsbrief. Dabei quälte mich aber unablässig die Vorstellung der Reaktion Paragonvilles auf das »Warenmuster«. Ich war ziemlich sicher, daß man den Auftrag zurückziehen werde, andererseits war mir klar, daß sich Singer eine Absage nicht leisten konnte. Erstens aus purer Geldnot; zweitens aber hatte ihn das Thema schon gepackt. Das war deutlich aus dem Artemiskapitel herauszulesen. Die Vorarbeiten waren so erheblich, daß er kaum Zeit gefunden haben konnte, sich anderwärts abzusichern und nach Verdienstmöglichkeiten umzusehen.

Als ich mich eines Vormittags hinausbeugte, um ein Staubtuch auszubeuteln, erblickte ich Singer unter mir. Er hing weit aus seinem Fenster und musterte die Gasse, als erwartete er jemanden. Um diese Zeit war der Briefträger fällig. Singer lauerte also auf Antwort aus Amerika. Am nächsten Tag hing er wieder und auch am übernächsten. Seine Nerven mußten tremolieren.

Dann hörte ich ihn an einem späten Vormittag – die Post war bereits eingetroffen – durch die ganze Flucht seiner Wohnung auf und ab gehen. Harten, kurztrittigen Schrittes. Ich ahnte den Grund. Es wurde Nachmittag, es wurde Abend. Keine Unterbrechung der Trittgeräusche. Ich sah mir die Nachrichten an und dann noch zur Ablenkung eine Kriminalgeschichte mit Knallgeräuschen und kreischenden Autojagden. Das verstopfte für eine Weile mein Gehör. Als ich abdrehte und Stille eintrat, wieder diese nervenfeilenden Tritte unter mir, auf und nieder wandernd mit der zermürbenden Ruhelosigkeit eines Raubtiers im Käfig. Ich machte mir ernsthafte Sorgen. Überlegte, ob ich mich irgendwie melden sollte, stand dann aber ab davon. Singer war jetzt so aufgeladen mit dem Treibgas der Wut, daß jede Annäherung nur eine Explosion auslösen würde.

Ich muß gestehen, daß auch Feigheit mich hinderte.

Ich beschloß, mich in meiner Ratlosigkeit an Hochwürden Thugut zu wenden, und rief an. Es erwies sich, daß auch er einen Durchschlag der »Artemis« erhalten hatte und die gleichen Zweifel hegte. Noch feiger – oder vernünftiger? – als ich, hatte er stillgehalten und auf weitere Informationen gelauert. Die konnte ich ihm nun geben und gleichzeitig das Singerische Aufundabgehen schildern. Die Verfassung des armen Freundes konnte er sich lebhaft vorstellen. Auch hinsichtlich der Folgen waren wir uns einig, ebenso wie in der vollkommenen Ratlosigkeit, was zu unternehmen wäre.

»Man muß ihm zu einer Aggressionsabfuhr verhelfen, sonst geht er uns an Stauungsphänomenen ein«, sprach der Verhaltensforscher, »ich muß übrigens für ein paar Tage verreisen«, setzte er rasch hinzu. – »Was soviel heißt, daß ich mein armes Haupt zum Blitzableiter umfunktionieren soll! Wo man die Kirche braucht, pflegt sie zu versagen, duckt sich, wartet ab, läßt allein, man kennt das!« Ich warf den Hörer auf den Apparat und grollte, bis wieder auf und ab und auf und ab die Schritte des unseligen Singer sich in mein Gehör nagten.

Da läutete wieder das Telephon. Thugut war dran und klang zerknirscht: »Ich hab ein schlechtes Gewissen. Was tun wir nur mit ihm?« – »Wenn ich's wüßte ... er geht immer noch auf und ab.« – »Verdammt und zum Teufel!« – »Du sollst Gottes Namen nicht eitel nennen!« – »Sie können mich gern haben! Was tun wir?« – »Ihr Geschäft! Erstens als Tierkenner, zweitens als Seelenhirte von Profession.« – »Ein Wolf im Käfig! Die Wissenschaft ist fürs Herauslassen und die Liebe auch. Herauslassen auf die Gaffer. Auf Paragonville.« – »Das ist jenseits des Ozeans. Reden die Herren Verhaltensforscher nicht von Ersatzzielen der Aggression? Es winkt Hochwürden die Gnade, zum Märtyrer zu werden.« – Schweigen im Hörer. – »Wissen Sie was, dann beten Sie wenigstens«, rief ich und legte still auf.

Sorgenvoll ging ich zu Bett und versuchte mich durch Lesen abzulenken. Dabei muß ich eingedöst sein und noch im Hinübergleiten automatisch das Licht abgedreht haben. Denn plötzlich wurde ich jäh aus einem lebhaften, wirren Traum aufgeschreckt, der die aktuellen Sorgen aus meinem Bewußtsein gewischt hatte, sodaß ich mich nicht gleich zurechtfand. Mit aufgesträubter Haut saß ich steilrecht im Finstern, Kältegeriesel das Rückgrat entlang und gänzlich desorientiert. Denn dicht neben meinem Schlafdiwan pochte es in gemessenen Abständen. Mit bebender Hand taste ich nach dem Schaltknopf, finde ihn ewig nicht, starre ins Dunkel. Gemessen pocht es bald neben, bald unter dem Bett. Endlich bin ich so weit wach, daß ich begreife. Der arme Singer will mittels Besenstiels auf sich aufmerksam machen.

Ich klopfte mit dem Bein meines Nachtstockerls zurück, um zu signalisieren, daß ich ihn gehört hatte. Er entfernte sich nun, durch Pochen mich nachziehend, langsam – weg vom Bett und hinaus ins Vorzimmer. Dort hörte ich, wie er das Fenster öffnete. Ich tat das

62

gleiche und blickte in ein von vagem Lichtschein
schwach beleuchtetes, eingefallenes Antlitz, das mir zu-
gekehrt wurde. Gleichzeitig wuchs aus dem Dunkel eine Stange mit einem reißnagelbefestigten, hergenommen aussehenden Stück Papier. Es erwies sich bei
näherer Betrachtung als ein solides Geschäftspapier mit
Briefkopf, das aber durch Einreißungen und Knüllun-
gen schwer mißhandelt worden war; verwischte Stellen
ließen sogar Bespuckung vermuten.

Es war die Antwort aus Paragonville. Keine krude Absage. Ärger. Es war ein Vorschlag in Güte. – Die guten
Paragoner zeigten sich von der wissenschaftlichen Abhandlung sehr beeindruckt, gaben aber zu bedenken,
daß der ihnen vorschwebende Leserkreis, der ja möglichst breit sein sollte, weder imstande noch gewillt sein
würde, Gelehrsamkeit dieses Niveaus und dieses
Stils aufzunehmen. Man ersuchte Singer, das zu verstehen. Es sei ja auch bereits in der Vorbesprechung von
der Bedingung der »leichten Lesbarkeit« die Rede gewesen. Wolle Singer die Auftragsarbeit übernehmen, was
man sehr hoffe, da einem gelegen war, einen so bedeutenden Namen als Autor zu verpflichten, dann müsse er
sich zu einer entsprechenden »Aufarbeitung« des Textes
entschließen. Man denke dabei an Auflockerung durch
zeitnahe Anekdoten oder ähnliches. Gerade die moder-
ne Sachliteratur zeige ja, daß es durchaus möglich sei,
auch die schwierigsten Gebiete einer Fachwissenschaft
dem Laien in launig spannender Art nahezubringen, sodaß sich ein solches Werk lese wie ein Kriminalroman,
wobei der Autor keinen Fingerbreit vom harten Fach-
wissen abweichen müsse. Nicht umsonst fände man gegenwärtig in jeder Bestsellerliste solche Sachbücher an
den ersten Stellen. – Der Brief schloß mit den Worten:

»In der Hoffnung auf gedeihliche Zusammenarbeit
im oben beschriebenen Sinne und in Erwartung einer
weiteren Probestelle. Im Fall einer Absage ersuchen wir
freundlichst, den Betrag des geleisteten Vorschusses innerhalb der Frist von vier Wochen auf folgendes Bankkonto einzuzahlen ...«

Die Passsage »launig spannend« war von Singers Hand giftgrün unterstrichen mit einer Druckstärke, die das Papier angefetzt hatte. Das Wort »Vorschuß« war mit einer nachdenklichen Zierleiste umrahmt.

Ich zog Schlafrock und Hausschuhe an und ging hinunter. Singer trat mir entgegen mit dem Gesicht eines, der Unrat zu sich genommen hatte, der ihm nicht bekommen war.

»Werfen Sie mir jetzt nur bitte nicht entgegen, Sie hätten es gleich geahnt«, war das erste, was er sagte. Aber das hatte ich keineswegs im Sinn gehabt. Ich redete überhaupt nichts. Wir setzten uns in die Küche, weil es da am wärmsten war, tranken Kaffee, rauchten zuviel und sahen vor uns nieder.

»Natürlich sag ich ab! Wenn man einen Reißer von mir erwartet als Romanlektüre für Halbwüchsige und schlaflose Matronen ... Es ist nur der Vorschuß! Wie bring ich in vier Wochen den Vorschuß auf?«

»War es so viel?« – »Ich hab ihn mir geben lassen, um hier rasch eine passende Wohnung zu finden. Mit meinen sonstigen Einkünften kann ich gerade einigermaßen leben. Ich habe keinerlei Rücklagen.« – »Und Geld aufnehmen?« – »Wer gibt einem etwas, der keine Garantien geben kann? Ich hab kein festes Einkommen.« – »Soviel hab ich auch nicht, sonst könnten Sie es gerne haben.« – »Sie sind eine gute Person, aber ich würd es nicht nehmen. Ich kann auch für eine langfristige Rückzahlung nicht garantieren.« Und dann, aufklagend: »Ich stehe finanziell vor dem Verröcheln. Ich muß auf meine alten Tage einen historischen Kolportageroman schreiben und meinen Ruf ruinieren ... mein Gott, im Krieg hat unsereiner auch unfeine Arbeiten gemacht, aber damals war man jung, und es ging ums Überleben ...«

Singer sah grünlich und verfallen aus. Er tat mir leid, und ich sorgte mich.

»Ich werde verkaufen müssen!« sagte er schließlich, und ich wußte, was er meinte. Das Herz tat mir weh. Er besaß ein paar wertvolle Handschriften und Folianten, an denen er sehr hing. Wir saßen noch eine Weile, jeder eine düstere Zusammenballung der Ratlosigkeit. Dann ging ich.

Grübelnd fiel ich in diese Art seichten Schlafes, in dem sich die Tagesunruhe in Halbträume aufbröselt. – Und ganz plötzlich war ich hellwach. Es begann gerade leise zu dämmern, als ich mich an den Schreibtisch setzte. Dann schlief ich ein paar Stunden fest. Nahm ein anständiges Frühstück, überarbeitete das Elaborat und trug es zur Post, und zwar unter Singers Absenderadresse. Für mich gab es nun nichts mehr als ängstliches Warten.

Singer lief sich indessen die Füße wund von Antiquariat zu Antiquariat. Die Angebote waren schlecht, und ich suchte ihn mit meiner ganzen Überredungskunst von einem Notverkauf abzuhalten. Ich mußte ja nur Zeit gewinnen, durfte Singer aber nicht aufklären.

Meinem an das Paragonviller Festgremium gerichteten Konvolut hatte ich folgenden Brief beigelegt.

Sehr geehrte Herren!

Durch ein grobes Versehen meiner Sekretärin ist Ihnen nur ein Teil des Probekapitels zugekommen, Ihr Befremden ist mir daher nur zu verständlich. Ich bitte vielmals um Entschuldigung und sende hiemit den fehlenden Teil nach.

Ich habe unser Werk – anders als die üblichen Sachbücher – so konzipiert, daß einem wissenschaftlichen Teil jeweils ein Abschnitt folgt, der Einblick in die Alltagsrealität der besprochenen Epoche gibt, quellenmäßig gesichert, aber lebensnah und menschlich ansprechend. Der Leser kann sich je nach Bildung und Interesse und ohne Einbuße an Information mehr an die wissenschaftlichen oder die anekdotenhaften Kapitel halten, wenn er nicht das ganze Buch lesen will. In dieser Form angelegt, wird Ihnen das Werk einen breiteren Leserkreis sichern, als die üblichen Sachbücher zu erobern imstande sind, die im Fehlstreben, beide Kategorien zu vereinigen, weder einer ernsten wissenschaftlichen Prüfung standhalten, noch einen echten Romangenuß vermitteln. Ich bin überzeugt, Ihren Intentionen am besten zu dienen, wenn ich einer fundierten, faktengesicherten Interpretation jeweils ein Zeitbild folgen lasse, das unschwer aus der Fülle zeitgenössischer Sekundärliteratur gewonnen werden kann, wie zum Beispiel Briefe, Reiseschilderungen, Geschäftsabrechnungen, Sitzungsberichte; nicht zu vergessen die jeweils aktuelle Trivialliteratur. Der Leser kann auf diese Weise entweder seinem Geschmack entsprechend wählen oder sich bei der vollständigen Lektüre durch die Abwechslung anspruchsvoller und unterhaltender Passagen erfrischen.

In der Hoffnung, Sie nun zufriedengestellt zu haben!

Ihr Prof. Singer!

Nun war ich es, die den Briefträger mit Herzklopfen erwartete, beziehungsweise das, was er Singer zustellen mußte. Außerdem betete ich, daß die Versteigerung – Singer hatte seine Bücher inzwischen dem Dorotheum überlassen – nicht zu früh angesetzt würde.

Da endlich eines Tages um die Postzeit Sturmläuten. Vor der Tür stand Singer, einen offenen Brief in der Hand und mit einem Gesicht voll scharfen Mißtrauens. Mir zitterte die Hand, und vorerst verschwammen mir die Buchstaben.

Endlich war ich lesefähig.

Wortreiche Entschuldigungen wegen des Irrtums. Heiße Zustimmung. Die Zwillingsmethode sei geradezu genial, entspreche voll und ganz der Erwartung, übersteige sie noch. Das Probekapitel sei im Gremium mit größter Aufmerksamkeit studiert worden – selbstverständlich beide Teile! – und habe tief beeindruckt sowie köstlich unterhalten. Die offizielle Auftragserteilung sowie der Vertragsentwurf werde in Kürze nachgesandt.

Zwischen Singer und mir war noch kein Wort gewechselt worden. Jetzt sahen wir nur einander in die Augen. Dann holte ich mein Manuskript aus dem Zimmer, sowie den Durchschlag meines in seinem Namen geschriebenen Briefes an Paragonville. Ich drückte ihm beides in die Hand und schob ihn zur Tür hinaus.

HOCHVERDÄCHTIGE ANSPIELUNGEN

Ein Sittenbild aus Konstantinopel zur Zeit des Bilderstreits (etwa 815 n. Chr.)

Schwül lastet die Juninacht über der Stadt.

Chaim ben Chaim saß noch wach in seinem Abseits, das er in den weitläufigen Wohn- und Geschäftsräumen des großen Handelshauses bewohnte. Ein Fenster ging auf einen kleinen, von hohen Mauern umgrenzten Hintergarten hinaus, an dem sich nur ein schmales Seitengäßchen hinzog.

Chaim horchte auf den Lärm der großen Straßen, der gerade wieder jäh anschwoll, sich aber dann hafenwärts verlor. Die drückende Atmosphäre lag ihm in den Gliedern. Die Sorge ließ ihn nicht ruhen! Bei dieser feuchten Hitze war der Straßenpöbel immer besonders reizbar und rasch zu blindwütigen Massakern verführbar! Da konnte man nie sicher sein, ob die aufgewühlte Menge sich nicht im Judenviertel austobte. Zwar waren gerade die Hebräer nicht des Bilderkults verdächtig, aber im Rausch des Plünderns und Metzelns vergißt der Mob leicht den eigentlichen Anlaß des Tobens.

Erleichtert stellte Chaim fest, daß der Tumult sich vorübergewälzt hatte. Stille trat ein.

Das waren Tage! – Wie weise war doch Moses' Wort, das jede Abbildung des Heiligen unter strenges Verbot setzte. Chaim vergegenwärtigte sich die einschlägige Exodus-Stelle: Der Herr redete mit euch, drosch er seinem Völkchen ins Ohr, seine Stimme habt ihr gehört, aber keine Gestalt gesehen ... und laßt es euch noch und noch in eure harten Schädel prägen, denn ich, Moses, hab einen weiteren Horizont als ihr Schlammgezücht aus dem verderbten Mizraim ... ihr habt *keine Gestalt* gesehen des Tages, da er redete mit euch aus dem Feuer auf dem Berg Horeb ... so bewahret eure Seelen wohl ... ich möcht's euch geraten haben ... auf daß ihr nicht verderbet und macht euch irgendein Bild, das gleich ist einem Mann, Weib oder Vieh ... Laßt es euch also nicht einfallen, Götzchen zu formen aus Holz, Dreck oder Stein, um euch den Unsichtbaren handlich zu machen für Erpressungen in persönlicher Sache; ohnehin nur irgendein Unflat, wie ich euch kenne ... So wird er geredet und immer wieder geredet haben, Moses als Stimme des Herrn, als er den ungeschlachten Haufen vierzig Jahre durch die Wüste trieb und schund und zurechtmeißelte, daß sie menschenähnlich wurden! So grübelte Chaim, ans Fenster gelehnt: »Sieht man doch gerade jetzt wieder, was dabei herauskommt, wenn man zu haut- und gaffnah steht mit der Gottheit. Nichts als Herabzerrung. Jetzt haben sie ihre Bescherung damit in der Kirche. Viel zu spät haben sie eingegriffen. Und was haben sie davon? Was als geistliche Belehrung gedacht war, artet aus in ein blutrünstiges Volksfest. Viel zu gefährlich, als daß wir sagen könnten: recht geschieht ihnen!«

Chaim entstammte einem alten, ursprünglich in Ephesos angesiedelten Handelshaus, dessen Geschäftsverbindungen sich über das ganze Kaiserreich und auch die anliegenden Länder erstreckten. Er selbst aber war Arzt geworden und als solcher auch in Hofkreisen angesehen und gesucht. Seine weltweise und verschwiegene Art machte ihn – neben seiner ärztlichen Kunst – zum Vertrauten vieler hochgestellter Persönlichkeiten. Aber er mied deshalb keineswegs die Behausungen des niedrigen Volks, der Kleinen und Armen. Er wußte, wieviel man gerade in diesen elenden Hütten lernen konnte, was der Wissenschaft und der Menschenkenntnis dienlich war.

Außer dem Wohnsitz verband ihn mit der angestammten Sippe eigentlich nur eine Art Marotte: er sammelte nämlich Kleinkunst aller Art, vor allem religiösen Charakters, und keineswegs nur Dinge von ästhetischem Wert. Durch die Handelsfahrten und weltweiten Verbindungen des Hauses stand seiner Leidenschaft ein reiches Feld zur Verfügung; eine Leidenschaft übrigens, die in den Kreisen seiner Glaubensgenossen und in der Familie selbst nicht selten Anstoß erregte. Man schüttelte teils spöttisch, teils eifernd den Kopf über die unbefangene Vorurteilslosigkeit, mit der er seine Grille betrieb. Selbst Skurriles, ausgesprochen Häßliches, ja Obszönes fesselte ihn, und seine Sammlung war voll von Idölchen, die oft recht lieblich anzusehen waren, manchmal aber auch grausig, teils von rätselhafter, teils aber auch von überaus eindeutiger Anspielung, die der Fromme eigentlich nicht dulden durfte. Chaim jedoch war von allem gefesselt, was Menschen sich in ihrer verschreckten und liebebedürftigen Plage um Gott ausdachten. Diese seltsamen Studien gehörten gewissermaßen zu seinem Beruf: das Leiden, von dem ja nur im geringeren Maße der Körper betroffen war. Er sah in jeder wie immer gearteten religiösen Übung den dumpfen Drang, dem Leiden zu begegnen durch einen Glauben, durch die verzweifelte Suche nach einem göttlichen Schoß und nach Gewandfalten, in die man sich flüchten konnte vor der Bedrohung durch den unbegreiflichen Tod.

Freilich bemühte Chaim selbst sich, festzuhalten an der Vorstellung eines abbildlosen, rein geistigen Gottes, aber er kannte die Menschen zu gut, um allzu streng über gewisse Abweichungen zu urteilen; und er kannte auch sein eigenes Herz.

Im Prinzip begrüßte er die Bestrebungen des Kaisers und eines Teils der Kirche, der allzu üppig wuchernden Vergötzerei der Ikonen Widerstand entgegenzusetzen. Er verurteilte aber scharf die Grausamkeiten und Übergriffe, die sich die Soldateska in angeblicher Ausführung der kaiserlichen Befehle leistete und die wieder ihrerseits die nicht weniger mörderische Wut des Volkes herausforderte, das von den Mönchshorden aufgestachelt wurde, die theologisch auf der niedrigsten Stufe der Unwissenheit standen und ohne jede Schwierigkeit Nasenabschneiden und Augenausbrennen als Akte der

Frömmigkeit darzustellen und zu zelebrieren vermochten.

In diesem Punkt war Chaim auch einig mit einem seiner nächsten Freunde, Nikephoros, einem Kleriker aus der Umgebung des Patriarchen. Auch er geißelte scharf die götzendienerische Verehrung der Ikonen, beklagte jedoch ebenso tief die Unmenschlichkeiten, die auf beiden Seiten begangen wurden.

Die Sterne wanderten über dem veilchenblauen Meer. Verstummt war der Gesang der Zikaden, und ein leiser Wind regte die Blätter des Weinlaubs, das sich die Mauer emporrankte. Es roch intensiv nach Rosen und Kloake.

Da horchte Chaim auf. War da nicht draußen im stillen Garten ein fremdes Geräusch? Er lauschte angespannt. Es schien aus der Krone der Tamarinde zu kommen.

»Hochheilige Gottesmutter Maria«, hörte er zwischen gehetzten Atemstößen aus dem Blattgewirr flüstern, »Retterin der Bedrängten! Du weißt es, mit welcher Inbrunst ich mich immer geplagt habe, dich zu malen, so erhaben ich nur kann, abzumalen vom Bild meiner inneren Augen ... das eine schwillt mir schon zu, wo der Wüstling mich getroffen hat mit seinen Berserkerpratzen ... Allmächtige, mach, daß die tobsüchtigen Schinder mein Versteck nicht finden ... Au! Auch auf den Kiefer hat der Muskelgauch mir eine gelandet, daß ich mir in die Zunge gebissen habe! ... Hüterin der Liebenden, mach, daß der Schaden nicht bleibend ist und ich vor der schönen Chriseis lisple. Sie ist ohnedies so lachsüchtig, das Frauenzimmer ... Meerstern, wie danke ich dir, daß du mir eine unsichtbare Gasse geöffnet hast in den krallenden Fängen des Pöbelhaufens und ich Fersengeld geben konnte ... Heilige, was für ein Volk! ... Dieser dreckschleudernde Mob, was schert mich ihr Bilderzank. Ich will nichts als malen ... Kniefälligen Dank, Himmelskönigin, daß du mir hilfreich warst! ... Der Flinkere war ich. Die Bluthunde blendete die rote Wut ... Maria, süße Mutterliebe, in deinen heiligen Falten hast du mich über diese Mauer entrafft den rotzigen Barbaren.«

Die Stimme, wiewohl stoßweise geflüstert und von Gekeuche unterbrochen, kam Chaim bekannt vor. Er griff nach der Lampe und leuchtete hinaus in den Garten. – Da hockte es im Geäst der Tamarinde. Ein zitterndes Bündel mit zerfetzten Kleidern, blutig verschrammt, die Augen angststarr aufgerissen.

Also doch! Der junge Isidoros, der Ikonenmaler! Chaim hatte in den letzten Tagen schon oft gedacht, wie es dem jetzt wohl gehen möge. Er mochte den begabten Menschen mit dem lebhaften, vielleicht ein bißchen allzu leichtfüßigen Temperament, das er aber mit seinem Charme ausglich, und dem kritischen Ernst, mit dem er seine Kunst betrieb. Chaim zog ihn oft heran, um sein Urteil über eine seiner Neuerwerbungen zu hören. Der junge Mann hatte die kluge Nüchternheit und den sicheren Geschmack des Griechen. Er entstammte einer alexandrinischen Familie, die aber schon lange in Byzanz ansässig war. Ein bißchen ägyptisches Blut war wohl verantwortlich für die auffallende Zartheit des Körperbaues und den langen, schlank gewölbten Hals. Soviel Chaim wußte, waren die Eltern tot, die meisten Verwandten aber als Hofbeamte in der Verwaltung tätig. Bei ihnen konnte der aus der Art Geschlagene sich in diesen Tagen wohl nicht sehen lassen, kaum tätige Hilfe erwarten. Kein Höfling wollte sich heute auch nur dem entferntesten Verdacht aussetzen, etwas mit einem Bildermaler zu tun zu haben. So mag der Junge in der höchsten Not der Verfolgung an ihn gedacht haben, an den Juden, bei dem man am wenigsten einen Maler von Heiligen suchen würde.

So war es auch, und Isidoros hatte sich nicht getäuscht. Mit der größten Erleichterung vernahm er, wie unten an der Pforte der Riegel weggeschoben wurde. Er glitt vom Baum und stahl sich ins Haus. Den Finger an den Lippen mahnte ihn Chaim zu möglichster Lautlosigkeit. Er war sich nicht aller Bewohner des Hauses sicher. Am besten erschien es ihm, wenn niemand von dieser nicht ungefährlichen Einquartierung erfuhr.

Er führte den Aufatmenden, der jetzt erst so recht zitterte, in seine Gemächer, die zu dieser späten Stunde sicher niemand mehr betrat. Erst versorgte er kunstgerecht die Wunden des geschundenen Gastes, richtete ihm ein beruhigendes Bad und frische Kleider. Dann setzte er ihm vor, was er zur Hand hatte. Es stellte sich heraus, daß Isidoros seit Tagen nichts Rechtes mehr gegessen hatte. Mit der Beruhigung meldete sich auch der Appetit, aber noch während des Essens, im Sitzen, fiel er in den Schlaf der Erschöpfung. Chaim bettete ihn und deckte ihn zu. Noch im Hinübergleiten stammelte der Gerettete verworrenen, aber wortreichen Dank.

Schon in den nächsten Stunden wurde er von Fieberschauern geschüttelt, eine Folge der Wunden wohl ebenso wie der überreizten Nerven des sensiblen Menschen, der mit einer äußerst lebhaften Phantasie begabt und geschlagen war. Er mußte schreckliche Angst ausgestanden haben. Leider wurde jedoch der heimliche Gast in seinen Fieberträumen oft recht laut, sodaß die Gefahr bestand, daß man im übrigen Hause etwas hörte, obwohl Chaims Räume ziemlich abseits vom Getriebe lagen. Da er aber seine Kranken aufsuchen mußte und nicht immer am Bett des Verletzten sein konnte, vertraute er sich dem verschwiegenen Nikephoros an und wechselte sich mit ihm am Lager des fiebergeschüttelten, leider auch im geschwächten Zustand überaus lebhaften Flüchtlings ab.

Dabei muß gesagt werden, daß letzterer seine beiden Pfleger nicht selten in Verlegenheit brachte mit den verworrenen Dingen, die er da so mit herabgesetztem Bewußtsein hervorsprudelte. Es handelte sich immer um eine Frau. Kein Wunder bei den jungen Jahren des Mannes, der trotz seiner andächtigen Profession dem Irdischen munter zugetan war. Trotz ihrer menschenfreundlichen Verständnisbereitschaft gerieten die beiden Pfleger doch allmählich bei dem, was sie zu hören bekamen, in eine betretene Ratlosigkeit.

72

Es handelte sich offenbar nicht so sehr um eine bestimmte Frauensperson, sondern um etwas, das mit seiner Malerei zu tun hatte, in welcher er Madonnendarstellungen bevorzugte. Er hielt sich zwar, wie es gar nicht anders möglich war, an den kanonischen Stil: die hieratisch thronende Gottesmutter mit dem ernsten Jesusknaben frontal auf dem Schoß. Aber die Freunde wußten, daß er oft schwer zu kämpfen hatte, ja sogar fasten mußte, um sich gegen die Verführung zu lieblichen Abweichungen zu feien. Diese Anfechtungen traten jetzt in der Fieberphantasie ungeschminkt zutage. So vernahm Chaim mit wachem Interesse, Nikephoros mit steigendem Entsetzen Reden folgender Art:

»Himmelsherrin, die du auf der silbernen Sichel des Mondes thronst, um wieviel schöner wäre dein Bild und deinem gnadenvollen Wesen angemessener, wenn ich diesem Tuch da über deiner Brust eine sanfte Wölbung geben dürfte. Auch dem Kleinen auf deinem Schoß wäre das vielleicht lieb, und er könnte – vom ernsten Weltenrichtertum ausruhend – sein Köpfchen an diesen zarten Doppelhügel lehnen und ein bißchen wohltuend weinen, wozu uns Männer diese Landschaft so angenehm verleitet. Könnte ich dich doch in dieser Art malen ... ich weiß ja, ich weiß ... aber was soll das? Bei allen Heiligen und Märtyrern« – Isidoros war aufgeschnellt und bekreuzigte sich mehrfach – »da wölbt es sich ja! O Mutter der Gnaden, führe mich nicht in Versuchung, deinen, du weißt es, ergebenen, aber doch etwas anfälligen Sohn, da wölbt sich's und nicht einmal doppelhügelig nur, sondern ein Drittes zeichnet sich ab und, Ave Maria, gratia plena, ein Viertes und Fünftes« (Schweiß überströmte das Gesicht des unschuldig Unflätigen, und es klapperten ihm die Zähne), »und dein Antlitz, du mächtig Milde, ist ja gar nicht mehr ernst und würdig und von heiliger Grämlichkeit, sondern zeigt ein Lächeln ... nicht der Güte, nein! Ein ganz eigenes Lächeln! Ganz und gar kein geheures Lächeln ... Gott steh mir bei, es hat etwas zauberisch Verlockendes, und ganz außergewöhnlich Verführerisches, ganz als berge es ein besonderes Geheimnis ... nein, nein, hohe Sternenfrau, so darfst du nicht schauen und lächeln, elfenbeinerner Turm, wunderbar süß und entsetzlich!« – Isidoros war aufgesprungen mit allen Zeichen der Fluchtbereitschaft, und seine beiden Hüter hatten zu tun mit Festhalten, Niederdrücken und einlullenden Redensarten. Der Kranke aber schrie, die Augen starr auf ein den andern unsichtbares Schreckbild gerichtet: »Mystin eines unaussprechlichen Planes, was hast du vor mit mir leider allzu Anfälligem«, klagte er, »Monstrum, sternenbekränztes, Spenderin überhimmlischer Gnaden aus zahllosen Brüsten, die du dem Dürstenden reichst, damit er sich sättige an deiner jungfräulichen Barmherzigkeit, Nährerin, Zuflucht der Sünder und ausgehungerten Mannsleute ...«

An dieser Stelle überkam den ernsten Nikephoros ein frommer Zorn, und er ließ dem wie in glühender Anbetung auf die Knie gesunkenen Isidoros eine schallende Ohrfeige angedeihen, worauf jener weinend ins Bett kroch und weitere Anrufungen nur mehr flüsternd und in kanonisierten Textformen von sich gab wie:

»Sei gegrüßt, durch die Freude aufleuchtet, Acker, der die Frucht des Erbarmens reifen läßt, sei gegrüßt, Hafen derer, die auf dem Lebensmeer treiben, Mischkrug der Freude, sei gegrüßt ...«

Das stammte nun wieder eindeutig aus dem Akanthistos des Meloden Romanos und hatte die Absegnung der Kirche. Trotzdem entging es dem aufgescheuchten Nikephoros nicht, daß der Hymnus im Vortrag des erhitzten Malers ein anderes Timbre hatte, als wenn ihn Mönche rezitierten vor Morgengrauen und auf nüchternen Magen in der kalten Kirche. Es befiel den verstörten Kleriker ein jagendes Zittern, und bleich mit bebender Lippe warf er dem Entfesselten Verse des Ephraim von Edessa entgegen wie einen Exorzismus: »Elend ist die Lust der Welt, weh ihren Freuden, wie Fluten das Schiff treibt sie ins Unglück, gefangen lieg ich in den Fesseln irdischer Lüste ...«

Chaim hatte die Szene genau beobachtet und lächelte

in sich hinein. Jetzt legte er dem Empörten beschwichtigend die Hand auf die Schulter: »Es sind keine teuflischen Dämonen, die Besitz ergriffen haben von unserm armen Isidoros. Glaub mir, Freund, seine Seele schläft. Wirre Fieberbilder täuschen sein Gehirn. Leeres Gaukelwesen des siedenden Bluts. Du siehst ja selbst, wie es ihn entsetzt.«

»Aber das obszöne Weib, das Monstrum, das er frevelhaft in einem Atem nennt mit der heiligen Gottesmutter. Wenn's nur Gegaukel sein soll, dann ist es der Satan, der gaukelt. Wer sonst wäre solch ungeheuerlicher Bilder fähig?«

Chaim wandte sich um und kramte in seinen Schubladen. Er förderte eine fingerlange Statuette zutage, die genau das darstellte, was Isidoros im Fieber erschienen war und was sich ihm gleichzeitig auf die Sinne und aufs Gewissen geschlagen hatte: eine weibliche Figur mit zahllosen Brüsten und einem anrüchigen Lächeln unter ernsten Augen. Fassungslos glotzte Nikephoros.

»Die kannst du überall finden«, belehrte ihn Chaim, »wahrscheinlich in aller Unschuld neben dem Kreuz an den verschwitzten Hälsen des Schiffsvolks. Du hast in der Apostelgeschichte von ihr gelesen. Artemis, die große Götzin der Meerstadt Ephesos, die schon Paulus entsetzte, so daß er – offenbar zu heftig – anpredigen mußte gegen die Hochbeliebte. Die wird unser junger Freund irgendwo gesehen haben, vielleicht sogar hier bei mir, und in seinem fiebergeschüttelten Kopf verwirren sich Bilder und Bedeutungen.«

»Das ist ja das Gefährliche am Bildermachen«, klagte Nikephoros. »Ist das schwache Hirn des stets zum Sündigen bereiten Menschen denn je gefeit gegen Fieber jeglicher Art?«

Damit verabschiedete er sich und ging durch die dunklen Gassen unter einem großen, nicht geheuren Mond, und das Bild ließ ihn nicht los: »Unheimlich und ungeheuerlich, das Heidenweib – eine einzige Großzullerei!« Letzteres sprach er mit betontem Abscheu aus, in dem aber ein leiser Anflug von Lockung vibrierte.

Zu Hause versenkte er sich besonders inbrünstig in ein Gebet an die Jungfrau Maria, schweißnasse Hände windend im Versuch, sein zerfasertes Inneres ins Gleichgewicht zu bringen. Aber immer noch verfolgte ihn boshaft lockend das unflätige Bild. Mit fliegenden Fingern zündete er zu Ehren »unserer lieben Frau zu den Schmerzen« ein Lichtlein an. Allmählich zehrte die Kerze an der schwarzbäuchig lastenden Nacht und gab dem Schlaflosen einen kleinen Trost.

Isidoros schlief indes fest und tief und sog – einem schlummernden Kinde gleich – zufrieden am Zipfel seines Bettuchs.

Chaim strich ihm die wirren Locken aus der Stirn und betrachtete ihn lang und mit Aufmerksamkeit.

WIR LASSEN DIE MAGNA MATER
NACH WIEN ÜBERSIEDELN

Es mochte eine Stunde vergangen sein, seit ich Singer mein heikles Elaborat überantwortet hatte, da läutete es zart. Als ich die Wohnungstür öffnete, sah ich erst nichts als einen riesigen Blumenstrauß und darunter Schuhe, die mir bekannt waren.

Wortlos drückte mir Singer das gigantische Angebinde in die Arme und sagte – die Augen langwimprig zu Boden geschlagen – mit betonter Zerknirschung: »Meinen tiefgefühlten Dank, meine uneingeschränkte Bewunderung. Retterin aus schreiender Not!« Dann blickte er auf, sah mir scharf ins Auge und sprach im Ton nüchterner Feststellung: »Sie wissen, daß Sie ein abgefeimtes Luder sind?«

Ich versorgte die Blumen und fragte beiläufig: »Wie stellen sich Herr Professor eine befreundete Dame lieber vor? Als Mater dolorosa mit sieben Schwertern oder als resolute Epheserin mit einer unanständigen Vorderseite?«

»Letztere ist nützlicher für den darbenden Mann, die erstere bequemer für den rüstigen«, sagte er aufgeräumt und verlangte Leibeslabe, er habe in den letzten Tagen zu wenig für sich gesorgt. Behaglich in den blauen Ohrenstuhl gelehnt, begann er ungesäumt die näheren Modalitäten einer weiteren Zusammenarbeit zu umreißen und nahm mich ungefragt in Vertrag für eine Zwiegeburt.

Nun war es auch an der Zeit, unsere Verkehrsregeln festzulegen. Beide waren wir uns einig in der Abneigung gegen nervenzehrendes Schrillen der Türklingel und des Telephons. Meinerseits verbat ich mir aber auch strikte nächtliches Heranklopfen an mein Bett, was Haare und Blutdruck hochtreibe und einen apoplektischen Streifschuß zur Folge haben könne. Nach einigem Hin- und Herüberlegen einigten wir uns – eine Lesefrucht aus Kriminalgeschichten – auf zarte Morsesignale an den Heizungsrohren. Ertöne ein solches Klopfzeichen, habe sich der Angesprochene zum Hoffenster zu begeben. Durch dieses könne man dann mit einem sogenannten Plafond- oder Spinnenbesen Schriftstücke hinauf- und hinunterreichen beziehungsweise sich mündlich mitteilen. Auf diese Weise spielte sich unser Verkehr bald zufriedenstellend ein, und zwar unter scharfer Beobachtung der Hausbewohner, die, auf ihren Fenstern liegend, die Vorgänge kopfbeutelnd verfolgten und kommentierten.

Wir saßen wieder einmal selbdritt, mit Thugut, beim Kaffee, und Singer teilte uns aufgekratzt mit, daß er die Kirchenväter endlich habe ad acta legen können: »Eine Mühsal, sag ich euch, eine zu Ulcera und Steinleiden disponierende Lektüre.«

»Und wo wühlen Sie jetzt?« wollte ich wissen; »schließlich muß ich für eine Zwillingsgeburt gerüstet sein. Und so ganz unvorbereitet heckt sich auch nichts flott Lesbares.«

»Mit dem Vordringen des Islam verlegt sich unser Problem nach dem jungen, halbbarbarischen Westen. Unter der grünen Fahne des Propheten wurden im Verlauf der nächsten Jahrhunderte die diversen Gnaden-

mütter unter die Hufe gestampft beziehungsweise reduziert auf die Freudenmädchen des Paradieses für
fromme Streiter Allahs. Das Christentum führt im
Osten bald nur mehr ein Kümmerdasein, daher greift es
nach Europa aus. Notdürftig getauft. Kein Boden für
theologische Tüftelei wie im gebildeten Osten. Ich pfer-
che daher in allerhand Weltchroniken herum. Man
stößt dabei auf die skurrilsten Berichte, darunter aber
findet sich auch durchaus Brauchbares. Eben bin ich
beschäftigt mit einem Kapitel über die Bedeutung der
Vermählung Heinrich Jasomirgotts mit Theodora, der
Nichte des byzantinischen Kaisers Manuel Komnenos,
der sich angesichts der Sarazenengefahr nach guten Beziehungen zum Westen umsah. Mitte des zwölften Jahrhunderts wird Österreich zum Herzogtum. Eine bunt
gemischte Bevölkerung hier am Kreuzungspunkt des
Donaulimes und der Bernsteinstraße und daher naturgemäß allerlei religiöses Tohuwabohu in den harten
Köpfen. Heinrich beruft irische Mönche nach Wien.
Das Schottenkloster wird gegründet, dazu eine Kirche
›Zu unserer Lieben Frau‹. Eine jüdische Gemeinde gab
es auch und die übliche Behandlung zwischen Duldung
und Erpressung. – Hören Sie mir überhaupt zu? Sie
wirken so abwesend.«

»Ganz im Gegenteil, ich habe gerade eine einschlägige Vision.« – »Haben Sie die Güte, uns an Dero Gesich-
ten teilnehmen zu lassen?« – »Ich sehe deutlich vor mir
eine vielköpfige, schwer beladene Karawane die Han-
delsstraße durch den Balkan und dann die Donau entlang schwanken, umsichtig und gelassen überwacht
und geführt von einem Mitglied des alten Handelshauses Chaim ben Chaim, Reliquien und Devotionalien.
Man schickt sich an, im aufblühenden Vindobona Fuß
zu fassen und eine Niederlassung zu gründen. Eine Anzahl rüstiger Waffenknechte sichert den Zug gegen
Überfälle von Raubgesindel, worauf man stets gefaßt
sein muß.« – »Ein eindrucksvolles Bild! Die bunte
Tracht der Byzantiner, das Geschrei, Gezänk, Gewurl
und Gejammer der Lieben Chaims und ihres Anhangs!«

78

»Man macht jetzt also in Reliquien und Devotionalien? Hat sich die Marotte des Arztes aufs Geschäft geschlagen? Keine schlechte Idee. Ein blühendes Bedürfnis damals, und mit den Kreuzzügen kam da viel unter die Leute, auch im Westen.«

»Zerreißen Sie mir gefälligst nicht den Spinnfaden! Um der Sicherheit und Geborgenheit im Schoße dieses Geschreis, Gezänks und Gejammers einer gut ausgerüsteten Sippe teilhaftig zu werden, haben zwei Männer, die einzeln reisten, um die Gunst ersucht, sich anschließen zu dürfen. Kurz nach Adrianopel war es ein junger Mensch in stattlicher Haltung und Kleidung und mit gepflegten Manieren. Isaios mit Namen, ein Hofbeamter, nur von einem Knecht begleitet.«

»Aha, mir dämmert's schon!«

»Umso besser! Sein Ziel war gleichfalls Wien. Er hatte den Auftrag, die Vermählung des Babenbergers und der Kaisernichte vorzubereiten und sich bei der Gelegenheit ein wenig am künftigen Wohnort der an Luxus gewöhnten Byzantinerin umzusehen, womöglich einige Gemächer nach ihrem Geschmack und ihren Bedürfnissen ausstatten zu lassen.«

»Wetten, der andere ging zu Fuß und in Sandalen.«

»Ganz richtig, aber man stellte ihm eins der Reservemaultiere zur Verfügung! Chaim war nicht so, obwohl dieser zweite, wie Sie schon ahnen, ein Mönch war. Er wanderte dem gleichen Ziele zu. Er sollte ein wenig für seinen Orden sondieren. In Konstantinopel war man verschnupft, als man hörte, irische Mönche seien eingeladen worden, sich der Wiener Seelen anzunehmen. In geistlicher Bildung und theologischem Feinsinn hielt Byzanz sich diesen barbarischen Nordländern weit überlegen; sowie natürlich auch in allen Kirchenfragen diplomatischer Natur.«

»Er wird doch nicht etwa Nikephoros heißen? – In der katholischen Kirche sind familiäre Verflechtungen nicht erlaubt!«

»Sei nicht kleinlich!« warf Thugut ein.

»Bitte, wenn *du* es sagst? Soll meinetwegen der Verehrer des säuerlichen Ephraim von Edessa ein Opfer der Welt geworden sein und sich in den ›Fesseln der irdischen Lüste‹ verstrickt haben, und das Ergebnis wandelt also im fünften oder sechsten Glied auf staubiger Sandale westwärts.«

Ich nahm einen Schluck aus der Tasse und fuhr fort in meinem Gespinst: »Sie können sich denken, daß Chaim diesen gebildeten Zuwachs zu seiner fast ausschließlich aus Sippenmitgliedern bestehenden Karawane als willkommene Abwechslung begrüßte und bald auch genoß, als er feststellte, daß beide Herren frei von religiösen Vorurteilen und Fanatismus waren. Es unterhielt ihn das Gespräch mit dem jungen, lebhaften und gewandten Höfling ebenso wie den in Andeutung, Verschweigen und feinem Stachel geschulten Kleriker.«

»Die Reise verläuft störungsfrei, oder komme ich in den Genuß eines kleinen Scharmützels, aus dem die Chaimschen siegreich hervorgehen, der Hofmann sich vielleicht sogar auszeichnet, eine leichte Schramme davonträgt, und von einer Tochter des Hauses gepflegt wird?« – »Billige Kolportage!« – »Ist ja nicht mein Metier! Aber irgendwas muß sich doch noch zutragen auf dieser langen Reise.« – »Es trägt sich bereits zu, ich komm nur nicht zum Reden, weil Sie mich dauernd unterbrechen.« – »Ich höre!« – »Die Reise verlief programmgemäß und weitgehend ungestört, sieht man von einer mäßigen, aber unterschwellig spürbaren Dauerbeunruhigung ab: Sie ging aus von einer auffallenden Wolkenbildung, die sich kurz nach dem Verlassen Konstantinopels gezeigt hatte und seither der Karawane den ganzen Reiseweg hin vorauszog, nachfolgte oder gar über ihren Häuptern hing. Schwarzviolettes, lebhaft bewegtes Getürme, schwefelgrün gerändert, zuweilen sogar von Blitzen durchzuckt, sodaß man dauernd Regenguß, Donner und Hagelschlag erwartete, obwohl der übrige Himmel klarblau im reinsten Sonnenlicht strahlte. Diese Erscheinung begleitete den Zug bis vor die Tore Wiens, ohne daß der Wolkenbauch sich je entladen, ja nur den geringsten Schauer entlassen hätte.«

»Wollen Sie auf die Feuersäule hinaus, die dem Haufen Israel voran durch den Sinai gezogen war?«

»Ihnen zum Tort war gerade Chaim derjenige, der sich in natürlichen Deutungen versuchte und die Angelegenheit nüchtern betrachtete. Der Kleriker warf scheue Blicke auf das dicke Phänomen und schlug mehrfach hastige Kreuze, wenn es zu blitzen geruhte. Der kecke Byzantiner neigte zu einer spöttisch respektlosen, aber doch bedeutungsschwangeren Auslegung: ›Die Große Alte ist es! Seht die Gestalt der Wolken! Ist das nicht eine stattliche Weibsperson zwischen zwei Löwen?‹

Die anderen blickten ihn fragend an und wußten nicht, was sie von ihm zu halten hätten, ob er es ernst meine oder sie düpieren wolle. ›Nun‹, setzte der junge Höfling fort, ›der Kirche ist es ja nicht recht, und am liebsten möchte sie die Anstößigkeit totschweigen, aber in unseren Breiten ist SIE immer noch lebendig in den Herzen der Einfachen, und das Volk vermengt sie, unbeleckt, wie es schon ist von klaren theologischen Trennungen und Definitionen, mit unserer‹ – jetzt neigte er halb spöttisch, halb demütig das Haupt – ›mit unserer hochheiligen Panhagia, der Gnadenmutter.‹ Schiefäugig betrachtete ihn der Kleriker und stellte fest, daß das Lächeln noch immer zweideutig auf seinen beweglichen Lippen spielte.

›Und die Wolke da oben! Nun, nehmt es als ein Zeichen. Die Große verläßt ebenso wie wir das dem weiberfeindlichen Islam schon längst verfallene Byzanz und sieht sich nach einem freundlicheren Wohnsitz um‹, schloß er heiter.

Dann wurde er aber plötzlich ernst und berichtete, es falle daheim in Konstantinopel den wacheren Geistern schon eine ganze Weile auf, daß die großen Mosaiken und auch die hölzernen Ikonen der Nikopoia, der siegreichen Mutter, sonderbar leblos und seelenleer wirkten mit langen Nasen und grämlichem Mund. Ebenso könnten die Gläubigen dem Christos Pantokrator nichts Tröstliches mehr abgewinnen, zu dem sie hälseverdrehend aufblicken müßten. Zu unbehaglich gemahne er sie ans Letzte Gericht. In Mönchsklöstern und Klausen seien Künderstimmen laut geworden, die Gottesmutter habe durchblicken lassen, daß sie sich aus der ihr bisher so lieben Stadt zurückzuziehen gedenke ... nein, nicht wegen der ansteigenden Sittenlosigkeit der Weltstadt, die störe die an menschliche Schwäche und Fallsucht Gewohnte nicht allzusehr. Vielmehr sähe sie mit dem Näherrücken des Islams ein unterdrücktes Dasein im Abseits voraus. Auf Märtyrer sei sie nicht versessen, und so suche sie ein neues Wirkungsfeld, die Vielgereiste, und zwar in den dem Christentum neu gewonnenen barbarischen Gegenden. So jedenfalls habe sie visionären Mönchen zu wissen gegeben.

Diese flüssig und im gepflegten Hofstil vorgebrachten religiösen Klatschereien interessierten und unterhielten Chaim auf das lebhafteste, während der arme Nikephoros am Roste saß, schmerzlich blickte und zwar eine streitbare Unterlippe vorschob, aber es doch nicht drauf ankommen lassen wollte, wegen zanksüchtiger Rechthaberei aus der sicheren Gesellschaft ausgeschieden zu werden.«

»No, was sagst du zu ihr«, wandte Singer sich an Thugut und zeigte auf mich mit dem Stolz eines Schaustellers, der eine besonders gelungene Bizarrbildung vorführt.

»Beachtlich, beachtlich!« sagte Thugut und starrte mich aus vorquellenden Flohaugen an.

Nach diesem Zugeständnis an den Besitzerstolz richtete Singer aber das Wort an mich und sagte in einem fast strafenden Ton: »Bei Ihnen geht ja das erstaunlich flüssig! Das setzt sich über jeden Wahrheitsanspruch hinweg und fabuliert vor sich hin, wo unsereiner mühselig nach beweisbaren Fakten fahndet, sich in dickleibige Folianten einwurmt, Sekundärliteratur durchwatet, was bekanntlich keine Flügel sprießen läßt, sondern Plattfuß, Hühnerauge, Krampfadern und Hammerzeh.«

»Bedauernswerter! Aber ich muß mich ja für die Windeier in Übung halten. Je lebhafter meine Geschichten sind, umso seriöser und glossenreicher dürfen Ihre Abhandlungen sein.«

»Windeier! Da haben Sie wenigstens das richtige Wort gewählt für Ihre Produkte«, grämelte Singer; »man wird uns die Erzeugnisse nicht abnehmen. Die in Paragonville vielleicht, aber die Fachwelt?«

»Gerade die«, mischte sich Thugut ein und stellte sich unerwartet auf meine Seite, »gerade diese, und zwar umso eher, mit je größerer Sicherheit man sie vorbringt, als wären es Lesefrüchte ausgefallener, wenig bekannter zeitgenössischer Schriften. Vergiß nicht die Eitelkeit von Kollegen!«

»Erbarmungslos werden sie mich zausen.«

»Eben nicht! Sie werden sich nämlich nicht trauen, zuzugeben, daß sie die Quelle nicht kennen. Ich möchte nicht wissen, was schon an grober Nasführung durchgegangen ist in der Wissenschaft, weil die Experten zu eitel waren und sich vor einer Blamage fürchteten, wenn sie etwas als Humbug verrissen, was dann, Gott behüt, tatsächlich wo geschrieben stand.«

»Damit könntest du allenfalls recht haben«, gestand Singer nachdenklich zu.

»Außerdem«, beruhigte ich ihn, »können Sie mich ja jederzeit beschneiden, wenn's mit mir durchgeht. Ich verspreche feierlich, kein Windei mehr in eigener Vollkommenheit abzuschicken, das nicht von Ihnen persönlich geprüft und abgesegnet ist. Der unartig phantasierende Isidoros war ja ein Notschuß. Auch müßten Sie mich mit den entsprechenden Fakten versehen, damit ich nicht ins Leere hinaus ranke.«

Mit einem genüßlichen Zug um den Mund schlug sich Thugut auf sein spitzes Knie: »Ich sag's dir voraus, Singer! Du wirst deinen Jubilanten, wenn ihr so weiter tut, ein Opus vorschnalzen, das ganz nach ihrem Sinn sein wird, und wir drei hätten noch unsere Unterhaltung beim Tauffest des zweieiigen Zwillings!«

Singer wirkte immer noch etwas bedrückt, horchte aber doch genau zu, als Thugut den Vorschlag entwickelte, im wesentlichen die drei Windgestalten beizubehalten. Jedenfalls das Handelshaus Chaim & Co., Reliquien und Devotionalien. Dann einen klugen Kleriker und schließlich einen weltläufigen Geist, wie den Höfling, der innerlich ungebunden genug wäre, die heidnischen Ausartungen der Kirche mit spöttischer Ironie und ästhetischem Genuß zu beobachten und zu kommentieren.

»Es paßt mir nur nicht«, grübelte ich, »daß die drei da so als Einzelpersonen über die Zeitläufte hinweg räsonieren sollen. Nur reden und keinerlei Handlung. Da geschieht nichts.«

»Geschehen wird genug bei mir«, prophezeite Singer, »Handlung noch und noch und nicht immer von der ansprechendsten Art, wie Sie sich denken können.«

»Gleichwohl«, trotzte ich, »es ist mir fad, mich bei meinen Windeiern, wie Sie's schon nennen, auf reine Tischgespräche zu beschränken. Auch den Paragonesern wird's mit der Zeit fad sein. Müssen sie denn unbedingt selbdritt bleiben? Es könnte sich ja so etwas wie eine Gesellschaft um sie herum etablieren. Eine Körperschaft gewissermaßen, die der Kirche als Filzlaus im Pelz sitzt und nörgelt und spottet.«

»Die würde sofort als Häresie entlarvt und dem Halsgericht überantwortet«, wandte Thugut ein, und Singer ergänzte: »Besonders wenn Juden dabei sind.«

»Ich meine ja keine schäumenden Geißler und Künder. Feiner müßten sie agieren, hinterfotzig, im geheimen. Sie selbst waren es doch, der unlängst gesagt hat, die Klugen in der Kirche passen auf, daß keine Eiferer hochkommen und die Überfrommen in Schach gehalten werden!«

»Ich seh schon Feuer züngeln und rieche angebratenes Fleisch!« klagte Singer.

SINGER IST FÜNDIG GEWORDEN, UND WIR
DENKEN UNS DIE »SODALITAS« AUS

Ein Trommelwirbel von Klopfsignalen fuhr mir ins Nervengeflecht. Ich renne ins Vorzimmer, öffne das Fenster; kein Botenstecken wird mir entgegengehalten, sondern Singer selbst hängt heraus.

Ob ich eine Stunde Zeit hätte, ja heut noch ... irgendwann ... möglichst bald ... Thugut verständigen ... ja, mit der Arbeit. Ein Fund ... er liege ihm schwer auf.

In der Tiefe des Hinterhofs hatte der Hausmeister seine Tätigkeit unterbrochen und blickte, auf den Besen gestützt, herauf, winkte seine Frau heran. Mit dem Daumen heraufzeigend, besprachen sie ihre Eindrücke. Auch andere Fensterflügel taten sich auf, Vorhänge wurden beiseite geschoben.

Da das Wetter lockte, entschied man sich für einen Stadtspaziergang. Die ungewohnte Wärme ließ uns jedoch bald in ein Lokal einfallen. Wir nahmen Platz im Freien vor dem Wirtshaus gegenüber der Ruprechtskirche.

Singer saß, die Ellbogen auf das Tischchen und das Haupt in die Hände gestützt, starrte vor sich hin und schwieg beharrlich. Thugut und ich sahen uns an und warteten. Endlich ein tief heraufgeholter Seufzer: »Diese Idee mit der geheimen Gesellschaft!« ... Unverständliches Nörgeln; und dann plötzlich gereizt, ohne daß einer etwas gesagt hätte: »Völlig aus der Luft gegriffen natürlich. Es fehlt der geringste Anhaltspunkt für eine solche Behauptung!« Wir verzichteten auf die Bemerkung, daß niemand etwas behauptet hatte, um das Ansteigen des Mitteilungspegels nicht zu unterbrechen. »Die Chroniken von damals! Man weiß ja. Eine verfilzte Mischung aus Fabel und Klatsch ... dazwischen – wenn man Glück hat – ein paar magere Fakten.«

Jetzt wagte ich, bescheiden die Frage zu stellen, die erwartet wurde. »Sie haben also in einer Chronik magere Fakten aufgespürt?«

Singer betrillerte die Tischplatte mit gehetzten Fin-

85

gern und blickte zur Seite. Eine greifbare Aura ratloser Unrast umgab den Gepeinigten.

»Red schon«, drängte Thugut, »du hast doch was gefunden! Also zier dich nicht.«

»Zieren!« knirschte Singer erbost, »als ginge es um eine Anstößigkeit ... Aber das ist ja nicht einmal so absurd. Auch Gedanken und Behauptungen können anstößig sein.«

»Dann kann ich es vielleicht windeimäßig verwerten«, sagte ich angeregt.

Singer wand seine ineinanderverkrampften Hände, daß die Fingergelenke knackten.

Endlich gab er sich innerlich einen Stoß, und es kam merkwürdig monoton und dünnstimmig, als bete er eine Litanei ab: »Die Stainreuther'sche Chronik der 95 Herrschaften‹! Schon der Piccolomini hat sich darüber lustig gemacht. Und sie lag auf in jedem Haus, das auf sich hielt. So gegen 1380.« Wir sahen ihn fragend an. »... nun, der Mann weiß, daß genau acht Monate nach der Sintflut die Österreicher hier eingewandert sind und sich in 95 Herrschaften etabliert haben, unter denen nebst böhmischen und ungarischen auch jüdische und heidnische waren.« Wir sahen erst einander, dann Singer an.

»Nun, so lacht schon! Lacht, tut euch nicht den geringsten Zwang an«, fuhr er uns an.

»Warum so gereizt?« sagte ich; »ist doch ein schönes Bild, wie sich nach Ablaufen der Zorngewässer hier herum in frisch gewaschenen Gebreiten wie die Ameisen verschiedenartige, aber markantgesichtige Völkerprozessionen versammelt und niedergelassen haben. Mir gefällt das. Hört man noch weiter davon?« – »1474 wiederholt ein gewisser Gundelfinger den Unsinn!« knirschte Singer. »Im 16. Jahrhundert liest einer Beweise aus hebräischen Grabschriften heraus. Und noch 1702 setzt Anselmus Schram die Abstrusität in seine ›Flores Chronicorum Austriae‹. 1738 wird's zum letzten Mal erwähnt von einem Menschen namens Mathias Fuhrmann.«

»Was regt Sie daran so auf? Mit Unterbrechungen hat es eben immer Juden in Wien gegeben, und wie immer schrieb man ihnen einen geheimen Einfluß zu.«

»Ich hab ja noch nicht das Bizarrste gesagt«, klagte Singer auf; »es steht in der Hagen'schen Weltchronik, Ende des 14. Jahrhunderts.« – »Und was?« forschten wir gleichzeitig mit kaum verhohlener Gier. – Da sagte Singer mit brechender Stimme: »Ein jüdisches Tetrarchat! Subarchate in Wien, Tulln, Stockerau und Korneuburg.«

Nach einem kurzen Atemstau maßloser Verblüffung befiel mich ein bauchkrümmender Lachreiz. Erst sah Singer mich still an, dann riß es ihn mit. Es war ein Zwangsgelächter, das wir nicht abzustellen vermochten und das uns die Tränen in die Augen trieb. Dabei schrie mich Singer an: »Sehen Sie, genau so, nur viel bösartiger, wird das Geschmeiß der Fachkollegen lachen, mit Fingern auf mich zeigen und mich einen phantastischen Trottel nennen! Mir jede Marginalie heimzahlen mit Zinseszinsen, die ich je auf sie abgelassen habe. – Das nimmt uns nicht einmal Paragonville in einem Windei ab.«

Thugut hatte aufmerksam zugehört, sich an der Lachorgie aber nicht beteiligt. Als Singer und ich uns einigermaßen gefaßt hatten, sagte er bestimmt: »Die Geschichte ist so absurd, daß etwas wahr daran sein muß!« – Wir gafften. – »Wenn einer reine Phantastereien absondert, dann gibt er sich nicht absurd, sondern besonders trocken und nüchtern. Ich weiß, was ich sage. Ich denke da an die knochenharten Formulierungen gewisser theologischer Ungeheuerlichkeiten.«

»Das hat etwas auf sich«, sinnierte Singer, »ich gestehe, daß mir ähnliches durch den Kopf geschossen ist, als ich gestern auf diesen haarigen Wechselbalg stieß. Etwas muß dran sein! Aber was?«

»Es wird auf die Interpretation ankommen.«

»Ganz ausgeschlossen ist meiner Meinung nach, daß es sich um ein politisches Gebilde handeln könnte. Denken Sie an die damalige Situation der Juden. Ihre an sich schmale Sicherheit war, möglichst wenig aufzufallen. Mit der Staatsmacht verkehrte es sich am besten durch die Hintertür.«

»Und eine Vereinigung mit geistig kulturellen Interessen in der Art der ›Sodalitas literarica‹ des Conrad Celtis?«

»Wo denken Sie hin. Wir hatten andere Dinge um die Ohren als ästhetische Tees. Als wir uns ein paar hundert Jahre später damit abzugeben erlaubten, ist es uns nicht wohl bekommen: Jude schändet und überfremdet deutsche Kultur!«

»Und wie wäre es mit einem Klein-Jerusalem in der Barbarei zur Erhaltung der Religion und Eigenart?« stellte Thugut zur Diskussion.

»Das war alles schon ausgeklügelt und festgeschrieben. Grundsatzdiskussionen kann sich eine Religionsgemeinschaft nicht leisten, die verstreut lebt und froh sein muß, wenn fixierte Glaubensinhalte einen Zusammenhalt garantieren und nicht alles in Detailabweichungen zerfällt und verkommt. Die eiserne Bindung ans Gesetz war das Handseil für die Gratwanderung über die Abgründe rechts und links und die Verführung, die davon ausging. Eine doppelte Verführung: die bequemere Religion und die Selbstaufgabe im Allgemeinen, die uns der bitteren Angebinde der Auserwähltheit hätten entheben können.«

»Haben Sie nicht von fünfundneunzig Herrschaften geredet, unter denen neben den Juden doch auch heidnische erwähnt sind und sonstige Völkerschaften? Vermutlich hat dieser Stainreuther die Vorstellung Rudolfs IV. von einem eigenen Reich unterstützen wollen, einem Reich, das ein buntes Gemisch an Völkerschaften und Konfessionen umfaßt. Was aber ist wichtig, um so ein Gemisch in Ordnung zu halten? Toleranz! Nicht das Herumreiten auf Verschiedenheiten, sondern der Hinweis auf grundsätzliche Gleichheit.« – »So etwas ist nie gelungen. Höchstens einzelnen, überlegenen Geistern.«

»Es könnte sich ja eben um einen solchen Versuch überlegener Geister aus allen Lagern gehandelt haben! Man könnte sich dieses ›Tetrarchat‹ als eine Art Deckname vorstellen. Aufgeschlossene Köpfe aus dem Klerus und der Judenschaft, die – ihrer eigenen Konfession zwar verbunden – die geistige Engherzigkeit und den Aberglauben bekämpfen als einen gemeinsamen Feind, der beiden schadete?«

»Und was wäre dieser Feind, den ebenso die Juden wie die Kirche damals gehabt hätten?« – »Nun eben der Aberglaube, der in der Übersteigerung von Glaubenssätzen und Sturheit zum Aberwitz führt und das gemeine Volk fanatisiert und gefährlich macht. Denken Sie an den Ikonoklasmus in Konstantinopel. Nicht die theologische Diskussion über das Abbilden einer göttlichen Person hat die Teilnahme und gräßliche Ausartung des Pöbels verursacht, sondern die Übersteigerung der Standpunkte. Das gleiche hat sich in Ephesos abgespielt. Erst wenn die rationalen Streitpunkte ins Gefühlsmäßige umschlagen, zeigt das Volk Teilnahme, bündelt sich, und man begnügt sich nicht mehr mit einem Worte- und Argumentenstreit, sondern man beginnt zu prügeln und Ärgeres.«

»Das hieße, es müßte überall dort, wo es um Religion oder Ideologie, um irgendwelche metaphysischen Konzepte geht, verhindert werden, daß sich die verschiedenen Streitpunkte so zuspitzen und dabei vereinfachen, daß das Volk mitkommt; daß es aus dem Bereich der Ratio in die Zone der Gefühle gerät und von dort absinkt in den Bodensatz?«

»Ja, das hieße es wohl. Denn nach diesem Muster haben sich alle Geschichtsepochen entwickelt, in denen man sich um irrationale Konzepte gestritten hat und die dann besonders blutrünstig ausarteten, weil es um sogenannte ›Wahrheiten‹ ging, nicht mehr um Lösungsmöglichkeiten, sondern um die Erlösung schlechthin. – Und wäre es da nicht nur begreiflich, sondern sogar begrüßenswert, wenn sich ein paar Einsichtige jeder Partei – abseits von der großen Menge und der Öffentlichkeit – zusammentun und beraten, wie solche Ausartungen zu verhindern wären?« – »Begrüßenswert schon«, sinnierte Thugut, »aber kaum erfolgreich. Diese

Ausartungen, wie Sie sie nennen, haben etwas von Naturkatastrophen, die ihren eisernen Ablauf haben und alle Dämme brechen und hinwegschwemmen.« – »Deshalb könnte ja doch der Versuch gemacht werden. Ob er von Erfolg gekrönt war, ist eine andere Sache. Es könnte ja auch einmal die menschliche Vernunft hartnäckig sein, nicht immer nur die menschliche Dummheit.«

Wir alle drei grübelten vor uns hin.

»Da hat sie nicht ganz unrecht«, meinte Thugut nachdenklich. – »Theoretisch nicht«, sagte Singer, »aber denkt euch das einmal in der Praxis. Stellt euch in der damaligen Zeit eine jüdisch-christliche Gesellschaft vor. Eine Soutane übertritt die Schwelle eines jüdischen Hauses, und ein Spitzhut mit gelbem Fleck spricht in einer Pfarrei vor!«

»Getarnt allenfalls«, geriet ich ins Phantasieren. »Der Subarch von Korneuburg hat vielleicht Geld verliehen, der Stockerauer mag Spirituosen ausgeschenkt, der von Tulln getrödelt haben. Viele Möglichkeiten hatten sie ja nicht. Der Tetrarch von Wien aber soll unser alter Chaim sein. Durch den Handel mit Reliquien und Devotionalien könnte er sogar mit Sonderrechten ausgestattet worden sein. Die Mitglieder des Klerus könnten Kirchenämter jeder Art besetzt haben, auch in Klöstern gewirkt«, dabei sah ich Thugut grübelnd an; »natürlich nicht als geifernde Prediger! Ihre Zugehörigkeit zur Gesellschaft durfte bei der wechselhaften Gesinnung der Päpste nicht einmal dem Heiligen Stuhl bekannt gewesen sein.« – »Die Beichte nahmen sie sich gegenseitig ab«, ätzte Singer, besann sich aber dann und wurde gleich wieder querulant: »Und wo, sagen Sie mir, sollen bei dieser strengen Geheimhaltungspflicht die Versammlungen stattgefunden haben? Und wie? Denken Sie an den Bekleidungszwang der Juden!«

»Nun dann eben bei denen!« schloß ich flink; »etwa in – absichtlich gering und unauffällig gehaltenen – Gewölben der Subarchen, wobei die Herren vom Klerus sich selbstverständlich verkleidet einfanden … mit Bauchläden beispielsweise und falschen Bärten.«

Thugut schlug eine kurze Lache auf, Singer aber eiferte: »Daß bei Ihnen jeder gute Ansatz binnen kurzem abfahren muß ins grotesk Lächerliche! Man schüttet sein Herz aus, vertraut sich Ihnen an, stellt sich bloß, und schon wird das Vertrauen mißbraucht durch billiges Gewitzel! – Aber ganz abgesehen von dieser Ihrer Niederträchtigkeit – mit unsereinem hat die Kirche sich nie eingelassen!«

Da kam mir unvermutet Thugut zu Hilfe. »Nicht die offizielle Kirche. Es gab ja auch damals in der katholischen Kirche nicht nur lauter Finstermänner, wie bei euch lauter Talmudbohrer und Pajesdreher. Ganz im Gegenteil! Gerade die Klügeren von uns wußten eure Jahrtausendfertigkeit im religiösen Denken zu schätzen: die Zähigkeit und sanft aufsässige Grübelsucht gepaart mit jener Mischung aus Scharfsinn, Phantastik und Nüchternheit, wie nichts geeignet zum Erfassen und sogar lustvollen Aufnesteln verfilzter Gedankengänge, die ja die Grundsubstanz alles Religiösen sind. Wir Christen sind ja da fast Neulinge! Wir haben einfach die Erfahrung der Juden gebraucht.«

»Natürlich mußte eine solche Gesellschaft vor Kirche und Staat streng geheimgehalten werden, besonders vor den niedrigen Instanzen beider Konfessionen, die ja immer Brutstätten sind, in deren Schoß engstirniges Detailgegeifer blüht.« – »Diskretion auch gegen die Staatsmacht, die dazu neigt, weitblickende Unternehmungen geistiger Art als Zernagung der Tagesautorität aufzufassen und zu ahnden.«

»Also eine ›Sodalitas clandestina catholica atque judaica‹ – und wofür, wogegen, wenn ich fragen darf?«

»Denken Sie an Ihre Paukenschläge, Singer! Sie selbst haben darauf hingewiesen, wie wenig die etablierte Kirche, etwa im Bildersturm, Ausartungen der Masse hat verhindern können; ihrem Drang zum Großgemetzel, wenn an vertraute abergläubische Neigungen gerührt wird. Kirche und Staat haben in solchen Situationen immer versagt, weil sie lavieren mußten, um sich zu halten. Ist da eine Instanz im Hintergrund, eine Instanz von Leuten, die unabhängiger sind als Politiker, die freier und weiser denken als Priester, nicht geradezu eine Notwendigkeit? Eine Instanz, die das Aufkommen solcher Gärungen im Anfangsstadium erkennt und dämpft, bevor die Woge überschwappt und nicht mehr einzudämmen ist.« Ich war in Feuer gekommen und rhetorisch geworden. Singer schnalzte mich auch sofort kalt ab: »Und diese Großloge der Weltvernunft sitzt in der Ostprovinz Wien, muß geheim agieren vor der weltlichen wie der geistlichen Macht, und ihre Mitglieder dürfen nicht einmal öffentlich auf der Straße miteinander reden. Bleiben Sie gefälligst auf dem Boden der Realität, Beste, Sie schreiben kein Windei. Wir sind unter uns!«

»Erstens können sie Emissäre gehabt haben an allen brisanten Punkten des Weltgeschehens, die Kirche ohnehin und die Juden durch Handel und Versippung«, sagte ich beleidigt; »Wien könnte gut das Zentrum eines weitgespannten Netzes gewesen sein.«

»Das setzt viele Mitglieder voraus, und glauben Sie, es gibt so viele überlegene Geister mit Weisheit, Bildung, Toleranz und Weitsicht? Und selbst, wenn sich solche Gescheite gefunden hätten! Wir sind nicht in der Antike oder in der Aufklärung, wo verschiedene Religionen in Gelassenheit nebeneinander leben konnten, weil Religion nicht im Zentrum stand, keine ›absolute Wahrheit‹ gewesen ist. Denken Sie nur an die internen Streitigkeiten der Konfessionen selbst. Nichts ist so voll von Leimruten und Fallstricken wie das Gebiet des Sakralen. Alles vermint! Selbst wenn die Herren kraft eines subtilen Verstandes und einer gefestigten Sittlichkeit über die verschiedenen Religionen hinweg und fern von den Verlockungen des Aberglaubens gewesen sein sollten, gab es immer noch eine Gefahr, die man nicht unterschätzen darf: die dünkelhafte Verbohrtheit Erlesener, die im eigenen Saft schmoren, besonders wenn man sie zu strengster Absonderung und Geheimhaltung verpflichtet. So was artet unweigerlich zur Sekte aus. Was sagst du, Floris! Du schweigst? Du müßtest doch eine gewisse

Erfahrung haben darin, wie es köchelt in einem theologischen Eintopf?«

»Ich denke gerade nach. Natürlich köchelt es, daß es den Deckel hebt!«

»Na und! Und wie haltet ihr das aus?«

»Ja weißt du! Wir sind ja kein engherziger Orden. Ich will nicht sagen, daß wir den Zölibat grob verletzen. Aber soviel Freiheit gewährt man uns stillschweigend schon, daß die meisten von uns einen kleinen Auslauf irgendwo haben ... nicht gerade, woran ihr beide jetzt glitzernden Auges denkt! Auch weniger die Jungen, sondern gerade wir Älteren.«

»Kurz, ihr habt Damen!«

»Damen, Damen, wir haben eben gute Bekannte auch weiblichen Geschlechts, Frauen mit Verständnis, Klugheit; Frauen, die zuhören können, mit denen man sich aussprechen kann, um dann bereichert und beruhigt wieder in die Wabe einzukriechen.«

»Sie meinen«, nahm ich den Gedanken auf, »es hätte auch Sodalinnen geben müssen! Wenigstens eine. Gescheit, wohl auch gebildet und ausgestattet mit der dem weiblichen Geschlecht zugeschriebenen Gabe – manche nennen's Unart –, sich über die Schranken eingemauerter Dogmenweisheit hinwegzusetzen?«

»Mit Anmut natürlich«, stimmte mir Thugut zu, »nicht rechthaberisch oder emanzipatorisch dreist.«

»Freilich, freilich! Hirn darf unsereine nur mit Anmut haben. Nur euch ist es erlaubt, in Filzpatschen zu denken.«

Thugut kicherte und rieb sich die Hände zwischen den Knien. Singer grantelte: »Jetzt wollen sie Weiber in der Sodalitas haben. Es wird immer bunter!«

»Was heißt: Weiber! Wo Männer wirklich Männer sind, stoßen sie sich nie an der Gesellschaft geistvoller Frauen. Im Gegenteil, sie werden dadurch beflügelt. Nur klein gesinnte Kniffsteiße wollen unter sich sein – und versumpfen dabei in Hypochondrie oder Zote. Ich weiß, wovon ich rede! Glaub mir.«

»Also meinetwegen«, räumte Singer ein, »ihr sollt sie

haben, eure Sodalin. Vielleicht wirklich ganz nützlich, wenn sie das theologische Feingespinst zerlöchert durch unbedenkliches Dreinreden.« Er versank in Grübeln, und man sah seinen Stirnfalten an, daß er an einem Gewölle von Vorbehalten kaute. Schließlich raffte er sich zusammen und lehnte sich im Sessel zurück; maß uns beide.

»Eine schöne Gesellschaft habt ihr da zusammengekocht, ihr zwei! Feiste Pfaffen, eifernde Juden, ein Frauenzimmer, übergescheit und anmutvoll. Und vertragen sollen sich auch alle miteinander. Müssen sich sogar vertragen, denn in ihrem Fall ist jeder schärfere Zank, Schmollen oder gar Exodus existenzgefährdend, weil damit die Bedrohung rachsüchtigen Austratschens verbunden ist ...«

»Freilich«, beeilte sich Thugut zu sagen, »und gerade auch in diesem Punkt, was die Eintracht betrifft, erwarte ich mir allerhand von der klug schlichtenden Hand einer Frau.« – »Gut, gut! Nur her mit der schlichtenden Frauenhand. Ihr habt mich überstimmt, ich rede gar nichts mehr! – Nur eine kleine Frage möchte ich noch stellen, wenn erlaubt!« – »Tu dir keinen Zwang an, frag nur!« – »Gut! Dann frage ich: Und wer widerspricht eigentlich?«

Thugut und ich sahen erst einander an, dann Singer, der uns voll anblickte, die Rechte an durchgestrecktem Arm herausfordernd auf die Tischplatte stemmend.

Wir schoben diese verhängnisvolle Frage gewissermaßen von einer Backe in die andere und mahlten uns die Zähne stumpf daran. Es war klar. Wie sollte sich in milder Eintracht und ohne fruchtbaren Degenwechsel eine Institution am Leben halten, die sich nichts weniger zur Aufgabe gemacht hat als tätigen Eingriff ins Weltgetriebe, unsichtbar und mit keinem Mittel als dem des reinen Geistes?

Da hatte ich plötzlich eine Art Gesicht. Deutlich und greifbar, wie auf die Netzhaut geklebt.

Ich sah einen eher kleinen Herrn von zartem Knochenbau mit Römernase, sehr wachem Blick und ironischer Lippe. Der Herr war gewissermaßen überzeitlich, hatte aber eine schillernde Transparenz im Sinne östliches Mittelmeer. Auf jeden Fall unterschied er sich scharf von der Naturerscheinung der Hebräer sowie vom Berufshabitus der Kleriker.

»Wir brauchen einen Reizer«, sagte ich.

Die Herren blickten mich fragend an.

»Nun, einen Reizer! Ein festes Sodalitasmitglied, dessen ausgesprochene Aufgabe es ist, eben – wie Singer sagte – zu widersprechen, zum Widerspruch aufzureizen! Kein Querulant natürlich. Das wäre zu grob und billig. Etwas wie einen advocatus diaboli, in unserem Fall also einen Anwalt dessen, was bekämpft wird.«

»Des Aberglaubens? Wollen Sie etwa einen Schamanen einschmuggeln?«

»Alles andere! Schlichtweg einen Heiden, womit ich einen Menschen meine, der sich weder der christlichen noch der jüdischen Religion verschworen hat. – Natürlich auch keinen fanatischen Muselmanen ohne Humor.« – »Einen Anhänger der ephesischen Artemis also! Einen Schnullertyp!« höhnte Singer.

»Nicht gerade dieser speziellen. Bekanntlich gibt es eine Unzahl der Großen Göttinnen, auch mit weniger auffälliger Anatomie. Ich möchte ihn auch gar nicht einen wirklichen Anhänger einer von ihnen nennen. Jedenfalls trägt er sie nicht heimlich um den Hals. Es ist lediglich ein Mann, der – ohne sich gebunden zu haben – auch dieser Variante des Religiösen Verständnis und eine gewisse heitere Sympathie entgegenbringt und in diesem Kreise der dem Unsichtbaren Verschworenen an und für sich schon ein Reizstachel ist und für geistige Beweglichkeit bürgt.«

»Sie denkt an den Isidoros in der Tamarinde und an den Wolkendeuter Isaios auf der Wienreise!« vergnügte sich Thugut; »keine schlechte Idee! Wenn du mich fragst, Singer, ich bin für den Reizer!«

Singer hatte wieder einmal eine sorgenvolle Stirn. Er trommelte auf die Stuhllehnen.

»Wenn euresgleichen nicht immer gleich so üppig ins

Kraut schösse«, klagte er unbestimmt. »Also jetzt noch einen Reizer. Zu Dame, Klerus und Juden noch einen Reizer. Vermutlich ein zwielichtiger Charakter, der heimlich den Astarten huldigt. Und das wollt ihr unter einen Hut bringen! Das soll eine ernstzunehmende Institution mit Weltaufgaben sein?«

»Ernst zu *nehmen,* ja«, sagte Thugut, »aber nicht ernst.«

»Was soll diese Feinheit wieder?«

»Daß wir eine Humorklausel einführen müssen!« sagte Thugut und lehnte sich satt zurück, die Hände auf der Bauchkugel verschränkt.

»Eine was?«

»Eine Humorklausel, Bester! – Wir machen den Besitz von Humor zur unabdingbaren Voraussetzung für eine Aufnahme in die Sodalitas ... Im übrigen«, fügte er nachdenklich hinzu, »ist eine seriöse Beschäftigung mit Fragen der Religion ohne Humor sowieso nicht denkbar.«

»Du müßtest das wissen«, sagte Singer säuerlich, »dein Geschäft!«

DAS PROGRAMM DER VEREKELUNG
UND VERLEIDUNG

Was mit dem bangen Chronikbericht Singers begonnen hatte und in lebhafter Diskussion von uns dreien gewälzt und erarbeitet worden war, beschlossen wir durch ein gemeinsames Großgelage zu feiern, in feste Formen zu gießen und dabei die noch offenen Fragen zu klären.

Dieses Gelage fand zwar in meiner Wohnung statt, wurde jedoch von den beiden Herren entworfen und zubereitet, welche dabei Damenschürzchen trugen; ich durfte nur niedrige Hilfsdienste leisten. Interessant und daher erwähnenswert ist noch, daß ich die beiden bei diesen Verrichtungen zum erstenmal vollkommen ernsthaft erlebte und nicht nur immun, sondern irritiert von jedem Versuch meinerseits, der Sachlage eine humoristische Note abzugewinnen.

Wenn Singer abkostete, wiegte er sich leise hin und her, wogegen der Pater beim Rühren, Schneiden und Schlagen Handbewegungen vollführte, die man sich nur durch lange zelebrative Routine angewöhnen kann. Wenn ich mich allzusehr vergaffte, rief mich ein scharfes Wort oder eine knappe Kopfbewegung zu meinen Pflichten.

Was auf diese Art hergestellt wurde, war übrigens vom Hors d'œuvre bis zum Dessert von außergewöhnlicher Köstlichkeit und so straff durchorganisiert, daß sich jedes Hin- und Herwieseln zwischen Küche und Tafel erübrigte, das in ein häusliches Mahl ohne Domestiken immer eine gewisse nervöse Unruhe bringt.

Gegessen wurde selbstverständlich schweigend, sieht man von sparsam hingeworfenen Fachbemerkungen der beiden Kunstköche ab, denen ich nicht zu folgen vermochte. Es ging da um Quentchen, halbe Prisen und Spuren von Zutaten, deren Namen ich nicht einmal kannte. Zum Cognac wechselten wir an ein Nebentischchen in bequeme Lehnsessel. Erst jetzt kamen wir auf unser Konzept zu sprechen.

Der Plan wurde im wesentlichen abgesegnet. Für die »Tetrarchie« einigten wir uns auf den Namen »Sodalitas clandestina judaica atque catholica contra caena aestuantia plebis abutendo cuiuscumque religionis«, also »Jüdisch-christliche Geheimgesellschaft gegen das Aufbrodeln des Pöbelmorastes durch Mißbrauch einer beliebigen Religion«.

Eine, und zwar eine entscheidende Frage war allerdings noch offen: Wie hat man sich das Agieren einer Gesellschaft vorzustellen, die erstens unter dem Zwang der Geheimhaltung steht und zweitens über keinerlei Machtmittel gebietet, wie sie Kirche und Staat zur Verfügung stehen? – Wie gewohnt, war Singer es, der dieses Problem in aller Schärfe zur Sprache brachte: »Unsere ganze Sodalitas erledigt sich selbst und bleibt ein reines Gesellschaftsspiel, wenn diese Frage nicht gelöst wird. Gesetzt, es gelänge ihr sogar durch europaweit verteilte Horchstellen, durch Ausplausch von Vatikangeheimnissen und ein wenig Beichtstuhlerfahrungen, solche Massentumulte vorauszusehen! Ohne die Möglichkeit praktischer Gegenmaßnahmen befindet man sich in der Situation eines, der einen Mörder beim Messerwetzen beobachtet, ihn aber weder der Polizei noch seinem Gewissen ausliefern kann.«

»Gehen wir an den Ausgangspunkt zurück«, schlug Thugut vor; »was ist es, was unterdrückt werden soll?« – »Massenerregungen im Namen mißbrauchter beziehungsweise mißverstandener Religionsfragen.« – »Wobei Mißbrauch und Mißverstehen in der Primitivisierung zum Aberglauben besteht.« – »Und was ist diese Art des Aberglaubens meistens? Verheißung einer handlichen, bequemen Tröstung ohne Tugendquengelei und Gerechtigkeitspedanterie. Der weiche Schoß einer mütterlichen, das heißt verdienstfreien Gnade, die man sich nicht – wie die väterliche – durch Leistungen, sondern durch jeiernde Zudringlichkeit erwirbt.« – »Da seh auch ich schwarz!« seufzte Thugut, sichtlich in die wehmütig getönte Melancholie der Verdauung abgleitend. Seine sonst stets gespannten langen Flohbeine hatte er gequält verflochten von sich gestreckt; keine Sprungbereitschaft.

Mit dem bohrenden Masochismus, mit der ein Hebräer sich nach jeder Fleischeslust (Freßgelage) straft, sagte Singer: »Dazu kommt noch, daß die Masse des Volks immun gegen jede Art vernünftigen Zuredens ist. Es denkt nicht mit dem Hirn, nicht in Sprache. Sein sensibles Organ befindet sich unter der Gürtellinie. – Geben wir's also auf.«

Der letzte Satz drängte sich in mein wolkig vernebeltes Gehirn und sackte von dort ab in die laut arbeitenden Eingeweide. Mühsam fand sich der Ausdruck »Bestechung« ein, und ich gab ihn zum besten.

»Ich glaube nicht«, sagte Singer spitz, »daß die Sodalitas über die Mittel verfügte, einer blutlüsternen Masse die Ergötzlichkeit einer Metzelei abzukaufen.«

98

»Sie meint nicht Geld«, döste Thugut in behaglicher Angetrunkenheit; »sie meint so was wie geistige Korruption. Weißt du, Singer. Eine Korruption im Bauch ... also, ich mein, so was wie die Werbung im Fernsehen. Du kaufst dir einen Eiskasten nicht, weil du ihn brauchst, sondern weil er dir voll Freßsachen gezeigt wird ...« Er winkte matt ab, raffte sich aber noch einmal auf in hoher Anstrengung: »Mit was wollen sie denn einen unsichtbaren Gott ausstatten, damit das Volk ihn kauft, obwohl es ihn weder braucht noch will?«

»Eben!« sagte Singer, der vollkommen nüchtern war, mit einem scheelen Blick der Verachtung auf den friedlich eingenickten Freund. Sodann stürzte er noch einen Stock tiefer in seine düstere Stimmung. Da ich für Depressionen immer sehr ansprechbar bin, hätte er mich mitgerissen, wenn ich mich nicht mit letzter Kraft festgekrallt hätte. Nicht an einer Idee oder vermöge eines Willensakts, sondern schlicht am Atemanhalten. Es kam mich nämlich ein ordinärer Schluckauf an, dem ich mich aus Wohlerzogenheit nicht hingeben konnte. Dieses Atemanhalten aber führte zu der bekannten Kohlensäureanreicherung im Gehirn, mit welcher eine vorübergehende Pseudoklarheit verbunden ist. Diese falsche Hellsicht zeugte in mir die Gedankenblase »Verekelung.« Ich gab sie von mir, war aber nach dieser geistigen Eruktation zu erschöpft, um den Einfall genauer zu erklären.

Indes war aber der Pater plötzlich hellwach und nüchtern geworden, zog seine dünnen Sprungbeine an und stach mit Nase und Zeigefinger vor: »Signale!« rief er, »negative Signale! Nicht Überzeugung, sondern Abgewöhnung durch ein Ekel- und Schrecksignal!«

Singer, der im mißfarbenen Gefilz seiner Melancholie hockend sehr klar dachte, beobachtete scharf unsere Verdauungskreativität und ließ sie an der kantigen Trockenheit seines Blicks platzen. Nachdem er aber unsere letzten Verteidigungsreserven zermalmt hatte, fand er sich – durch die Bescherung erfrischt – in der Lage, unsere Luftgebilde einer nüchternen Analyse zu unterziehen und das Positive daran abzudestillieren. Da wir ihm als Diskussionspartner in unserem Zustand nicht in Frage kamen, führte er das Gespräch mit verteilten Rollen laut mit sich selbst.

»Wie erzieht man das Kleinkind zur Reinlichkeit und Sitte?« umriß er die Problematik der Masse, »ist es der rationalen Überzeugung zugänglich? – Nein! – Soll man also mit Strafe und grober Abschreckung arbeiten? – Nein. Es verbockt sich nur. – Conclusion: Weder die Macht des Wortes noch die rohe Gewalt vermitteln dem Kinde die Einsicht, daß und warum es den weichen Teppich nicht beschmutzen, sondern statt dessen einen harten, kalten Topf aufsuchen soll. – Einwurf: Trotzdem zeigt die Erfahrung, daß selbst der dumme Mensch früher oder später zimmerrein wird. – Frage: Was bewirkt diese ›Zimmerreinheit‹ oder, anders formuliert: was veranlaßt ihn, gegen sein Behagen zu handeln? – Die Erziehungsperson führt den Begriff des Grausens ein, der schnöden Abwertung. – Und wie geschieht das? – Selbst die geistig schlichte Mutter vermag durch eine bestimmte, ausdrucksvolle Gestik signalhaft eine Gefühlsverbindung zwischen Leibesprodukt und Ekel herzustellen.

Kurz, meine Lieben«, sagte er munter, jetzt wieder uns zugewandt, »wir haben's! Die Sodalitas arbeitet mit den pädagogischen Mitteln der Verleidung. Das läßt sich hinterrücks machen, zwingt sie nicht, den Geheimstatus zu verletzen. Dazu braucht man auch nicht die Unterstützung mächtiger Institutionen, sondern nur eine passende Idee, der keiner ansieht, worauf sie zielt.«

Thugut und ich glotzten und begriffen nur mühsam.

»Stellt euch – etwa in Form eines Werbespots – unsere eben genossene Mahlzeit vor!« befahl Singer mit einem boshaften Augenglanz. »Den damasten gedeckten Tisch, das feine Geschirr, die funkelnden Gläser und vor allem die erlesenen Gerichte.« Wir stellten es uns vor. »So, und jetzt«, forderte Singer im überredenden Ton eines Hypnotiseurs, »jetzt setzt ihr vor die gefüllten Gläser und Schüsseln Personen, die euch besonders verhaßt und ekelhaft sind; essende Personen. Betrachtet sie genau, laßt euch kein Detail entgehen ... und nun fragt euch, wie ihr zu dem steht, was ihr in den Bäuchen habt! – Das ist, was ich unter Verleidung verstehe!« rief er mit heller Stimme und riß uns aus der Trance. »Begriffen?«

Thugut schluckte, als müßte er Säuerliches niederhalten, und sagte trocken: »Ja, eine Gemeinheit – und daher vermutlich eine Wahrheit.«

Ich für meine Person rang mich stumm zu der wehen Erkenntnis durch, daß mir ein Genuß durch eine Wahrheitsfindung verleidet worden war. Nun schien mir doch der rasche Übergang zu kühler Sachlichkeit geboten. Ich reichte Kaffee, und dann legte ich – unter Thuguts Zeugenschaft – mit Singer die wichtigsten Vertragsbedingungen für das Zwillingsopus fest. – Singer, der den wissenschaftlichen Teil übernahm, verpflichtete sich, mich jeweils mit entsprechendem historischem Material für das Legen themen- und sachgerechter Windeier zu versorgen, um diesen ein gewisses Realitätsgewicht zu verleihen. Ich haftete dafür, daß jedes wichtigere historische Kapitel durch ein unterhaltendes, aber sachlich seriöses Windei aufgelockert würde, mit welchem ich zeitgerecht niederzukommen hatte.

Thugut, der sich für den Fall sehr erwärmte, bestand auf Datum und Unterschrift von uns beiden, wozu er noch selbst als Beisitzer gegenzeichnete.

Er fand an diesem fast notariellen Akt solches Gefallen, daß er noch auf einem Vertragstitel persistierte. Sein Vorschlag lautete: GROSSFROTZELEI von PARAGONVILLE, dem ich ohne weiteres meine Zustimmung gab.

Da aber zeigte sich Singer unvermutet ernsthaft und lehnte strikte ab. »So will ich das nicht gesehen haben!« wandte er ein. »Ich will ja nicht bestreiten, daß an unserm Zwillingsprojekt ein gewisses Gefrotzel ist. Paragonville hat uns gewissermaßen dazu herausgefordert. Die Windeier sind die Rettung aus einer Klemme, in die uns ihre unmöglichen Forderungen gebracht haben, und daß wir ihnen über die Natur der Windeier nicht reinen Wein einschenken, hat sicher etwas von Gehänsel, Gefrotzel an sich, aber es müßte eine todernste Hänselei sein, keine harmlose Posse. So ernst, wie eben das Leben und damit Geschichte ist mitsamt ihrem Janusgesicht aus gleichzeitiger Tragik und Komik. Diese Sodalitas muß es ungeheuer ernst meinen, wenn sie versucht, der Absurdität des Daseins mit Vernunft zu begegnen, und von diesem Versuch auch nicht abzustehen Jahrhunderte hindurch, obwohl die Bemühungen immer wieder scheitern an der Dummheit und Verführbarkeit der Menschen und an der unerforschlichen Gemeinheit des Schicksals, damit ich nicht geradezu Weltenlenkung sage, denn ich kenne sie nicht. Ich weiß nicht, wer verantwortlich dafür ist, daß – wenn endlich einmal etwas auf heilem Wege scheint – irgendeine Verzerrung eintritt und eine gute Absicht sich ins Gegenteil verkehren läßt, zumindest zur Karikatur macht.«

»Ja, das Leben ist kein Kampf mit offenem Visier«, sagte Thugut; »da ist immer ein Versucher zum Bösen beteiligt und legt Fallen aus. Und wir bekommen ihn selten zu Gesicht, und es bleibt uns nichts übrig, als Gegenfallen zu legen. Da ist natürlich eine gewisse Komik darin, aber eine schreckliche Komik.«

»In welcher Beziehung steht dieser Fallensteller zu Gott?« fragte ich, erhielt aber keine Antwort.

Die Aktion
»Contra effigies«
(Wider die Bildwerke),
kurz »Vergipsung«

Singer hatte in den letzten Wochen viel herumgeraunzt. Es ging um geeignetes Quellenmaterial für das Thema, das er gerade bearbeitete. Über Genaueres wollte er sich nicht aussprechen. Die Chroniken gäben nichts Rechtes her, maulte er; Thomas von Aquin hinge ihm zum Hals heraus. Letzteres konnte ich verstehen aufgrund des wenigen, das er mich zu lesen gezwungen hatte.

Dann hielt er sich einige Tage auffallend still, abends aber hörte ich plötzlich Möbelschieben.

Am nächsten Vormittag beorderte mich ein despotischer Rohrtriller hinunter. Singer stand schon in der Wohnungstür und zerrte mich voll Ungeduld in sein großes Mittelzimmer. Den Teppich hatte er aufgerollt, die ganze Meublage an die Bücherwände gerückt. Das Parkett aber war mit Bildern ausgelegt: ausnahmslos – wie ich verblüfft feststellte – Madonnen mit und ohne Kind, sitzend, stehend, schwebend, offensichtlich chronologisch bis hinauf ins 19. Jahrhundert.

Singer hieß mich auf die Knie niederlassen: »Nicht aus Devotion, sondern zum genauen Anschauen ... einen Polster? Ach so ... bitte sehr!« Er warf mir ein Diwankaprizerl zu. Mir war bereits klar, daß diese Proskynese mit ein paar Minuten nicht abgetan sein würde. Auf den Knien aber bin ich empfindlich.

Zunächst setzte ich mich auf die Fersen, die Hände auf die Schenkel gestützt, und verschaffte mir einen Überblick über Singers neueste Grille.

Oben, gewissermaßen Titel und Urmuster, saß neben der Artemis von Ephesos eine Isis mit dem Horusknaben auf dem Schoß. Beide zeigten unter ernsten Augen ein vieldeutiges Lächeln.

»No, was sagen Sie?« drängte Singer, der, die Hände im Kreuz verschränkt, erwartungsvoll neben mir stand.

»Vorläufig gar nichts! – Ich bin viel zu verdutzt über diese seltsame Galerie. Was soll die fromme Patience? Sind Sie zum Katholizismus übergetreten?«

»Quellenforschung, Beste! Auch Bilder können Quellen sein ... Patience ist übrigens das treffende Wort. Welch ein Geduldspiel! Nicht einmal das Zusammensuchen. Aber nachher bin ich wie eine alte Kartenlegerin auf dem Boden herumgerutscht, habe ausgelegt, vertauscht, verschoben, ausgesondert und dazugebreitet, bis diese – wie ich glaube – höchst aufschlußreiche Reihung entstanden ist.«

»Muß ziemlich unbequem gewesen sein!«

»Mir sagen Sie das? Heut noch schillern meine Knie in allen Tönungen zwischen lila und grün. Dafür ist die Patience allerdings aufgegangen.«

Ich ließ mich nun zur genaueren Musterung auch auf die Hände nieder. Die grämliche Majestät der byzantinischen Madonnen mit dem aufgeleimten sendungsbewußten Sproß überflog ich rasch. Königliche Hülsen ältlicher Jungfrauen. Man nahm ihnen die Parthenogenese unschwer ab. Sie ließen keine Freude aufkommen und wenig Trost.

Singer hätte mich nicht weiterhetzen müssen mit seinem: »Die Zukunft liegt im Westen! ... Das haben Sie unlängst mit Ihrem Stegreif-Windei ausgewittert und ganz gefällig dargestellt ... eine gewisse Anlage zur Intuition kann man Ihnen nicht absprechen.«

Von dieser Aussage, die bei Singer eine echte Anerkennung umschrieb, geschmeichelt, setzte ich trotz der Unbequemlichkeit der Lage meine Betrachtung fort.

Da reihte es sich zunächst in schlichter Einfalt, grobhändig gemalt, geschnitzt oder gemetzt, dem ebenso schlichten Gläubigen allenfalls traulicher, weil der kaiserliche Außenputz abgefallen war. Versorgte Hausmägde, hängenasig und steiffingrig. »Handelte es sich nicht ausdrücklich und nachweisbar um die Hochheilige, würde ich sagen: hölzerne Bauerntrampel mit unehelich – natürlich vergnügungslos – angehängtem Kind. Geschlechtslos wie die Byzantinerinnen, nur sozial heruntergekommen.«

»Ganz recht, ganz recht«, sagte Singer zufrieden und zog sich für seine Person einen Stuhl heran.

Da läutete es. Thugut erschien. Er hatte, wie Singer erwähnte, zur Sammlung beigetragen und wollte sich nun das Ergebnis anschauen. Da er sich mit Nachdruck weigerte, in die Knie zu gehen, genoß auch er den Vorzug des Sitzens.

»Schauen Sie nur weiter«, bohrte Singer, »sagen Sie, was Ihnen auffällt!«

»Nun ja, da werden sie schon ein wenig stattlicher. Sozusagen aus dem Stall geholt und in den Hausdienst versetzt. Recht würdige Matronen nach dem Muster altrömischer Hausmütter ... begreiflich! – Was kann man als Bittsteller von einer Abgehärmten erwarten, die sich selbst nicht helfen kann? Aber da? ... Was seh ich, Singer? ... Ganz unter der Hand werden sie jünger und glattgesichtiger? Und das göttliche Kind ein Pausback! Dem sieht man nichts von seiner weltenrichterlichen Bestimmung an ... und schau sich einer das an! Dieser Hüftschwung! ... anmutig und gefällig, um nicht gar zu sagen ... nein, das nicht! Kokett nicht. Dazu ist die Miene zu ernst. Diese Frau ist sich nicht bewußt, was ihre Hüfte da so träumerisch tut ... aber doch auffallend hübsche junge Mütter ... Oh, da wird ja auch schon ein bißchen gelächelt! Aber eindeutig zum Kind. Das Kind wird angelächelt, wie Mütter das eben tun. Nicht der Beschauer, wie die Astarten es sich erdreisten, nur das Kind ... Aber da fehlt ja eine?«

Fragend sah ich Singer an und zeigte auf einen leeren Fleck in der dicht geschlossenen Reihe.

Wie eine Pagode mit Buddhalächeln winkte er nur ab: »Weiterschauen!« befahl er. Auch Thugut sah ihn fragend an, wurde aber gleichfalls nicht befriedigt.

»Ach, da kommen ja die Rosengärtlein und Horti conclusi zum Schutz und zur Einhegung ... nun ja, bei dieser anziehenden Beschaffenheit wird das wohl notwendig sein, ein bißchen Abgeschlossenheit der holden Unschuld. Schauen Sie sich die an. Das sind doch keine Mütter mehr. Selbst halbe Kinder, verspielte Kinder mit einem feisten Jesulein, das wie ein Brüderchen wirkt ... Und die mit dem Kaninchen von Tizian! Irre

106

ich mich, oder hat sie tatsächlich eine fatale Ähnlichkeit mit seiner Venus?« – »Wahrscheinlich dasselbe Modell!« – »Und da hat die Kirche nicht aufgezetert?« – »Aber warum denn! Im damaligen Italien hatte sogar der Heilige Vater Verständnis für dergleichen, nicht wahr, Thugut?« – »Warum auch nicht? Eine anständig ausgehaltene Konkubine hat ihre sittlichen Aufgaben in der Gesellschaft. Eine hübsche, gesunde junge Frau. Hat sie in euren Augen etwas Laszives, Sündiges?« – »Nein, wirklich nicht«, gab ich zu, »auch das Kind wirkt gepflegt und gut genährt ... Vater vermutlich unbekannt ... Aha, da kommen welche ins Schweben! Wohl Spanierinnen. Himmelfahrt. Alles Elend ausgestanden, in auffallend guter Verfassung. Hüftbeweglich, aber Beterhaltung und heiligmäßiger Aufblick ins Rosengewölk ... mir tun schon die Knie weh, Singer, worauf wollen Sie eigentlich hinaus?« – »Mich dürfen Sie nicht anschaun«, sagte Thugut, an den ich eine stumme Frage gerichtet hatte. »Ich durfte nur als Sammler mitarbeiten. Was er damit wollte, hat er mir nicht verraten.«

Aber nun kam die große Überraschung – auch für Thugut.

Mit möglichst trockener Miene, die doch nicht ganz verbergen konnte, daß er vor Erwartung barst, zog Singer aus der Rocktasche ein Bild und legte es auf die leere Stelle seiner Galerie, die mir schon vorher aufgefallen war. Plastiken aus gotischen Kathedralen, deren frappanter Hüftschwung infolge der unbeteiligten Gesichter oben keine rechte Wirksamkeit entfalten konnte. Und nun diese! – »1260/70 etwa, Amiens«, erläuterte Singer kühl, lehnte sich zurück und schlug ein Knie übers andere, beobachtete uns aber scharf. – Nun war auch Thugut zu Boden gegangen. Etwas fuhr einem unter die Haut. – »Da verschlägt es euch die Rede, was?« – »Ich gaffe! Da kann man nur gaffen! Was sagen Sie, Pater?« – Der sagte nichts. Verschaute sich nur in das Bild. Ich aber mußte reden.

»Seh sich einer diese Haltung an! Bestrickend. Durch die ganze Figur geht der Schwung ... und die preziöse

Anmut, mit der sie das Kind hält! ... Keine Mutter, ich sag's aus Erfahrung, hält so ihr Kind. Da hat man viel zu große Angst, es fallen zu lassen vor lauter Anmut ... und sehen Sie, Thugut, die zartfingrige Hindeutung auf die Brust! Als ob Säuglinge nicht von selbst wüßten, wo es was zu holen gibt!« – »Säuglinge schon«, sagte Thugut vieldeutig und schwieg sich weiter aus. Umso mehr erregte ich mich: »Und dieses Lächeln! Schauen Sie sich das Lächeln an in dem schrägäugigen Katzengesicht! Haben Sie es gesehen?« – Thugut wies mit einem stillen Zeigefinger auf die beiden Idole am Kopf der Sammlung. Isis und Artemis; tatsächlich der gleiche bedenkliche Lippenschwung. »Wahrhaftig, da ist nichts mehr von jungfräulicher Majestät oder kummervoller Mütterlichkeit. Weder Zimmermannsgattin noch sorgende Hausfrau noch ehrbare Mätresse! ... Übrigens, Singer, was sagen denn die Kunsthistoriker zu dieser da?«

»Kann ich wörtlich zitieren! – ›Ein neues Drapierungsmotiv sind die seitlich der Figur entlangfallenden Schlüsselfalten, die sich logisch aus der Stoffraffung auf einen Punkt ergeben. Die Türpfostenmadonna von Amiens ist für die ganze Künstlergeneration in Nordfrankreich verbindlich geworden‹, leierte Singer im Ratschton ab, fügte aber dann noch hinzu: »Einer allerdings, wissenschaftlich wahrscheinlich eher ein Leichtfuß, hat sie die ›Soubrette der Picardie‹ genannt.«

ICH WERDE MIT HISTORISCHEM MATERIAL
VERSEHEN

Nachdenklich stemmten Thugut und ich uns aus der bereits schmerzhaften Knielage auf. »Wie konnte so etwas passieren?« fragte ich; »wie konnte die Kirche diese Art Madonna durchgehen lassen?« – Befriedigt durch den sichtbar erzielten Überraschungseffekt, schob Singer seine heilige Patience zusammen, während Thugut und ich die Sitzgarnitur an den gewohnten Platz schoben und aufatmend einsanken.

»Wie die Kirche das hat durchgehen lassen?« fragte Singer rhetorisch; »ich sage Ihnen, ES ging mit ihr durch!« – »Mit Teilen der Kirche ging es durch«, berichtigte Thugut, »andere Instanzen sahen es mit Besorgnis!« – »Mag sein, aber jener Teil, mit dem es ›durchgeht‹, hat immer die größere Gefolgschaft der Gläubigen.« – Thugut brummte. Das hieß, daß er nicht widersprechen konnte.

»Reden wir konkret«, schlug ich vor. »Wovon wollen Sie in Ihrem wissenschaftlichen Part ausgehen, um Paragonville das Mittelalter anschaulich zu machen: Rittertum und Scholastik, die Kreuzzüge und der Hundertjährige Krieg?«

»Das ist alles Sache einer Elite, geistig und formal. Das schön und tiefsinnig ausgebaute Lebensritual eines Standes. Ritual bis in den Kampf auf Leben und Tod hinein, Ritual, gebändigt bis ins Erotische, bis ins Religiöse. Aber alles Erlesene hat die Neigung, ins Gewöhnliche abzusinken, eine Art von Sucht oder Sehnsucht und übler Lust, gemein zu werden, sich fallen zu lassen. Hier liegt in der Kulturgeschichte der brisante Punkt. Geistiges erfährt in den niedrigeren Schichten eine realistische Ausdeutung und Umwandlung.«

»Können Sie etwas konkreter werden?«

»Nun: ganz konkret! Das meistgelesene und -diskutierte Werk der Epoche, der ›Rosenroman‹, eine als Allegorie erzählte Geschichte der Werbung eines Jünglings um die Frau, symbolisiert als Rosenknospe. 1237 begonnen von Lorris, noch ganz in der idealisierten oder genauer vielleicht ritualisierten Form der unerfüllbaren Anbetung. Fünfzig Jahre später vollendet von Jean de Meung als Verherrlichung der sexuellen Vereinigung, ein Venushof. Beachten Sie! Um die gleiche Zeit wurde die Madonna von Amiens gemacht. Also im Weltlichen wie im Geistlichen die gleiche Tendenz zum Sinnlichen. – Und das fällt dann noch eine Stufe tiefer ins Volk!«

»War man in dieser Zeit besonders unzüchtig?«

»Was man so unter schlichter Unzucht versteht, das

bleibt wohl immer gleich. Es war eine andere, ich möchte sagen, geistliche Unzüchtigkeit, die sich breitmachte in Klöstern und Laienbrüderschaften. Ekstatische Verzückungen allein oder in Massen, eine seltsam blutrünstige sexuelle Phantasie im Zusammenhang mit dem Heiligen griff um sich, wobei der Ausgangspunkt, die niederländischen Devoten, durchaus Leute von sittlicher Haltung und dem denkbar frömmsten Lebenswandel waren. Sie trieben die Devotion so weit, daß sie sich nicht nur in härenem Grau zeigten, sondern dieses auch noch mit künstlichen Flicken verunzierten.« – »Das erinnert mich an die ausgefransten Fetzen heutiger Jugendlicher, die aber damit nicht Devotion darstellen wollen, sondern Aufsässigkeit gegen das ›Establishment‹.« – »Das ist gar nicht so weit voneinander entfernt. Auch die Devotion der ›Brüder vom gemeinsamen Leben‹ war nicht frei von Aufsässigkeit; nämlich gegen die ›etablierte‹, offizielle Kirche, die in Prächten daherkam und es sich auch sonst gut gehen ließ. Nicht immer zur Ehre der Institution!« sagte Singer mit einem Blick auf Thugut.

»Und die Gläubigen?« fragte ich, »auf welche Seite schlugen sich die?« – »Die wurden – wie das Volk stets – spielend mit beidem fertig und stießen sich an keinem Widerspruch, und zwar bis in die höchsten Ränge. So ließ sich Jakob von Bourbon in Sackleinen, laut weinend, in einer hölzernen Abortkiste durch Neapel tragen, gefolgt von seinem paradiesvogelartig aufgeputzten Hofstaat, der gleichfalls, trotz Prunk und Protz, zerknirschten Herzens Tränenströme vergoß.« – Ich mußte lachen. »Passagere Devotion also, wie es einen gerade überkam?« – »Eben das war es aber! Es konnte jeden und zu jeder Zeit ›überkommen‹ – ungeachtet seines sonstigen Wandels. Es lag in der Luft. Die war gesättigt mit Zärtlichkeit, Weltabsage und blutigen Passionsphantasien, immer knapp bis zu jenem brisanten Punkt, wo dergleichen ins Gegenteil umschlägt.« – »In ausufernde Lasterhaftigkeit?« – »Das ist nicht das Gefährlichste! Was ich meine, ist eine Art geistige Völlerei, eine fromme Lasterhaftigkeit ... Sie blicken fragend? Nun, ich bringe Beispiele. Korrigier mich, Thugut, wenn du kannst. – Also hören Sie: In Frauenklöstern hielt man es jetzt mit dem süßen Herzen Jesu und vereinigte sich mystisch mit dem geschundenen Seelenbräutigam.« – »Mystisch?« – »Ja, mystisch, aber das ging folgendermaßen zu: Angela von Foligno etwa diktierte eine Vision, worin sie sich selbst dem Gekreuzigten anbot, indem sie sich ihrer Kleider entledigte und ihm Keuschheit gelobte. Katharina von Siena dagegen labte sich an dem Blut, das aus Christi Seitenwunde schoß.«

»Das ist ja in höchstem Grade unappetitlich! Und Sie sagten, sie gaben diese Entgleisungen bekannt? Nicht: sie beichteten sie?« Dabei schaute ich Thugut an. – »Sagen wir, sie berichteten. Nur für unsere Zeit gehört dergleichen allenfalls in den Beichtstuhl. Damals galt eine solche ›Vision‹ als Bevorzugung, als Belohnung für tiefgehende Glaubensversenkung. Ihr beide seid zu sehr fixiert an Freud, wo in eingeleisigem Direktverfahren alles via Unterbauch ins Bewußtsein steigt und nur *eine* Bedeutung hat.« – »Damals«, höhnte Singer, »fuhr noch ein Sonderzug: Geist – Bauch – Himmel!« – »Damals«, sagte Thugut lauter und überhörte den Einwurf scheinbar, »gab es eine lebendige Verbindung zwischen Realität und Symbol.« – »Wieder so was Kompliziertes, wie die Unterscheidung Bildanbetung oder Anbetung dessen, was das Bild darstellt. Ihr verlangt von euren Gläubigen geistliche Akrobatik!« – »Und ihr mit eurem Unsichtbaren? Kann damit ein einfaches Gemüt etwas anfangen?« – »Kurz«, wandte ich ein, »jede Religion ist für die Mehrzahl der Menschen eine Überforderung und drängt in den unschuldigen Mißbrauch. Aber das ist jetzt nicht unser Thema. Ich hätte gern gewußt, was die Männer mit ihrem Zärtlichkeitsüberschuß getan haben? Den luden sie wohl bei der Himmelskönigin ab?«

»Sie sagen es: Ihrer mehrere gaben sich der neidischen Mitbrüderschaft und der staunenden Welt als Empfänger persönlicher Milchspenden zu erkennen.

Alain de la Roche, der den Rosenkranz in Mode brachte, empfahl den Gläubigen, über jeden einzelnen Körperteil der Madonna inbrünstig zu meditieren.« – »Da wundert mich nicht mehr die Schöne von Amiens.« – »Die war um etliches früher, aber es war die Linie, die Stimmung; Künstler fühlen bisweilen vor.«

»Und was hat wirklich die Kirche zu alledem gesagt?« wandte ich mich an Thugut. – »Die hat es schwer gehabt«, sagte er vorsichtig; »recht war es ihr gar nicht, aber wie vorgehen? Alle die solcherart ›Begnadeten‹ führten tatsächlich einen tadellosen Wandel. Aber ich habe euch schon einmal gesagt, daß die Kirche weniger auf die groben Sünder aufpaßt, als auf die Heiligmäßigen. Sie paßte also auch damals auf und griff ein, sobald diese Stimmung sich gewittrig auflud und es zu Massenausbrüchen kam, zu frommen Zusammenrottungen, die in Tanzwut ausarteten oder sich in Geißlerzügen dahinwälzten und mitrissen, was anfällig war. Das sind leider immer recht viele, denen man es vorher nicht zugetraut hätte. – Man kuschte sie dann ab als Häretiker.« – »Mit sehr viel Blut- und Brandgeruch!« warf Singer ein, »das hättet ihr euch erspart, wenn ihr früher eingegriffen hättet bei den allzu Phantasievollen. Die aber habt ihr heiliggesprochen.« – »Begannen damals nicht die Hexenverfolgungen?« – »Es mündete in den Hexenjagden! Wenn die Kirche in Verlegenheit kam, dann mußte immer der Böse herhalten in irgendeiner Form – meistens kam unsereiner dabei auch so nebenbei zum Handkuß.«

»Er simplifiziert«, eiferte sich Thugut; »ursprünglich, noch bis ins frühe Mittelalter, war der Hexenglaube von der Kirche sogar verboten!«

»Und warum wurde er dann obligat, warum genügten eine Anzeige, ein Verdacht schon für Folter und Verbrennung?«

»Ich hab es schon gesagt«, antwortete Singer, »sie wußten sich nicht mehr zu helfen vor lauter ›unschuldigem Mißbrauch‹, ihre hochgeistige Filigrankonstruktion von Realität und Symbol ist ihnen über den Kopf gewachsen. Da wurde tabula rasa gemacht. Da genügte es nicht mehr, daß Maria als Jungfrau empfangen hat und eine fromme Mutter war, die nie etwas mit einem Mann zu tun hatte. Sie war zu schön geworden, zu sehr Frau. Da mußte man sie in zwei Extreme spalten. Die Unbefleckte und die Hexe. Nonne und Hure.« – »Eine grobe Vereinfachung!« – »Geht es anders? Schauen Sie sich die von Amiens an! Was kann einen Mann stärker reizen und verlocken, als das Schillernde an einer Frau, das Facettenreiche, das alle die antiken Liebesgöttinnen hatten: Geliebte und Mutter zugleich. Das durfte nicht einreißen. Da mußte man aus dem Bild der Frau das Verlockende herausoperieren und verkörpern als Satansbraten, und übriglassen das Gefäß, das kocht und Kinder hervorbringt. Es war ja schon vorgedacht von den Kirchenvätern, die Maria der Eva gegenübergestellt haben. Aber die einfache Maria der Evangelien hat man ja attraktiver machen wollen und ihr Züge der alten Fruchtbarkeitsgöttinnen gegeben. Die Hexenjagd, dieser Schandfleck der Kirche, war das Ergebnis ihrer allzu geschickten Diplomatie, und so mußte sie im Namen der milchspendenden Jungfrau Hexen martern.«

»Und was sagen Sie?« fragte ich Thugut. – »Daß er recht hat; sachlich recht, meine ich, wenn er es nur mit weniger Frohlocken vorbrächte. Es ist kein Grund zur Schadenfreude, wenn es um eines der furchtbaren Beispiele geht, wo redlich Gedachtes in den Pratzen von Mob und Irren zur Katastrophe wird.« – »Da hast du recht, Thugut«, sagte Singer zerknirscht. »Ich schäme mich.«

Um auf neutralen Boden einzulenken, fragte ich: »Soviel ich verstanden habe, werden Sie sich, Singer, in Ihrem gelehrten Teil auf den Ausgang des Mittelalters konzentrieren. Und was soll ich tun? Ich meine, wo greift die Sodalitas ein?«

»Wir haben uns darauf geeinigt, daß die Sodalitas ihre Aufgabe darin verstand, vorauszusehen, kommenden Entwicklungen, die sich wie ein Wetterleuchten anzeigten, entgegenzuarbeiten.«

»Und wann war ein solches Wetterleuchten zu sehen, eine Art Himmelsspiegelung der Scheiterhaufen?«

»Ungefähr um hundert Jahre früher als die Zeit, auf die ich mich konzentrieren will. Die Generation zwischen 1250 und 1280. Die Schöne von Amiens ist nach Schätzung der Kunsthistoriker nicht vor 1260 entstanden; danach entwickelt sich die Herz-Jesu-Mystik, und gleichzeitig findet in Toulouse die erste Hexenverbrennung statt, damals noch eine vereinzelte Entgleisung, aber immerhin. Von Perugia ausgehend wälzt sich ein Flagellantenzug nordwärts, an verschiedenen Stellen brechen Tanzwutepidemien aus.«

»Und in Wien? Am Sitz der Sodalitas? Was hat sich von all dem hier begeben?« – »Bemerkenswert wenig. Es scheint fast, als hätte sich die ekstatische Welle hier wie an einer unsichtbaren Barriere gebrochen. Eine einzige Hexe wurde verbrannt, und zwar mit ehrwürdiger österreichischer Rückständigkeit erst 1583. Den Institoris warf man kurzerhand hinaus, als er in Tirol zu zündeln begann. Und in der Stephanskirche entstand die Dienstbotenmadonna, die schön und lieblich ist, der aber wahrhaftig nichts Hexisches innewohnt.

Weder Flagellanten noch heilige Tänzer werden erwähnt noch sonst irgendwelche mystisch Heimgesuchte. Scheinbar waren die Leute nicht so anfällig dafür. Sie hingen mehr am äußeren Prunk als an allzu großer Innerlichkeit.«

»Das ist wahr«, sagte Thugut; »Rudolf der Stifter ließ die Stephanskirche zur Kollegiatskirche erheben mit einem Prior im Fürstenrang an der Spitze, dem zwölf Canonici unterstellt waren. Zwar kein Bistum, aber man sorgte für den Schein, was wichtiger war: die Canonici durften nämlich allesamt in Rot gehen wie echte Kardinäle. Das stellte sie selbst und das Volk vollauf zufrieden.«

»Und was war mit den Juden?« fragte ich Singer.

»Die ließ man halbwegs in Ruhe. Da seit dem Laterankonzil den Christen das Geldverleihen verboten wurde, hegten sich die Fürsten die Juden als Melkkühe.«

114

»Also für die Sodalitas eine einigermaßen ruhige Nische, von der aus sie orbitale Wirkung entfalten konnte.«

»Das schon, aber ich bitte Sie, werden Sie nicht zu üppig. Alles nur auf dem Weg der Verleidung und geheim! Lassen Sie sich nicht zu krassen Aktionen hinreißen, die dann *ich* verantworten muß. Ich flehe Sie an!« – »Schon gut, schon gut. Ich werde maßvoll brüten.«

TUMULTUS PLEBIS ORTUS ANTE ECCLESIAM
RECENTER CONSTRUCTAM
IN URBEM AMIENSEM

Volksrummel vor der neuerbauten Kathedrale
von Amiens sowie die weise Umleitung eines
Flagellantenzuges um Wien

Während der Regierungszeit Rudolfs IV. war Chaim schon traditionsgemäß das Haupt des jüdischen Flügels der Sodalitas. Das Handelshaus erlebte damals einen großen Aufschwung. Wien lag an der Rückkehrerroute der Kreuzfahrer. Viele von ihnen kamen einzeln oder in Gruppen hier durch und machten Station; seelisch ernüchtert, praktisch meist in dürftigen Verhältnissen. Es wurde daher hier viel Beutegut losgeschlagen, wovon auch das Reliquiengeschäft profitierte. Chaim, der – einer Familientradition folgend – neben dem Geschäft einer Sammlergrille frönte und auch heidnisches Götzchenwerk nicht verschmähte, konnte manch interessantes Stück preisgünstig erwerben. Innerhalb der Sodalitas trug er immer noch den altehrwürdigen Titel »Tetrarch von Wien«, eine Funktion, die seiner Sippe erhalten blieb. Die Gruppe der Katholiken führte damals Hochwürden Emicho Fadinger an, einer der zwölf Canonici von St. Stephan, der zu den Zusammenkünften natürlich nicht in Kardinalsrot erschien. Reizer war zur Zeit Emanuel Istarias, der an der kürzlich errichteten Universität als europaweit geschätzter Gräzist wirkte. Er gehörte einer schon lange in Wien ansässigen, ursprünglich griechisch-byzantinischen Familie an. Sodalin war die Bürgersfrau Margaretha Lebstückin, Mutter von zwölf Kindern, die sie nacheinander drei Männern geschenkt hatte, die leider jeweils früh ins Grab gesunken waren; von einem vierten, dem sie sich anvermählt hatte, war sie schwanger. Dieses bewegte Leben, gepaart mit einem angeborenen Hausverstand und einer geradezu ätzenden Beobachtungsgabe, hatte ihr reiche Erfahrung einbeschert. Sie geizte nicht damit, sondern spendete mit beweglicher Lippe Lebensnahes.

Chaim, der Tetrarch, hatte die Sodalen zu einer außerordentlichen Versammlung in sein Haus geladen. Er hielt es für geboten, die Gesellschaft von einem interessanten, nach seinem Dafürhalten sogar höchst bedenklichen Vorfall in Kenntnis zu setzen, von dem er durch seinen Neffen Simon ben Nathan unterrichtet worden war. Dieser war vor kurzem aus Frankreich zurückgekommen, wo er im Dienst des Hauses ein paar Monate geweilt hatte. Im Zuge dieser Reise hatte er einen Verwandten aufgesucht, der in Amiens einen kleinen, aber erlesenen Handel mit sarazenischem Kunsthandwerk trieb, das er, wieder durch fernverwandtschaftliche Verbindungen, günstig aus der Provence bezog.

Als sich die Gesellschaft vollständig eingefunden hatte, ersuchte Chaim die Sodalen erst förmlich um die Erlaubnis, den Neffen, obwohl Nichtmitglied, selbst Bericht erstatten zu lassen. Die Genossen sollten mit einer Schilderung aus erster Hand bekannt gemacht werden, um sich bei etwaigen Unklarheiten an den Augenzeugen selbst wenden zu können. – Die Erlaubnis wurde einstimmig erteilt, selbstverständlich mit der Einschränkung, daß der Berichterstatter den anschließenden Beratungen nicht beiwohnen durfte. Der clandestine Charakter der Institution mußte gewahrt werden. Man wußte wohl, warum. Die Geheimhaltung war eine Frage des Bestehens.

Simon ben Nathan wurde hereingebeten. Ein dunkellockiger Jüngling mit männlichen Zügen und lebhaften Augen. Ein bißchen jung, dachten einige. Er erwies der ehrwürdigen Gesellschaft bescheiden, jedoch keineswegs befangen und in guten Formen seine Reverenz und begann dann zu berichten: konzis, anschaulich und beweglichen Mundes. Das Geschäftsinteresse des Hauses habe ihn nach Amiens geführt, wo er bei einem Verwandten, Moyse ben Abraham, für ein paar Tage Wohnung genommen habe. Haus und Geschäft des Gastgebers befinde sich auf einem Platz, gerade gegenüber der Südfassade der Kathedrale, die – vor ein paar Jahren abgebrannt – jetzt vergrößert im neuen Stil aufgebaut werde. Während seines Aufenthaltes seien gerade einige in der Bauhütte fertiggestellte Figuren an den vorgesehenen Plätzen der Kirchenfront angebracht worden. Er, Simon, habe, morgens nach dem Wetter sehend, da er an diesem Tag eine kleine Reise machen mußte, beiläufig beobachtet, wie man eine Madonnenstatue herankarrte, die offenbar für eine Säule zwischen den beiden Torflügeln bestimmt war. Am Tag zuvor waren bereits die zwölf Apostel darüber aufgestellt sowie heiligenscheinhaltende Engelchen in Haupthöhe links und rechts von der Marienstatue angemauert worden. Ziemlich spät abends und müde zurückgekehrt, sei ihm die große Menschenmenge aufgefallen, die sich vor dem Portal staute, zum Teil Kerzen haltend, manche kniend. Soviel er verstanden habe, wurden Marienlieder gesungen. Man blickte hinauf zu dem steinernen Bildnis, das er morgens hatte heranführen sehen.

Es war ihm dabei aufgefallen, daß es großteils Männer waren, die da standen, was ihn kurz verwundert habe, da ja sonst bei frommen Begängnissen – er habe es für eine Art Einweihung gehalten – vor allem die Frauen in großer Zahl anwesend zu sein pflegten. Aber abgespannt von den Strapazen des Tages habe er sich fast unmittelbar zu Bett begeben, nachdem er mit Ben Moyse das Geschäftliche besprochen hatte.

»Als ich morgens, noch Blei in den Gliedern, erwachte, hörte ich das Klatschen eines schweren Regens an den Fensterscheiben. Aber lauter noch einen unbestimmten Rumor von der Gasse her. Ein dumpfer, aber rhythmisch gebändigter Lärm, der manchmal von schrillen Aufschreien unterbrochen wurde. Neugierig geworden sprang ich aus dem Bett, öffnete das Fenster und sah zu meiner Verwunderung, daß trotz des strömenden Regens der Platz Kopf an Kopf voll Menschen war – wieder vorwiegend Männer –, denen man am Habit und an den Werkzeugen, die sie in der Hand hielten, ansah, daß sie direkt von der Arbeit kamen oder sich auf dem Wege dahin befanden. Alle starrten wie gebannt hinauf zu der tags zuvor aufgestellten Marienstatue, leierten Gebete ab oder sangen. Man sah auch Kuttenträger sich eifernd durch die Menge drängeln, manche von ihnen erklommen einen erhöhten Ort und intonierten Gesänge oder wurden vom Drang zum Predigen überkommen.«

Er, Simon, kenne sich aus begreiflichen Gründen nicht so aus in den Zeremonien und Gepflogenheiten der katholischen Kirche, es sei ihm nur aufgefallen, daß es sich um eine spontane Volksballung handeln müsse und kein offizielles Kirchenfest, denn abgesehen von den Kuttenträgern waren keine Priester zu sehen. Soweit vom Fenster aus überblickbar, zentrierte sich das ganze Geschehen deutlich um eine der Statuen in der neuen Manier, die man jetzt überall an den Domen wahrnehmen kann; gekrönt, das Jesuskind auf dem Arm, und in der Haltung dem neuen Stil entsprechend etwas geziert.

»Etwas mehr geziert als üblich, dachte ich noch, als ich genauer hinsah; und vielleicht müßte ich auch wahrheitsgemäß erwähnen, daß ich länger hinsah, als ich gewöhnlich solche Statuen ansehe, die mich, wie Sie verstehen werden, verehrte Sodalen, mehr aus ästhetischen als geistlichen Gründen fesseln; also kurz, es war ein bestimmter interessanter Hüftschwung, der mich länger ans Fenster fesselte, als ich es mir gestatten durfte. Denn jetzt vernahm ich plötzlich, was mir eigenartigerweise vorher ganz entgangen war, daß unten im Gewölb – ganz gegen die fast feierliche Gelassenheit, die im Hause Moyses herrscht – gerannt und geschoben und geschrien wurde. Ich begab mich natürlich sofort hinunter und fand dort das Sippenhaupt mit einem besorgten Gesicht bestimmte Räumaktionen anordnen und überwachen.

Natürlich wollte ich wissen, was das ganze Getriebe zu bedeuten habe, aber ehe er mir eine Antwort gab, trat er zum Fenster, öffnete einen Spalt und zeigte hinaus auf den Platz, auf die immer noch wachsende Volksmenge, die gerade wieder einen Marienchor anstimmte und – die Köpfe im Nacken – hinaufstarrte auf die steinerne Figur.

Von hier aus konnte ich jetzt genauer sehen, daß die ganze Haltung der Statue in einer schwer deutbaren Weise anders war als gewohnt. Ich möchte sagen, daß es nicht nur am Schwung um Hüfte und Taille lag, eher an der Art, wie sie das Kind etwas entfernt vom Körper hielt und mit einer Hand zart auf ihre Brust wies mit einer Neigung des Kopfes, die man nicht als Demut oder Hingabe deuten konnte. Nein, es war eine leicht seitliche Neigung, die etwas Gefälliges, ja geradezu Verlockendes hatte, um nicht zu sagen etwas Kokettes: mein Gott, entfuhr es mir, so präsentieren doch Mütter nicht ihre Kinder! Ich mußte an die vielen Mütter unserer Sippe denken, deren jede ihr Söhnchen für ein einzigartiges und besonderes Söhnchen hält und herzeigt, um auch andere mit diesen Vorzügen bekannt zu machen. Aber diese da draußen auf der Fassade, die schien eher sich selbst zu zeigen als das Kind, das Kind gewissermaßen als Vorwand zu mißbrauchen, um selbst zu paradieren. So jedenfalls kam es mir vor.

›Siehst du es?‹ fragte Ben Moyse. ›Ja, ich glaube zu sehen!‹ antwortete ich verwirrt und nicht in der Lage, den Eindruck zu deuten. ›Dabei hast du das Gesicht noch nicht gesehen!‹ sagte Moyse. ›Die Augen und das Lächeln. Ganz besonders das Lächeln! Gestern, als der Trubel noch nicht so dicht war, bin ich vorübergekom-

men und hab es mir angesehen. Da begann schon das
Gedrängel und das selbstvergessene Gaffen, des Manns-
volks vor allem, und das Gesinge hob an. Die ganze
Nacht hab ich kein Auge zugetan und mir Sorgen gemacht. Wenn sie so anfangen, dann schlägt's oft um mit
der Frömmigkeit, und es geht auf unsereinen. Die wertvollsten Sachen hab ich schon verstecken lassen an den
vorgesehenen Plätzen. Keiner von den Meinen darf
mehr auf die Gasse hinaus. Heute bleibt das Gewölb geschlossen, die Läden verriegelt. Ich sag dir, Simon, die
da draußen auf der Säule, die schaut nicht wie die üblichen aus, und alle die Männer, jung und alt, was haben
sie da zu gaffen, von der Arbeit wegzurennen. Ich
fürchte mich, Simon. Ich hab schon zu viel erlebt, wenn
sie in fromme Aufgekratztheit kommen.‹ ... Ich bitte
die Herren vom Domkapitel, mir den etwas saloppen
Ausdruck zu verzeihen, aber ich möchte möglichst de-
tailgenau berichten, und man muß es dem alten Mann
zugute halten, daß er sich in großer Aufregung
befand ... also: ›Ich hab schon viel erlebt, Simon‹, sagte
er, ›wenn sie in fromme Aufgekratztheit kommen, es
reißt mich dann in meinen Knochen, und ich krieg ein
ganz eigenes Stechen in den Fußsohlen.‹«

Die Herren vom Domkapitel nahmen nichts übel, im
Gegenteil, sie zogen die Lider lang und nickten be-
schwerten Hauptes, als wüßten sie sehr wohl, was es
mit frommer Aufgekratztheit auf sich habe, und sähen
sie ihrerseits auch nicht gar so gern bei den eigenen
Lämmern.

Simon schilderte nun, daß er sich dann am Verstek-
ken der Wertsachen beteiligte, jedoch nur halben Herzens, weil ihm die Neugier arg zugesetzt habe, den großen Anstoß aus der Nähe zu sehen. Die Frauen hätten
zwar die Hände gerungen und auch Ben Moyse habe
dringend abgeraten, er aber sei fest geblieben, habe sich
mit Hut und Kittel und einem Sack über der Schulter als
Bauer verkleidet und größte Vorsicht versprochen.
Dann sei er zur Hintertür hinausgeschlichen und habe
sich unter das Volk gemischt, sich langsam nach vor

zum Portal drängelnd, so als käme er gerade vom Lande in die Stadt herein und wolle wissen, was es zum Gaffen gäbe. Die Leute hätten ihm sogar willig Platz gemacht und ihn vorgeschoben, damit er des Wunders auch gewahr werde.

»Als ich ihr so unmittelbar gegenüberstand«, erzählte Simon den aufmerksam Lauschenden, »da bin ich zurückgeprallt im ersten Schock, und dabei trat ich meinem Hintermann, einem der Kleidung nach zu schließen hochgestellten Bürger, hart auf die Zehen; der war aber so ins Glotzen versunken, daß er den Schmerz nicht gespürt hat, sondern wie ein Holzstock mit offenem Maul und hervorquellenden Augen reglos stierte – sehen hätte ich den wollen, wenn ihm sonst ein Bauer auf die feinen Schuhe getreten wäre, das Geschrei! – Aber nichts, und rundum sind sie so dagestanden oder gekniet mit dem gleichen Blick, der nichts um sich wahrnahm, Gebete abratschend oder Lieder singend, grölend oder kirrend, heut waren auch Weiber dabei, unheimlich, wie die Irren oder die Besessenen, und dazwischen schlichen überall die Minderbrüder herum und hußten und peitschten auf. Wohl war mir gar nicht in dieser angeheizten Menge, und ich verstand jetzt, warum Ben Moyse das Wichtigste ins Versteck brachte. Ich schien in meiner Verkleidung nicht aufzufallen. Den Hut hatte ich tief in die Stirn gezogen, und – meine Glaubensgenossen werden es mir verzeihen – ich tat auch, als sänge ich ein bißchen mit, und, ja, ich gesteh es, ich ließ mich nieder auf die Knie und sah sie mir mit gefalteten Händen nun in Ruhe und Nüchternheit genau an.

Ein Katzengesicht, wenn die verehrten Sodalen wissen, was ich meine. Sie hat ein ausgesprochenes Katzengesicht. Große, schrägstehende Augen und ein kurzes, spitz zulaufendes Kinn. Und einen Mund, der ganz eigen lächelt, daß es einem das Rückgrat hinunterläuft. Nicht wie eine Mutter ihr Kind anlächelt oder eine Heilige das anbetende Volk. Kaum trau ich mir's zu sagen – und die Herren vom Klerus mögen es mir vergeben, wenn ich im Dienste der Genauigkeit so offen spreche –, sie lächelt so wie eine, die nachts an den Ecken steht. Aber keine von den Gutmütigen oder den Dreisten, sondern wie jene, vor der man sich hüten muß, weil sie die Männer nicht labt und erleichtert, sondern sie zu lechzenden Sklaven macht. – Übrigens ein wunderbar gemeißeltes Bild«, sagte Simon ganz unvermittelt, als hätte er ein wenig den Faden verloren in seiner intensiven Erinnerung im Dienste der Genauigkeit, »ein wunderbares Bildwerk voll Leben und Anmut und Faszination, und hinreißendem Reiz … nur, das wollte ich eigentlich sagen: zur Frömmigkeit reizt es nicht!«

Bei dieser Feststellung errötete der junge Mann etwas, was den Oheim zu einem mahnenden Zwischenruf veranlaßte: »Schweif nicht ab, Simon, bleib bei der Sache!«

Der Jüngling fuhr leicht zusammen, fand sich aber rasch und geschickt wieder in den Fluß der Erzählung.

»Eine knisternde Spannung lag auf der Menge, wie knapp vor einem Gewitter. Man stand nun so dicht, daß man den Schweiß des anderen durch das eigene Gewand spürte. Eine Art Panik stieg in mir auf, und ich sah mich schon um nach einer Möglichkeit, mich unauffällig wegzustehlen. – Da sprangen plötzlich die beiden Torflügel des Domes auf. Mit einem Schlag verstummte die Menge, und es drang aus dem Dunkel hervor gemessenen Schrittes in vollem Ornat. Voran der Bischof mit dem Krummstab, gefolgt vom gesamten Klerus. Ein Schwarzgekleideter trug ein Kruzifix voran, daneben Kessel schwenkende Knaben; Wolken von Weihrauch. Tiefes Schweigen rundum. Wie von selbst öffnete sich eine breite Gasse. Kalbsäugig gaffend brach das Volk in die Knie, und fast quälend langsam umkreist der Zug der geistlichen Würdenträger unbewegten Gesichts in weitem Bogen den Platz und hält erst wieder vor der Kirchenschwelle. Da wendet sich der Bischof der Menge zu und sagt trocken, mit keineswegs erhobener Stimme – es ist so still, daß man jedes Wort vernimmt – ›Trollt euch jetzt, jeder an seine Arbeit, wo er längst hingehörte, statt die Zeit zu vergaffen.‹« – Dann streut er eine beiläufige Segensgebärde über die Glotzer, das Kirchentor saugt den gemessenen Zug wieder ein, die Flügel schlagen knarrend zu.

»Es war, als wäre ein Zauberbann von der Menge abgefallen. Viele wischen sich die Augen, als erwachten sie gerade aus dem Schlaf, manche beuteln sich wie nasse Hunde. Mit langen Nasen und hängenden Mäulern verdrücken sie sich eilig nach allen Richtungen.

Als ich durch einen Hintereingang in Moyses Haus geschlüpft war, wurde schon wieder zurückgeräumt. Der Alte hatte die Vorgänge durch den Spalt eines Fensterladens beobachtet. Jetzt arbeitete man flott und in fühlbar gelöster Stimmung. Die jüngeren Männer machten Witze. Moyse lobte die Vernunft des Kirchenfürsten. Er kam dabei auch auf allerlei Unterschleif und Lotterwesen zu sprechen, das man dem Klerus nachsage, aber: ›Laßt sie lottern und allen denkbaren Leibesfreuden frönen! So bleiben sie bei Vernunft, und wir haben unseren Frieden. Viel mehr fürchte ich die asketischen Brüder mit dem untadeligen Wandel, für den sie dann unsereinen büßen lassen.‹«

Der alte Chaim suchte sich mit einem unterdrückten pst, pst dem – wie ihm schien – allzu genauen Neffen bemerkbar zu machen und deutete Gesten des Abkuschens an. Aber einer der Domherren, der neben ihm saß, legte ihm beschwichtigend die Hand auf den Arm: »Recht hat er, Euer Verwandter. Auch uns sind die Minderbrüder lästig mit ihrem eifernden Sündengeschnüffel, ob nun gelottert wird unter uns oder nicht. Immer finden sie eine Schleimspur, an die sie ihre Nasen hängen. Und fürs Volk sind sie das reine Gift.«

Da Simon mit seinem Bericht noch lange nicht zu Ende war, legte man eine kleine Pause der Erholung ein. Von den Mägden des Hauses wurden Erfrischungen herumgereicht, und man stand in Grüppchen und tauschte Eindrücke aus. Alle Anwesenden waren sich einig darüber, daß die Beobachtungen des jungen Simon von größter Wichtigkeit und Tragweite waren. Die

Juden priesen wieder einmal die Weisheit von Moses' Bilderverbot, die Katholiken wollten nicht so weit gehen, stimmten aber insofern bei, daß man den Bildhauern bei ihrer Arbeit scharf auf die Finger sehen müsse, daß sich nicht etwas von der Art einschleiche, was in Amiens geschehen war. Allgemein wurde gefragt, ob man den Namen des Steinmetzen kenne, der den Anstoß geschaffen habe. Chaim verwies auf seinen Neffen, der erstaunliche Antworten geben könne. Dieser lauerte schon im Nebenraum auf seinen nächsten Auftritt. Es schmeichelte dem Jungen, der die Anfangsscheu überwunden hatte, zu sehen, wie dieser ganze Kreis von Hochbedeutenden an seinen Lippen hing. Auch Chaim war stolz auf den Neffen, gab es aber nicht zu.

Ihm, Simon, ergriff der Jüngling nach der Pause wieder das Wort, habe es natürlich keine Ruhe gelassen. Unbedingt wollte er in Erfahrung bringen, was das für ein Mensch wäre, der diese besondere Madonna gemacht habe, die sich so augenfällig von der würdig ernsthaften Langgezogenheit unterschied, welche diese Bilder sonst in Miene und Gestalt zeigten. Durch Herumfragen habe er bald in Erfahrung gebracht, in welcher Schenke die Steinmetzen zu verkehren pflegten. Noch in der gleichen Nacht habe er sich – diesmal als Scholar – dorthin begeben, mit dem Vorsatz, die Leute etwas auszunehmen, vielleicht sogar den Künstler selbst zu treffen.

»Er kann gut umgehen mit den Leuten«, unterrichtete Chaim ein bißchen zu laut die horchenden Sodalen, »den Simon setzen wir immer an die schwierigsten Kunden an!«

Halb geschmeichelt, halb verlegen fuhr Simon fort: »Ich hatte Glück. Vollzählig, teilte der Wirt mir mit, sei heute die Bauhütte versammelt, um die Fertigstellung der Südfassade zu begießen. Es waren alle schon ein wenig angetrunken. So fiel es mir nicht schwer, mich unter sie zu mischen, mit ihnen zu plaudern, zu lachen und dem für das fromme Metier erstaunlich krassen Gezote Beifall zu spenden. Unter der Hand kam ich auf den Volksauflauf zu sprechen, auf die neu errichtete Madonnenstatue und dann ganz sacht auf deren Schöpfer. Ein Instinkt sagte mir, daß der sich kaum in dieser derb fröhlichen Runde finden würde. Ich hatte mich nicht getäuscht. ›Keiner von uns war's!‹ Sie steckten die Köpfe zusammen und wiesen mit dicken Daumen in einen entfernten Winkel. ›Der dort ist es, der allein sitzt. Ein Neuer. Mit uns macht der sich nicht gemein. Ein Kauz und Sonderling. Wenn nicht Ärgeres‹, setzten sie hinzu mit Gesichtern, in denen der Spott bemüht war, eine gewisse Scheu zu übertäuben. Im Halbdunkel, durch die fetten Schwaden und die schlechte Beleuchtung kaum ausnehmbar, saß einer vor einem Becher Weines, unbeteiligt am Lärm und Frohsinn hatte er den Kopf in beide Hände gestützt und brütete vor sich hin.

Ich stand auf, als wolle ich mir ein bißchen Motion machen, und näherte mich wie von ungefähr seinem Tisch. Der Mann war klein und zart von Statur und, soweit man sah, ein wenig schief gewachsen. Aber er hatte die muskulösen Hände und Unterarme der Steinmetzen. – Ich tat, als könnte ich keinen Platz finden, und ersuchte den wie blind Dahockenden um die Erlaubnis, mich an seinen Tisch zu setzen.

›Ich kann's nicht verhindern‹, sagte er mürrisch und wandte mir kurz das Gesicht zu. Ich muß gestehen, daß es mich plötzlich fröstelnd durchfuhr. Ein schmales, knollnasiges Gesicht mit einem langen spitzen Kinn, ein großer, sensitiver Mund. An sich nichts Besonderes! – Es waren die Augen. Kleine, wimpernlose, auffallend eng stehende Augen, die – obwohl von den Lidern halb gedeckt – scharf und durchdringend blickten, und zwar mit einem Ausdruck permanent leidender Besessenheit.

Keinerlei Sympathie ging von diesem Menschen aus. Im Gegenteil. Man empfand dieses Gesicht wie eine Warnung.

Ich habe gleich gemerkt, daß ich diesen schwer würde zum Reden bringen können. Am ehesten über seinen Stolz, dachte ich, denn es war auch etwas Anmaßendes an der ganzen Erscheinung. So begann ich tastend und behutsam zuerst, dann immer offener und schließlich in starken Wendungen, die vollkommen neue Auffassung zu preisen, in welcher er die Jungfrau vom Südtor dargestellt habe. Sein Name sei ununterbrochen gefallen, log ich, und so habe ich mich gewissermaßen zu ihm durchgefragt, um ihm meine Betroffenheit und Bewunderung zu Füßen zu legen. Das zog. Unterstützt von einem Krug Wein vom Besten auf meine Rechnung wurde der Menschenfeindliche allmählich warm und schließlich sogar – auf eine eigentümlich hektische Art – redselig.

Zuerst schmähte er nur, verhöhnte seine Mitgesellen, ätzte an ihrem Können und brachte dann seine grundsätzliche Verachtung für die ganze Zunft zum Ausdruck. ›Stumpfe Tiere, alle miteinander‹, zischte er, ›keine Ideen, keine Inspiration, keine Visionen! Immer die gleiche Manier, die Steifen, Fadgesichtigen; königlich herausgeputzte Gänse!‹ Von Reims komme er, ließ er mich wissen, dort habe er einen Verkündigungsengel gemacht. Nicht so grobklotzig feierlich, daß die von oben Angesprochene erschrecken muß. Anmutig und voll Liebenswürdigkeit habe er ihn gemacht, den Brautwerber Gottes, als würbe er für sich selbst mit Honiglippen ... gerade, daß man ihm diesen habe durchgehen lassen, aber den Auftrag für die Maria übertrugen sie einem anderen, einem rohen Tölpel, der dem zarten Freier eine blödgesichtige Trulle gegenübergestellt habe. Das habe ihn wild gemacht. Er habe seine Sachen zusammengerafft und sei ohne Abschied davongegangen. Hierher nach Amiens. Er wußte, daß da etwas im Gange war. Glücklicherweise habe sich gerade einer vom Gerüst zu Tode gefallen. So habe man ihn eingestellt in der Dombauhütte und die Madonna in Auftrag gegeben. ›Sicher keine zufällige Fügung‹, sagte er leise und starrte mir dabei ins Gesicht, daß mir die Schauer rieselten. – Aber es kam noch ärger.

›SIE hat es selbst gewollt, daß ich sie mit meinen Händen bilde, wie meine Augen sie gesehen haben‹, sagte er

126

mit einem Blick, in welchem Hingabe und Irrsinn sich seltsam mischten: ›Sie hat es satt, als dümmliche Hausmutter hingestellt zu werden oder neuerdings glattgesichtig, mit runder Kinderstirn und gezierter Haltung, wie die vom Adel, vor denen die Grobsäcke von Rittern sich im Turnier zum Krüppel schlagen lassen ... blödes Gelichter ... Mir‹, sagte er und deutete mit dem Finger auf seine etwas gestauchte Brust, ›mir hat sie sich selbst gezeigt, die wahre Göttin ... im Walde war es, auf dem Weg hierher, vor einigen Monaten ... mir, mir ist sie erschienen, nicht einem von den gradgewachsenen Lümmeln dort, die saufen, zoten und dann huren gehen. Mich hat SIE sich ausgesucht trotz meines schiefen Wuchses und meines Gesichts, das alle Weiber schreckt. Diese meine Hände da hat sie gesegnet!‹ Er starrte auf seine großen Hände, die er vor sich auf den Tisch gelegt hatte. Feinnervige und gleichzeitig gewalttätige Hände. Die könnten sich einem wohl um die Gurgel legen, dachte ich unwillkürlich und lehnte mich zurück. Aber dann zeichnete er mit dem Finger zarte Linien in den verschütteten Wein, fühlsam und träumerisch, als ginge er mit Gebrechlichem um, und hatte dabei etwas um die sensiblen Lippen, das Sympathie erweckt hätte, wären nicht darüber die Augen gewesen, die nicht teilhatten an diesem Lächeln.

Ich bestellte neuen Wein, dem er gierig zusprach. Er redete jetzt leise und fließend, nicht so stockend wie zuvor, mehr zu sich selbst als zu mir; aber was er sagte, habe ich mir wörtlich gemerkt, weil es mich so verblüffte. Eigentlich verstörte, muß ich gestehen, obwohl ich von meiner Konfession her ja keine näheren Beziehungen unterhalte mit jener vielen Menschen göttlichen und hochwerten Erscheinung, von welcher die Rede war ... Also, damit die verehrten Sodalen mich recht verstehen, es war kein religiös bedingtes Entsetzen und Empören, was mich langsam in eine Art Dauerzittern fallen ließ, als ich dem Sonderbaren zuhörte. Es war ein Entsetzen der Vernunft, des Menschentums ... ich will zur Sache kommen, verzeihen Sie die Abschweifung, aber ich fühlte mich eben wieder ganz lebhaft dort sitzen in der rauchigen Wirtsstube und vor dieser Stimme, diesen Augen ... gleichviel. Ich zitiere wörtlich: ›Die Jungfrau selbst, die Mutter und Hochgeliebte, ist mir erschienen im Walde, als ich an einen Baumstamm gelehnt rastete zur Mittagsstunde ... Aber keineswegs döste oder träumte oder schlief‹, fuhr er plötzlich auf und starrte mich feindselig an, als hätte ich gezweifelt, ›das gerade Gegenteil von Dösen, Träumen oder Schlafen. Hellwach war ich. Auf eine ganz besonders scharfsinnige Art wach.

Im Lichtgewirr der Baumkronen flimmerte plötzlich die Luft, und da stand SIE vor mir ... mit Sonne bekleidet, nein, das stimmt nicht, das sagt der Johannes in der Offenbarung ... ich, ich hab sie wirklich gesehen: sie war mit Haaren bekleidet, mit langen, goldenen Haaren, in denen das Sonnenlicht sich fing ... mit nichts sonst als diesen Haaren‹, flüsterte der Unheimliche mir nahe dem Gesicht. Ich war ein bißchen schockiert, obwohl's mich nichts anging, aber er kam in eine Art von düsterer Ekstase: ›... die Goldflut dieser Haare bedeckte sie wie ein Gewand ... natürlich hab ich ihr Kleider anmeißeln müssen und eine Krone aufs Haupt setzen wegen der Lümmelhaftigkeit meiner Zunft und der schmutzigen Phantasie der Leute und des Klerus ... Ich aber habe sie gesehen in schönster Gelassenheit und Selbstverständlichkeit mit nichts umhüllt als dem goldgesponnenen Mantel ihrer Haare, die ihr Haupt krönten, schöner als die kostbarste Krone es kann ..., und in genau der gleichen Haltung, die ich der Statue gegeben habe, stand sie vor mir – ein zarter Schwung der Hüfte, und mit der schmalen weißen Hand zeigte sie anmutig und lieblich auf ihre Brust, die sich unter der Haarfülle wölbte ... und dabei hat sie mir zugelächelt.‹ Er lächelte jetzt auch und versah sich in das Bild seines Traums, und ich muß es sagen, verehrte Sodalen, in diesem Augenblick wäre er mir wieder fast sympathisch gewesen – nur die Augen, über die Augen kam ich nicht hinweg –, und mit gelösten Lippen sprach er vom Lächeln seiner Vision. Ganz wie er es gemeißelt habe, wäre es gewesen, so habe sie ihm, ihm, zugelächelt, katzenhaft schrägäugig, lockend ... Dann sagte er plötzlich kalt, fast hämisch: ›Das Kind hatte sie natürlich nicht bei sich, das mußte ich daraufkleben, ebenso wie das Kleid und die Krone; ich machte ein Spielzeug aus dem Kind, das blödäugige Volk merkt ja dergleichen nicht!‹ ... Dann schwieg er abrupt und drohte wieder ins Sinnieren zu versinken. So fragte ich vorsichtig: ›Was merken die Blödäugigen nicht?‹ – Er fuhr auf, wie man aus einem Traum auffährt: ›Ach so‹, sagte er dann wieder mit seiner üblichen blechernen Stimme und nahm einen tiefen Schluck, blickte mich scharf an aus seinen engstehenden Augen, aus denen Hohn brach, und dann sagte er wörtlich, ich möchte dazu betonen, daß ich es mir genau gemerkt habe, weil es so ungeheuerlich war, und außerdem hatte ich dem Wein nur scheinbar zugesprochen, ich war stocknüchtern: ›Was merken?‹ wiederholte er die Frage; ›Nun, daß sie eine Hulda und Venus ist, gleichzeitig die Heilige Jungfrau natürlich, aber das ist dieselbe, das wollen sie nicht wahrhaben; Jungfrau, Mutter, Königin und Frau! Das halten sie nicht aus in einem, da kommt ihnen die schwitzende Angst. Sie kennen nur Hausfrauen oder Huren ... Aber ich habe die Probe gemacht! Wie? – Wißt Ihr nicht, wie man Teufelswerk erprobt? – Ich hielt ihr das Kreuz entgegen: Hexe, Fee oder Madonna, dachte ich, und hielt ihr das Kreuz entgegen. Und was war? Sie zog nur ihre Katzenaugen schmal zusammen und lächelte, schüttelte ganz leicht ihre goldflimmernden Haare, hat weiter geflimmert und geleuchtet und anmutig auf ihre Brust gedeutet ... da ist es mir zur Gewißheit geworden, daß ich keinem hexischen Trug aufsaß, daß SIE es ist in ihrer wahren Gestalt, die Tausendnamige und Vielgeliebte, die süße Mutter der Gnaden und Spenderin der Paradieseswonnen, aus welcher jene da eine verhärmte oder liebliche Urschel machen, und mir, dem Häßlichen, schief Gewachsenen, hat sie sich gezeigt, meiner geschickten Hände wegen, damit ich etwas von ihrem wahren Wesen unter die Leute bringe …‹ Mitten im Sprechen fiel er plötzlich vornüber auf die Tischplatte, von Trunkenheit übermannt, die vielleicht nicht nur von dem schweren Wein kam. Er lallte noch ein paar unverständliche Wortfetzen und begann dann mißtönend zu schnarchen. Ich ging.«

Simon verneigte sich in guter Form und dankte der erlauchten Gesellschaft für die geduldige Aufmerksamkeit, die seiner unerheblichen Jugend geschenkt worden sei.

Die Sodalen schwiegen, sichtbar tief betroffen von dem eben Gehörten. Jeder wälzte es zunächst bei sich, manche mußten laut schlucken. Ein schwebendes Mißbehagen hatte Besitz ergriffen von jedem Einzelnen. Endlich brach der zur Geschwätzigkeit neigende Benediktiner-Pater Hieronymus Wunsel das betretene Schweigen, weil er's nicht mehr aushielt: »Was haben diese Anrufungen zu bedeuten, die ›Hulda‹ und ›Venus‹ und Paradieseswonnen und die doch recht befremdliche Art der Bekleidung? Nur mit Haaren? Bei der Heiligen Jungfrau! Wie es verbürgt ist von verläßlichen Seiten, verwandeln sich solche, wenn man ihnen das Kreuz zeigt, in geifernde Vetteln!«

Der Reizer war es, Emanuel Istarias, der mehr darüber zu sagen wußte, und er tat es nicht ohne Freude.

»Alles Kultnamen! Kultnamen der Madonna, die man zum größten Teil von heidnischen Göttinnen übernommen und auf diese Weise sakrifiziert hat. Und die Hulda oder Holda, auch Holle genannt, ist eine Erscheinungsform der alten Venus, die man in den dumpfen Wäldern der nördlichen Barbarei immer noch gleichzeitig verehrt und fürchtet. Ein hochinteressantes Beispiel für die schwimmenden Grenzen im Bereich des Religiösen – die Herren vom Klerus mögen dem Gelehrten verzeihen! – aber es kann selbst von der Kirche nur über verkräuselte Umwege und verkniffenste Haarspalterei geleugnet werden, wie eng – versteht sich im blödhirnigen Volk – sich das dogmatisch Gesicherte (hier spielte ein kleines, aber perfides Lächeln in seinen Zü-

130

gen) mit eingesessenem Märchenwust vermengt, der wieder an die Brocken ehrwürdiger antiker Mythen anknüpft, die vermutlich im Gepäck der Handelsleute über die Alpen geschleppt, abgeladen, falsch verstanden und in die schlichten Formen umgemodelt wurden, deren sich diese Populationen bedienen. So ist – das ist jedenfalls meine Meinung, der ich es nüchtern sehe –, so ist diesem, was seinen Seelenzustand anbelangt, recht fragwürdigen Steinkünstler alles zusammengeflossen in seiner sonderbaren Siesta: Isis und Artemis, Ammenmärchen und die hochheilige Madonna. Und was er da so zusammenträumte – was träumt nicht ein junger Mann so zusammen –, das bildete er in Stein. Er scheint begabte Hände zu haben. Und seine eigene Stimmung übertrug sich über das Bild aufs glotzende Mannsvolk. Das ist meine Meinung zur Sache«, schloß der Reizer und lehnte sich zurück, als ob alles gesagt wäre.

»Und dort steht's jetzt, eingemauert und in Stein«, zischte scharf der mißtrauische Reuben aus seitlicher Mundtasche. (Wahrscheinlich war es sein zu krampfhafter Bitterkeit neigender Charakter, der ihm einen halbseitigen Schlag einbeschert hatte, wobei aber die gesunde Hälfte der Rede durchaus mächtig war und an Deutlichkeit in Aussage und Artikulation nichts zu wünschen übrig ließ.) »Davor psallieren sie jetzt fromm und mit obszönen Hintergedanken und zeugen sich dabei eine innerliche Anheizung und Steigerung, die sich dann wieder an unsereinem erleichtert!«

Die jüdischen Sodalen nickten besorgt. Aber auch der klerikale Flügel nahm den Fall nicht auf die leichte Schulter. Liefen doch in letzter Zeit immer deutlichere Gerüchte um, von frommer Tanzwut und Geißlerzügen, die plötzlich irgendwo aufbrachen und sich in Bewegung setzten, rasch an Zulauf gewinnend. Hab und Gut und Weib und Kind, Pflugschar und Werkstatt ließ man stehen und liegen, um mitzuziehen, Beine und Geißel schwingend mit ekstatischem Gejodel, über dessen Natur sich die Kirche keinen Illusionen hingab.

»Das zutiefst Bacchantische im Christentum«, sagte

höchst angeregt der Reizer Istarias, der als einziger diese Gerüchte mit einem Interesse aufnahm, das frei von ängstlicher Bitterkeit war. »Eindeutige Spuren des Dionysoskultes!« stellte er freudig fest und wollte genau wissen, ob man sich drehe beim Tanz oder wie die genauen Pas wären, die man bevorzuge, und welcher Instrumente man sich bediene. »Flöten, Trommeln, Fiedeln, sagt man?« triumphierte er. »Uralter Kult der Rauschgötter, Artemis und Dionysos, das schlimm wilde Paar! Das fährt auch diesen Knollfinken in die Knochen!« – Er merkte nicht, daß die Blicke, mit denen die Sodalen ihn streiften, seine Freude nicht zu teilen schienen.

»Rausch, nichts als Rausch«, polterte der Benediktiner Wunsel unfroh, »wenn man mich fragt: einfangen das Gesindel und hart arbeiten lassen, daß ihnen das heilige Jodeln vergeht, und den mageren Minderbrüdern eine Tracht Prügel von fester Hand und hernach eine kalte Abwaschung gegen die schwülen Phantasien, die sie sich anfasten. Mir stinkt das ganze Gewese!«

»Wem riecht es schon gut!« flüsterte Schlom, »schon lange riecht's nicht mehr gut im europäischen Raum.«

In diesem Augenblick wurde die Tür ganz unziemlich aufgerissen, und auf der Schwelle stand, völlig erschöpft und kotverkrustet, der Emissär, den sich die Sodalitas in Südfrankreich hielt.

»Vor zwei Wochen bin ich aufgebrochen«, keuchte er, »Tag und Nacht geritten, nur die Pferde wechselnd!« Dann holte er rasselnd Atem und sagte laut in die Stille: »In Toulouse haben sie auf dem Kirchenplatz eine lebendige Frau verbrannt. Wegen Hexerei!« – Nachdem er diese entsetzliche Nachricht herausgestoßen hatte, verließen den Mann die Kräfte, und er brach zusammen. Tödliche Betroffenheit im Saal. Dann sagte Istarias leise und mit ungewohntem Ernst: »Jetzt gnade Gott den armen Frauen.«

Von seiten der Sodalitas erfolgte – nach der ersten Schreckbetäubung – die Reaktion rasch, gründlich und nüchtern.

Bezüglich der Tanz- und Geißelwut mußte sofort gehandelt werden, umso mehr, als entsprechende Erkundigungen ergeben hatten, daß sich in der Gegend um Perugia eine Menge einschlägig Begeisterter zusammengefunden habe und sich nun ein ständig anwachsender Flagellantenzug nach Norden wälze.

Was die Bildgestaltung der Madonna betrifft, so schien eine kalmierende Beeinflussung unbedingt nötig, bedurfte aber einer sorgfältigen Planung; man konnte nicht mit raschen Erfolgen rechnen. Eine diesbezügliche Steuerung war über lange Zeiträume hinweg anzulegen, Erfolge durften erst spätere Sodalitasgenerationen erwarten. Um bereits in der Gegenwart den ärgsten Ausartungen einen Riegel vorzuschieben, beschloß man, in die Domhütten der im Bau befindlichen Kathedralen Beobachtungsorgane einzuschleusen, um Skandale wie den in Amiens möglichst im Keim zu erkennen und zu unterbinden. Der Hang zur »schönen Madonna« war nicht mehr zu unterdrücken, man konnte lediglich darauf achten, daß bei dieser »Schönheit« jeder provokatorisch erotische Zug vermieden werde. Man legte ein Grundmuster fest: glaubwürdige und auch gefällige weibliche Potenz, jedoch ausschließlich in Richtung auf die mütterliche Komponente. Nicht die Begierde des Mannes darf geweckt werden, sondern sein Wunsch nach kindlicher Zuwendung zum Weibe als Mutter.

Im Bezug auf den drohenden Einfall des Geißlerschwarmes mußte man rasch handeln. Man ließ zunächst einmal durch Kundschafter seine genaue Position und Größe feststellen, sowie die Richtung, die das Übel nahm. Soweit man so etwas überhaupt voraussehen konnte, lag Wien leider auf der Route. Vermutlich durch den Bericht des jungen Simon angeregt, schlug der klerikale Flügel eine lange Kirchenprozession vor, angeführt von den zwölf Canonici von St. Stephan im krapproten Ornat. Sie solle den Ekstaten entgegenziehen und sie durch das Gewicht des Auftretens sowie durch vernünftigen Zuspruch zur Auflösung bewegen. Auf jüdischer Seite hielt man nichts davon, aber auch aus der Priesterschaft selbst gaben einige zu bedenken, daß dieses Vorgehen voraussetze, daß der Tanzdrache in bedenkliche Nähe der Stadt käme. Nicht alle Herren seien gut zu Fuß, man müsse auch mit Niederschlägen und sonstigen Unbilden rechnen, die Versorgungsfrage wäre nur durch mitgeführten Proviant zu lösen, das hieße aber schwere Fuhrwerke, die den Zug noch zusätzlich aufhalten würden.

Man zog den Vorschlag zurück.

Die Sodalen befanden sich in einer argen Klemme, wie jeder, der gezwungen ist, rasch und wirksam zu handeln. Es lähmt gerade bei entwickelten Geistern das Gehirn.

Da meldete sich die Sodalin und wollte nur ganz allgemein, mehr einer Intuition als einem Plan folgend, zu bedenken geben, daß das Volk in den hiesigen Zonen mehr zu Spott und auch unangebrachtem Gelächter geneigt sei, als zu ernster Ekstase und fanatischem Pathos, wie sie in den Gruppen der religiös Aufgehöhten ja wohl vorherrschen mußten. Sie persönlich – schob die Bürgerin Lebstückin etwas unsachlich ein – sei bei der ersten Schilderung dieser Zusammenrottungen von einem Lachdrang angefochten worden; erst sekundär sei ihr die Gefährlichkeit bewußt geworden. Also – die Sodalen mögen die Abschweifung verzeihen – sie stelle zur Frage, ob man sich dieser, in anderen Zusammenhängen oft fragwürdigen, ja dubiosen Volkseigenschaft nicht im Ausnahmsfalle bedienen dürfte? – Wie das geschehen solle, wüßte sie allerdings im Augenblick nicht zu sagen. Nur so ein Einfall. – Die Sodalen schwiegen mit mißtrauisch arbeitenden Gehirnen.

Da sprang plötzlich der Reizer auf, seines rheumatischen rechten Knies nicht achtend.

»Herrlich!« rief er, »der Einfall ist herrlich! Eine Königsidee. Nicht ernst nehmen! Nichts von Exorzierung, Bann und geistlichem Ordnungsruf! Lächerlichmachen muß man die Unart. Zum Spott werden lassen vor dem gaffenden Volk, das sich sicher in Massen einfinden wird. Und ich weiß, glaub ich, auch schon wie«, setzte er nachdenklich hinzu, wobei ein abgefeimtes Lächeln seinen Zügen etwas Faunisches gab.

Wenige Tage nach der so besorgt ausklingenden Sitzung wurde im Schnellverfahren die Aktion »Contra Flagellantes« ausgeheckt, die ein voller Erfolg war und nur deshalb nicht chronikmäßig festgehalten wurde, weil man in Wien selbst – ganz im Sinne der Veranstalter – gar nichts davon gemerkt hatte. Bekannt ist nur geworden, daß sich der Perugianer Geißlerzug erst wieder im Böhmischen auffällig gemacht hat. Kein Wort von Wien und seinem Weichbild, das doch direkt am Wege lag.

Tatsächlich war folgendes geschehen: Durch seine Beziehungen zur Universität hatte Istarias Umgang mit Scholaren und Vaganten, einem Völkchen, das sich erstens stets in Geldnöten befand, zweitens aber auch zu jedem Spaß und Randal bereit und lustig war, besonders wenn dabei mit Straflosigkeit gerechnet werden konnte. Eine Kollekte sorgte für die Mittel, Idee und Regie steuerte der Reizer bei.

Istarias warb unter ausgewählten Studenten und Hinzuziehung einiger professioneller Mimen, Spaßmacher und Musikanten eine Truppe von etwa fünfzig Mitgliedern an, informierte sie entsprechend, sorgte für das Rüstzeug und die Entlohnung (aus der Kollekte); auch eine Probe soll stattgefunden haben.

Sobald man sichere Nachricht davon hatte, auf welcher Straße sich die Frommen heranwälzten, wurden die Aktionisten samt Zubehör an Ausstattung, Instrumenten und reichlichem Proviant auf Wagen verfrachtet und den – wegen der Beschwerlichkeit ihres Tuns – nur langsam vorankommenden Geißlern entgegengefahren. Eine kleine Gehstunde vor der Spitze des Zuges hielt man, abseits des Fahrwegs, um vom bereits wartenden Volk nicht gesehen zu werden, das in immer größeren Gruppen die Straße säumte und in wechselnden Bet- und Freßgruppen des Schauspiels harrte. Dort nahm man einen schnellen Imbiß, verkleidete sich entsprechend mit Kutten, Fetzen und viel künstlicher Blutfarbe und formierte sich – natürlich in umgekehrter Richtung, als käme man vom Süden – zu einem falschen Flagellantenzug mit Flötengetriller, schnalzendem Scheingeißeln, lautem Lamento, Gefiedel, verrenkten Tänzen und grimassierender Schmerzverzerrung. Alles wirkte durchaus echt, war aber gerade bis zu jenem Punkt übertrieben, wo selbst das Schreckliche ins Lächerliche umschlägt. Das Volk, das dem Zug teils betend und singend entgegenfieberte, verstummte, glotzte, schwankte kurz zwischen Ergriffenheit und Lachreiz und entschied sich endlich für letzteren, weil der schlichte Mensch ja ebenso gerne lacht wie weint und der österreichische Schlag überhaupt, einem charakterlichen Defekt zufolge, das Lachen dem Weinen eindeutig vorzieht, wie die Lebstückin richtig vorausgesehen hatte.

Erst wurde nur hier und dort gekichert oder schüchtern aufgelacht, lauter war noch das Betgeleier. Aber dann erfolgte die schlimme Infektion sprunghaft. Das Gelächter löschte die frommen Stimmen aus. Schließlich schrie man vor Lachen, hußte die falschen Geißler zu noch schärferen Hieben und irreren Kreiseltänzen auf, bewarf sie mit allerlei kränkendem Unrat sowie mit Hohnworten, denen saftige Obszönitäten beigemengt waren. Wie eine Windbö fuhr die Lachorgie die Straße hinauf und hinunter und war in vollem Gange, als sich die echten Geißler näherten.

Nun war das spektakellüsterne Volk aber schon so weit, daß es den Unterschied nicht mehr merkte. Während die Truppe des Istarias – der übrigens der Szene beiwohnte und da und dort regieführend eingriff – sich unauffällig auflöste und zu den Wagen eilte, um sich umzuziehen, ergoß sich die aufgekratzte Laune und Volkshäme voll über den bestürzten Zug, der alles andere gewohnt war. Nach kurzem verstörten Verharren fand er nicht mehr in den rechten Rhythmus der Bewegung und der Gefühle, geriet durcheinander und verlor sich einzeln oder grüppchenweise weg von der Straße in den nahe gelegenen Wäldern.

Erst wieder im Böhmischen soll sich der Zug im rechten Geiste zusammengefunden und die Volksmassen zu Zerknirschung und Weltabsage hingerissen haben.

Einigen – allerdings unverbürgten – Quellen nach soll eine nicht unbeträchtliche Anzahl von Geißlern jäh ernüchtert und in der Gegend ansässig geworden sein. Eben diesen Berichten zufolge hat sich angeblich ein feister Metzgermeister aus Leoben einen Schlagfluß erlacht, und ein paar Frauen sollen durch unmäßiges Gelächter vorzeitig mit gesunden Kindern niedergekommen sein.

SINGER AUF PILGERREISE

Stolz auf dies ansehnliche Produkt meiner Bruttätigkeit, wollte ich Singer damit überraschen. Als ich ihn zur üblichen Zeit zu seinem Verdauungsspaziergang weggehen und die Tür abschließen hörte, hängte ich ihm das Manuskript in einem Nylonsäckchen an den Knauf. So mußte er es bei seiner Rückkehr finden und neugierig, wie er war, würde er sich sofort darüber hermachen.

Ich hörte ihn auch zurückkommen. Aber nichts, kein Klopfzeichen, kein Klingeln. Ich kam zu keiner Arbeit, weil ich unentwegt horchen mußte, und ging schließlich enttäuscht und leise schimpfend zu Bett. Sollte er so vertieft ins eigene Heckgeschäft sein, daß er das Lesen des Windeis verschob? Also morgen. – Aber auch an diesem Tag erfolgte nichts. Ich versuchte mich genau an meine Geschichte zu erinnern. War etwas darin, das ihm mißfallen hatte, gar ein historischer Fehler? Aber auf dergleichen reagierte er überaus prompt und ohne taktvolle Schonung meiner Person. Das konnte es also nicht sein. Ich suchte mich in Geduld zu fassen und entschloß mich zu einem kalmierenden Spaziergang.

Als ich zurückkam, fuhr mit mir im Aufzug eine sehr junge Dame, von der ich – da ich an anderes dachte – nur den Allgemeineindruck von hochblond, langbeinig und jener gewissen Blauäugigkeit empfing, in welcher ein Dauerausdruck eines etwas dümmlichen Erstaunens liegt, der bei raffinierten Exemplaren der Spezies zur fassungslosen Bewunderung eines Mannswesens gesteigert werden kann. Um die Mundpartie herum lag ein leicht ordinärer Zug. Die Dame stieg im vierten Stock aus, und ich bemerkte mit einem gewissen Befremden, daß sie an Singers Tür läutete.

Als ich meinerseits den Aufzug verließ, vernahm ich, daß unter mir ein herzlicher Empfang stattfand. Kurz darauf ertönte aus Singers Wohnhöhle eine Musik, die ich bei ihm nie vernommen hatte; von der Art, die man auf populären Sammelplatten unter dem Namen »Musik zum Träumen« oder »Süße Dämmerstunde« im Handel erhält.

Ich legte mein Ohr an den Fußboden. Kein Zweifel. Ich machte mir stille Gedanken.

In den nächsten Tagen von Singer immer noch keine Reaktion auf das Windei, keine Bestellung oder Instruktion für ein weiteres, dafür nun fast täglich zur gleichen Zeit die Dämmermusik.

Noch verbiß ich mir Klopftremolos sowie direkte Anfragen. Als ich aber nachmittags unten im Hof den Mistkübel ausleerte, stand die Hausmeisterin bei der Klopfstange – Musik zum Träumen bereits am hellen Nachmittag – und wies mit einem dicken Daumen und einem Grinsen der Vertraulichkeit, die sie sich ordinärerweise herausnahm, nach oben: »Der Herr Professor und die Seine!« Unter meinem starren Eisblick gefror das hausmeisterische Grinsen. Oben in meinem Loch montierte ich den Plattenspieler ab und baute ihn mit Hilfe eines Verlängerungskabels auf dem nackten Boden auf, genau über der Stelle, wo die »Dämmerstunden« emporquollen. Meinerseits legte ich das Berlioz-Requiem auf, und zwar die Stelle, wo das »Tuba mirum« nach einem Wirbel von sechzehn Pauken einsetzt mit einem Chor von zweihundertfünfzig Stimmen; dann ließ ich das düstere »mors stupebit« durch Singers Plafond sickern. Als der finstere Glanz der Bläser sich im

»liber scriptus« verheerend Bahn brach, sackte die Dämmerstunde in sich zusammen.

Als ich Singer am nächsten Tag zufällig beim Bäcker traf, vergiftete mich ein schräger Blick, und als ich von ungefähr nach dem Fortgang der Arbeit fragte und um vorbereitende Literatur für das nächste Kapitel ersuchte, warf er hin, daß er ein paar Tage verreisen müsse.

»Wohin?« fragte ich verblüfft, obwohl es mich natürlich nichts anging, aber ich wußte, daß er Reisen haßte.

»Nach Maria Zell!« murrte er mit seitab schweifendem Blick.

Ins Grüne zerrt sie ihn, dachte ich bosheitsgeschwollen und sagte laut: »Natürlich, das Wallerwesen im Mittelalter! Ein hochinteressantes Phänomen! Eindrücke an Ort und Stelle. Ich würde ja liebend gern mitfahren, leider bin ich verhindert. Sie nehmen es mir doch nicht übel?«

Eine Art gepreßten Fauchton hatte ich wohl als Gruß aufzufassen.

Ich war gerade gehörsmäßige Zeugin von Singers Abreise geworden – überhartes Zuschlagen der Tür und mehrmaliges Umdrehen des Schlüssels, im Aufzug wurde ein schwerer Gegenstand aufgesetzt, den ich unschwer als Reisekoffer identifizierte.

Mein Lauschen wurde durch das Telephon unterbrochen. Am andern Ende der Leitung hing Thugut und zeigte sich besorgt. Mehrmals schon habe er in letzter Zeit bei Singer angerufen, es sei aber nie abgehoben worden. Ob unser Freund krank sei? Ob ihm am Ende etwas zugestoßen sei? Ich bestätigte die letztere Vermutung, betonte aber, daß nicht der geringste Anlaß zur Sorge bestehe. Einzelheiten würde ich gerne persönlich mitteilen. Thugut – von Neugier verzehrt, weil er mich lachen gehört hatte – sagte sich für sofort an.

Die Frucht dieses Besuches war ein gemeinsam aufgesetzter Brief an Singers Maria Zeller Adresse, die ich mir unter einem Vorwand von der Hausmeisterin verschafft hatte, sowie – dem Briefe beigepackt – ein von Thugut beigesteuertes Exemplar von Friedrich von Heilos »Contra peregrinantes« (Wider die Waller), wo die bei Pilgerfahrten eingerissene Sittenlosigkeit schonungslos gegeißelt wird.

Lieber Singer! Das Traktätchen lege ich bei als Bettlektüre für schlaflose Nachtstunden sowie zur ortseinschlägigen Information. Ich frage mich, ob die sittliche Ausgelassenheit bei der Wallerfahrt, die Heilo schildert, von der Kirche nicht unter der Hand gebilligt wurde, um fromme Hitzestauungen der Seele auf die schlicht hergebrachte Weise abzuführen und damit Ausartungen zu vermeiden, wie Geißeln, Kasteien, heilige Verlobungen und Hochzeiten, wie sie früher bei geistlich Überanstrengten üblich waren.

Ich empfehle Ihnen übrigens auch, sich am Orte selbst einschlägige Literatur zu beschaffen. Die Gründungssagen sind eher dürftig: weder Hirtenknabe noch Gänsemagd noch ein begnadeter Dorfkretin, die einer himmlischen Erscheinung teilhaftig geworden wären. Kein Bächlein, das Blut führte oder aufwärts floß, nicht einmal eine bizarre Mißgeburt zur heilsamen Erbauung und Bußfertigkeit des Landvolks. Und was sie selbst betrifft, die Maria Zellerin! Wußten Sie, daß sie in Wirklichkeit eine grob geschnitzte Sitzfigur ist, schmalschultrig mit verwaschenen Zügen und einwärts gestellten Füßen sowie großen bäurischen Händen, die sich mit dem altgesichtigen Jesulein beschäftigen? Nichts von Weinen, Milchen, Rosen sprießen Lassen, nichts, was endlose Prozessionswürmer anzöge, die ihretwegen unter emphatischen Gesängen Bergesschroffen erklömmen und Wildwasser durchpflügten. Damit das Wallerwesen in Gang kam, mußte man sie erst mit Seide, Krone und Goldprunk und einer ansehnlichen Wechselgarderobe ausstaffieren. Aber das werden Sie ja mittlerweile alles selbst schon ausgeforscht haben. Nicht ohne lebhaftes Mitgefühl frage ich mich, wie Sie es in der jetzt kalten, nieselnden Natur aushalten. Ich hoffe, Sie haben an warme Unterhosen gedacht. Unbeweibte

Männer sind oft so nachlässig in dieser Hinsicht! –
Herzlich ganz die Ihre!

PS: Seine Hochwürden P. Florian läßt grüßen und Ihren Studien einen guten Erfolg wünschen. Beide ersuchen wir um Spendung je einer geweihten Kerze um
7,50 S in unserem Namen.

Wenige Tage nach Absendung des Briefes – lang vor der
geplanten Rückkehr, die ich der Hausmeisterin entlockt
hatte – hörte ich unter mir die Wohnungstür aufsper-
ren, rumpeln, seufzen. – Ich harrte der Dinge.

Keine halbe Stunde später ertönte das vertraute
Klopfzeichen, das ich nun für Wochen hatte entbehren
müssen. Durch das Hoffenster, das ich sofort aufsuchte,
kehrte mir Singer ein blasses, kränklich wirkendes Antlitz zu und sagte überflüssigerweise: »Ich bin wieder
da.« Dann schloß er das Fenster.

»Schneller, als ich gedacht hätte!« sagte ich mir, un-
terrichtete Thugut von der unerwarteten Heimkehr des
Nestflüchters und feilte noch ein bißchen an einem
Windei, das ich unterdessen ausgebrütet hatte.

CONCILIUM CONTRA EFFIGIES ET PICTURAS
MARIAE VIRGINIS INDECORE ILLECEBROSAS

Konzil gegen die unziemlich verführerischen
Mariendarstellungen

Dunkelheit im europäischen Raum. Das Lodern unge-
zählter Scheiterhaufen durckflackerte die verdüsterten
Seelen mit fahlem Schein.

Emanuel Istarias, der Reizer der Sodalengeneration
aus dem letzten Drittel des 13. Jahrhunderts, hatte recht
behalten, als er in einer plötzlichen visionären Heimsuchung sagte: »Gott gnade den armen Frauen!«

Das Mutter- und Hausfrauenmodell der Madonna, an
das sich die Künstler brav gehalten hatten, konnte die
schwarze Flut des Unheils nicht mehr eindämmen. Für-

sten sowie die nüchternen Häupter der Kirche waren machtlos. Die Reformation hatte zwar Bilderwerk und Heiligenverehrung abgeschafft, nicht aber die Verfolgung von Hexen, Teufel und Juden. Von Kanzel und Kathedra schritt man mit Drillhaus und Halsordnung ein. Der Pöbel gaffte mit quellenden Augen und trenzenden Lefzen, wenn die gefallene Seele vom irdischen Feuer geläutert unter dem Kirren des geprellten Inkubus ausfuhr; ein gräßliches Glotzen war das und dumpfes Psalmodieren der Pfaffen, wenn es sich da in den Flammen wand. Einmal in frommer Erregung, zog dann das Volk noch gerne zu emsiger Plünderung und Privatzündelei ins Judenviertel. 1420 gab es eine schreckliche Judenverbrennung in Wien, dann die Austreibung der Überlebenden. Eine düstere Zeit für die Sodalitas. Die nichtjüdischen Mitglieder halfen, wo sie konnten. Für einzelne gab es Sondergenehmigungen, anderen verabreichte man Pseudotaufen.

Als sich in Wien die Verhältnisse etwas beruhigt hatten, berief die schwer gebeugte Sodalitas ein großes Konzilium ein, und zwar nach Stockerau, wo der scheingetaufte Subarch eine geräumige Herberge, fast schon Karawanserei besaß, sodaß nicht nur die ansässigen Mitglieder der Gesellschaft Platz fanden, sondern auch die Beobachter, die aus den wichtigen Zentren Europas und Vorderasiens anreisten.

Als alle Geladenen eingetroffen waren, fand eine allgemein informative Sitzung statt, in der das Problem umrissen wurde. Sodann zogen sich die Herren – sowie die Dame – zum Nachdenken und zur Sammlung für drei Tage in die Klausur zurück. Niemandem fiel etwas ein. Man war nervös. Die Sitzungen arteten in fruchtlose Debatten über Nebensachen, Kleingezänk und fallweise sogar Schreiduelle aus. Der Emissär aus Italien reichte Abbildungen von Madonnen herum, welche die freundlichen Gesichter zufriedener Kurtisanen hatten, frei von jeglichem lasziven Einschlag. Nichts Provokantes auch in Frankreich, geschweige denn in Deutschland und den Niederlanden. In Spanien ließ man sie mit hochgefalteten Händen und devotem Augenaufschlag zum Himmel auffahren.

Dennoch! Die Aktion war zu spät angelaufen, das grausige Spektakel war im Gang. Mit ungebrochenem Tatendurst wurden die Scheiterhaufen geschichtet.

Das Konzil stand vor der Auflösung. Alle Herren litten an nervösen Verdauungsaffektionen oder Zitterphänomenen. Die einzigen, die noch regelmäßig und mit ruhigem Genuß ihre Mahlzeiten einnahmen, waren der Reizer und die Sodalin Cäcilia Veyth. Die Veythin trug – trotz matronaler Verdienste als Mutter und Hausfrau – allenthalben den Spitznamen »Docta«, weil ihr Vater auf der eigensinnigen Grille bestanden hatte, die kleine, leider mutterlos aufwachsende Tochter zusammen mit den Brüdern im Lateinischen und Griechischen unterweisen zu lassen. Diese väterliche Marotte hatte der Armen schon allerhand Ungemach beschert. Auch viele Freier eingeschüchtert. Einer hatte sich dann allerdings nicht einschüchtern lassen. Er hatte genügend eigene Gelehrsamkeit der seiner Erwählten entgegenzuhalten und hat die Wahl nie bereut. Nur die beiden Garulli, die Trätscher, wollten wissen, daß er sich manchmal im gänzlich Ungelehrten ein bißchen schadlos halte. Es handelte sich bei den beiden um Sofranus und Sofranus, der eine katholischer, der andere mosaischer Konfession. Man hielt sie sich in der Sodalitas um des ungemeinen Spürsinns willen, den die zwei, sich dabei geschickt einander in die Hände arbeitend, im Ausforschen der geheimsten Dinge bewiesen. Da die Sodalitas ihres clandestinen Charakters wegen über keinerlei öffentliche Mittel der Information verfügte, war das garullische Paar von größter Wichtigkeit.

Ebenso wie die Sodalin und der Reizer verlor Seine Eminenz Kardinal Pozzi weder Appetit noch Besonnenheit. Er war es auch, der das Konzil im letzten Augenblick aus seiner Lähmung riß und einen Vorschlag unterbreitete.

Cesare Pozzi, ein Mann von starker Leibesfülle und flüssiger Beredsamkeit, hochgeschätzt wegen seiner für einen Mann der Kirche sehr lebensnahen Klugheit, bat zu einem Zeitpunkt allgemeiner Resignation und Niedergeschlagenheit um das Wort und brachte den Traktat zum Vortrag, der später unter dem Titel »Über die Lieblichkeit beim Weibe« berühmt geworden ist. Immer wieder wurden in der Folgezeit die Kernsätze zitiert: »Keine Erscheinung des Weiblichen tötet verläßlicher und gründlicher fleischliches Begehren ab als Lieblichkeit, nichts denn Lieblichkeit. Und zwar aus Eintönigkeit und rasch einsetzendem Überdruß.«

Nach längerem Schweigen – jeder Sodale grübelte in sich hinein – donnernder Applaus. Keine einzige Gegenstimme, was selten vorkam. Sogar der ewig unkende Rabbi Reuben kicherte in sich hinein, seine Knie reibend, und neigte sein großes gelbes Ohr dem Reizer zu, der vernehmbar hineinflüsterte: »Genial! Er muß aus unmittelbarer Erfahrung sprechen.«

Zum erstenmal seit Beginn des Konzils wurde der ausgezeichneten Mahlzeit mit Lust und Appetit zugesprochen. In völlig gelöster Stimmung erörterte man in den folgenden Tagen das praktische Vorgehen, wobei zunächst das Modell der »Lieblichen, nichts als Lieblichen« entworfen und ausgearbeitet wurde.

Dabei leistete unschätzbare Dienste die Sodalin. Denn es stellte sich heraus, daß keiner der Männer, obwohl sie gewisse Erfahrungen nicht in Abrede stellten, konkret anzugeben wußte, welche äußeren und inneren Züge den Eindruck der Lieblichkeit eigentlich vermittelten. Die Sodalin hingegen war sich darüber bis in alle Einzelheiten klar und vermochte daher – zeichnerisch nicht unbegabt – eine Art Phantombild aufs Papier zu werfen und die einzelnen Teile mit Anmerkungen zu versehen. Sie widmete sich dieser Arbeit mit außergewöhnlichem Fleiß und einer Hingabe, die eine innere Freudigkeit vermuten ließ, die scharf mit Bosheit gewürzt war, wie die Sodalen einander zuflüsterten, die ihre emsige Kollegin beobachteten. – Die beiden Trätscher waren in der Lage, sogar Namen von »Lieblichen« zu nennen, welche dem Gemahl der »Docta« in Gezei-

144

tenfolge erhöhtes Interesse eingeflößt hatten. Er soll aber nach solchen Ausritten bald wieder ins gelehrte Bett eingekrochen sein.

Kurz: Man konnte dank der Docta noch während des Konzils durch einen rasch hinzugezogenen Bildhauergesellen ein tönernes Modellchen herstellen. Kardinal Pozzi, der Beziehungen zur Welt der Künste unterhielt, übernahm die Aufgabe, das Modell als Richtlinie bei den Domkapiteln einzuschleusen, die ja ihrerseits wieder den Stil der Klein- und Hauskunst bestimmten. Für eine möglichst weite Verbreitung der letzteren sorgte das Handelshaus Chaim, Reliquien & Devotionalien.

Die Aktion machte gute Fortschritte. Natürlich erlebten ihre Schöpfer und Inspiratoren und auch deren Kinder und Kindeskinder nicht den vollen Erfolg. Diese konnten zwar, sofern sie ein hohes Alter erreichten, noch den Typus der erotisch vollkommen entschärften Gnadenmutter erleben. Die End- und Siegesphase und vollkommene Neutralisierung setzte allerdings erst im 19. Jahrhundert mit der fabriksmäßigen Herstellung der gipsernen Marienstatuen für Kirche und Haus ein, weshalb die Aktion auch später unter dem Kurznamen »Vergipsung« lief. Mit erstaunlicher Rasanz verbreitete sich das bekannte, lichtblau bemäntelte Neutrum mit den blaßglatten, ein wenig schafsmäßigen Zügen und wurde in allen Preislagen auf den Markt geworfen, als Figur oder als Gemälde über katholischen Ehebetten. Versierte Marktfahrer – von der Sodalitas gedungen und bezahlt – standen auf allen Kirtagen, und kaum ein Bauersmann, der nicht, behaglich angevöllert und daher bußfertig, ohne ein solches Bildwerk im Arm heimwärts wankte, um ihm dort auf dem Hausaltärchen einen Ehrenplatz einzuräumen. Wohlfeil und daher auch für die ärmste Pfarrei erschwinglich, zierten sie Kapellen, Sanktuarien und Wegmarterln und prägten durch ihre Gleichartigkeit die Gemüter der Gläubigen auf das Bild einer Gottheit, der man Küchensorgen vorschnattern und Lustmorde beichten konnte.

Das Geschäft blühte. Man konnte bald Gelder für parallel laufende Aktionen abzweigen. Der einzige Mißton war, daß sich – ohne Zutun der Sodalitas natürlich, denn der katholische Flügel nahm schweres Ärgernis daran –, eine Zwillingsschöpfung entwickelte: der Sohn Jesus, rotbemäntelt, mit dem Finger auf ein dornenbekränztes Herz deutend, in Angesicht und Ausstrahlung die männliche Entsprechung der Lieblichen. Die Nachfrage war groß. Die Leute vertrugen nichts Starkes mehr und hatten das Erbärmdebild leid, weil es sie angraulte.

HOFFENSTERKORRESPONDENZ UND STEGREIFADNEX ZU »VERGIPSUNG«

Ich zupfte von der Spinnenstange und las:

»Verehrte Freundin! – Der Gedanke von der erotisch neutralisierenden Wirkung der Lieblichkeit hat etwas für sich. Ich kann das seltsame Phänomen durch persönliche Erfahrungen aus meiner fernen Jugendzeit bestätigen. Hat der Mann eine Zeitlang im Hexischen gesotten, sucht er zur Linderung des strapazierten Systems nach dem Lieblichen, preist es hoch, genießt es auch eine Weile, wird dann aber bald durch die rapide Abnützung dieses speziellen Reizes schmerzlich überrascht. Sobald die Striemen, die ihm das Hexische schlugen, verheilt sind, vermag er plötzlich das Liebliche nicht mehr zu ertragen und fällt wieder dem Zauberischen hinein, wiewohl der Reifere weiß, was ihm blüht.

Ziehen Sie Ihre Schlüsse daraus. Abgefeimt genug sind Sie dazu. – Rein sachlich frage ich mich gerade, ob und wieweit die sogenannten Nazarener, Pforr und Schnorr, in die Ausarbeitung der Gipsernen involviert waren?«

Noch im Vorzimmer verfaßte ich eine rasche Antwort:

»Lieber! Meine Schlüsse hab ich gezogen.

Was Schnorren und Pforren betrifft, würde ich Bestechung ausschließen, indirekte geistige Infizierung aber für möglich halten. Franz Pforr weilte einige Zeit in Wien. Möglich, daß man sich des frommen Jünglings ohne sein Wissen bediente.

Goethe hat übrigens über Schlegel, den geistigen Initiator der Bewegung, seinen Sarkasmus ausgeschüttet und nannte ihn den ›Lehrer des neuen altertümelnden, katholisch christelnden Kunstgeschmacks‹. Auch mokierte er sich über die ›Kinderpäpstelei‹ der Romantiker, die Schiller – seinen eigenen Aussagen nach – ›physisch weh‹ tat. Wie finden Sie das? – Goethe hatte leicht spotten. War er doch einer von den wenigen, die Manns genug sind, das Weib in allen seinen Facetten zu bewundern: siehe Faust II, ›Jungfrau, Mutter, Königin, Göttin bleibe gnädig!‹ So einen degoutierten natürlich die schwärmenden Zärtlinge, die sich in ein künstlich entsaftetes Mittelalter zurückquälten.«

»Besten Dank für den Hinweis Goethe – Schlegel! – Wird eine fette Fußnote abgeben. Was halten Sie von einem Kaffee?«

Nach dem Genuß der ersten Schale versuchte ich aus freundschaftlicher Teilnahme den ziemlich hergenommen aussehenden Singer durch ein kleines Stegreif-Gelege etwas aufzulockern und sein Gemüt zu erhellen.

»Nicht aus den – eher trocken gehaltenen – Annalen der Sodalitas, sondern aus einer Indiskretion der beiden Trätscher Sofranek & Sofranek besitzen wir eine ziemlich genaue Kenntnis von den Vorgängen, die sich im Jahre 1837 anläßlich eines Überlandausfluges zugetragen haben, welchen die gesamte Sodalitas in vierzehn Reisekutschen unternahm, um den glücklichen Abschluß der Jahrhunderte-Aktion »Contra effigies« – kurz »Vergipsung« genannt – in einem würdigen Festakt zu begehen: sinnigerweise in Maria Zell, dem steirischen Gnadenort.«

Hier horchte Singer auf und blickte mich mißtrauisch an.

»Damals geschah es, daß sich die Magna Mater in ihrer ganzen wilden, archaischen Pomphaftigkeit auf der Gemeindealpe gezeigt, geblitzt, gedonnert und geschimpft hat (in griechischer Sprache mit vorderasiatischem Akzent), während ihre beiden Löwen brüllend mit den Pranken den Almboden beschädigten.

Damals hat den unseligen Prälaten Adalbert Vešelik (zu deutsch Lebemann), dem die Idee der falschen Elfenbeinmadönnchen zu danken war, die reißenden Absatz fanden, ein Schlagfluß getroffen und halbseitig gelähmt. In diesem Zustand soll er noch aus der heilgebliebenen Maultasche lallend von einer Magna Mater Serenissima gekündet haben, nicht abzukuschen vom entsetzten Rubinow, der mit ihm im Wagen saß und vor Empörung bebte.

Von seiten der Kirche wurde der gezeichnete Würdenträger in ein Kloster geschafft. Als die Ordensleitung aber Ansätze einer Zirkelbildung um ihn beobachtete, richtete man dem viel, lebhaft, wenn auch schwer verständlich Sprechenden eine komfortable Klause in den Wäldern um Maria Zell ein und baute ein falsches Wegenetz aus, mit Weisern in Form eines dicken Zeigefingers, mit der Aufschrift ›Zum Einsiedel‹. Sie führten den frommen Wanderer in weitem Bogen um die Eremitage herum zu einer Schenke – uraltes Kirchengut –, wo der Waller dann sein Vorhaben meist aufgab und – in Grübeln versunken – lange beim Enzian saß.

Als der hohe Eremit nach einem auffallend heiteren Lebensabend starb, rankte sich bald eine Legende um den angeblich Heiligmäßigen: er würde von einer Hindin (Tier der Artemis!!!) genährt und bei Bedarf gewärmt. – Verbürgt dagegen ist, daß der heitere Greis von einem kircheneigenen Jäger versorgt wurde, welcher, doppelbekröpft und der Sprache kaum mächtig, nichts austratschen konnte. Dieser hat ihn auch eines Tages aufgefunden, bläulich vom Vollschlag hingeworfen, ein wächsernes Götzchen in Händen, das der Venus von Willendorf nicht unähnlich gewesen sein soll. Es ist sofort exorziert und vernichtet worden, und von seiten der Kirche brachte man ins Volk, der Greis sei sanft entschlafen, ein Bildchen der Mutter Gottes in Händen, welches er aus den Tropfen geweihter Kerzen lieblich geformt habe. Das Volk will bei seinem Tode im Wald Engelschöre, eigenartigerweise aber auch Flötengetriller und Zymbalklänge vernommen haben.

In den Kreisen der Sodalitas war man sich darüber klar, daß es sich um ein Bosheitsopfer der Alten handelte, und man nahm geschlossen am Begräbnis teil.

SIE hat damals stillgehalten. Der Mann schien ihr allmählich ans Herz gewachsen zu sein.

Niemals aufgeklärt wurde, ob es sich bei einer jungen Frau mit langem Blondhaar, gänsevogelartigem Blaublick und einem leicht luderhaften Zug um den Mund, die mit auffallender Andacht an den Exequien teilnahm, um eine mitigierte und dem Zeit- und Landesstil angepaßte Erscheinungsform der Göttin gehandelt hat oder um einen ordinären Umgang des Verblichenen, der den Kirchenorganen entgangen war.«

Singer, der meinen Ausführungen mit angeregter Heiterkeit gefolgt war, bekam bei dem letzten Zusatz den verqueren Blick einer Blechschere und verabschiedete sich eher kühl.

Die Aktion
»Contra fabulas«
(Wider die antiken Dichtwerke)

Vermutlich von Gewissensbissen über seine Abschweifung ins »Liebliche« geplagt, entwickelte Singer einen wahren Arbeitsfuror. Nichts von Musik, welcher Art auch immer. Dagegen Rumoren im Heckbauch, dazwischen jähes Zurückstoßen des Stuhles mit folgendem nervösen, kurzschrittigen Aufundabgehen im Zimmer, oder aber man hörte aus dem Raum der Drillung die Schreibmaschine klappern.

Eines Nachmittags gaben mir Klopfzeichen zu wissen, daß eine Visite genehm wäre. Ich hatte kaum den Kaffee aufgestellt, da fand Singer sich schon ein. Wortlos strebte er dem Ohrenstuhl zu, zog sich den Fußschemel heran und wetzte sich bequem zurecht. Nach diesen Vorbereitungen gab er in einem grantelnden Ton von sich:

»Tatsache ist, daß die italienische Renaissance sich nach ebenso pompösen wie vielversprechenden Anfängen nach wenigen Jahrzehnten in einem aristokratischen Ästhetizismus verbröselt hat. Grandios waren nur die Leistungen in der bildenden Kunst. Literatur und Philosophie kündigten mit großer Geste ein neues Welt- und Menschenbild an – und setzten sich dann zaghaft zwischen die Sessel von Kirche und Antike. Die bildenden Künstler realisierten ihre neue Weltschau viel kühner.«

»Hatten sie es nicht auch leichter? Da konnte einer doch eine vollendete Perspektive hinmalen, er brauchte nur die heilige Familie davor zu setzen mit Ochs und Esel, wer bezichtigte ihn dann der Häresie? Das Wort ist immer gefährlicher als das Bild.«

»Wie bring ich das alles nur meinen guten Paragonvillern bei? Wenn die Renaissance hören, stellen sie sich den David von Michelangelo vor.«

»Nun, der gehört ja auch irgendwie dazu; jedenfalls als Wunschbild. So wären sie alle gerne dagestanden; die Eischalen des scholastischen Kosmos, aus denen sie gerade ausgekrochen waren, mit Füßen tretend. Am

Hof des Magnifico mögen sie solche Momente auch gehabt haben.«

»Und wie lang? Da umriß Pico della Mirandola sein großartiges Bild vom Adam, der von Gott frei geschaffen wurde, mit grenzenlosen Möglichkeiten zum Bösen und zum Guten, die er selbst zur Entwicklung bringen konnte, ohne die Fuchtel der Vorbestimmung. Sein eigener Bildhauer! – Und zur gleichen Zeit mit seinem Traktat ›Über die Würde des Menschen‹ erschien der ›Hexenhammer‹. Es tauchte Savonarola auf, predigte wüst, dressierte fanatisierte Buben zu Sittenschnüfflern, und ein bußfertiges Florenz wohnte dem Riesenautodafé bei, das mit den schönen Requisiten des neuen freien Lebens veranstaltet wurde. Die Medici mußten in die Verbannung, und Pico kroch angesichts des Todes zu Kreuz und widerrief seine Vision vom mündigen Menschen. So schwach war diese Mündigkeit noch, so leicht kippte man zurück in die apokalyptischen Gesichte eines geifernden Mönchs.«

»Was einer angesichts des Todes tut, soll man nicht so streng bewerten. Es ist wie ein Geständnis unter der Folter.«

»Trotzdem ist die Sache mit Pico della Mirandola typisch für den Zwiespalt der Stimmung des Menschen dieser Zeit. Im christlichen Weltbild hatte alles seinen festen Ort. Der Mensch hatte – nicht als Individuum, sondern als Gattung – eine genaue Bestimmung. Sein persönliches Elend war überlagert von den Großveranstaltungen der Heilsgeschichte: Erschaffung, Sündenfall, Erlösung und Gericht. In dieser zähen Blase des theologischen Kosmos fühlte er sich – obwohl sie in der Luft schwamm – sicher und schwindelfrei. Er kannte seinen Ort, wenn er auch eng war. Und nach Jahrhunderten dieser ameisenhaften Gattungsgebundenheit, sich durch ein Leben rackernd, dessen wichtigster Teil im Jenseits lag, kam das Schrifttum der Antike ans Licht, und man begriff plötzlich, daß es auch ohne Kirche Menschen gegeben hat, die gescheit und anständig waren und ohne geistliches Gängelband nach eigenen

Regulativen lebten. Die Leute bewunderten das, ahmten es nach und brachen aus – da fanden sie sich unvermutet allein mit kalten Füßen wie ein Hund, der sich von der Leine losgerissen hat und sich nach wenigen Sprüngen erschrocken nach dem Herrn umsieht.

Der neue Mensch war nicht einer, der in großer Attitüde sich selbst und das Universum beherrschte. Er war hin- und hergerissen zwischen Euphorie und Niedergeschlagenheit, zwischen ›Hybris‹ und ›Melancholia‹. Zur gleichen Zeit, als man am Hof Lorenzos Plato mit dem Christentum in Übereinstimmung bringen wollte, wälzten sich die Flagellantenzüge durch Italien. Diese Menschen waren alles, nur nicht ausgeglichen. Es waren Menschen, denen die innere Balance fehlte.«

»Ist das nicht ein typisches Symptom für den Entwicklungsschub, den wir Pubertät nennen? Der Übergang von der engen, aber geborgenen Kindheit in die Mündigkeit, ein geistiges Mutieren? Die Seelenverfassung rutscht immer wieder aus und stolpert von der weitspurigen Baßmäuligkeit des Großkerls in den wehleidigen Fisteldiskant des verlassenen Kindes. Ein Hagerzwerg mit überdimensioniertem Adamsapfel, der auf zu großen Füßen steht, sich in seinen Wachträumen als Colleoni sieht und dann frech zur Mutter wird.«

»Sie sprechen als Bruthenne, aber es ist etwas dran an dem, was Sie aus Ihrer Küchenerfahrung schöpfen, nur muß ich es für die ernst beflissenen Paragonviller anders formulieren, etwa: ein ausgereiftes Überich entwickelt ein infantiles Ich zu höheren Ansprüchen und Selbständigkeit! – Wie klingt das?«

»Gut für Paragonville. Ich vermute jetzt wohl nicht mit Unrecht, daß Sie ein Windei von mir wollen?«

»Nun ja, dazu haben Sie sich ja verpflichtet, und ich habe mir deshalb erlaubt, die Problematik zu umreißen, denn wie ich Sie kenne, sehen Sie vor Ihrem inneren Auge nichts als Leute, die von alten Pergamenten heilige Texte scharren, um die darunter liegenden heidnischen freizulegen, von denen sie sich frivolen Genuß erhoffen. Etwa den berüchtigten Handschriftenjäger

Poggio, der die abseitigsten Klöster des Nordens ausräuberte ...« – »... und so durchdrungen war von der heidnischen Antike, daß er mit eigenen Augen sah, wie geile Tritonen sich unter diabolischem Gelächter frommer Jungfrauen bemächtigten, die am Meeresstrand wandelnd in der ›Legenda aurea‹ lasen und sich skandalöserweise trotzdem nicht gegen den Zugriff wehrten.« – »Sehen Sie? Das ist Ihre Bildung. Jetzt kenne ich ja langsam Ihr eigenartiges Genre. Ich muß Sie um größere Seriosität ersuchen!«

Ich versprach Seriosität und versuchte mich in den kummervollen Ernst des Tetrarchen hineinzudenken, der aus allen den Gerüchten, die da über die Alpen dringen mochten, sich nur die eine Frage stellen mochte: Es machen uns die heiligen Räusche der Geißler und Tänzer genug zu schaffen, müssen wir jetzt auch noch auf dionysische Prozessionen gefaßt sein? – So begann ich zu improvisieren: »Mißtrauisch hatte Chaim der Umstand gemacht, daß man bereits begann, heidnische Reliquien zu sammeln; es war ihm vom Familiengeschäft her bekannt. Es eröffnete sich zwar damit ein lukratives Feld für Chaim und Brüder, Reliquien & Devotionalien, aber leider auch ein gefährliches Feld für den Sodalen Chaim. – Es stimmt doch«, fragte ich Singer, »daß man auch klassische Gebeinchen sammelte?«

»Ja, das stimmt. Da wissen Sie einmal Konkretes! Verbürgt ist beispielsweise, daß Venedig in einer diplomatischen Angelegenheit den Papst mit einem Schlüsselbein des Livius bestach.« – »Tatsächlich?« – »Tatsächlich. Es war der Mediceer Leo X., derselbe, der die Idee mit den Ablaßzettelchen hatte. Mit diesem Geld wollte er bekanntlich den Bau der Peterskirche finanzieren. – Für Sie wird das natürlich ein Fressen sein!« setzte er säuerlich hinzu.

»Ein Fressen, von dem Sie profitieren! – Also, es ist durchaus wahrscheinlich, daß sich Venedig auf der Suche nach einem ansehnlichen Bestechungsstück an das europaweit bekannte Handelshaus Chaim & Co. wandte. Klassisch sollte der Knochen sein. Etwas Besseres, versteht sich, für den Papst, wie man Chaim unter der Hand wissen ließ, und nach Möglichkeit echt. Vorurteilsfrei, wie er im Geschäftlichen war, machte Chaim sich in gewohnter Weise emsig und gewissenhaft auf die Suche. Das schlaue, geschäftstüchtige Venedig wußte, an wen es diesen heiklen Auftrag gab. Suchte ein Landesherr für eine von ihm gestiftete Kapelle Geröstetes vom heiligen Laurentius, sehnte sich eine alternde Äbtissin nach einer Windel des Jesulein, weil das Nachbarkloster Spreu von seiner Krippe besaß und damit schon wunderbare Tröstungen bewirkt hatte, bildete sich ein störrischer Prälat das dritte Ohr des heiligen Paulus ein, weil er die beiden, die in fester Hand waren, als unecht verschrie, oder feilschte ein Seelenhirt mit nur geringen Mitteln um einen gut gefälschten Daumen Petri: Chaim ben Chaim war dem Zudrang stets gewachsen, verlor nie die Übersicht, Geduld und Fassung, sondern befriedigte freundlich und gelassen die Kundschaft.« – »Sie schweifen ab, Werte, wie üblich angezogen vom Bizarren!« – Ich war jetzt gut im Schuß und ließ mich nicht vom Faden bringen. »Auch der neueste Auftrag der Venezianer brachte Chaim nicht in Verlegenheit. Seinem merkantilischen Genie gelang es binnen kurzem, ein gut erhaltenes Schlüsselbein des Livius aufzuspüren und preiswert zu erwerben. Aber er wäre nicht Chaim der Tetrarch gewesen, wenn nicht neben der geschäftlichen Betriebsamkeit sich eine geistliche in seinem Kopf entfaltet hätte, und so konnte er mit einer dezidierten Fragestellung vor die versammelte Sodalitas treten:

›Was bedeutet es für das europäische Gleichgewicht, wenn der Oberhirt der Christenheit mit heidnischem Gebein bestochen werden kann?‹

Man ventilierte das Problem. Sicher schien, daß durch die Wiederbelebung der Antike am christlichen Weltbild gerüttelt wurde und daß die Infizierung bis in die höchsten Ränge der kirchlichen Hierarchie gedrungen war. Sonderfrage: Dringt der Bazillus auch ins gemeine Volk? Besteht eine Gefahr der Entwicklung einer Kollektivausartung, etwa im Sinne und nach dem Muster dionysischer Rauschphänomene?«

»Nun, wir wissen ja, daß das Volk viel zu grob für diese subtile Art von Virus war«, winkte Singer ab. – »Wir wissen es *jetzt!* Aber konnten die Sodalen *damals* so sicher sein? Konnten sie es sich erlauben, es bei Vermutungen bewenden zu lassen, auch wenn sie noch so wahrscheinlich schienen? Eine Gesellschaft von diesem Rang und Alter hatte oft genug das Unwahrscheinliche wirklich werden sehen. Und das pflegte dann meistens schrecklich zu sein.« – »Also gut, fabeln Sie weiter.«

»Aus eben den genannten Gründen wurde mit großer Mehrheit der Vorschlag angenommen, zwei Abgesandte der Sodalitas mit der Übergabe der besonderen Reliquie zu betrauen. Auf diese Weise konnten sie sich an Ort und Stelle umsehen und sich ein Bild der Lage machen, sodaß man dann auf Grund konkreteren Materials diskutieren und zu der Entscheidung gelangen konnte, ob eingegriffen werden müßte oder nicht. Beauftragt mit dieser Mission wurde der damalige Reizer, Äneas Istarides, Privatgelehrter und Antikenkenner, sowie der Benediktiner Wetzel, der in einem Kloster ob der Enns als angesehener Chronist wirkte. Beide Herren hatten in Rom persönliche Verbindungen.

Sie fanden dort auch die freundlichste Aufnahme. Venedig zeigte sich zufrieden. Seine Heiligkeit waren selig mit dem Schlüsselbein. Dieser Umstand verschaffte den beiden Emissären raschen Zutritt zur tonangebenden Gesellschaft, und es wurde ihnen aufschlußreiche Einsicht in deren Stimmung und Geisteslage zuteil. Die beiden Herren besuchten diverse Akademieveranstaltungen, besichtigten Ausgrabungen, blätterten in alten Handschriften.

Das war aber nur ein Teil ihrer Forschungstätigkeit. Sie streiften auch durch jene Stadtviertel, wo das kleine Volk lebte, mischten sich in Markt- und Hafengespräche, besuchten Tavernen und hörten sich die Predigten des niedrigen Klerus an. Dieses kluge Vorgehen rundete bald das Bild ab: Zwar erhob sich die heidnische Antike wie ein Redivivus aus dem Grab, und in der gebildeten Gesellschaft war von nichts anderem die Rede. Aber das Interesse beschränkte sich auf engsten, elitären Kreis. Volk und Pilgermassen, die aus allen Zonen der christlichen Welt in Rom einströmten, hatten nichts im Kopf als Heilige und Märtyrer, deren Knochensplitter und Kleiderfetzchen, und neuerdings den Erwerb von Ablaßzetteln, die ihnen und ihren Lieben Jahre des Einsitzens im Purgatorium ersparten.«

»Was sagst du dazu?« wandte Singer sich an Thugut, der sich zu uns gesellt hatte. – »Ich? Wenn du mich fragst, eine blendende Idee der Kurie. War es doch gerade die läßliche Sünde, die am häufigsten begangen wurde und am schwersten zu definieren war. Ein echtes Verdienst des Papstes, daß sie nun endlich einen festen Tarif hatte und man umsichtig Altersfürsorge treffen konnte; ein Vorläufer der modernen Sozialversicherung.« – »Aber die Ablaßgeschichte hat doch die Spaltung der Christenheit und das ganze Reformationselend heraufbeschworen?« – »Wenn schon!« winkte Thugut ab. »Erzählen Sie weiter!«

Ziemlich verblüfft setzte ich fort:

»Nicht ohne Wehmut brachen die Herren aus dem heiter sonnigen Süden auf in den weit kühleren, feuchten Norden und gaben umfassenden Bericht. Die Bewegung wurde als italienische Nationalangelegenheit definiert. Die Beschränkung auf eine kleine Schicht der Hochgebildeten schloß die Gefahr einer Massenausartung aus. – Zufrieden?« fragte ich Singer.

»Es geht«, sagte er; »machen Sie es windeimäßig zurecht, damit wir keine Zeit verlieren.«

»Und kein Wörtchen der Anerkennung für mein Blitzgelege?« schmollte ich.

»Soviel ich informiert bin, machen Sturzgeburten der Gebärenden keine Beschwerden, erschrecken höchstens die Beiwohnenden. Solche Kinder werden oft zwischen Erdäpfeln und Sauerkraut in der Einkaufstasche nach

Hause gebracht, weil sie während des Feilschens ans Licht geschloffen sind.«

Ich war beleidigt. Da beugte sich Thugut vor, legte seine kleine, gepolsterte Hand beschwichtigend auf meine gespannte und sagte: »Trösten Sie sich über seine Kaltschnäuzigkeit. WIR spenden solchen Erdäpfelkindern mit allem Pomp das Sakrament der Taufe.«

DIE VERDERBNIS DER KNABEN DURCH DIE KLASSISCHE POESIE

Singer hatte sich mit Dringlichkeitssignalen angesagt. Er benagte noch immer sein Kapitel wie einen sehnigen Knochen und sprach daher davon: »Was da von der italienischen Renaissance über die Alpen gekrochen kam in den naßkalten Norden«, sagte er mieselsüchtig, »war leibarm und zäh.« – Ich stellte mir das bildhaft vor und glaubte, für die klassischen Sprachen eine Lanze brechen zu müssen.

»Sicher! Alles schwach Bekleidete – ich meine Bilder und Statuen – ist bei diesem Gewaltmarsch erfroren wie Hannibals Elefanten. Aber die Sprache! Und mit der Sprache die alten Dichter, die haben den Übergang bewältigt, wie man weiß. Es gibt immerhin einen transalpinen Humanismus.«

»Das wohl. Aber diese Sprache war hierorts fremd. Das Kirchenlatein war ja nur ein vulgärer Bastard und das nördliche Ohr zu hart, um den Rhythmus einer klassischen Periode genußreich auszukosten. Da mußte geduldige Seßhaftigkeit dafür einspringen. Man sprach diese Texte nicht, man übersetzte sie mit Lexikon und viel Grammatik. Nicht der schön sprechende und schreitende ›Cortegiano‹ hatte die Alpen überklommen, sondern der gelehrte Magister, der gelbsüchtige Magerschmächtling der Antikenbegeisterung.«

»Schulbankdrücken macht arid. Wer weiß das nicht. Aber mit einiger Ausdauer und Nachhilfe sind schließlich auch wir noch vorgedrungen zum echten, originalen Text.«

»Wenn nicht bis zu diesem Zeitpunkt schon Verleidung eingetreten war!« Singer vertraute mir nach diesem Präludium unter verschämten Stockungen und in verwickelten Redeschnüren an, daß er persönlich des Lateinischen heute noch nur unter beträchtlichen inneren Widerständen mächtig sei. Für einen Historiker ein verschwiegenes Übel. Schuld daran sei aber, daß er als Knabe in dieser Wissenschaft von einem Subjekt unterwiesen worden sei, das cholerische Tücke mit lähmender Langeweile im Unterricht zu verbinden wußte. So bemächtige sich seiner immer noch angesichts eines lateinischen Textes die schreckbereite Schläfrigkeit des Schülers von einst.

»Also kommen Sie zur Sache, Singer, und reden Sie nicht lang. Bei mir finden Sie für jede Art der Schulverleidung ein offenes Ohr. Her mit dem Text.«

Erleichtert zog er ein schmales Büchlein aus der Tasche und ersuchte um genaue Übersetzung der von ihm bezeichneten Stellen. Es handelte sich um den ›Octavius‹ des Minucius Felix, eine Art Streitgespräch zwischen einem Christen und einem Heiden im zweiten Jahrhundert.

»Wie sind Sie denn auf den gestoßen? Ich dachte Sie im Humanismus vergraben?« – »Quellensuche, meine Liebe, gründliche Spurenwitterung! Meine Nase sagte mir, daß bereits in den Frühzeiten des körperfeindlichen Christentums gewisse heidnische Fabeln Anstoß erregt haben mußten. Dann machte sich Rabelais im ›Gargantua‹ über den Kanon der in den Lateinschulen zugelassenen Texte lustig, und ich erinnerte mich unbehaglich an unsere Ausgaben ›für den Schulgebrauch‹, überdies noch geziert mit einer Vignette ›per aspera ad astra‹.«

Ich nahm das Büchlein in die Hand und überflog die angekreuzten Stellen. Dann begann ich zu übersetzen:

»›Alle diese Geschichten‹ – da meint er wohl die Götterfabeln der Poeten? – also, ›alle diese Geschichten haben nur den Zweck, menschlichen Lastern‹ – da schau her, Laster nennt er das! – ›Lastern eine gewisse Berechtigung zu verschaffen. Durch diese und ähnliche Dichtungen wird der Geist des Knaben verdorben‹ – aha! Deshalb Ihre Abneigung gegen den Lateinunterricht! Der instinktive Widerstand der unverdorbenen Knabenseele!« – »Ich kann Sie versichern«, knurrte Singer, »wäre mir in der Schule je etwas Unanständiges untergekommen, man hätte in mir den eifrigsten Schüler gefunden! Aber weiter.« – »Unter dem tiefen Eindruck dieser Fabeln wachsen die Knaben bis zur vollen Reife der Manneskraft heran, und mit diesen Vorstellungen werden die Bedauernswerten alt ...‹ – Sehen Sie, Singer, was Ihre Faulheit Ihnen erspart hat? Die unanständigen Geschichten konnten weder Ihre Manneskraft beschädigen, noch verstören sie Ihr Alter. Als ein Unschuldiger dürfen Sie durchs Leben wandeln!«

»Jetzt ärgert's mich erst! Wer weiß, was mir da entgangen ist gerade in der darbenden Altersstufe der Pubertät. Da war unsereiner bildlich und literarisch angewiesen auf das, was an die Wände der Abtritte gekritzelt war, zu grob, um die höhere Begeisterung eines Knabengemüts zu entfachen.« – »Dafür zeitlos. Ich wette, so hat's an den einschlägigen Orten schon in den Klosterschulen ausgesehen und dann in den humanistischen. Diese sollen übrigens mit gut bestückten Bibliotheken versehen gewesen sein! Da konnte sich ein findiger Jüngling ja dann einschlägig an Originaltexten erlaben. Da frag ich mich gleich, ob das nicht die Aufmerksamkeit der Sodalen geweckt haben muß? *Wir* heute wissen ja, was sich von italischer Üppigkeit über die Alpen schleppte und was von dem Wenigen das geistige Klima des Nordens ausgehalten hat. Aber wußte man es damals? Mußte nicht der Verdacht aufkommen, daß da gewisse rauschhafte Geschichten unter die für dergleichen nur allzu empfängliche Jugend kamen? Geschichten von pikant ausgestatteten Göttinnen, denen man in den ausgelassensten Formen zu huldigen versucht war? Soviel ich weiß, waren die humanistischen

Schulen keine exklusiven Anstalten, sondern bald für jedermann zugänglich.«

»Nur zu! Das war ja meine Absicht, Sie zu einem Windei zu disponieren. Ich muß in meinem Part ohnehin ziemlich trocken sein. Der außeritalische Humanismus ist ein arides Feld.«

Als sich Singer wieder in seine Höhle begeben hatte, machte ich noch einen kleinen Spaziergang und hing dabei den eben angeschnittenen Gedankengängen nach. Nicht in geordneten Bahnen, sondern so, wie man eben bei Spaziergängen denkt, halbscheitig, denn mit einem Teil des Gehirns nimmt man alle möglichen Wahrnehmungen auf. Als ich wieder zu Hause war, sproß mir im Kopf ein wucherndes Gewölle. Die satte Farbigkeit der mythischen Fabeln war durchwachsen vom grauen Gezwirn grammatischer Pein. In den Ohren hing mir schmerzend und hartnäckig der Nachklang Vossischer Hexameter, zu denen ich verschmierte, fettige und mit Eselsohren verunstaltete Heftchen aus Reclams Universalbibliothek assoziierte.

Zunächst wußte ich gar nichts damit anzufangen. Aber im Lauf der nächsten Tage ordnete sich das Ding, sodaß ich es zu einem sauberen Knäuel wickeln konnte. Das Gestrick lieferte ich Singer in Fortsetzungen ab.

CONTRA FABULAS PRAESERTIM IN RELATIONEM
AD MAGNAM DEAM
oder Aktion zur Verleidung des humanistischen
Gymnasiums

Etwa zwei Jahrzehnte nach der Schlüsselbeinaffäre beunruhigte die Sodalen das, was sich nördlich der Alpen ereignete; mit weniger emphatischem Schwung, aber leider weit gründlicher. Wie Giftblüten schossen überall weltliche Schulen aus dem Boden, welche die Jugend aller sozialen Schichten in antiker Lehre unterwiesen, und zwar in den Originalsprachen. Was in Italien romantisches Schwärmertum war, eine Jünglingslaune, das wurde durch den mühseligen Alpenübergang zur Gelehrsamkeit des ernsten Mannes. – In der Sodalitas witterte man eine unklare Gefahr. Man hatte kein gutes Gefühl. Eine neuerliche Erkundungsreise wurde beschlossen. Man hielt es für notwendig, die neuen pädagogischen Einrichtungen selbst in Augenschein zu nehmen und sich ein Urteil über diese »Humanisten« zu bilden, wes Geistes Kind sie waren und was sie bezweckten. Ließen sie sich tiefer ein in das antike Mythengut, mußten sie auch auf seine archaischen Grundlagen stoßen, auf die alten Mysteriengeschichten, in denen die Artemis keine köchertragende Jungfrau, Dionysos nicht der heitere, weinlaubbekränzte Jüngling war, sondern die Weinberauschten ins Blutsaufen gerieten. War ein solcher Punkt erreicht oder näherte man sich ihm auch nur an, begannen die Nasenflügel der Sodalen zu flattern.

Diesmal schickte man mit dem nun gereiften Wetzel den Tetrarchen selbst, da man dem Reizer in dieser Situation nicht den nötigen Ernst, vor allem nicht verläßliche Unbefangenheit zutraute. Besucht werden sollten die Brutstätten des Humanismus diesseits der Alpen. Das Programm reichte von Frankreich quer durch das mittlere Deutschland.

Lange traf keine Nachricht ein. Man sorgte sich in der Sodalitas schon ein wenig um die beiden Reisenden, las Messen für sie und versuchte Riftsche, Chaims Weib, zu beruhigen, die – gefolgt von einer zahlreichen Kinderschar – fast täglich den Sodalen zeternd in den Ohren lag. – Endlich war die große Stunde gekommen. Ein Reisewagen holperte durch die schmale Gasse, wo Chaims Gewölbe sich befanden. Der Tetrarch arbeitete sich als erster steifbeinig und verstaubt aus dem Kasten und tat den Ausruf »Gewonnen!«, wobei er die Arme ausbreitete und himmelwärts blickte; dann ging er unter im Gewimmel der kleinen Chaims, und man hörte Riftsche keifen. Wetzel, der nach ihm auskroch, verlangte dringend Leibeslabe. »An Kindern und Kindeskindern«, ächzte er im Ton einer Prophetie, deren zweite Hälfte, akustisch verfremdet, aus dem hastig angesetzten Kruge scholl, der ihm dienstfertig gereicht wurde.

In lebhafter Besorgnis und düsterer Ahnungen voll hatten sich die beiden Abgesandten nach Frankreich begeben. Teils über die geistlichen Beziehungen Wetzels, teils über geschäfts- und sippschaftliche Verbindungen Chaims fand man bald Eingang in die Zentren der modernen Geistesrichtung. An den alten Universitäten hatte sich nicht viel geändert, sie brüteten nach einem boshaften Ausspruch Vives in den ›Delirien der Senilität‹. Die lebhafteren Geister wurden von den aufstrebenden Akademien angezogen, so etwa der ›Académie royale‹, einer Gründung Budés.

Dieser Name wurde viel genannt. So nahmen die Sodalen auch Einsicht in sein berühmtes Wörterbuch der griechischen Sprache, einen Wurf von geradezu nerventrillernder Präzision und Vollständigkeit, wie sich die beiden Sodalen hinter vorgehaltener Hand gestanden. »Den Mann müssen wir uns beschauen!« entschieden sie und ließen ihre Beziehungen spielen. Bald wurde ihnen die Ehre zuteil, bei Budé zu Tisch geladen zu werden.

Ein auffallend großnasiger Mann trat ihnen entgegen mit einem langen, säuerlichen Strichmund und zwei verschieden großen blassen Augen, die von Anmaßung, Wehleidigkeit sowie gänzlichem Mangel an Humor sprachen. Beim frugalen Mahle saß er an der Spitze einer schlichten Tafel, an welcher neben einer eingeschüchterten Gattin aufgereiht elf Leibessprossen des Gelehrten saßen, die – den Säugling eingeschlossen – den Gesichtsausdruck des Vaters in voller Ausprägung vorwiesen.

Umso mehr wunderten sich die Sodalen – und besprachen es auch nachher, als sie sich in einer Taverne auffrischten –, daß Budé in Anwesenheit der gesamten Familie mit seiner hohen, dünnen Stimme, in der raunzende Selbstgefälligkeit mitschwang, äußerte: er, Budé, hänge der klassischen Philologie als seiner einzigen Geliebten mit solch zehrender Leidenschaft an, daß sein Gesundheitszustand bereits Schaden nehme. Die Gattin vernahm es bekümmert, und die Sodalen blickten unwillkürlich die elf an und fragten sich nach ihrer Entstehung.

Gut, die beiden waren erfahrene Männer; sie wußten genug. Bald nach dem denkwürdigen Besuch im Hause Budé traten sie tiefberuhigt die Heimreise an. Sie schenkten sich das geplante Straßburg, schenkten sich Schlettstadt und andere deutsche Nester der Gelehrsamkeit. Was sie in Frankreich gesehen und gerochen hatten, schien ihnen nicht so beschaffen, daß damit zarter Jugend sittlicher Schaden zugefügt werden konnte. Gedanken und Intentionen des Humanismus mochten Brandfackeln sein, der Typus des ›Magisters‹ löschte sie verläßlich mit einem trockenen Daumen aus.

So konnten sie mit gutem Gewissen auf der ersten informativen Sitzung nach ihrer Heimkehr sagen: »Italische Bild- und Sinnenfreude und der Enthusiasmus für die heidnische Literatur mögen kurzzeitig eine Gefahr gewesen sein, aber, wie man zur Genüge weiß: hohe Kunst und Geistigkeit flüchten sich bald in exklusive Nischen und entziehen sich dem groben Zupack der schweißhändigen Allgemeinheit. Was aber die ausgemergelte Magerform des Humanismus betrifft, die in feuchtkalten Gelehrtenstuben diesseits der Alpen west, die wird zwar überleben, aber im Zustand bitterer Übersäuerung. Man mache nur diese verkniffene Buchstabenklauberei der aufstrebenden Jugend zur Lernpflicht. Dann haben wir gewonnen, ohne einen Finger rühren zu müssen.«

So kam es dann auch. Der Antikenenthusiasmus verlor sich in Reformation und Gegenreformation, in Krieg, Pest und Verwüstung. Aber zäh im dunkeln wuchernd pflanzte sich die philologisch-grammatische Gelehrsamkeit fort und gedieh zur Sproßform des sogenannten Schulmannes. Er blühte im 19. und zur Wende des 20. Jahrhunderts am reichsten.

Die Tätigkeit der Sodalitas konnte sich auf ein lindes

Leiten und sanftes Betten beschränken, eine Nebenaktion, die unter dem Arbeitstitel ›Verleidung der heidnischen Antike durch das humanistische Gymnasium‹ lief. Kirche und Fürsten, katholische wie protestantische Instanzen förderten jene Bildungsanstalten, die es sich angelegen sein ließen, altersmäßig dumpfe und böckische Jugend in ein straffes Geschirr grammatikalischen Drills einzuspannen, bevor ein echter alter Text auch nur angerührt wurde. Es galt lediglich, die Barriere, die sich zwischen jenen Texten und ihrem Genuß aufrichtete, möglichst hoch zu treiben und damit das ganze Gebiet im eindrucksfähigen Kindesalter mit einer grauen Decke von Trostlosigkeit und Lernpein zu überspinnen, ehe man noch zum Eigentlichen vordrang.

Gegen Ende des 19. Jahrhunderts durfte die Sodalitas es erleben, daß die einstigen Humanisten sich zu Typen geläutert hatten, wie etwa Hauler, der den Ausspruch getan, ein Lehrbuch, das nicht langweilig ist, sei nicht ernst zu nehmen.

Die Sodalitas beschränkte sich darauf, besonders profilierte Erscheinungen dieses Gelehrtentyps zu fördern und sie in richtunggebenden Positionen des Schulwesens zu plazieren.[*]

Wenig schadeten die Großen der Altertumswissenschaft. Ihr geschliffener Geist konnte nicht ungeschehen machen, was Haulers Übungssätze an jugendlicher Begeisterung dahinrafften, konnte nicht verhindern, daß die schreckstarre Seele des Gymnasiasten mit dem erhabenen Namen der schaumgeborenen Aphrodite nichts assoziierte als einen unregelmäßigen Aorist, den er mit Hilfe eines aufröhrenden Vaters in sein Gedächtnis quälte. Zum hilflosen Alptraum war in Schule und Elternhaus die Pracht einer klassischen Periode geworden, die der Heranwachsende mit grammatischer Detailakribie aufzunesteln suchte. Damals fand in einer Fest-

---

[*] Einigen Quellen zufolge soll es sich bei Haulern um einen heimlichen Abgesandten der Sodalitas gehandelt haben. Persönlich neige ich mehr zu der Ansicht, daß Hauler echt war.

166

veranstaltung zu Klosterneuburg ein Prälat des Stifts die treffende Formulierung: »Nichts tötet Wißbegierde sicherer ab als akademische Seßhaftigkeit, welche trübe Hämorrhoidalverknotungen ins Gehirn sprießen läßt, die sich von dort in gelehrten Glossen absondern.«

Es ist leider nicht zu leugnen, daß sich ein Teil der Sodalen dieser Generation einer gewissen überheblichen Leichtfertigkeit hingab, die sie manches übersehen ließ, was – um etliches später – eine gefährliche Entwicklung nahm. Gegen Warnungen verschloß man sich mit der flotten Phrase: »Ach! Wieder einmal eine Clavicula des Livius!«

WEITERES WINDEI ZUR »VERLEIDUNG DER KLASSISCHEN POETENLEKTÜRE«
beziehungsweise die Hintergründe der Entstehung von
»Reclams Universalbibliothek«

Die Fortschritte in der Aktion »Verleidung« waren recht beachtlich. Nur einige chronisch pessimistische Sodalen konnten das Unken und Unheilkünden nicht lassen: zuviel vom antiken Mythenwesen sickere immer noch durch das Netz grammatikalischer Lernmarter. Werde doch in den Schulen sogar Ovidius Naso gelesen, den gewissenhaftere Schulmänner aus dem Kanon der Gymnasiallektüre als »liederlich« verbannt hatten. Nicht zu reden von den pikanten Themen, in denen die Maler und ihre Auftraggeber schwelgten. Der Adel schmücke seine Palais und besonders deren intimere Gemächer lieber mit frivolen Szenen als mit Vanitas-Drohungen. Selbst der katholische Klerus zeige sich – der protestantischen Kahlheit zum Trotz – absichtlich sinnenfreudig auch in den Kirchen. Ein Kurzsichtiger könne es da einem Deckengemälde oft wahrhaftig nicht ansehen, ob das, was da in Blau und Rosa in weichbauschigem Gewölk lagere, Heilige oder Olympier darstellte. Die meisten Sodalen aber zeigten sich gelassen, und der Prälat Leuthuld drückte die allgemeine Stimmung treffend aus: »Solange der Pöbel sich an Wolkenballett und Pomptheater – sei es nun christlicher oder heidnischer Provenienz – satt gafft, besteht keine Gefahr bösartiger Massenausschreitungen.«

Als dann im 18. Jahrhundert mit dem unseligen Winckelmann »edle Einfalt und stille Größe« in die griechische Götterwelt einzogen, war man erst recht beruhigt. Dieses Antikenbild absorbierte verläßlich die erotischen, vor allem aber die dämonischen Züge und heizte die Heranwachsenden nicht zu jenem Impetus an, der nötig gewesen wäre, sich freiwillig in die klassische Literatur zu vertiefen.

Da schlug – es war schon die nächste Generation – Faust II ein und scheuchte die lässig gewordenen Sodalen aus ihrer selbstgefälligen Ruhe. Da war sie wieder, eindeutig und lebendig in ihrer ganzen Omnipotenz und zauberischen Anziehung: »Werde jeder beßre Sinn dir zum Dienst erbötig, Jungfrau, Mutter, Königin, Göttin bleibe gnädig.« – Das konnte man nun nicht unterschlagen oder »für den Schulgebrauch« zurechtstutzen. Nun mußten doch schärfere Methoden der »Abgewöhnung und Verleidung« diskutiert und eingeleitet werden. Ein Symposium wurde einberufen.

Gleich zu Beginn drängte sich mit Vehemenz zum Wort der Kapuziner-Frater Eppo (von »ebur« = Wildsau, welchen Spitznamen er in der Sodalitas hatte). Man hatte ihn mit voller Absicht in das erlauchte Gremium aufgenommen, um die ein wenig überzüchtete Geistigkeit der Gesellschaft durch die urwüchsige Derbheit dieses Naturkindes etwas aufzufrischen. Frater Eppo verfügte über einen grobschlächtigen, aber ausgesprochen klaren Verstand, versetzt mit Schläue und zusätzlich bereichert durch einen unerschöpflichen Erfahrungsschatz, den er dem Beichtstuhl verdankte.

Ebur, der Keiler, war ein großer, schwerer Mann mit gewalttätigem Habitus und Gesichtszügen, die von kleinen, flinken Knopfaugen belebt wurden, denen kaum etwas entging. Übrigens war er als Kanzelprediger sowie als Beichtvater besonders bei der höheren Gesellschaft sehr gefragt, deren heiklen Feinsinn er ohne Schonung mit der Peitsche seiner bildstarken Diktion schmitzte. Er stammte aus der Gegend von Maria Zell und entnahm seine Redeblumen dem bäuerlichen Ambiente seiner Kindheit. Das Menschenbild, das er sich gemacht hatte, war nicht schön. So sprach er beispielsweise von der menschlichen Seele grundsätzlich nie anders als von »Dunghaufen und Jauchengrube«. Die Menschen als Ganzes faßte er zusammen in dem weitgespannten Begriff »das Geschmeiß«.

Dieser Eppo also forderte als erster das Wort, erhob sich schwer, nahm eine drohende Position am Rednerpult ein und schlug vorerst einmal mit breiter Pratze auf den Tisch, bis alles totenstill war. Dann schrie er: »Mit nichts kann man beim Geschmeiß so sicher rechnen als mit säuischer Faulheit!« Dieses Leitthema spann er nun weiter aus. Die in den Gymnasien strebende Jugend, behauptete er, wolle weder etwas wissen noch können, sondern nur alles möglichst bequem hinter sich bringen, um sodann in gehobenem Posten ein Faulbett fürs Leben zu besiedeln. Die verblendeten Eltern unterstützten sie noch dabei und stemmten die verhätschelte Brut mit Gewalt über die Hürden, sodaß die arbeitsscheuen Säcke schließlich doch die höheren Stufen der Bildungsstätten, somit auch den klassischen Unterricht, erklömmen und – wie Eppo sich ordinär ausdrückte – »in den dröckichten Suhl« der Geschichten von der Großen Götzin platschten, wo sie sich gar nicht so unwohl befänden, lüstern, wie sie auf alles Unzüchtige seien.

An dieser Stelle seiner Ausführungen quollen dem Frater die Knopfaugen und glitzerten von feister Bosheit. Die Sodalen, die ihn kannten, machten sich mit bebenden Mägen gefaßt. Eppo hatte, wie sich zeigte, einen geradezu teuflischen Vorschlag bereit. Er empfahl nichts anderes als vollständige Übersetzungen der klassischen Texte, handlich in der Form und daher leicht im geheimen zu benützen, in Schule und Haus. Geistlich erfahren und mit angeborener Schläue begabt, stellte er die Behauptung auf, daß die Leichtigkeit einer Leistung jede tiefer schürfende und daher prägende Beschäftigung mit der Materie erübrige und dadurch ihre wirkliche Rezeption ausschließe. Den Sodalen leuchtete sofort die Klugheit dieser These ein: nicht Mühsal als Mittel der Abgewöhnung, sondern oberflächliche Leichtigkeit, die keine Gedanken- und Erinnerungsspuren hinterläßt. Die Idee war fast genial.

Da aber meldete sich Dr. Rappaport zu Wort, bekannt und bespöttelt wegen seines Querulantentums, aber gerade dadurch oft brauchbar, weil er es mit ätzendem Scharfsinn zu verbinden wußte. Der Vorschlag, gab er zu bedenken, sei an sich gut, berge jedoch eine große Gefahr. Nicht nur der Gymnasiast in seiner Not und Faulheit, sondern auch der sachlich Interessierte – da schlug der erfahrene Eppo eine gewöhnliche Lache auf – bekomme auf diese Weise breiten Zugang zu den bedenklichen Geschichten.

Nachdenklich saßen die Sodalen.

Da ersuchte ein gewisser Dozent Cornelius um Gehör. Er war klassischer Philologe und wurde wegen seiner exquisiten Kenntnisse in allen Bereichen der Altertumswissenschaft von der Sodalitas in einschlägigen Fragen als beratendes Mitglied herangezogen. Cornelius war ein stiller Mensch von verletzbarem Feinsinn, geradezu übersensibel. Offenbar als Ausgleich für die zarte Anlage widmete er sich innerhalb seiner Wissenschaft den betont männlichen Sparten: der rauhen Welt der Strategen, dem kühlen Scharfsinn der Rhetoriker, der schneidenden Klinge der philosophischen Spötter. Der Mythologie und somit dem poetischen Genre stand er mit Vorbehalt gegenüber. Herrschte doch hier eindeutig das weibliche Element vor, tückisch und erfolgreich damit befaßt, das Männliche hereinzulegen und der Lächerlichkeit preiszugeben.

Es gab Sodalen, die wissen wollten, daß gerade diese Gestimmtheit es war, die Cornelius bewogen hatte, sich der Gesellschaft zur Verfügung zu stellen, weil ja auch diese ihre – wenn auch grundanders gearteten –

Schwierigkeiten mit der dem Weiblichen eingeborenen Potenz zum Dämonischen hatte, dessen Wirksamkeit jeder für sich keineswegs ablehnte, aber als Erreger der Volkswut fürchtete und zu unterbinden suchte. Wie immer, Cornelius war ein leiser Sensibler, besaß aber auch eine Gabe zur sordierten Bosheit, die zuweilen überraschend hervorbrach. Seine Stiche trafen haarscharf, kamen aus unerwarteter Richtung und verletzten fein, aber tief.

Man erteilte dem Dozenten das Wort. Mit wie gewohnt leiser, scheuer Stimme entwickelte er vor dem wachsenden Erstaunen der Sodalen eine bestechende Idee: Man solle getrost, riet er, nach Frater Eppos Rat Übersetzungen herausbringen, wohlfeil und in großen Auflagen – und zwar vor allem von den Poeten, die ja das brisante Material enthielten, fügte er hinzu mit einem bitteren, fast zimperlichen Zug um die Lippen. Man solle aber diese Übersetzungen so gestalten, daß sie den Text wort- und satzgetreu wiedergäben und sich streng an das vorgegebene Metrum hielten. »Die Herren können mir glauben, das genügt«, schloß er, während in seinen nicht unschönen Rehaugen ein vitriolfarbener Funke aufglomm.

Zunächst begriffen die Sodalen nichts, heischten Aufklärung, forderten konkrete Beispiele. – Ohne jemand Bestimmten anzublicken, fragte der Dozent in den Saal hinein – hier sprach seine Erfahrung als früherer Hauslehrer: »Wenn vielleicht einer der Herren einen Dichtertext zur Hand hat?« Da zeigte es sich, daß eine stattliche Anzahl lateinischer und griechischer Schulausgaben nach vorn gereicht werden konnte, und zwar von heimgesuchten Vätern, die sich jede freie Minute heimlich vorbereiteten, um sich zu Haus vor dem Sprößling, der sich durch die Schule pressen ließ, nicht zu blamieren.

Der Dozent Cornelius nahm das erste beste Büchlein zur Hand, eine Schulausgabe des Ovid, und schlug eine beliebige Seite auf, die durch ein sorgenvoll beschmutztes Eselsohr gekennzeichnet war. Die Geschichte von

Orpheus und Eurydike. Nach kurzem Überfliegen begann Cornelius mit der prächtigen Stelle, wo Orpheus den Göttern der Unterwelt seine Bitte vorträgt, die Frau, die durch einen Schlangenbiß getötet worden war, wieder mit sich hinauf an die Oberwelt nehmen, ins Leben zurückführen zu dürfen. Kinderreichen Sodalen war die Stelle bekannt, da sie grammatische Schwierigkeiten bot, die ihnen selbst zu schaffen machten. Cornelius aber übersetzte diese ans Herz greifenden Hexameter mit das Metrum unterstützenden Handbewegungen wörtlich folgendermaßen:

»Mich führt her mein Weib, dem eine getretene
    Viper
Gift in die Wunde geströmt und gekürzt
    die blühenden Jahre.
Stark zu ertragen den Schmerz, nicht will ich
    es leugnen, versucht ich.«

Die Sodalen glotzten. Auf den Lippen des Dozenten aber spielte ein unschönes Lächeln, als er das Büchlein zuschlug und zurückgab. Alle hatten begriffen: Einzig und allein durch die wort- und syntaxgetreue sowie metrisch korrekte Übersetzung war diese schöne Stelle zur gräßlichen Parodie geworden, schlechthin unverdaubar; und erst für ein pubertäres Gemüt! Dabei konnte man ihr nichts nachsagen als Genauigkeit und Werktreue.

Schweigen im Saal. – Nun, man hatte der Großprotzigen ja schon allerhand angetan in dieser Gesellschaft, um ihre bedrohliche Wirksamkeit nach Kräften zu schädigen oder wenigstens zu neutralisieren. Feindschaft herrschte zwischen der Sodalitas und ihrer zündelnden Potenz. Trotzdem fühlten alle: was hier geschah, war infam.

Anderseits leuchtete jedem die ungeheure Wirkungskraft dieses verschleierten Hohnes ein. Die meisten blickten ungewiß um sich, einige kicherten nervös, Eppo ließ ein feuchtes Grunzen hören. Als man zur Abstimmung schritt, votierten fast alle für den Vorschlag des Dozenten Cornelius. Dagegen stimmten der Reizer und Chaimowitsch. Sie handelten – jeder aus einem grundanderen Motiv – aus einem Gefühl der Pietät der Götzin gegenüber.

Somit war der Beschluß gefaßt. Cornelius bot sich an, die Übersetzungsarbeit zu übernehmen.

Bald konnte man in allen Buchhandlungen sämtliche im Schulgebrauch befindlichen klassischen Dichter in »Reclams Universalbibliothek«, Leipzig, erwerben, fleischfarben und mit arabesker Titelumrahmung, in der zu lesen stand: Jede Nummer für 20 Pfennig überall käuflich. Format: Rocktaschengerecht, 10 x 14,5 cm.

Die Büchlein schlugen ein. Für den Verlag ein Riesengeschäft. Bald bedienten sich auch faulere Lehrer dieser Übersetzungshilfen, und die Korridore humanistischer Gymnasien hallten wider von geschändeter Klassik, die im pathetischen Zwiegesang zwischen Lehrern und Schülern vorgetragen wurde. Der Tonfall grub sich in die Gehirnwindungen, und was mit geld- und nervenfressender Mühsal von Hauslehrern oder Familienvätern kaum erreicht worden war, gelang nun wie im Spiel. Die humanistische Gelehrsamkeit quoll nicht mehr aus einem strapazierten Gehirn, sondern aus Pult und Abtritt, wo man die Schularbeitsstellen suchte.

Das Gymnasium vegetierte zwar fort, aber die Frühgeschichten der Menschheit, die Blüten der Poesie, waren gemeuchelt: sie hatten einen unauslöschlich lächerlichen Beiklang gewonnen.

*

Ein angeregtes Klopfsignal, allegro alla turca, ließ mich ins Vorzimmer eilen und mich zum Fenster hinaushängen. »Einerseits lebensnah, das Windei«, schrie Singer herauf. Ich mußte über die grundsätzliche Einschränkung lachen. Singer vermochte um keinen Preis etwas Positives ohne diese Einschränkung von sich zu geben. Nicht, um dem Empfänger das Lob zu verleiden, sondern sich selbst: ihm war in diesem Dasein alles Positive prinzipiell verdächtig und durfte nicht verschrien werden. »Auch gegen die Einführung des gar nicht angenehmen Herrn Cornelius ist nichts einzuwenden. Man mußte in dieser Epoche schon Fachleute zuziehen, wer hatte damals noch eine umfassende Allgemeinbildung? Ein undurchsichtiger Charakter, dieser Mensch!«

Jetzt gingen rund um den Hof langsam die Fensterspalten auf, und dahinter sah man, durch Gardinen halb gedeckt, Personen stehen und lauschen. Singer aber stützte sich mit einem Ellbogen auf sein Fensterbrett und schien es sich für ein längeres Gespräch bequem zu machen.

»Trotzdem! Einen gewissen Vorbehalt räume ich mir ein. Was kann einen klassischen Philologen dazu bringen, seinem eigenen Fach, von ihm selbst ausgewählt, wert gehalten also, eine derartige Unbill anzutun?«

Bei dem Wort »Unbill« wurden die Spalten breiter und – den Gardinenschutz beiseite schiebend – zeigten sich starrblickende Gesichter an den Fenstern. Singer focht dies nicht an, und er schloß aufgeräumt: »Da glaube ich, haben sich Gnädigste einen psychologischen Fehler gestattet!« Damit zog er sich ein und schloß sein Fenster. Ich hing mit einer gewissen Betroffenheit noch eine Weile aus dem meinen, bis ich rundum die Geräusche leise schließender Fensterriegel vernahm.

Der Vorwurf wurmte mich, zumal er berechtigt war.

Ich begab mich daher abermals auf einen träumerischen Spaziergang quer durch die innere Stadt, der mich dann in die Lage versetzte, Singer mit einem dritten Windei zum Thema »Contra fabulas« zu dienen, worin ich recht behielt und er beschämt wurde.

Ein Briefchen legte ich bei: Bei aufmerksamerer Lektüre hätten Herr Professor merken müssen, daß es mit dem Dozenten Cornelius eine gewisse Bewandtnis hat, von der man damals – im Gegensatz zu heute – nicht gern gesprochen hat. Ich werde deutlicher: seine gehässige Kampfesweise gegen die weibliche Gottheit sprießt nicht nur aus geistigen Wurzeln!

NACHTRAG ZUM WINDEI:

worin einiges Pikante zur Wesensart des Dr. Cornelius preisgegeben wird, sowie ein Ereignis, das man sowohl als Phantasmagorie eines schlechten Gewissens auslegen kann als auch anders

Man konnte von seiten der Sodalitas die Aktion »Contra fabulas« mit einem vollen Erfolg abschließen. Für den Urheber der zündenden Idee der textgerechten Übersetzungen gab es allerdings ein Nachspiel, dem eine unheimliche Note nicht abzusprechen war.

Einige Zeit nach den beschriebenen Ereignissen, als sich der Erfolg der Unternehmung allmählich abzuzeichnen begann, fiel allgemein auf, daß Cornelius den Sitzungen fernblieb. Keiner wußte Genaues. Man munkelte von nervösen Affektionen. Der Dozent, hieß es, leide an Zuckungen der rechten Hand. Manche wollten sogar wissen, daß er von Halluzinationen heimgesucht werde. Schließlich vertraute Pater Blasius von St. Ruprecht unter Verletzung des Beichtgeheimnisses jedem einzelnen Sodalen, der sich interessiert zeigte, unter dem strengsten Siegel der Verschwiegenheit an, was ihm unlängst Cornelius im Zustand äußerster Seelenpein ins Beichtohr geflüstert habe. Daß Cornelius' Sinn und Gemüt leidenschaftlich, wenn auch rein platonisch, von den ephebenhaften Konturen schlanker Knaben gefesselt wurde, die leider meist auf das Gegenteil scharf waren, war in der Sodalitas ziemlich bekannt. Da man wußte, daß er sich reale Erquickung streng untersagte, tolerierte man diese pikante Neigung und schwieg darüber. Von Söhnen der Sodalen, denen er in gefährlichen Schulengpässen dann und wann Nachhilfe gab, wußte man, daß im Arbeitszimmer des Dozenten auf schmaler Konsole ein getreues Abbild des David von Michelangelo in gelblichem Alabaster, etwa siebzig Zentimeter hoch, stand und ziemlich abgegriffen wirkte.

Aber nun das in Beichtnot geschilderte unheimliche Ereignis: Cornelius, bei gedämpftem Lampenschein im Zimmer auf und nieder schreitend, mit den Gedanken tief in seine Übersetzungsarbeit verstrickt, hatte – wie es ihm eine liebe, kaum mehr bewußte Gewohnheit war – im Vorübergehen mit träumenden Fingern die glatten, schimmernden Formen seines David gekost. Plötzlich fuhr es ihm jäh wie ein lodernder Schreckblitz durch die fühlende Hand, sodaß sie in panischem Entsetzen zurückschnellte, während er selbst zur Säule erstarrte. Es verhielt sich nämlich so, daß diese seine Hand Formen ertastet hatte, die ihm zutiefst zuwider waren.

Ein eisig rieselnder Schauder überlief ihn. Aus seitlichem Auge wagte er einen Blick auf die vertraute Plastik. Was aber zeigte sich da dem bis ins Mark Erbebenden? – Auf der Konsole stand, umgeben von giftigen Lichteffekten, satt lächelnd, eine Diana von Ephesos, ausgestattet mit den bekannten üppigen Reizen.

Zwar währte die Vision nur den Bruchteil einer Sekunde und hätte mit einiger Selbstdisziplin als Trug ausgelegt und abgetan werden können; jedoch das ekle Gefühl in der Hand verlor sich nur sehr langsam und kehrte blitzartig immer wieder, wenn Cornelius sich schon befreit hoffte. Obwohl sonst ein aufgeklärter Geist, quälte den Dozenten in steigendem Maß der Gedanke, daß er es mit einem bösen Racheakt der »Magna« zu tun habe, an der er sich mit seiner Idee vergangen hatte. Da es sich somit um Hexenspuk handelte, hatte er sich der Kirche anvertraut, offensichtlich aber keinen Trost gefunden. – Pater Blasius wußte, daß sich der Dozent mit total zerrütteten Nerven in eines jener Kaltwassersanatorien begeben habe, die damals gerade in Mode kamen.

Dieser Wink des Priesters erlaubte es nun den beiden Sofraneks, sich umgehend auf die Spur zu setzen. Sofranek & Sofranek waren in dieser Sodalengeneration Religionslehrer – einer katholischer, der andere mosaischer Konfession. Ihrer besonderen Gabe wegen wurden sie von den Sodalen die »Hausmeisterinnen« genannt.

Bald konnten sie mit erschöpfenden Berichten aufwarten: Ein Sofranek hatte seine Informationen direkt vom Bademeister des besagten Sanatoriums, der alles seiner Geliebten erzählt hatte, die wieder die Tochter von des anderen Sofranek Putzfrau war. – Diesem Bericht zufolge war der unselige Dozent einer der schwierigsten Fälle der Heilanstalt. Immer wieder wurde er von den eigentümlichsten Trugbildern erschreckt. So verwandelten sich beispielsweise die stracken Badediener, die ihn morgens mit nassen Wickeln betreuten, vor seinen hervorquellenden Augen in boshaft lachende Najaden, von denen er mit Spritzschläuchen verfolgt und gedemütigt würde.

PS: Als Frater Eppo den Fall erfuhr, sagte er nichts, machte sich aber ungesäumt zu Fuß nach Maria Zell auf zu einer vorbeugenden Wallerfahrt. Angeblich hat er glattere Teile der Strecke auf den Knien zurückzulegen versucht. Manche bestritten das, weil Eppo wegen seiner Leibesfülle an den Bandscheiben litte. Verbürgt aber ist, daß er am Gnadenort ein wächsernes Reclambüchlein als Votivgabe spendete; beide Sofraneks reisten eigens hin, um es sich anzusehen.

SINGER BEZICHTIGT MICH DES VERTRAGSBRUCHS

Seit Wochen schon schlug sich Singer stöhnend und schimpfend mit der Reformation herum, warf mir Traktate vor mit der strengen Order, sie aufmerksam durchzustudieren, und ließ kein gutes Haar an seinem Freunde Floris, welcher sich ungeniert verleugnen ließ, weil ihm klar war, was eine Soutane im Augenblick für Singer bedeutete. Er wollte nicht als Kratzholz dienen.

»Wär ich nur schon heraus aus dem dumpfigen Gebräu des Religionsgezänkes«, klagte Singer, »da haben sie sich endlich durch die Con- oder Transsubstantiation durchgebissen; der zwischen Himmel und Hölle gepeinigte Mensch hat sich daran gemacht, das katholische Weltei aufzubrechen und einen Schritt in die Mündigkeit zu tun, da wird er abermals erhascht und eingefilzt in die gräßliche Vision der Vorbestimmung, ein hilfloses Bündel aus Verdammnis und Pein, aus dem nur wenige durch einen willkürlichen Gnadenakt Erwählte zu einer fragwürdigen Seligkeit gelangen, unter der sich keiner was vorstellen kann. Sehr genau dagegen weiß man in der Hölle Bescheid. Und ein Diskussionsstil von rüder Dreckschleuderei, wie weiland zu Ephesos, als man mit Hilfe der Volkswut die schlichte Maria hoffähig machte und in den Himmel auffahren ließ. Schrecklich! Eine Menschheit, die sich in geduckte Frömmler, Heuchler und Geängstigte auf der einen Seite und ein paar Couragierte auf der anderen Seite spaltet, die man für Folterbank und Scheiterhaufen einfängt. Und schließlich lodert ganz Mitteleuropa auf in ein Monstergemetzel von dreißig Jahren, das nichts als eine Aschenhalde zurückläßt. Die ganze Reformation, die anfangs wie eine Befreiung wirkt, mausert sich zu einem Gespensterspuk des Mittelalters, wo es am finstersten war.«

Singer litt – und sorgte dafür, daß auch ich es tat, indem er mir einschlägige Literatur aufzwang und mir dann Fangfragen stellte, die eine getarnte Abhörung des Stoffes waren.

Ich war schon entschlossen, mich zu ernstem Widerstand aufzubäumen, da holte mich Singer unangekündigt zu einem kleinen Gelage im Griechenviertel ab (natürlich nicht zum Touristenlokal »Griechenbeisl«, sondern daneben zum unscheinbaren Marhold, wo man in schlichterer Aufmachung ausgezeichnet aß, wenn auch keineswegs billig). Er feiere nicht nur den Abschluß seines Teils des Reformationskapitels, erklärte Singer, sondern auch einen Kontoauszug von seiner Bank, aus dem hervorgehe, daß von Paragonville ein ansehnlicher Betrag eingelaufen sei. Die Stadtväter schienen so zufrieden, daß sie den Vorschuß als abgearbeitet ansahen und sich in neuer Schuld fühlten.

Dank einer stupenden Witterung für dergleichen hatte Thugut erahnt, daß es sich nicht um Theologie, sondern um Essen handelte, und trat aus seiner Tarnung heraus. So war er mit von der Partie.

Am Heimweg durchspielten laue Frühlingsbrisen die

noch kalte, stehende Märzluft, und ich gab mich in schläfrigem Behagen diesen Wellen sowie der Angegessenheit hin. Da erschreckte mich Singer plötzlich mit der aufgeräumten Bemerkung: »Nun, wann sind Sie soweit?« – »Wie weit? Was meinen Sie?« gab ich mit jäh gesenktem Wohlgefühl heuchlerisch zurück. – »Tun Sie nicht so! Sie wissen es genau und wollen sich nur drükken!« – »Hab ich nicht überreichlich«, klagte ich auf, »zum Humanismus abgeliefert? Ein Ei mit zwei Nachgeburten, nicht zu reden von der ›Clavicula des Livius‹. Mehr können Sie wirklich nicht von mir verlangen. Zu rasches und reichliches Legen laugt die tüchtigste Henne aus.« – »Vertrag ist Vertrag«, sagte er kalt. – »Mir fällt nichts ein«, bockte ich, »wollen Sie mir mit den Verzwicktheiten der Prädestination die Verdauung zerstören? Auf solche Einladungen zum Essen verzichte ich, das lassen Sie sich gesagt sein. Erpressungsfressen wie in Geschäftskreisen! Können Sie es am Ende auch von der Steuer absetzen?« Er schwieg und ließ mich maulen, in der kühlen Berechnung, daß er mich, hätte ich nur erst mein Gift abgelassen, leichter werde zermürben können.

»Der ordinäre Grobklotz von Luther«, schimpfte ich mit bewußter Einseitigkeit, »dazu der übersäuerte Calvin! Um wieviel lieber ist mir der pflichtvergessene Lasterpapst Leo X. mit seinem Ablaßschwindel. Wem hat das schon geschadet? Immerhin ließ er die Peterskirche bauen um das Geld, und die geschröpften Gläubigen waren froh, ein paar Jahre Fegefeuer abstottern zu können. Wem nützte denn die ganze Reformation? Das Volk erfuhr, daß es von vornherein verdammt ist, und kam um seine tröstlichen Heiligen. Die Hexen brannten weiter und die Juden auch. Was soll's? Ich weigere mich und fühle mich außerstande zu legen. Auch ein Windei bedarf einer positiven Grundstimmung der Schwangeren.« – »Das wär Ihnen jetzt so recht, Zicken zu machen und Accouchements zu verweigern. Je nach Lust und Laune. Vereinbarungsgemäß haben Sie jetzt niederzukommen. Wie, das ist Ihre, ist Weibersache. Da misch ich mich erst gar nicht ein als Mann. Ich berufe mich nur auf den Ehevertrag: Ich habe meine Pflichten erfüllt mit einer gelehrten Begattung während vieler Kaffeesitzungen, jetzt tun Sie gefälligst das Ihre mit einem anschaulichen Zeitbild.« Singer sagte das in einem Ton, der – wie ich ihn kannte – unbeugsame Entschlossenheit anzeigte.

Ich machte noch einen schwachen Versuch der Verekelung durch Pathos, das Singer verhaßt war: »Dahinstarb das lasterhafte Geschlecht der Medici«, deklamierte ich, »die Stätten humanistischer Gelehrsamkeit verfielen. Der Neue Mensch, der frei und schön vor Gott stand, erhobenen Hauptes, das Grenzenlose zu seinen Füßen« (ein Seitenblick auf Singer, der – ohne Zuckungen zu erleiden – breit grinste, überzeugte mich davon, daß er mich durchschaute), »also dieser Mensch ersoff in der Melancholie«, setzte ich fort in Zorn; »erstickte in Blutströmen und Brandgeruch von Reformation und Gegenreformation ... tabula rasa mit den Göttern heidnischer sowie katholischer Konvenienz. Ein haariges Böses triumphiert und sitzt auf der gepeinigten Menschheit, die nirgends eine hilfreiche Retterin erspäht ... Wien fast zur Gänze protestantisch! ... Was war übrigens« mit den Pfaffen in der Sodalitas?« – »Sehen Sie, Sie kommen schon hinein! Katholiken gab's noch genug. Also auch Gepfäffe.«

»Ich sehe vor mir eine verdüsterte Sodalitas. Schwarz gekleidete Bürger von gravitätischem Wesen und knochigem Habitus sitzen langgesichtig und ernst neben verängstigten Juden ... der Reizer ausgeschlossen wegen sittlicher Zwielichtigkeit ... verbannt natürlich auch die Präsenz der Weiblichkeit. Den Frauen hat's der Luther hineingesagt, wo sie hingehören und wo sie nichts verloren haben ... Singer, mich freut's nicht!«

Dieser schien schon zu schwanken, da mischte sich aus zweckfreier Bosheit, nur um den Fluß seiner Verdauung in Gang zu bringen, Thugut ein mit der Bemerkung: »Sie sehen das zu düster, Verehrte, es gab uns noch zu Wien. Und rein informativ sage ich Ihnen noch, daß 1551 zwölf Jesuiten mit ihrem General Canisius das leerstehende Karmeliterkloster am Hof bezogen und 1556 daselbst ein Konvikt und Gymnasium eröffneten. Gibt das nichts her?«

Zu Hause angekommen, verfaßte ich einen grünspanigen Brief an Thugut, frankierte ihn absichtlich nicht, damit er Nachporto zahlen mußte, und trug ihn noch zum Briefkasten. Sodann überließ ich mich im Bett regellosen Träumereien über das eingeforderte Windei.

DER EXODUS DER REFORMIERTEN
AUS DER SODALITAS

Leon Astartion, Angehöriger des geheimen Staatsrates für äußere Angelegenheiten, der Sodalitas in der Funktion des Reizers dienend, wandelte gegen Mittag über den »Hof« und wurde dabei Zeuge folgender Szene.

Vom Jesuitenkonvikt her schlenderte ein feister Knabe mit lebhaftem Gesicht und braunen Locken, eifrig um sich blickend, die Schulfibeln unter den Arm geklemmt, vor sich hin, und da hatte er auch schon einen anderen Knaben bemerkt, der, von der entgegengesetzten Seite, offensichtlich ebenfalls von der Schule kam. Er rief ihn an, und bald hockten sie vor einem rasch ausgehobenen Grübchen, dem Murmelspiel hingegeben. Der zweite, ein spärlicher Junge, dunkel gekleidet, blondsträhnig, blaß und hühnerknochig von Wuchs, exerzierte dieses Kinderspiel mit ungleich größerem Ehrgeiz und eiferderer Angespanntheit als der andere, dem es mehr um das Vergnügen des Spieles zu gehen schien und der immer wieder seine Blicke rundgehen ließ, damit ihm ja nichts entginge, was im Umkreis geschah. So erblickte er auch den dritten Knaben, den Schläfenlocken und Gesichtszüge als Mitglied der paar jüdischen Sippen auswiesen, die im Wien Ferdinands I. Aufenthalts- und Gewerbeberechtigung hatten. Der Feiste rief ihn und winkte ihn heran. Der kleine Hebräer folgte dem Ruf, spielte aber nicht mit, sondern beschränkte sich auf die Rolle des Zusehers.

Astartion kannte die drei Knaben. Der zuletzt hinzugekommene gehörte Chaim, dem Tetrarchen; sein Jüngster. Der Lebhafte im Schmer war der natürliche Sohn des Kanonikus Engelbrecht. Er lebte bei seiner Mutter, einer biederen, gut ausgehaltenen Bürgersfrau, und besuchte die Jesuitenschule. Der Leibarme war der einzige Sohn eines protestantischen Kanzelpredigers, der in seiner Gemeinde hochangesehen, jedoch wegen seiner sittlichen Unnachgiebigkeit auch gefürchtet war. Alle drei Väter gehörten der Sodalitas an. So kannten einander auch die Knaben, die oft mit Botschaften hin und her geschickt wurden.

Astartion, der von Natur neugierig und optischen Eindrücken gegenüber sehr aufgeschlossen war, fesselte die augenfällige Ungleichheit der Buben, und er überließ sich Spekulationen, wieweit an dieser Verschiedenheit des Habitus die geistliche Prägung der Väter und damit der Familie beteiligt sein mochte. So beobachtete er aus der Distanz das Spiel.

Den Ausrufen und Gesten entnahm er, daß der Priestersproß trotz der lässigen Art, in der er spielte, gewann und den verbissen arbeitenden Gegenspieler nach und nach um seinen ganzen Besitz brachte. Ob dieser augenfälligen Ungerechtigkeit der Vorsehung erhitzte sich der Magere und fing zu lästern an. Im hohen Knabensopran warf er dem Gewinner das Reizwort »fetter Rindsfladen« zu. Der also Angesprochene verlor keineswegs sein durch Wohlgenährtheit abgestütztes Gleichgewicht und folgte eigentlich nur einer rituellen Anstandsregel, wenn er das Streitgespräch emotionslos mit der Bezeichnung »rotnasiger Rotzaffe« fortsetzte, wobei tatsächlich eine auffallende Eigenschaft des kleinen Reformierten angesprochen wurde, dem dauernd die lange Nase rann. Dieser – vielleicht gerade, weil er sich in einer Schwäche getroffen fühlte und auch wieder eine Kugel verloren hatte – hob die Debatte auf eine brisantere Ebene und spritzte sein Gift gegen die Herkunft des

Widersachers; und zwar mit dem Pralltriller »Pfaffen-bankert«. Dieser ließ sich aber immer noch nicht aus seiner unterspickten Gelassenheit bringen und respondierte einfach mit »dürre Kotkachel«.

Allerdings wurde jetzt nicht mehr weitergespielt. Die beiden hockten, einander anstarrend, vor dem Grübchen, der eine die spitzen Knie wehrhaft hochgestreckt, der andere seinen runden Hintern mit den Fersen abstützend.

Aufmerksam vom einen zum anderen blickend, verfolgte der Dritte die Vorgänge, ohne sich einzumischen oder gar Partei zu ergreifen. Mit der Selbstbeherrschung des Dünnen war es aber nun vorbei, und er verlagerte die Diskussion in den heiklen Bereich des Geistlichen. Mit streitbarem Blauauge schnellte er zwischen zusammengekniffenen Zähnen dem Rotbackigen eine »feiste Jesuitenzecke« entgegen. Stilgemäß schoß der sich allmählich doch erhitzende Sohn der Kirche eine »ausgelaugte Bibelwanze« ab. Als sich die Debatte in die theologische Sphäre aufschwang, war Astartion nähergetreten.

Der verbale Teil der Kontroverse war nun jenem Punkt entgegengetrieben, wo sie, wenn sich das Wort einer Steigerung versagte, ins Brachiale umzuschlagen pflegt. So hätten sich aller Wahrscheinlichkeit nach auch die beiden Kämpfer aufeinandergestürzt. Leider hatte jedoch der Chaimssohn die Unvorsichtigkeit begangen, aus seiner neutralen Position heraus in ein helles Gelächter auszubrechen. Wie auf Kommando verbündeten sich da die Feinde und gingen gemeinsam auf den dritten los, der stumm in einer Staubwolke auf dem Boden versank. Auf seiner die Erde küssenden Person als Unterlage verkrallten sich nun die beiden wieder ineinander, ihren Religionsstreit fortsetzend. Aufmerksam verfolgte der Reizer die Vorgänge und machte sich seine Gedanken über diesen Verlauf des konfessionellen Disputs, der ihn gar nicht besonders überraschte.

Sowohl die schrill herausgeschrienen Beschimpfungen als auch das ächzende Gerangel hatte Zuschauer angelockt. Immer mehr Vorübergehende blieben stehen, sahen zu und kommentierten das Geschehen. Wo in Wien drei Leute stehen und schauen, gesellen sich andere dazu und bilden alsbald eine Menge.

Erst lachte man nur, hußte ein bißchen und nahm die Balgerei von der sportlichen Seite. Bald aber merkte der Reizer, der einen gewissen Abstand vom Gewühle hielt, daß sich die Gaffenden deutlich in zwei Lager schieden, die ihrerseits enger zusammenrückten. Sie ergriffen Partei. Weniger für die Knaben selbst als für deren Konfession. Bald löste sich ihre Schaulust von den ineinander verknäuelten Kindern, und man glotzte sich, rötlich unterlaufen, an, bündelte sich stärker: hie reformiert, hie katholisch! Es flogen die ersten Verbalinjurien hin und her, die – wie üblich bald erschöpft – fließend in Kampfhandlungen übergingen. Wurfgerechte Gegenstände wurden vom Boden aufgehoben und in den Feindhaufen geschleudert. Der verbalen Glaubensbesudelung folgte die faktische: Da es länger geregnet und morgens am »Hof« ein Markt stattgefunden hatte, fehlte es nicht an geeignetem Material. Man schoß sich ein, und bald rann hüben wie drüben saftiger Unrat von hochgeröteten Köpfen.

Aufgepeitscht durch diese Kulisse hatten sich auch die Knaben noch verbissener ineinandergefilzt, und das alles auf dem Rücken des unvorsichtigen Tetrarchensöhnchens, das nur mehr seinen Kopf schützte und nach Luft rang.

Der Reizer erkannte, daß ein kritischer Punkt erreicht war. Er drängte sich zu den Knaben durch und suchte die drei auseinanderzunesteln, die wie ein Knoblauchzopf ineinander verflochten waren.

Da sich die Szene nicht weit vom Wohnort der Buben entfernt abspielte, hatte die schnellfüßige Fama schon die jeweiligen Küchen erreicht, und es drangen bereits die Mütter vor, in Schürzen und verschobenen Hauben, keifend und den eigenen Nestling mit Lockrufen stärkend. – Allerdings nur die christlich Zerzankten.

Chaims Lea erblickte man nicht. Die Mutter des Schmächtlings, ein Unterrock voll säuerlicher Tugend, langte früher an der Kampfstätte an als die feiste Rivalin und zögerte den Eingriff absichtlich hinaus, weil der Ihre gerade im Vorteil war und den sich weich wälzenden Jesuitenzögling mit spitzen Tritten traktierte. Da war aber auch schon mit bemehlten Armen und weniger heiligmäßiger Leiblichkeit, Glucklaute ausstoßend, die andere da und entriß ihre Leibesfrucht den Krallen des stark rotzenden Lutheraners. Es trug ihr von der Frau Pastorin ein giftig durch die Zähne gezischtes »Pfarrmetze« ein, was sie jedoch prompt mit einer »Bibelscheuche« niederschlug.

Erschöpft und leise heulend lag immer noch im Dreck der kleine Israelit. Seiner nahm sich der Reizer an. Er faßte ihn an der Hand und führte den stark Eingekoteten, in beleidigten Stößen Schluchzenden seiner Heimstatt zu. Astartion wunderte sich, daß Lea nicht an der Walstatt erschienen war, denn er kannte sie als überbesorgte Mutter. Da sah er bereits von weitem Chaim in der Türe seines Hauses stehen und sein laut zeterndes Weib in den Flur zurückschieben. Astartion schneuzte den Schützling, der vor allem plärrte, weil er nicht verstand, warum man ihm, dem Unbeteiligten, am ärgsten mitgespielt hatte, und führte ihn dem Vaterhaupt zu.

Da nun wurde der Reizer – zu seinem innigen Genuß – Zeuge eines eindrucksvollen Lehrstückes, das der Vater dem Sohne als Erfahrungsgewinn aus dem schmerzhaften Vorfall noch unter der Tür angedeihen ließ, ehe er ihn der wimmernden Mutter übergab. Er stellte den Gebleuten, in eine Schmutzkruste eingehüllsten, dreck- und tränenverschmierten Kleinen vor sich hin, legte ihm die Hand auf das Haupt und sprach mit Thorastimme: »Hör mich an, mein Sohn, und merk es dir fürs Leben: wenn zwei Gojim sich streiten, dann lauf!«

Dann erst ließ er zu, daß die Mutter ihr Herzblatt ins Haus abschleppte. Jetzt begrüßte er auch Astartion und dankte ihm für die seinem Sohn erwiesene Fürsorge.

Mit Absicht habe er der lamentierenden Mutter den Eingriff verwehrt, damit der Sohn möglichst fühlbar und schmerzhaft in den Genuß einer Erfahrung komme, die für ihn als Angehörigen seines Volkes eine Überlegensregel sei.

Die beiden Sodalen blieben noch vor dem Hause stehen und beobachteten die Vorgänge, die sich auf dem Platz abspielten.

Die Menge hatte sich in eine Großkeilerei gestürzt, wobei sich keiner mehr genau erinnerte, wer der einen und wer der anderen Partei zugehörte. Von ungefähr Vorbeikommende, die gar nicht wußten, worum es eigentlich ging, sahen zu, die hervorquellenden Augen röteten sich, und sie warfen sich blind in den krallenden, schreienden, hauenden, kratzenden Raufhaufen und verloren sich darin. »Nun wird es Zeit für unsereinen, mein lieber Astartion«, sprach Chaim, verabschiedete sich und verrammelte die Türen und Fenster seines Hauses. Astartion aber sah noch eine Weile zu. Nicht ohne Sorge. Glücklicherweise kühlte ein eiskalter Platzregen das kollektive Fieber. Der Haufen entkrallte sich und fiel in Teile auseinander. Man fühlte plötzlich seine Verletzungen, sah die Schäden an der Kleidung, schüttelte die Köpfe, als wolle man einen Traum abbeuteln, und verlief sich. – Da ging auch Astartion seiner Wege.

In der nächsten Routinesitzung der Sodalitas fand diese Lausbubenrauferei unerwarteterweise ein ernstes Nachspiel mit einem überraschenden Ausgang.

Als Astartion etwas verspätet den Sitzungssaal betrat, fiel ihm sofort auf, daß die Sodalen anders saßen als sonst. Sie hatten sich konfessionell gebündelt. Eng aneinandergedrängt wie Schafe vor einem heranziehenden Gewitter saßen die Juden und zeigten mehr als sonst den typischen Knick des Atlaswirbels, was auf bedrückte Stimmung schließen ließ. Steil aufrecht, wie an Calvins Stuhl geleimt, reihten sich die Protestanten wie gereizte Hähne. Ihnen gegenüber bildete der Klerus eine betont lockere Gruppe und unterhielt sich mit großen, gepflegten Gebärden; eine Gewohnheitsfrucht des gemessenen Rituals, das in schweren Gewändern zelebriert wurde. Sie gaben sich betont jovial, waren aber hinter dieser Fassade hellwach.

Für sich saß, das Kinn in die Hand geschmiegt, den Ellbogen leicht auf die Sessellehne gestützt, die Dame Schwanhild von Graiffenstein – die damalige Sodalin. Lächelnd beobachtete sie aus gedeckten Augen das allgemeine Bild. Die Dame erfüllte kraft eines raschen und scharfen Verstandes und einer konfessionell vorurteilsfreien Gesinnung ihre Funktion auf das beste. Die große, aber wohlgestaltete Nase sprach für Energie und Geist, Augen und Mund ließen auf Humor schließen, der nicht immer ohne eine Prise Bosheit war. Besonders in protestantischen Kreisen munkelte man, es verbände die seit etlichen Jahren verwitwete Dame mit Jehuda ben Chaim – einem jüngeren Bruder des Tetrarchen – mehr, als sich durch dessen Rolle als Finanzberater rechtfertigen ließe. Man tratschte darüber in der Sodalitas. Bei den Reformierten mit Entrüstung, beim Klerus mehr frivol. Die Dame selbst nahm nicht die geringste Notiz von diesem Klatsch, sie dementierte ihn nicht einmal. So konnte dieser nicht zu jener satten Blüte kommen, die nur auf dem Dünger des Leugnens und der Rechtfertigung gedeiht.

Es handelte sich, wie gesagt, um eine Routinesitzung. So wurden auch die Punkte der Tagesordnung zügig und sachlich durchgesprochen. Die damit Befaßten berichteten über Gedeihen oder Schwierigkeiten der laufenden Aktionen »Vergipsung« sowie »Verleidung«. Dennoch schien keiner so ganz bei der Sache.

Es war dann der Kanonikus Anselm Edelpeck – nicht der natürliche Vater des Jesuitenzöglings!! –, der den Fall, der allen auf der Zunge brannte, zur Sprache brachte, und zwar in durchaus heiterem Ton: »Ich nehme diesen an sich kindischen Vorfall, der keiner Erwähnung wert wäre, zum Anlaß, um auf ein Phänomen aufmerksam zu machen, das vermutlich die meisten aus unserer Runde schon seit längerer Zeit beunruhigt: Jeder kleine Zank in dieser Stadt, von der Bubenbalgerei übers Weibergekläff bis zur Wirtshausschlägerei, artet neuerdings zum Religionsstreit aus: katholisch oder reformiert. Mag die Ursache des Haders noch so banal sein. Und je niedriger die Reife und geistige Kapazität der Hadernden, je geringer ihre Zuständigkeit in theologischen Fragen, umso erbitterter, bösartiger die Gegnerschaft. Dies geht uns alle an, werte Sodalen! Denn wer weiß besser als wir, die wir auf säkulare Erfahrung zurückblicken, daß sich die unheilvollsten Ereignisse der Geschichte nicht im Umkreis der Päpste und Kaiser vorbereiten, sondern aus der Gosse kriechen, wo die große Mehrheit wühlt und hetzt und sich sielt. Mit Gossenworten haben sich die Knaben aufgereizt, die sie sicher nicht in Elternhaus und Schule aufgeschnappt haben, sondern von Knechten und Dienstmenschern, auf Markt und Kneipe.«

Man pflichtete Edelpecken allgemein bei: Der Streit beim Murmelspiel sei als Symptom zu werten, wie tief sich der Geist der Intoleranz bereits im Volk eingewurzelt habe und dummer Fanatismus das freie Religionsdenken gefährde – »das einzig das Verdienst des großen Reformators Luther war«, konnte sich ein Protestant nicht verkneifen hervorzuheben, »Luther, der durch die Verdeutschung des Heiligen Buches das Volk der Bevormundung durch den Klerus entriß«, hier hüstelte man im katholischen Haufen, »geistliche Reife auch der Ungelehrten hat Luther gefördert und damit Vernunft und Toleranz!« Hier blickten die Juden zu Boden und bedachten, was der große Reformator über sie und Hexen und Hölle gedonnert hatte zur Reifung der Volksseele. Da erhob sich ein angesehener Tuchhändler, Lutheraner, als redlicher und besonnener Mann bekannt, und sprach versöhnlich: Unbedachte Worte seien gefallen aus Kindermund. Man solle dergleichen nicht hochspielen. Die betroffenen Väter möchten sich – sollten sie auch wider ihre Hausfrauen einen schweren Stand haben –, des Geistes der ehrwürdigen Gesellschaft gedenkend, die Hände reichen.

Sofort versicherte Chaim rundum, daß er wegen des Seinen keinerlei Groll hege und auch sein Weib bereits beruhigt habe. Lächelnd schloß sich der Kleriker an, konnte sich dabei aber leider nicht versagen, sich im Namen des Söhnleins ganz besonders für den Ausdruck »Bibelwanze« zu entschuldigen, wodurch er unter dem Vorwand des Entgegenkommens die Wortschöpfung unter die Leute brachte. Der Lacherfolg blieb auch nicht aus.

Wie zu erwarten, schoß man hoch im Gegenlager. Die als Entschuldigung getarnte Wiederholung der Kränkung vor großem Publikum und der Belustigungseffekt stachen ins Fleisch. Es erweise sich wieder einmal, ätzte man seitens der Reformierten, wie in den Jesuitenschulen die Knabenseele durch die allzu laxe Auffassung von Sünde zum Bösen disponiert werde und zu unflätiger Phantasie. – Ob »Jesuitenzecke« für ein reineres Gemüt zeuge, höhnte man im Klerus, sodaß auch diese böse Wortschöpfung bekichert wurde. Da schwenkten die Protestanten um auf das heikle Feld der häuslichen Disziplin, in welchem sie sich eindeutig überlegen fühlten.

Der Seine, rief der angegriffene Vater, sei für diese Maulentgleisung entsprechend bestraft worden, und zwar mit zehnmaliger Abschrift eines Traktats über Höllenstrafen sowie Mundwaschung mit scharfer Seife bis zur Gurgel hinunter. Ob auch nur Ähnliches dem »Bankert« zuteil geworden sei? – Nun war das böse Wort gefallen. Der gekränkte Erzeuger röhrte auf, umso lauter, als er im Innersten überzeugt war, daß dem Seinen statt Seife Süßes in den Hals gestopft worden war; er kannte seine Traute.

In diesem peinlichen Augenblick drohte die Sodalitassitzung in einen Hinterstubenzank auszuarten.

Um dieser beschämenden Entgleisung zuvorzukommen, erhob sich der Leiter des Jesuitenkonvikts, der sich ja durch den Vorwurf zu lascher Erziehung auch persönlich angegriffen fühlte, und erstickte das Vätergeschrei durch seine sonore, kanzelgewohnte Stimme mühelos. Wohl sehe man in seinem Orden, räumte er ein, über läßliche Sünden, zumal beim Kinde, hinweg und halte mehr von gütlichem Zureden als von Mundwaschungen. Kenne man doch die Natur des Menschen, insbesondere des halbwüchsigen Knaben, wo Bosheit Gegenbosheit sprießen lasse, milder Zuspruch und Appell an die Vernunft jedoch kalmiere. Außerdem aber – den Seitenstich ließ er sich nicht nehmen – hüte man sich, gerade in diesem empfind- und prägsamen Alter ein Gemüt durch drastische Höllenbilder zu verkrüppeln und die Samen der Grausamkeit und Heuchelei zu düngen, die in jeder Seele vorhanden seien.

Da fuhren pfeifengerade die Protestanten auf: »Was heißt Kind, Empfindsamkeit! – Überall lauert der böse Feind ... muß gefaßt und ausgetrieben werden ... in Akten, die sich dem Gemüt mit glühenden Siegeln einprägen ... mündig oder unmündig, wer ist denn wirklich mündig? ... nichts als jesuitisches Geschwätz, der freie Wille des Menschen zu Gut oder Böse ... niederträchtig ist alles Fleisch von Anbeginn und satansverfallen, nur einzelnen schenkt Gott die Gnade der Erlösung ... und überhaupt! Hier in Wien ist man schon von seiten des Hofes her viel zu lässig! Was weisen andere Städte gleicher Größenordnung für Hexenverbrennungen auf! Keine einzige bisher, obwohl es nur so wimmelt von dem Geziefer im Fell des Teufels.«

Hier duckten sich die Juden, und es erhob noch einmal die Stimme der Jesuit.

Scharf gezielt und mit eisiger Präzision griff er die Lehre von der Prädestination an, wonach Gott ein Menschenkind bereits vor der Geburt zu Erlösung oder Verdammnis vorherbestimmt habe, sodaß weder gute Werke noch bußfertige Reue sein Los in der Ewigkeit zu beeinflussen vermöchten. Dazu komme noch, daß nach der Meinung der Reformatoren der weitaus überwiegende Teil der Menschheit zur Hölle bestimmt sei.

»Der Verdammte«, rief man von der Bank der Reformierten, »*kann* gar nicht gute Werke setzen oder Reue empfinden, so wie der Begnadete nicht zu sündigen vermag, sagt Martin Luther: Nicht die fromme Tat macht den Mann fromm, sondern ein frommer Mann (also ein Erwählter!) setzt fromme Taten.«

»Welche Pestgrube des Hochmuts, der Selbstgefälligkeit und Heuchelei tut sich da auf!« schrien die Katholiken. Jeder, den ein blindes Glück begünstige, halte sich für auserwählt und blicke mit Verachtung auf einen Gerechten, den Gott prüfungshalber mit Krätze, Siechtum und Seelenpein heimsuche wie den frommen Hiob.

»Wo bleibt das Erbarmen! Wozu dann Christi Erlösungstat!«

»Schlecht ist der Mensch«, heiserten die eigenartigerweise durchwegs verschnupften Protestanten. »Schon Augustinus hat es gewußt. Ein Grobsack voller Laster, unfähig zum Guten aus sich selbst heraus, der Hölle preisgegeben von Geburt an – mit Ausnahme der wenigen, die durch Gottes unerforschlichen Ratschluß erwählt sind, und nur diese wenigen haben auch ein Organ für Christi Erlösungswerk und vermögen davon zu profitieren.« Man sah den schwarz betuchten Herren an, daß sie selbst tief überzeugt waren, zu diesen Erwählten zu zählen. – Front stieß nun an Front, Glaubenssatz gegen Glaubenssatz. Je mehr die nüchterne Ratio den Boden unter den Füßen verlor, umso höher schraubte sich die Diskussion in die Dünnluft theologischen Feinschliffs. Mit scharfen Klingen kämpfte man sich in immer schwindligere Zonen geistlichen Gezänks.

Die Juden saßen da mit den bitterlich ergebenen Mienen eines, den ein Ungeziefer an einer Stelle beißt, wo man sich nicht öffentlich kratzen darf. Einzig der uralte Rubenius, ein europaweit geachteter Talmudist, genoß das Luftgefecht. – Zu alraunhafter Winzigkeit geschrumpft, wurde er von seinem Bocher teils gestützt, teils getragen. Sein Geist aber hatte nichts von seiner Gewandtheit und der Lust am scharfen Degenwechsel verloren. Mit glitzernden Augen verfolgte er den Streit und gab dünne Schnalz- und Kichertöne von sich. Es labte ihn die reine Methodik der Debatte wie ein mit arabischen Kräutern gewürztes Bad, obwohl er die Problematik den umsitzenden Glaubensgenossen gegenüber – nach deren Ansicht viel zu laut – »Gojimnaches« nannte.

In einer kleinen Pause intermittierender Erschöpfung neigte sich die Dame von Graiffenstein dem Reizer Astartion zu und flüsterte ihm etwas ins Ohr. Dieser nickte und ersuchte die Sodalen um Gehör für Frau Schwanhild. Sie möchte, falls es erlaubt sei, gerne eine den gelehrten Herren wahrscheinlich sehr naiv klingende Frage stellen, um den Ausführungen besser folgen zu können.

Alle Blicke wandten sich der stattlichen Frau zu: die Juden und Katholiken voll Neugier, die Protestanten mit säuerlich langgezogenen Gesichtern (sie hatten in bezug auf die Zuziehung einer Frau sich immer nur der Mehrheit gebeugt, ihre grundsätzlichen Vorbehalte nie verhohlen und sich dabei auf die heiligen Kirchenväter, den Thomas von Aquin sowie natürlich ihren großen Reformator Luther berufen, nach deren tiefsinnigen Aussagen die Frau rein biologische Funktionen und daher keine Stimme in Angelegenheiten der Kirche habe). Allein die vollendete Anmut, mit welcher Frau Schwanhild sich erhob und dastand – von Juden und Klerus mit Beifall angemerkt –, verletzte die Reformiertenbank in einer schwer durchschaubaren Zone ihres Gemüts.

»Verehrte Sodalen«, begann sie mit angenehmer, rauchig belegter Stimme, »ehrwürdige Congregatio, hochgelehrte Herren! Erlauben Sie es einer Frau, die sich mit keinem der Anwesenden in Geist, Bildung, Wissen und Weisheit auch nur annähernd messen kann, eine Frage zu stellen, die Ihnen wohl nur ein Lächeln entlokken wird – ein Lächeln der Nachsicht, hoffe ich. Aber mögen doch die Herren aller Konfessionen bedenken, daß diese meine sicher kindische Frage die Geistesverfassung des kleinen Volkes widerspiegelt, dem das hohe Interesse der Sodalitas gilt und welches sie durch sanfte Leitung und Kontrolle im Geleise der Vernunft halten und an morastigen Ausartungen hindern möchte.«

Man nickte rundum gnädig und geschmeichelt. Ein

paar Sodalen horchten auf, und der Reizer setzte sich bequem zurecht, denn er ahnte ein Schauspiel.

»Wenn ich mit meinem geringen Verstande versuche«, setzte Frau Schwanhild fort, »die tiefsinnige Lehre von der Vorbestimmung in ihrer ganzen unergründlichen Wucht zu erfassen, dann verhält es sich etwa so – ich ersuche die Herren um die Huld, mich zu korrigieren, wenn ich mich allzu sehr vergreifen sollte! – verhält es sich so, daß mit der göttlichen Vorbestimmung im Mutterleibe bereits der irdische Wandel eines Vorverdammten nur so beschaffen sein *kann,* daß er zur ewigen Verdammnis führen *muß* – gewissermaßen gottgewollt?«

Ein sanfter Rehblick der Dame von Graiffenstein wanderte die Reihen der Reformierten entlang, die steilrecht saßen und nickten.

»Daraus ergibt sich also – für ein schlichtes Gemüt wie das meine selbstredend –, daraus ergibt sich, daß ein solch Vorverfluchter – sonst vielleicht leidenschaftlicher Zuhörer von Kanzelreden – im Drange der Vorbestimmung Weib, Kinder, am Ende sogar die Schwiegermutter, der Reihe nach erwürgen könnte und, dessenthalb vor das Halsgericht gezerrt, mit stiller Seele vor den Richterstuhl treten und sagen kann: freilich habe er gewürgt, gehorsam sich dem gottgewollten Drange unterwerfend, der ihm das Würgen angeschafft habe als Erfüllung des von Gott über ihn verhängten Loses. – Habe ich da in meiner Einfalt die Ausführungen der gelehrten Herren richtig gedeutet?«

Die Dame Schwanhild blickte sich mit freundlich fragendem Gesicht und einem bescheidenen Lächeln um in der Runde und verweilte eine Spur länger an der Gruppe der fleckig geröteten Protestanten, denen die Nasen stärker tröpfelten. Die Katholischen grinsten offen und rieben sich in feister Befriedigung die Hände. Die Judenschaft hatte – mit zuckenden Mündern – die Augen niedergeschlagen. Nur der talmudische Schrumpfgreis stieß mit seinem Stock stark auf den Boden auf und schnalzte. In gefaßtem Ernst erhob sich der

Jesuitengeneral und ersuchte den Wortführer der Reformierten, sich zu der interessanten Zwischenfrage der Dame von Graiffenstein klärend zu äußern, vielleicht an Hand eines Beispieles von geringerer Kraßheit, als die hohe Frau es gewählt habe.

In dieser Gruppe aber hatte man sich bereits wortlos verständigt. Wie ein Mann erhoben sich die Protestanten und verließen sehr aufrecht und steifhälsig den Saal, gefolgt von einer Geruchsschwade von schmaler Kost und saurem Atem. Unbestreitbar hatte dieser Auszug jene Art unschöner, aber bitterlicher Feierlichkeit an sich, die sich einem kurz aufs Gewissen schlägt. Die Edle von Graiffenstein und der Reizer aber sahen einander in die Augen mit Haruspicesblicken.

Um bei der Wahrheit zu bleiben: man war allgemein erleichtert durch diesen Exodus. Bei allem Gezänk, das es zwischen Juden und Katholiken manchmal gegeben hatte im Lauf der Jahrhunderte, stets hatte – so meinte man – der Geist überlegener Toleranz und der Blick auf das große Ziel gesiegt. Auch in privaten Nöten war man einander beigestanden: befand sich ein Herr vom Klerus in Geldklemmen, gleich ob kirchlicher oder persönlicher Natur, der eine oder andere jüdische Händler griff ihm schweigend unter die Arme. Kirchliche Würdenträger wieder setzten sich beim Hof für Ausnahmebestimmungen für irgendeine hebräische Sippe ein. Nie war man in konfessionelle Intoleranz und Rechthaberei abgeglitten. Obwohl man mit den Protestanten hochanständige Männer und klare Köpfe verlor, entriet man doch gerne dem Air von pedantischer Starrköpfigkeit, der mit der Aufnahme der Reformierten in die Sodalitas eingezogen war. Man fühlte sich wieder unter sich.

Draußen auf der Gasse saßen noch Frau Schwanhild, der Reizer und Chaim, der Tetrarch, zu einem kleinen Nachklatsch im Wagen der Graiffensteinerin; bei verhängten Fenstern natürlich, denn Chaim trug die Judentracht.

»Schade«, sagte Frau Schwanhild, »es waren gescheite Köpfe unter ihnen und tugendsame obendrein!« –

194

»Eben«, sagte der Reizer versonnen. – »Es fehlt ihnen leider der Humor«, setzte Chaim fort, »und das ist ohnedies gegen die Statuten.« – »Ganz recht, mein Lieber«, schloß die Dame, »nichts ist schwerer zu ertragen als humorlose Tugendhaftigkeit. Könnt Ihr mir da recht geben, Tetrarch? Wenigstens im stillen, meine ich«, setzte sie lächelnd hinzu. – »Nicht nur im stillen«, schmunzelte Chaim, sorgte sich aber gleich wieder und sah, charakter- und stammesgemäß, mögliche böse Folgen voraus.

»Was nur tun, wenn sie überhand nehmen bei uns in Wien? Ob wir das nicht irgendwie hintertreiben sollen? Aber wie? Das Volk ist besessen von dieser Tugend und stößt sich nicht im geringsten an dem Umstand, daß sie alle höllenreif sind, kaum Aussicht auf Seligkeit besteht, kein Heiliger mehr zur Verfügung ist zum Vorstelligwerden in persönlichen Klemmen. Es scheint das nicht zu vermissen. – Sie können doch nicht alle plötzlich Juden geworden sein. Wir haben Tausende Jahre gebraucht, um uns an den Unsichtbaren zu gewöhnen und sind immer wieder rückfällig geworden, und die sollten in lächerlichen fünfzig Jahren soweit sein?«

»Sie sind's nicht«, sagte Astartion, »sie bilden sich das nur ein, eine Art Mode, die kahlen Kirchen. Wenn ich ein Jesuit wäre oder sonst was zu reden hätte bei den Katholiken, ich würde sie bei ihrer Gafflust packen.« – »Wie meinen?« sagte Chaim, wach geworden. – »Bei ihrer Gafflust! Buntes Großgepränge, Spektakel, was zum Schauen, Theater, heiliges Feuerwerk! In Italien können sie sowas, ich hab's in meiner Jugend gesehen. Goldprotzende Prozessionen, Kardinäle in Scharlach und Weiß, anstelle der düsteren Hagerkeit Üppiges, Schwungvolles, emphatisch aufschwebende Heilige im Wolkengeschäume, dazu brausende Musik, nicht der heisere Gesang verschnupfter Gläubiger! Triumphpforten für die erlöste Seele des Sünders zum Aufstieg ins Paradies, wo ihn mit offenen Armen die Heiligen und Märtyrer empfangen und die Madonna ihm zulächelt.« Es riß den Reizer hin, Chaims Stirn begann sich sorgenschwer zu runzeln, aber Frau Schwanhild zeigte steigendes Interesse. Ihrem Charakter gemäß erwog sie bereits praktische Durchführungsmaßnahmen.

Nach einigen Quellen war dieses unverbindliche Gespräch in der Karosse die wahre Geburtsstunde der künstlerischen Seite der Gegenreformation, des transalpinen Barockstils und des damit verbundenen – ganz unprotestantischen – Lebensgefühls.

Eben diesen Quellen ist zu entnehmen, daß sich – bald nach dem denkwürdigen Exodus der Reformierten – die Dame von Graiffenstein in Begleitung ihres Financiers Jehuda ben Chaim auf eine ausgedehnte Italienreise begab und von dort eine ganze Schar von Künstlern mitbrachte: Architekten, Maler und Musiker, dazu aber noch allerhand Theatervolk, Tänzer, Illusionisten und Feuerwerker. Sie alle fanden überraschend schnell Brot und Verwendung in der katholischen Kirche.

Der »Illuminismo«
versackt im »Pachypygismus«
(Breitsteißigkeit)

SINGER EUPHORISCH
UND DIE NÜCHTERNE COURAGE

Singer wirkte in der letzten Zeit wie verwandelt. Sein Gang, mit dem er seine Stimmungen besonders ausdrucksvoll darzustellen wußte, vom schlurfenden Weltverdruß bis zur kurzschrittigen Gereiztheit und stampfenden Wut, sein Gang war voll Elan und federnder Beschwingtheit. Der ganze Mann wirkte schlanker und gestrafft, um Zentimeter gewachsen. Auch sein Gesichtsausdruck, dessen Grundtönung zwischen galligem Sarkasmus und schwarzer Unheilserwartung zu changieren pflegte, hatte sich verändert. Die gewöhnlich mißtrauisch wachen und gespannten Züge mit ihrer nervösen Mimik zeigten feierlichen Ernst und noble Schwermut. Man fühlte sich an die distinguierte Undurchdringlichkeit eines Dromedars erinnert. Ich sprach das auch aus, bekam aber keine Antwort.

Dem Zeitplan nach mußte er sich mit der »Aufklärung« beschäftigen.

Um ihn aus sich heraus zu reizen, sagte ich: »Ich kann nur schwer verstehen, was an dieser ›Philosophie‹ so Erhebendes ist. Sicher: die brandstifterischen Restherde des Mittelalters und seiner fragwürdigen Mysterien haben sie ausgetreten, aber doch mit ziemlich platten Füßen. Gott wurde kurzerhand hinausgeschnellt aus dem Universum und das Böse in die Flasche der Vernunft eingekorkt. Da hockte der alte Satan, zahn- und krallenlos und ungeschwänzt, kläglich entlarvt als Fehltritt der Vernunft. Das Elend der Welt nichts als ein rationaler Irrtum, eine falsche Gleichung, die leicht zu korrigieren war, wenn man nur fleißig in der ›Enzyklopädie‹ nachschlug, wo als Unsinn und Aberglaube nachgewiesen wurde, was einem früher die Lust oder das Grausen unter die Haut getrieben hat.«

Gespannt lauerte ich auf den Gegenhieb. Zu meiner Verblüffung blieb er aus. Singer hatte weder Tadel noch Hohn für mich, sondern so etwas wie ein verwundertes Bedauern: »Ich hielt Gnädigste für besser informiert!« –

Das beschämte und reizte mich: »Nun, ich habe, wenn auch vor etlichen Jahren, so doch ziemlich gründlich meinen Voltaire und Rousseau gelesen, sogar im Diderot geblättert! Nicht zu reden«, setzte ich spitz hinzu, »von Gottscheds und der Gottschedin ›Vernünftigen Tadlerinnen‹.«

Darauf Singer mit der bemühten Nachsicht, die der überlegene Geist den dreisten Aussagen Unmündiger entgegenbringt: »Wenn ich von ›Aufklärung‹ rede, meine ich weder Voltaire und Rousseau noch den Populärrationalismus der Enzyklopädisten. Ich meine die Generation vorher. Descartes, Spinoza, Locke und Leibniz und Pascal.«

Ich gestand, daß ich von deren Werken wußte, aber mir die Lektüre erspart hatte; wegen Trockenheit.

»Allerdings«, belehrte mich Singer, »was geistreichelnde Bonmots über Gott, Welt und Leben anbelangt, ist ihnen Voltaire weit überlegen. Zu dem, was unterhält, hatten jene nicht die Nerven.«

»Sagten Sie Nerven? Oder hab ich mich verhört?«

»Sie haben sich keineswegs verhört.«

Als er sah, daß es mir die Rede und vor allem den spöttelnden Ton verschlagen hatte, nahm er sich meiner beschämten Unwissenheit an, und zwar, wie er es liebte, im sokratischen Frage- und Antwortspiel. Nicht ohne Hinterhältigkeit. Er kannte meine Neigung zum Widerspruch, wenn man mir mit einem Lehrsatz kam. Trieb er mich durch arglistige Fragen zum gewünschten Resultat, konnte ich schwer mir selbst widersprechen, und die Falle erkannte ich gewöhnlich erst, wenn ich drin festsaß.

»Sie erinnern sich sicher«, fing er ganz harmlos an, »was in den ersten Jahrzehnten des 17. Jahrhunderts geschehen ist.«

»Nun! Reformationstrubel aller Art ... die gerieten dann allmählich in den Mahlstrom der Politik ... der Dreißigjährige Krieg kam in Gang.«

»Ich meine nicht den verworrenen Unrat der äußeren Ereignisse. Was ist auf geistigem Gebiet geschehen?«

»Lassen Sie mich nachdenken! – Religionszank aller Art?«

Singer schwieg und harrte.

»Auf geistigem Gebiet? – Hören Sie, es befremdet mich ein wenig der Gedanke, daß geistig etwas geschieht, während halb Europa in Verwüstung, Pestilenz und Brandschatzung versinkt und darin ein Drittel der Bevölkerung verreckt.«

»Es befremdet Sie? Gut! Ich gebe zu, daß es befremdet. Aber Tatsache ist, daß es dennoch geschieht. Mag es auch ein zweideutiges Licht werfen auf den forschenden Geist, daß er sich durch Großgreuel nicht beirren läßt, daß er denkt, statt sich entsetzt, erbarmt, human betätigt. Aber so ist er eben. Solang es ihm nicht unter den eigenen Sohlen brennt, stinkt, blutet, ficht ihn das allgemeine Leiden wenig an. – Also, denken Sie nicht in sauber getitelten Kapiteln, sondern denken Sie in Gleichzeitigkeiten.«

Ich sah das ein, und es fielen mir tatsächlich ein paar Namen ein: »Kepler, Galilei, Tycho Brahe ... die Planetenbahnen wurden erstmals exakt berechnet und Gesetze darüber aufgestellt.«

»So ist es. Und was bedeutet das?«

»Für die Fachwelt eine Sensation, denke ich, und erbitterter Detailstreit. Für die allgemein Gebildeten? Zunächst vermutlich nichts. Allenfalls ein Aufhorchen, halb verstandene Fama. Bis sich so etwas deutlicher herumspricht, vergeht gewöhnlich mindestens ein Menschenalter. Am raschesten scheint die Kirche begriffen zu haben! Hat sie doch alles sofort verboten und auf den Index gesetzt.«

»Und jetzt frag ich Sie: Warum ist die Kirche so aus der Fassung geraten, als ein paar Astronomen das planetare Universum ausgerechnet und ein bißchen zurechtgerückt haben? Alles Männer, die sich von diesen Erkenntnissen keineswegs daran hindern ließen, regelmäßig die Messe zu besuchen und die Kommunion zu nehmen; auch Wert auf die Sterbesakramente legten, wenn es mit ihnen zu Ende ging!«

»Vermutlich konnte die Kirche sich vorstellen, was diese trockenen Zurechtrückungen und Berechnungen anstellen würden, wenn sie einmal in faßlicher Form unter die Leute kämen. Aber da hätte sie sich ruhig etwas Zeit lassen können. So etwas kommt nicht so schnell unter die Leute.«

»Unter die ›Leute‹ nicht. Da haben Sie schon recht. Aber es gibt Individuen mit Wißbegierde und Vorstellungskraft. Individuen, die fähig und gewillt sind, sogar mathematische Formeln in lebendige Begriffe und Bilder umzusetzen und daraus allgemeine Konsequenzen zu ziehen. Nicht die Fachgelehrten. Die leimten sich an ihre Formeln fest und fanden ihre Lust daran. Aber eben diese nicht allzu breite Gesellschaft neugieriger Individuen, die von einem hartnäckigen Drang besessen sind, das Spezielle auf das Allgemeine zu beziehen, zu verknüpfen und zusammenzunesteln und dabei zu Erkenntnissen kommen – richtig oder nicht –, die sie dann nicht bei sich behalten, sondern mündlich oder schriftlich verbreiten. Nicht einmal so sehr aus Eitelkeit. Eher vielleicht, um nicht allein zu sein damit. Denn diese Verknüpfungen einer staubtrockenen Gleichung mit dem lebendigen Dasein, dem empfindlichen, wehleidigen Ich, sind oft solcherart, daß man nicht gern damit allein ist, sondern Gesellschaft sucht, wie bei einem Erdbeben.«

»Ich glaube zu verstehen. Mit den gewissen Zurechtrückungen im Universum ist die Erde und damit der Mensch auch zurechtgerückt worden, und leider an eine wenig prominente Stelle im Himmelsballett. Das macht dann die Vorstellung schwierig, daß Gott gerade auf diesen winzigen Mitläufer im großen System sein besonderes Auge haben soll. Dem Hätschelsohn des Hauses wird eröffnet, daß er ein Findelkind ist, seine Gewißheit, den Himmel zu erben, eine dreiste Anmaßung?«

»Verstehen Sie jetzt, warum ich eingangs von Nerven sprach? Daß diese frühen Aufklärer – eben solche neugierigen Individuen – nicht die Nerven hatten, unterhaltend zu schreiben?«

»Ja, jetzt versteh ich es«, bekannte ich kleinlaut; »wenn man sich so plötzlich in der Wüste eines fremd gewordenen Universums ausgesetzt fühlt, ein heimatloser Bastard, der mit Aufsicht und höherem Gehör nicht mehr rechnen kann! Da muß einem der kalte Schrekken ins Mark fahren und die Gurgel abschnüren, der Gaumen austrocknen.«

»Der kleinere Geist hilft sich dann wohl damit, Gott hinauszurechnen aus der Welt. Das haben diese aber nicht getan. Im Gegenteil. Sie haben ihn sich gewissermaßen hineingerechnet. Den man früher nur geglaubt hat, der war nun ein unanzweifelbares Rechenresultat. Und zwar weder der väterliche Wüterich des Alten noch der liebevolle Hausvater des Neuen Testaments, sondern ein enthumanisierter Gott, dessen Vollkommenheit keine Gefühle aus dem erhabenen Gleichgewicht bringen können; kein Donnern und Segnen, keine eifernde Sympathie mit dem durchtriebenen, sündenanfälligen Sorgenkind Mensch, sondern eine serene Gleichgültigkeit. Und was wir als gut oder böse erfahren, das ganze verfilzte Leiden dieser menschlichen Existenz, kommt nicht von ihm. Es kommt von unserer Dummheit, unserer Schwäche. Wenn wir leiden, baden wir nur unsere eigenen Fehler aus. Hiob auf seinem Scherbenhaufen konnte sich noch zu Hause fühlen, denn sein Elend war die persönliche Ungerechtigkeit eines Gottes, mit dem man streiten konnte.«

»Mein Gott! – Ein Gott, dem ich nichts bedeute! Das ist eine große Traurigkeit, wenn man es sich so deutlich zu Bewußtsein bringt. Nichts mehr von Gotteskindschaft, die zu allem möglichen aufsässigen und sentimentalen Unfug verleitet. Alleingelassen im Dunkel des Alls mit nichts als dem bißchen Verstand als Grubenlicht. Ein karger Proviant zum Aufbruch in die eisigen Schauer der Unendlichkeit, die in mechanischer Perfektion gleichgültig über mich hinwegfegt. Wie konnte da Leibniz von der ›besten aller Welten‹ reden. Mit Recht hat sich Voltaire darüber mokiert.«

»Billig mokiert! Leibniz hat sich nichts vorgemacht.

Er hat die Denkvorgänge und das All mit der nüchternen Lanzette des Anatomen seziert. Wahrscheinlich wäre er froh gewesen, wenn er Gott *nicht* gefunden hätte darin. Aber er hat ihn gefunden. Er hat den perfekten Geist und Schöpfer gefunden. Einen, dessen Größe durch eine Schwäche für ein winziges Rädchen im System in Frage gestellt worden wäre. ›Die beste aller *möglichen* Welten‹ – dieses Urteil ist gleichzeitig eine Selbstverurteilung, eine Verurteilung zur Verloren- und Verlassenheit.«

»Was hat sie nur davon abgehalten, wieder in den warmen Schoß der Kirche zurückzukriechen? Der dreiste Voltaire hat's getan, wenn auch spöttelnd verbrämt. Und Pascal? Er hat als Mathematiker begonnen und endete als Mystiker?«

»Pascal ein Mystiker! Er, der die ›Vereinigung mit Gott‹, deren sich die Mystiker aller Zeiten und Kulturen rühmen, eine dreiste Anmaßung genannt hat! Pascal war ein Mann, der sich mit Gott gequält hat. Er war der von den Aufklärern, welcher am meisten gelitten hat, weil er die lebhafteste Phantasie besaß.«

»Aber er hat doch den ›Blick in den Abgrund‹ mit fast den gleichen Wendungen beschrieben wie Ruisbroek und die anderen Mystiker des Mittelalters? Das ›Schweigen der wüsten Räume‹, ›die lichtlose Leere‹!«

»Mit einem Unterschied! Die Mystiker ließen sich in diesem Abgrund sehr weich auffangen von Gottes Schoß. Pascal sah genauer hinunter, und er nahm da kein Fangnetz wahr. Er sah nur unauslotbare Verlorenheit.«

»Und der Glaube? Er war doch ein gläubiger Mensch?«

»Er war ein gläubiger, ein religiöser Mensch, aber er erlaubte sich nicht, den Glauben als eine Notwendigkeit der Vernunft zu beweisen. Er nannte ihn einen Willensakt, erpreßt von der Unerträglichkeit der Furcht vor dem wildfremden Abgrund Gott. Der Mensch, eine Chimäre aus dem Widerspruch Stoff und Geist, ein erbärmliches Absurdum, begabt mit einer schwachen, aber unerbittlichen Vernunft, die ihm nichts beweist als seine Niederlage, sein Ungenügen, seine Nichtigkeit.«

»Das hab ich alles nicht gewußt«, sagte ich betroffen, »diese trockene Größe! Diese nüchterne Courage! Dazu gehörte wahrhaftig mehr Mut als zum Martyrium auf dem wärmenden Rost des Glaubens. Das waren ehrlichere Asketen als die Geißler und Säulenheiligen, die mit ihren Leiden vor Gott posierten, unmittelbar unter seinen beteiligten Augen. Die standen allein und unbeachtet in der schweigenden Mechanik, im Eiswind des Bodenlosen, und versagten sich sogar, Gott zu leugnen. – Dagegen waren die Enzyklopädisten wahrhaftig nichts als freche Plaudertaschen.«

»Sie konnten leicht kaltschnäuzig auf Gott verzichten und gescheit und witzig darüber sprechen. Sie waren ja – wie übrigens wir selbst auch – schon hineingeboren in dieses erschreckende Universum. Seine Entsetzen waren für sie abgegriffen. Gewohnheit. Sie spürten nicht mehr die Kälte, die Furcht und die Verlassenheit. Sie flegelten sich darin wie auf einem vertrauten Dorfanger – und schwätzten. Machten großmäulig die Fakten populär und zogen flachbrüstige Konsequenzen daraus. Die christliche Ordnung und Hierarchie hatten andere für sie gestürzt, andere hatten sich mit jagenden Pulsen diesem wüsten Ruinenfeld ausgesetzt. Für sie war das schon ein Spielplatz trivialer Ideen. Aus dem Licht der Vernunft, das die anderen mühsam und mit ängstlicher Sorgfalt entfacht und genährt hatten, schürten sie das griechische Feuer ihrer Kleinklügeleien, zeugten fingerfertig tönende Begriffe von Pseudoerhabenheit: liberté – egalité – fraternité.«

»Sie haben die Gerechtigkeit, die man vom Himmel, von Gott erwartet und nicht bekommt, hier auf Erden, gewissermaßen in eigener Regie herstellen wollen. Sie haben das ›Große Spektakel‹ auf dem Boden der Realität zu spielen versucht mit den gleichen Rollen. Die Masse der Armen – die Rolle des Menschen; die Reichen und Mächtigen, die auf Kosten der Schwachen prassen und sich vollschlagen – die Rolle des Bösen; und als Heilsbringer jene Aufgeklärten, Freien und Gerechten, die sich der Armen annehmen und eine gerechtere Ordnung bauen. Sicher haben sie in vielem geirrt, aber kann man sagen, daß Freiheit, Gleichheit, Brüderlichkeit deshalb Lügen sind?«

»Nicht Lügen. Und wenn, dann gutgemeinte. Nur ist diese Veranstaltung zu einfach, zu klar, ja zu vernünftig gewesen. Das alte ›Spektakel‹, wie schon gesagt: Hocheuphorische Menschheitslosungen, aber in engster Kumpanei mit der Gewöhnlichkeit.«

»Sie haben etwas gegen die Französische Revolution?«

»Ich habe etwas gegen die Freiheit und Gleichheit und Brüderlichkeit, die auf Oktoberwiesen herrscht.«

DIE VUE BORNÉE

Wir wandelten durch die Sonnenfelsgasse Richtung Jesuitenplatz. Singer ging zu einem Vortrag in die Akademie der Wissenschaften. Ich begleitete ihn nur hin, hatte mich aber geweigert, mit hineinzugehen, da ich Vorträge hasse und immer den Faden verliere, weil ich mir die Leute anschauen muß. Da sahen wir von der anderen Seite gemächlich und runden Bauches Thugut herankommen, der sich das Referat auch anhören wollte. Ein namhafter Gelehrter aus den Vereinigten Staaten sprach über die bildende Kunst in der Zeit der Aufklärung.

»Soviel ich von dem Mann weiß«, sagte Singer, »wird er Unsinn von sich geben, der nicht unwidersprochen bleiben darf.« – »Kommen Sie mit«, drängte nun auch Thugut, »wenn der Singer gegen den ganzen Saal streitet, braucht er das Gefühl wenigstens geistiger Rückendeckung!«

Dieses Argument brach meinen Widerstand. Ich konnte Thugut lediglich dazu überreden, wenigstens hinten Platz zu nehmen, um allenfalls ausbrechen zu können. Singer setzte sich in die zweite Reihe.

Wie üblich versetzte mich der Vortrag in Halbtrance,

und ich bekam wenig mit. Erst bei der Diskussion, die ziemlich hitzig hin und her ging, ermunterte ich mich und beobachtete das immer wieder fesselnde Schauspiel, wie sich jeder Redner so lange wie möglich am Pult festklammerte und sein Steckenpferd ritt, ungeachtet, ob es zum Thema paßte.

Soviel ich mitbekam, war man sich ziemlich einig darin, daß die frühe Aufklärung keinen adäquaten Ausdruck in der bildenden Kunst gefunden habe; man stritt nur über Details und mögliche Ursachen. Da machte mich Thugut darauf aufmerksam, daß Singer in seiner zweiten Reihe, leise Fauchtöne ausstoßend, immer heftiger hin und her wetzte. Schließlich schien er es nicht mehr aushalten zu können. Er meldete sich zu Wort und schritt – als es ihm zuteil wurde – mit einem hahnenkämpferischen Ausdruck zum Podium. Er befleißigte sich eines Tones äußerster Höflichkeit, ja Bescheidenheit, die für einen, der ihn kannte, abgefeimt wirkte: »Mit lebhaftem Interesse und dem gebührenden Respekt habe ich die Ausführungen meiner Herren Vorredner verfolgt. Erlauben Sie mir nur noch eine bescheidene Randbemerkung, betreffend die Frage: Haben die Ideen der Frühaufklärer Ausdruck und Niederschlag in der bildenden Kunst gefunden, namentlich in der Architektur?« – »Schauen Sie sich den Singer an«, flüsterte Thugut mit der interessierten Angeregtheit eines, der als Kenner einem Boxkampf beiwohnt; »da klatscht die erste Maulschelle: ›bescheidene Randbemerkung‹; und das alles geschmeidig geschnurrt, ein Kater vor dem Sprung auf ein Ziel, das auf nichts gefaßt ist, weil er noch gar nicht hinschaut.« – »Wenn ich richtig verstanden habe«, setzte Singer nach einer rhetorischen Pause fort, »herrscht die übereinstimmende Meinung, daß die Ratio sich dem sinnlichen Ausdruck gegenüber spröde verhält, daß die optischen Kunstformen üppig wuchernden Stoff voraussetzen, um sich entfalten zu können, kurz: der Boden der Vernunft sei künstlerisch arid.« (Pause) »Die Herren scheinen in dieser Hinsicht von seltener Einigkeit. Ich wage es, zu widersprechen. Ich schrecke selbst vor der Behauptung nicht zurück, daß die Ratio gerade in jener Zeit einen großartigen künstlerischen Ausdruck gefunden hat.«

Man setzte sich mit gespannten, teils dünkelhaften, teils spöttischen Gesichtern zurecht. Es wurde getuschelt. Dann ein kecker Zwischenruf: »Denken Sie an die Nouvelle Héloise?«

Verachtung im rechten Mundwinkel, reagierte Singer nur indirekt, aber mit leicht erhöhter Stimme: »Die Ernsteren unter Ihnen, meine Herren, werden sagen, und das mit Recht: behaupten kann jeder. Aber wo ist der Beweis? – Ich teile diese Meinung voll und ganz, und ich werde Ihnen den Beweis nicht schuldig bleiben.«

Wieder Kunstpause, und Thugut an meinem Ohr: »Jetzt bin ich neugierig!« Dabei rieb er sich die Hände zwischen den Knien, und seine Augen traten etwas hervor. Singer stützte den rechten Ellbogen auf das Pult und den Kopf leicht auf die gespreizten Finger, während die der Linken das Holz betrommelten, dabei sah er etwas träumerisch in den Zuschauerraum, aber niemanden persönlich an.

»Ich möchte Sie nun ersuchen, sich ein Bild zu vergegenwärtigen, das jedem von Ihnen vertraut ist. Stellen Sie sich vor, Sie stünden auf der Freitreppe von Versailles, vor sich die gerade, breitangelegte und durch nichts verstellte Flucht der beschnittenen Alleen, die Geometrie der Rasenflächen, die abgezirkelten, marmorn eingeuferten Bassins, in denen kein Baum, kein Busch sich spiegelt; die nichts bewegt als der künstlich gebändigte Strahlenfall der artesischen Brunnen.« (»Sie sollen sehr gestunken haben«, wisperte mir Thugut ins Ohr.) »Wer zusätzliche Phantasiearbeit leisten möchte, kann sich auch noch die gemessen exakte Choreographie der Hofetikette vorstellen, die um das Zentralgestirn des Königs ballettierte.«

Wieder Pause, während die Herren einen gläsernen Innenblick zeigten. »Das Werk Lenôtres, der französische Park. Als eine verspielt affektierte Zeitlaune ausgelegt, mehr Mode als Stil. – Eine schwere Fehldeutung, werte Kollegen, eine krasse Unterschätzung. Ich scheue mich nicht, rundweg zu behaupten: der französische Garten ist der sinnliche Ausdruck der Ideen der Frühaufklärer. Die Hofgesellschaft lediglich Komparserie. Lenôtres Werk ist die optische Darstellung einer Weltschau: mathematisch gebändigte Natur. Ich versteige mich übrigens keineswegs zu der Ansicht, Lenôtre habe bei diesem Entwurf klar und bewußt das System eines Kopernikus oder Kepler vor Augen gehabt. Große Ideen und Erkenntnisse bedürfen nicht der direkten Vermittlung. Sie haben eine Aura, ein Fluidum. Man nennt es vage den Zeitgeist. Eine intellektuelle Atmosphäre gewissermaßen, die sich nicht nur über die Sprache mitteilt, sondern auch über das Sensorium. Das Sensorium, das bei einem geistig Entwickelten natürlich empfindlicher und aufnahmefähiger ist als beim braven Fußvolk«, schloß Singer und strebte mit streitbarer Miene seinem Platz zu.

»Jetzt geht er auf Glatteis«, raunte Thugut, »der traut sich was!«

Im Publikum Unruhe. Zischelndes Geflüster. Eher gespannt als beifällig. »Ich hoffe, er hat noch was in der Hinterhand?« sorgte ich mich. – »So wie er dasitzt und um sich schaut, hat er seine Munition noch nicht verschossen. Er wartet nur auf ein geeignetes Ziel!« beruhigte mich Thugut.

Ein solches erklomm bereits die Rednertribüne, und zwar mit ausdrucksvoller Gebrechlichkeit, gestützt von einem beflissenen Trabanten (der damit an seiner Dozentur arbeitete). Ein Uralter, der trotz seiner dörrpflaumenartigen Leibesbeschaffenheit Bosheit ausstrahlte wie ein aufgeblendeter Scheinwerfer.

(»Aha«, sagte Thugut aufgemuntert, »ein sogenannter Nestor! Schon bei Lebzeiten sein eigenes Memorial!« – »Der arme Singer«, klagte ich, »solchen fossilen Ehrenmalen kann man nicht widersprechen, man kann sie nur beschmutzen; das feinste Gegenargument wird als Vogeldreck abgewertet.«)

Nach einer Verschleimungsattacke, deren Ergebnis der hohe Greis sich in seinem Taschentuch besah, begann er: »Ich habe Herrn Singer bislang für einen ernstzunehmenden Historiker gehalten, der sich streng auf quellenmäßig gesicherte Tatsachen zu stützen pflegt – im allgemeinen zumindest«, verkniff er sich nicht hinzuzusetzen. »Nun sehe ich zu meiner bestürzten Verwunderung, daß er es sich gestattet, poetische Begriffe wie ›Sensorium‹, ›Atmosphäre‹, ja sogar – wie war es nur? – ja: ›Fluidum‹ in eine wissenschaftliche Diskussion einzuführen!« Der Greis sprach diese Bezeichnungen wie Ekelworte aus und begleitete sie mit einer wegwerfenden Bewegung seiner stark zitternden Hand. Dann sah er sich um mit mahlendem Kunstgebiß und Reptilienblick und erhöhte sein verschleimtes Gefistel zum Vernichtungsschlag: »Ich erlaube mir zu fragen, ob wir uns hier in einer wissenschaftlichen Sitzung befinden, oder in einem Club für parapsychologische Phänomene?«

Nun wandte sich der gelehrte Kadaver direkt an Singer: »Darf man vielleicht erfahren, wie Ihnen das Wissen zuteil geworden ist, daß die Ideen der Aufklärungsphilosophen und Lenôtres Gartengestaltung in einem direkten – ich meine natürlich historisch nachweisbaren – Zusammenhang miteinander stehen?« Er träufelte jetzt Gift wie eine gequetschte Kobra. »Oder haben Herr Singer im Rahmen einer spiritistischen Séance Lenôtres Geist zitiert und ihn über seine Ansichten von der Natur und ihrer Gestaltung interviewt?«

Es wurde offen gelacht, schadenfrohe Hohnblicke stachen auf Singer ein. Thugut und ich sahen einander an. Singer blieb gelassen. Geschwollen von boshafter Selbstgefälligkeit ließ sich der brüchige Greis zu seinem Sessel in der ersten Reihe geleiten, wo er sich sofort – anstelle eines modernen Hörgeräts – eine hürnene Trompete ins Ohr steckte.

Singer verzichtete darauf, das Rednerpult zu ersteigen. Vielmehr erhob er sich an seinem Platz mit szenenbewußter Lässigkeit und ließ – eine Hand in der Hosentasche – einen sarkastischen Blick umherschweifen, den er dann am Hinterkopf des Ehrengreises festnadelte. Dieser fühlte den Blick und trieb sich die Trompete tiefer ins Ohr.

Totenstille im Saal. Es roch nach Sensationsgier und Schadenfreude. Singer in nonchalanter Pose in einer Art unverbindlichem Plauderton: »Leider darf ich mich, hochverehrter Herr Hofrat, nicht der Mitgliedschaft in einem spiritistischen Zirkel rühmen. Ich bedaure das lebhaft! Denn kein Historiker mit Verantwortungsgefühl darf sich gestatten – da bin ich Ihrer Zustimmung gewiß! – ein wie immer geartetes Phänomen von seiner prüfenden und analysierenden Aufmerksamkeit auszunehmen.

Da mir hinsichtlich Lenôtre also der direkte Weg über ein geeignetes Medium verschlossen blieb, habe ich mir erlaubt, von den schlichten Mitteln Gebrauch zu machen, die unsere Bibliotheken bieten. Kurz! Ich habe in Lenôtres Aufzeichnungen geblättert.«

Jetzt nahm Singers Stimme plötzlich die Schärfe eines geschliffenen, giftgetränkten Stiletts an, und sein Blick drillte sich in das dürre Genick der Ehrenruine, die sich und die Trompete versteifte.

»In Lenôtres persönlichen Aufzeichnungen«, setzte Singer fort, »von denen ich allerdings annahm, daß sie den anwesenden Herren und vor allem dem hochverdienten Nestor unserer Wissenschaft bekannt seien.«

Der Stich saß, und Singer fiel nun in einen ruhigen Vortragston, der die Behaglichkeit einer Gruft ausströmte.

»Da dieses befremdlicherweise nicht so zu sein scheint, darf ich etwas aus diesen Aufzeichnungen zitieren. Nur einen kurzen Satz, meine Herren, in welchem Lenôtre seine Ansicht im Bezug auf die Landschaftsgestaltung zum Ausdruck bringt. ›On ne pouvait pas souffrir la vue bornée.‹ Faßt man diesen Satz als reine Stilempfehlung auf, könnte man ihn etwa so übersetzen: Eine eingeschränkte Sicht ist unstatthaft. – Jedoch: erlaubt uns die besondere Wortwahl, diese Aussage so

trocken zu deuten? ›Souffrir‹ hat einen stark gefühlsmä-
ßigen Gehalt, und das ›dulden‹ verschiebt sich von der
Bedeutung ›gestatten‹ in Richtung ›leiden, ertragen‹.
Auch das Wort ›bornée‹ ist aufschlußreich. Es heißt im
räumlichen Sinne ›eingeschränkt‹, im geistigen jedoch
›beschränkt‹, was wir im Deutschen stumpf, engstirnig,
ja eben borniert nennen. So gesehen hieße der oben zitierte Satz dem Sinne nach: eine naturbelassene Landschaft macht den Beschauer leiden, sei unleidlich, quälend, und zwar durch ihre dumpfe Eingeengtheit.
Lenôtre wirft somit der wildwuchernden Natur das
gleiche vor – und mit den gleichen Worten! –, was die
Philosophen der mittelalterlich scholastischen Denkweise vorwerfen: dogmatische Beschränktheit, Mangel
an Übersichtlichkeit, geistiges Gestrüpp. So kann man
die Gartenarchitektur wohl mit Recht die ins Sinnliche
umgesetzte Philosophie der Epoche nennen. Und so
meine ich«, schloß Singer kalt, »sind Ausdrücke wie Atmosphäre, Zeitgeist, Fluidum etc. doch nicht ganz so
verwerflich und absurd. Bezeichnen sie doch jene
Sphäre, in welcher die Ratio sich mit Sensuellem durchsetzt, die Sphäre, in welcher Geist sinnlich wird und
künstlerischen Ausdruck erlaubt. – Kurz möchte ich
allerdings hinzufügen, daß einem solche Einsichten
nicht zuteil werden, wenn man sich beim Quellenstu-
dium nur auf Zeugnisse der ersten Kategorie beschränkt, wenn man sich zu gut dazu ist, auch Rand-
gebiete zu durchforschen, ja sogar Trivialliteratur
heranzuziehen. Das allerdings, verehrte Herren, setzt
eine gewisse vue ouverte voraus, die vielleicht nicht jedem behagt. Den jüngeren Kollegen darf ich aber wohl
den Rat geben, sich in der Forschung von der Versuchung freizuhalten, sich nur in den angesehenen Quar-
tieren unserer Wissenschaft zu ergehen und schmutzi-
ge Nebengäßchen zu meiden, damit das Schuhwerk
Glanz behält. Der heikle Anspruch ist zweifellos edel!
Hat aber auch etwas von dem an sich, was Lenôtre eine
›vue bornée‹ genannt hat.«
Mit gekonntem Gleichmut in Haltung und Miene

nahm Singer Platz, schlug ein Bein über das andere und blickte – scheinbar zerstreut – in das ihm nun voll zugewandte Gesicht des glasig glotzenden Greises, der heftig an seiner Ohrentrompete sog.

Donnernder Beifall aus der Zuhörerschaft, die sich beeilte kundzutun, daß sie eine ›vue ouverte‹ besaß. Verkniffene Züge im Kretzel um das Denkmal beziehungsweise derer, die in seinen Dunstkreis einzudringen suchten (sie waren übrigens gut beraten, denn der Geschrumpfte musterte scharfäugig das Publikum und merkte sich, wer klatschte).

Wieder im Freien, am Weg nach Hause, beglückwünschten Thugut und ich den sehr aufgeräumten Singer. Die Sache mit dem französischen Park hatte mir eingeleuchtet. Der kirchlich geschulte Thugut lobte die Art des Auftritts.

»Könnte man das auch so verstehen«, fragte ich, »daß die vue bornée, von der Natur auf das sogenannte natürlich empfindende Volk übertragen, nicht nur Dummheit und Unbildung bezeichnet, sondern auch das, was aus dumpfer Beschränktheit oft resultiert, nämlich Gemeinheit und Bösartigkeit?«

»Das kann man durchaus so verstehen! Die Aufklärer vermochten das Böse und das Leiden nicht mehr auf eine ›Erbsünde‹ zu schieben. Sie führten es auf einen Mißbrauch des freien Willens zurück und sahen seine Brutstätte in der mangelnden Wißbegierde, im Morast der Indolenz und im Pfuhl des Aberglaubens.

Übrigens jetzt, wo wir unter uns sind«, setzte Singer hinzu, »wo ich nicht mehr auf Feindesboden stehe, kann ich frei zugeben, daß mir ein wildwuchernder Baum lieber ist als ein zugestutzter. Aber vergessen darf man nicht, daß in den damaligen Zeiten die ungezähmte Natur noch nicht ihre Schrecken und ihre Gefährlichkeit verloren hatte, daß ihre Dämonie erst zu einem geringen Teil als chemisch physikalische Vorgänge entlarvt war. Noch war Wildwuchs kein Ästheticum. Auch kein Spiegel der Seele. Er war ein tückischer Sumpf, dessen Trockenlegung eine Lebensfrage war, ungeachtet der Blumen, die darauf wachsen, der Vögel, die darin nisten mögen.« – »Dem widersprach aber Rousseau, und soviel ich weiß, war er unter den Aufklärern der, welcher die breiteste Wirkung hatte?« – »Letzteres allein sollte Sie schon mißtrauisch machen. Breitenwirkung ist allemal verdächtig. Außerdem war Rousseau ein zwielichtiger Geselle, und seine Schriften lassen jede beliebige Auslegung zu. Aus dem ›Contrat social‹ zog man den Unsinn von der ›Volksmündigkeit‹; aus dem ›Emile‹ die Natur als Erzieherin zur Humanität, aus der ›Héloise‹ die Landschaft als Seelenreflektor. Die Revolution auf der einen, die Romantik auf der anderen Seite. Und im Gefolge der letzteren schoß die ›Blaue Blume‹ ins Kraut. Ihre Giftigkeit haben wir selbst erlebt.«

DER WANDFLECK ODER SINGER EMPÖRT SICH GEGEN DIE »EGALITÉ«

Es war nicht zu übersehen – Thugut und ich tauschten auch diesbezügliche Beobachtungen aus –, daß Singers »Innenglanz« im Schwinden war, ebenso der federnde Gang. Die edle Schwermut seiner Züge wandelte sich wieder allmählich zurück in die gewohnte sarkastisch getönte Mieselsucht. »Seine ›Clarté‹ verblaßt«, sagte Thugut, »der ›illuminismo‹ wird diffus vernebelt und dunkelt sich ein.«

Als ich einmal vor seinem Heckschreibtisch müßig stand, weil er mir irgendein Buch heraussuchte und nicht gleich finden konnte, blickte ich genauer auf eine nur halb beschriebene Seite und las:

»Der Mensch ist ein nebelüberbrauter Sumpf, in dem ein schwach flackerndes Fünkchen Geist glost. Ein dünner Spinnfaden nur, hält uns die Vernunft über der Kloake des Aberwitzes und zögert den Absturz hinaus, nach dem wir schon geil sind. Nur um noch einen Schein des Anstands zu bewahren, klammern wir uns an diesen Faden und machen müde Versuche, daran hochzuklettern. Viel stärker lockt uns die Lust, uns ins Chaos platschen zu lassen, dessen Fäulnis durch schillernde Schönheit lockt, sich darin zu sielen wie eine zufriedene Wildsau.« Die letzten Worte waren in zorniger Blockschrift geschrieben, der bösartig verknäuelte Phantasiegebilde folgten. Darunter stand unvermittelt: »Das reine Licht der Aufklärung verzischt im Blutrausch der Revolution.« Und noch weiter unten in fetziger, kaum lesbarer Schrift: »Schuld hat der Rousseau, der feile Kreischer und künstliche Prolet.«

Ohne zu zeigen, daß ich dieses fragmentarische Blatt gelesen hatte, fragte ich: »Geht's mit der Arbeit?« – »Ein ekelhaftes Kapitel«, grämelte er vor sich hin, »wie immer, wenn Ideen sich in die Praxis umsetzen; die sogenannte Selbstverwirklichung.« – »Sind Ideen nicht auch von ihren Urhebern gedacht, sich einzuleiben? Ein bißchen Bodenberührung dürfte ihnen doch nicht schaden?« – »Bodenberührung! Im menschlichen Bereich ist das immer Morastberührung, Selbstbeschmierung, die außerdem noch nach Blut stinkt.« – »Was haben Sie gegen die Französische Revolution? Hat sie uns nicht gewisse Einrichtungen gebracht, auf die wir nicht mehr verzichten möchten? Wenigstens anfangs versuchte doch ein recht gesittetes Bürgertum in anständigen Formen nichts als eine gewisse Revision des sozialen Gefüges, eine Beschneidung der allzu provokanten Vorrechte des Königtums und des Klerus.«

Singer hatte mit gerunzelter Stirn vor sich hingesehen, als ob er mir zuhörte, aber statt zu antworten, fragte er ganz ohne Zusammenhang, mit einer gewissen Eindringlichkeit: »Gibt es in diesem Haus irgendwelche geheimen lecken Rohre, die manchmal plötzlich nässen?«

Auf meine verwunderte Frage berichtete er bedrückt, daß neben seinem Diwan, auf dem er schlief und dessen Kopfende in eine Bücherwand eingeschoben war, seit einigen Tagen ein feuchter Fleck hervorwachse, der ihn nervös mache. – Er horchte mit verdunkelten Zügen nach innen.

»Ich würde einmal hinter den Büchern nach-
schauen.«

»Wahrscheinlich haben Sie recht!« gab er mit einem
ängstlichen Ausdruck zu. »Aber ich bin mitten in der
Arbeit, so genau will ich's gar nicht wissen!« Und
ebenso unvermittelt, wie er auf den Wandfleck gekommen war, scherte er wieder aus und erklärte mir die
Generalstände.

»Gar nichts Radikales! Eine natürliche Reaktion, nach
dem Vorbild der amerikanischen Verfassung. Rechts-
gleichheit, Presse- und Gewissensfreiheit, Regelung der
Abgaben. Man muß bedenken, daß Adel und Klerus keine Steuern zahlten, daß gerade in diesen Jahren die
Ernten katastrophal und die Wirtschaft zerrüttet war.
Und dem König fiel nichts ein, als das Volk noch schwerer zu belasten. Da nahm der zunächst theoretische Re-
formeifer begreiflicherweise radikalere Züge an und
wurde realpolitisch.«

»Nun, dagegen ist doch nichts einzuwenden? Eine
eher trockene, reinliche ›Bodenberührung‹. Soviel ich
weiß, Schullehrer, Advokaten, Journalisten und Litera-
ten, diese ersten Revolutionäre. Sie machten die Ideen
gemeinverständlich, damit vermutlich ein bißchen ungenau.« – Singer hörte zu. »Ja, ja«, sagte er zerstreut,
»Sie haben schon recht; sie machten gemeinverständlich und etwas ungenau; aber sonst durchaus legitim
und ehrenwert.« Plötzlich blickte er mich voll an und
hatte ein ekelverzerrtes Gesicht: »Gewellte Ränder, wissen Sie, Blasen schlagend in giftigen Farben ... bläulich
grün!« setzte er noch hinzu mit selbstquälerischer Präzision. »Kommen Sie, ich zeig's Ihnen!«

Er schleppte mich in das Zimmer, in dem er schlief,
und ich sah den beschriebenen Fleck an der Wand, vielleicht zwei Handteller groß, und mußte eingestehen, er
gefiel mir auch nicht, obwohl er eigentlich harmlos aussah.

An einem der folgenden Vormittage erschreckte Singer mich mit einem ganz unzeitgemäßen Signaltriller
und erschien gleich darauf selbst vor meiner Tür, um in

fliegender Hast zu berichten, wieder mit diesem ängstlichen, angeekelten Zug: Morgens aufgewacht, habe er Haare, Gesicht und das Deckbett mit abgeblätterter Wandfarbe berieselt gefunden. Seinem scheuen Aufblick war es nicht entgangen, daß sich die bläuliche Blasenzone allmählich ausdehnte. Zu seinem tiefen Entsetzen aber habe sich heute der jetzt kahle Fleck selbst in seiner ganzen unverhüllten Nacktheit gezeigt: ein Blumenmuster in Gelb und Rosa von ganz außergewöhnlicher Ordinärheit. Das habe ihn zuerst wieder flach im Bett niedergeschlagen, dann aber habe er beherzt und entschlossen zur Brille gegriffen und sich gezwungen, diesen Blumengruß nüchtern und genau zu mustern: natürlich der Wandanstrich früherer Mieter und Zeugnis eines exquisit gemeinen Geschmacks.

Mich wunderte etwas diese leidenschaftliche Empörung über das ästhetische Niveau seiner Vorgänger, ich ließ ihn aber reden.

Noch im Pyjama habe er sich ermannt – erzählte er mit gedrückter Stimme – und die Regale, hinter denen das Gewächs hervorwucherte, einer Untersuchung unterzogen. Dabei habe er zu seinem unsäglichen Entsetzen feststellen müssen, daß einige der Bücher von den Blatträndern her durchfeuchtet und im Schnitt angeschimmelt waren. Manche zeigten bis ins Gedruckte hinein ähnlich blaugrünliche Verunstaltungen wie die Wand. »Ich sage Ihnen, es schießen da unter der Oberfläche aus einem vernetzten System Pilzgärten hervor«, grübelte er, und sein Blick weilte in hohler Tiefe; »und gerade jetzt tut sich das, wo ich ein besonders klares Hirn brauche! – Es arbeitet da wieder einmal die Dreistigkeit des Gewöhnlichen in seiner perfiden Tücke!«

Mir gefiel zwar der Ausdruck und auch die Vorstellung, daß die Gewöhnlichkeit ein störendes Eigenleben entfalte, aber in Singers Mund und in so ernster Form vorgebracht, ließ es auf eine gewisse Zerrüttung seines psychischen Gleichgewichts schließen, die mich beunruhigte. Um ihn zur nüchternen Sachlichkeit zurückzulocken, riet ich, den Hausmeister zu verständigen.

216

»Hab ich schon! Nach dem Hausplan verlaufen hier keine Rohre. Es wird gestemmt werden müssen«, sagte er mit brechender Stimme und fügte leise hinzu: »Jetzt übernimmt die Straße die Herrschaft!«

Singer hatte unterschwellig die Leidigkeit des Wandflecks mit dem Thema seiner Arbeit verbunden! Das häßliche Ekzem, das Wand und Bücher befallen hatte, war für ihn ein Symbol für die Entwicklung, welche die Französische Revolution genommen hatte. Wie diese aus den Händen des Bürgertums in die Pratzen des Pöbels geglitten war, drohte seine Wohnung in die Gewalt von Handwerkern zu geraten; und diese Invasion und Besetzung würde jede geistige Tätigkeit unmöglich machen. Da ich fühlte, daß Singer knapp daran war, die Nerven zu verlieren, suchte ich den Fall durch leichte Spöttelei herunterzuspielen und zum Widerstand aufzureizen: »Das ist die Rache der Gewöhnlichkeit für Ihre schroffe Parteinahme für Bildung und Vernunft. Da haben Sie die Bescherung.« – »Machen Sie jetzt keine Witze«, ängstelte er; »man erlebt oft seine Wunder, wie manchmal plötzlich die toten Dinge der Umgebung mitspielen mit dem, woran man gerade möglichst konzentriert denkt«, und, als ich ihn zweifelnd ansah, »das ist eine jener rational nicht erklärbaren Erscheinungen, die man weder erklären noch abstreiten kann. Zufälle sind das keine.« – »Singer, nehmen Sie sich zusammen! Sie glauben doch nicht an Wunder.« – Die Hände am Rücken, düster zu Boden starrend, sagte er nach einer kleinen Pause mit einem obstinaten Unterton: »Was ist denn der Unterschied zwischen Zufall und Wunder? Bei beiden handelt es sich um Ereignisse, für die man keine Ursache angeben kann.«

Nachmittags abermaliges Klopfsignal, aber mit deutlich geschwächtem Impetus. Durch das Hoffenster erfuhr ich vom bleich heraufblickenden Singer, daß die ganze Länge der Wand sowie um die Ecke hinter dem Regal gestemmt werden müsse. »Morgen dringen sie ein«, sagte er mit einem Beben in der Stimme, »ich habe sie schon gesehen!«

Ich forderte den Heimgesuchten auf, heraufzukommen, und reichte zum Kaffee Schnaps, dem er – gegen seine Gewohnheit – reichlich zusprach.

»Es sind starke Männer«, flüsterte er mit schreckgeweiteten Augen, »für sieben Uhr früh haben sie sich angesagt. Die Hausmeisterin rennt schon mit Lockenwicklern herum und trällert. Unter dem Vorwand des Putzens werde ich auch sie in der Wohnung haben ... Rücksichtslose Inbesitznahme aller meiner Zimmer mit Hämmern, Feilen, Bohren.«

»Nicht gleich so drastisch! Sie werden sich in den entferntesten Raum setzen, einen Walkman auf den Ohren mit etwas, wo viel Bläser und Pauken vorkommen.«

»Dieses Volk«, sagte er kummervoll kopfschüttelnd, »vom ganzen Konzept geht ihnen nur die Gleichheit ins Hirn und sie verstehen es als Distanzaufhebung, Kameraderie unter dem Prätext gemeinsamer Interessen.« Wieder vermengte er seine häusliche Misere mit der Verpöbelung der Revolution. Es gefiel mir gar nicht.

Am folgenden Vormittag hörte man von unten Hämmern, Poltern, das schrille Wesen der Hausmeisterin im Wechselspiel mit dem rauhen Gelächter der Werkenden, dazwischen Ö 3. Der Arme, dachte ich mir und wollte ihn heraufklopfen, aber er vernahm es nicht oder wollte es nicht vernehmen, sonst hätte er sich selbst gerührt. Erst abends trat er in Erscheinung und winkte mich hinunter.

Stumm führte er mich an den Tatort und wies nur mit ausgestrecktem Zeigefinger auf das Stilleben des gepeinigten Raumes. Erst sah ich mir den Fleck an. Er war – jetzt ganz bloßgelegt – tatsächlich von einer geradezu tückischen Vulgarität. Ich nahm im stillen allerhand von dem zurück, was ich Singer an Übertreibung angelastet hatte.

Auch die übrige Bescherung war eindrucksvoll. Auf dem Schreibtisch Mauerbrocken und Handwerkszeug. Auf den Regalen, in engster Tuchfühlung mit den Bücherrücken, leere Bierflaschen. Hingeworfen auf den Diwan eine ölige Arbeitshose, unklar verknäult mit einer Arbeitsschürze der Hausmeisterin. »Verhunzen mir mein Bett, und die Fetzen paaren sich«, knirschte der arme Singer. »Auf meinem Bett!« klagte er noch einmal hoch auf. – »Werden Sie mir nicht hysterisch wie eine alte Jungfer«, mahnte ich, »auch mit der spezifischen Phantasie einer solchen.« – »Ich habe nicht gemeint, was Sie meinen. Ich meinte die blinde Verbrüderung, die euphorische Fraternisierung eines aufgeputschten Pöbels. Ich bin wehrlos, ich nehm mir das Leben!«

»Nicht tragödisch, Singer, ich bitte Sie! Sie sehen jetzt Ihr Zimmer als die Treppen von Versailles, über die sich die Fischweiber von Paris drängen und sich breitmachen mit Glotzen und Betasten und Beschnattern.«

»Anarchie, sag ich, unflätige Anarchie! Für den Mob ist Freiheit und Gleichheit und Brüderlichkeit unappetitlichstes Chaos. Das hab ich heut am eigenen Leib erfahren. Kaum daß ich mich aufs Klo getraut hab. Die ganze Wohnung war mit Beschlag belegt, besetzt, total verfremdet. Ich will ja schon gar nichts mehr vom Lärm sagen, nichts vom schäkernden Gekuder mit der Hausmeisterin, aber der Geruch! Spüren Sie den Geruch? Er hängt als fette Schwade in der ganzen Wohnung: Bierreste, kalter Zigarettenrauch, Knackwursthaut. Vom Gaumen bis zum Magen sind meine Schleimhäute belegt von diesem ordinären Pelz. Ich bin ja nicht so. Ich bin immer eingetreten für die Gleichheit in den Grundrechten, im Einkommen, im Ansehen. Ich habe immer sozialistisch gewählt. – Nur in meiner Wohnung will ich sie nicht haben. Sie sollen sich nicht zu Haus fühlen bei mir. Da werde ich zum Reaktionär und Volksfeind.«

»Fühlen sie sich denn zu Haus bei Ihnen? Glauben Sie, daß sie mit Ihnen eine Wohnung teilen möchten, in der nur Bücher und Schreibtische stehen? Daß sie sich hier gemütlich einhäuseln möchten?«

»Kommen Sie, kommen Sie, das Ärgste hab ich Ihnen noch gar nicht gezeigt!« Er zwang mich in die Küche. »Da, sehen Sie selbst! Ich hab es extra stehenlassen, damit Sie es sehen und nicht sagen, ich übertriebe!« – Mit zitterndem Zeigefinger wies er auf ein Reindl, das einen eingetrockneten Gulaschrand zeigte und daneben – allerdings ein außergewöhnlich abstoßender Anblick – ein blutiger Fingerling aus verschmutztem Mull. »Ich schleiche mich leise in die Küche, als sie alle drei im Zimmer lärmten, will mir rasch einen Kaffee machen. Und was seh ich? Das ausgefressene Reindl aus *meinem* Schrank auf *meinem* Herd, und daneben der Fingerling. – Und es wird noch Tage dauern, sagen sie.« – Ich war beeindruckt und bot Singer an, sich für die Zeit bei mir einzuquartieren in einem Zimmer, das, abgelegen von den übrigen Räumen, einen separaten Eingang hatte. Er bedachte es eine Weile für sich. Dann aber straffte er sich auf und sprach: »Nein, nichts von Flucht! Ich stelle mich. Es ist die richtige Kulisse! Grad jetzt. Ich werde plastischer schildern, was damals vorgegangen ist. Man denkt immer nur an die Guillotine. Man muß sich aber das Alltägliche vorstellen.« – »Die Angst, abgeholt oder mißhandelt zu werden, Enteignung, Plünderung?« – »Ich meine Ärgeres: Ich meine die Zutraulichkeit. Die Fraternité!« – »Das ohne Erlaubnis verwendete Gulaschreindl, den arglos abgestreiften Fingerling?« – »Ja, da bin ich wieder für den Schutz des Eigentums!« – »Ich habe den Eindruck, daß eine Entwendung des Reindls Sie weniger aufgebracht hätte als die treuherzige Entlehnung und Benützung?« »Sicher hätte es mich weniger aufgebracht. Da gibt es nichts zu lachen. Nicht den Diebstahl oder Raub fürchte ich, wenn einer in mein Haus eindringt, sondern die Bekleckerung, die zutrauliche Okkupation. Das plötzliche auf Du und Du sein. Ein Mensch wie du und ich. Heurigenvertraulichkeiten, Hautfühlung mit Krethi und Plethi. Ich bin ein alter Sozialist, und als solcher kann ich allenfalls starke Worte finden für Freiheit, Gleichheit und Brüderlichkeit. Aber in der Realität hebt's mir den Magen. Ich weiß, es gehört sich nicht. Aber ich kann mir nicht helfen!«

»Ich versteh das gut, und eigentlich geht's mir ebenfalls nicht anders. Auch ich vermag edel zu denken über die Rechte des Volks, wenn ich es nicht sehe. Sonderbar! Von den Sinnen her sind wir beide offenbar verstockte Reaktionäre.«

In diesem Augenblick läutete es, und Thugut stand vor der Tür. »Ich bitte, den Überfall zu verzeihen. Ich habe nur ein Büchlein mitgebracht, das mir zufällig unter die Hand gekommen ist und vielleicht ins Konzept paßt.«

Singer ließ ihn eintreten, zog ihn in die Küche, und wir machten ihn mit dem Gegenstand unserer Konversation bekannt. Singer zeigte mit einem Ekelgesicht auf die handgreiflichen Symbole der »Fraternité«.

Thugut hatte aufmerksam zugehört und sah sich die Bescherung an. »Euer Rationalismus hat einen großen edlen Kopf, aber alles, was dranhängt, ist ein empfindliches Nervenbündel, windet sich bei der leisesten Anbiederung des Vulgären in Peinlichkeit und muß in die Speiecke.« Während dieser Worte nahm er den Fingerling ohne Ekel auf und warf ihn zum Fenster hinaus. Sodann reinigte er unter der Wasserleitung das anstößige Reindl mit bloßen Händen gelassen.

»Sehen Sie«, sagte ich staunend zu Singer, »die Kirche verliert nicht die Fassung bei Bodenberührung.«

»Allesfresser sind sie«, knirschte Singer, »mit einem Schweinemagen.«

»Wir haben nur ein breiteres Spektrum. Ihr mit eurem heiklen Gott, den man nicht anschauen, geschweige angreifen darf, habt euch eine geistige Zimperlichkeit anerzogen, die euch im Leben schadet. Wir sind robuster angelegt und halten der Wirklichkeit gegenüber besser stand.«

»Ihr haltet ihr nicht stand. Ihr werft sie zum Fenster hinaus und anderen auf die Köpfe«, biß Singer giftig zurück.

»Eigentlich bin ich gekommen«, wandte sich Thugut an mich, »um Ihnen eine kleine Anregung für ein Windei mitzubringen.«

»Über die Aufklärung will ich kein Windei«, rief Singer dazwischen, »ich verbitte es mir geradezu, sich darüber lustig zu machen. Sie enthält auch gar nichts, was zu mystischen Ausschreitungen angeregt und damit ein Eingreifen der Sodalitas gerechtfertigt hätte.«

»Und die Revolution?«

»Die ist ein gewöhnliches Aufkochen des Pöbels, das auf Aneignung, Macht, viehische Rachsucht zielt, kein ›heiliger Krieg‹. Kein Mysterienspiel, kein Ritual. Gewöhnlicher Blutdurst.«

»Und was war mit den Nationalen Festen, die man anstelle der Messen eingeführt hat, damit das Volk etwas zum ehrfürchtigen Staunen hat?« sagte Thugut mit etwas Lauerndem in der Stimme und einem Glitzern in den hervortretenden Augen, das mich stutzig machte, Singer aber gar nicht auffiel; seit der Fingerling aus seiner Wohnung war, hatte er sich wieder gefaßt und war obenauf.

»Das läßt sich überhaupt nicht vergleichen! Die Volksfeste waren harmlose, infantile Kirtage; anzugaffen waren allenfalls die jeweiligen Töchter der Bürgermeister in antikischer Verkleidung als Vaterland, Freiheit oder meinetwegen Natur – Allegorien, kein Ritual, keine Verehrung, nur ein bißchen Singen und Tanzen.«

»So, so«, sagte Thugut, »ich habe auch etwas von Kunstfiguren gelesen statt der Bürgermeisterstöchter. Kunstfiguren vermutlich, weil sie etwas an sich hatten, was den Bürgermeisterstöchtern fehlte beziehungsweise was die Väter ihnen nicht erlaubten.«

»Und alle hatten auch nicht die Figur dazu oder das gewisse Etwas im Ausdruck, das man von einer Verehrungsgestalt erwartet«, warf ich ein.

»Ich habe da ganz zufällig etwas gefunden«, glänzte Thugut auf in einer ganz unfrommen Bosheit und zog ein kleines Büchlein aus der Tasche, versehen mit einem Bibliotheksstempel; also sichtlich kein Zufalls-, sondern ein Forschungsfund. Singer wurde unruhig, und ich las laut: »François Boissy d'Anglas, Essai sur les fêtes nationales, 1794.« Ich schlug beim Lesezeichen auf, überflog einen Hymnus über den »wohltuenden, Einheit und Brüderlichkeit stiftenden Charakter der nationalen Feste«, und dann las ich – mit wachsender Verblüffung: »Die Natur wird dargestellt als kolossales, hundertbrüstiges Weib.« – Singer bekam einen kämpferischen Ausdruck, ich wurde Beute eines Lachanfalls. Thugut stand, die Hände über dem Bauch gefaltet, die Lider gesenkt, und um seine Lippen spielte etwas fromm Infames, ein Ausdruck, der mir neu war an ihm.

»Das wird ein saftiges Windei!« entfuhr es mir. Singer hatte sich indes gefaßt und sagte nicht ohne Schärfe: »Das wird gar kein Windei! Glauben Sie ja nicht, daß ein einziger Sodale diesem armseligen Humbug auch nur einen Augenblick hineingefallen ist.«

»Ist denn diese Wiederauferstehung der Artemis von Ephesos mit hundert Brüsten kein Alarmzeichen, daß das Volk drauf und dran ist, sich neue Götzen zu schaffen und im Namen der Aufklärung und Vernunft eine neue Religion zu zeugen mit allem, was dazugehört an Gefährlichkeit, an Ewigkeits- und Erlösungsanspruch?«

»Schämen Sie sich, daß Sie diesem Pappe-Monster auf den Leim gehen und es wegen geringfügiger Äußerlichkeiten mit einer Erscheinungsform der ›Magna‹ verwechseln.«

»Geringfügig? Ich bitte Sie! Kann man diese überopulente Vorderseite geringfügig nennen? Eine Allegorie der Natur, die abstrakte Darstellung eines Begriffs?«

»Vergessen Sie nicht, daß da keine Künstler am Werk waren, sondern einfältiges Volk. Da hat ein Tapezierer den Auftrag bekommen, für ein Fest aus Latten und Papiermaché eine ›Natur‹ zu machen. Was fällt ihm ein? Mit Natur verbindet der simple Kerl die Vorstellung von Fruchtbarkeit, und was ist für die bäurische Einfalt Fruchtbarkeit? Na? Sehen Sie! Schnullernde Labsal ohne Plage. Erinnern Sie sich an die Urzeitgötzen. Was wird da mit besonderer Drastik liebevoll dargestellt? Jene Körperteile männlicher beziehungsweise weiblicher Art, die mit dem Zauber der Fruchtbarkeit zu tun haben. Denken Sie an die Willendorferin! Und für den naiven ›Kunstschaffenden‹ stellt sich göttlich Erhabenes entweder in Über*größe* oder in Über*fülle* dar. Sicher geht auch die ephesische Hundertfältigkeit auf solche fromme Einfalt zurück, später dann zwar mit anspruchsvollerem Geschmack ausgestaltet, wobei man ihr aber ließ, was das Volk begeisterte. Aber wir sind am Ausgang des 18. Jahrhunderts, Beste! Klassizismus!«

»Hat das Volk Geschmack? Stilgefühl, besonders wenn es um Sakrales geht? Da hat man ihm seine eingefleischten Heiligen ausgeredet. Folgsam hat man diese mit Fleiß, Akkuratesse, oft unter Lebensgefahr bis hoch hinauf in den Kirchenhimmel ihrer Köpfe beraubt. Damit beraubten sie sich auch der Muster, und so fiel man auf die Urzeit zurück.«

»Nichts spricht dafür, daß der französische Mob dieser Jahre auf Ewigkeit und Jenseitsgewißheit aus war. Irdischen Wohlstand wollte er saugen aus möglichst vollen irdischen Brüsten. Aber derartige Gelüste sprengen nicht die Sperre zum Irrationalen, Mystischen. Da gibt es nichts, was eine solch pappene Überamme zur Behausung einer Gottheit machen könnte. Man erwartet alles Glück der Welt, aber das ewige Leben erwartet man nicht. Ich sage Ihnen noch einmal: Diese Attrappe da ist nicht erlösungsträchtig. Sie ist nur sättigend.«

»Aber ein Windei brauchen wir noch! Glauben Sie, Paragonville schluckt Ihre zitatengespickten Elogen über die Aufklärer ohne Ösophaguskrampf?«

»Schauen Sie sich halt etwas im Rousseau um oder sonstwo. Bei Rousseau findet sich immer irgend etwas für alles.«

Leise vor mich hinstänkernd, wälzte ich Rousseau. Ich wälzte die Kraftlackelepisode des Sturm und Drang und die sturmgepeitschte, nebelumbraute Bühnenkulisse des »Ossian«. Den »englischen Garten« im Auge, stieß ich auf Pope und seinen Freund Kent, der ein schlechter Maler, dafür ein ausgezeichneter Gartenarchitekt war. Von der Lektüre gelangweilt, beschaute ich mir die Illustrationen – und dabei blieb ich an einem wunderlichen Bild hängen, das einen gewissen Sir Horace Walpole, Earl of Orford, zeigte, der im Rokokokostüm in einem Rokokosessel in einem Raum saß, welcher der Mesalliance einer Kathedrale mit einer Ritterburg entsprungen schien. Inmitten dieser Anordnung stand breitbeinig und ohne jegliche Eleganz ein Hund wie ein bepelzter Fußschemel. Wie kommen der Herr des Ancien Régime und der ungotische Hund zwischen Spitzbögen und Fialen? – Ich beschloß, mich für die näheren Bewandtnisse Sir Horaces zu interessieren, und stieß dabei auf eine Ader, deren Ausbeutungsgut ein ansehnliches Windei reifen ließ, mit welchem ich Gnade in Singers Augen zu finden hoffte, zumal seine heilige Aufklärung darin nirgends angeätzt wurde.

MME. MUSULIN GELINGT ES, EINEN DENKSTAU DER SODALITAS DURCH EINE FAMILIÄRE INDISKRETION AUFZULÖSEN

»Da fällt mir plötzlich etwas ein! ... Mit der Sache hat es eigentlich gar nichts zu tun.« Mit dieser Mitteilung riß die Musulin die Sodalen aus einem brütenden Schweigen (genauer Sophie Musulin, Gattin von Wenzeslaus Musulin & Gebr., Großhandel in Tuchen und Wolle).

Sophie Musulin war bekannt für diese unvermuteten »Einfälle«, die regelmäßig weit vom Thema ablagen, aber – wie die Erfahrung zeigte – sich auf labyrinthischen Schleichwegen dem Problem annäherten und in dessen Zentrum plötzlich wie Platzpatronen losgingen. Dabei lösten sie oft einen hoffnungslos verrammelten Denkstau auf, in dem sich die logischen Gespinste der Sodalen verfangen hatten.

Mme. Musulin pflegte in solchen Momenten schläfrig, mit halbgeschlossenen Augen, auch unterdrückt gähnend, den komplizierten Ausführungen der Herren zu folgen. Wer sie nicht kannte, war der festen Meinung, daß ihre Gedanken – wenn sie überhaupt welche hatte – weitab vom Thema weilten, und zwar bei banalen Dingen, wie etwa ihrer zahlreichen Nachkommenschaft oder der Firma ihres Gatten, in der sie kräftig mitmischte. Und dann kam gänzlich unvermutet, wie wenn einer im Schlaf manchmal mit besonderem Nachdruck aufredet, dieses: »Da fällt mir plötzlich etwas ein! ... Mit der Sache hat es eigentlich gar nichts zu tun.«

Dieses Musulinsche Phänomen – besonders der zweite Teil des Ausrufs – stellte harte Anforderungen an die nervliche Spannungstoleranz der Sodalen. Denn der »Einfall« entsproß regelmäßig einer häuslichen Begebenheit aus der Sippe Musulin, deren detaillierte Schilderung den Sodalen nicht erspart wurde, die aber dann jählings und wenn man am wenigsten darauf gefaßt war, in medias res führte und die subtilsten Verfilzungen durchhieb. Neu hinzugekommene Sodalen mokierten sich oft und wunderten sich, daß man diese geschwätzige Hausfrau mit der Rolle der Sodalin betraut hatte und reden ließ. Die Älteren jedoch hatten die Denkmethoden der Musulin schätzen gelernt, sosehr manche auch darunter litten.

Es darf nicht verschwiegen werden, daß die erlauchte Gesellschaft in diesen Jahrzehnten, da sich die Ideen der Aufklärung über ganz Europa ausbreiteten, in ihrer vigilanten Wachsamkeit sehr nachgelassen hatte. Man spielte sogar mit Auflösungsgedanken. – Seit sich auch für die breite Masse die Bindung des Geistes an einen sakralen Überbau der Welt gelöst oder zumindest stark gelockert hatte, schien die Gefahr irrationaler Ausschweifungen der Volksseele gebannt. Da aber die Aufgabe der Sodalitas darin bestand, solche Ausartungen rechtzeitig vorauszusehen, sie einzudämmen beziehungsweise in harmlose Bahnen zu lenken, Ausartungen, die es nicht mehr geben konnte, weil man ihnen die Wurzeln abgeschnitten hatte, war die »Gesellschaft« eigentlich überflüssig geworden. So die Meinung der einen. Andere warnten vor allzu großem Optimismus und nannten ihn weltfremd. Sie setzten es auch durch, daß die Gesellschaft im Kern sowie in den wichtigsten Außenstellen bestehen blieb. Zu den Befürwortern gehörte der Tetrarch Chaim von Chaim & Söhne, Devotionalien

(Reliquien führte man nicht mehr im Geschäftsschild, wohl aber unter der Hand). Sodann der eingefleischte Pessimist Rubenow, der den Spitznamen »jüdische Kassandra« führte. Ferner einige Kleriker, die kraft ihrer Beichtstuhlerfahrungen vom Menschen gering dachten. Auch der Reizer sprach sich gegen die Auflösung aus: »Der Illuminismo«, hatte er geäußert, »ist ein starkes Licht. Das können nur starke Geister ertragen. Nicht lang, und man wird sich wieder in halbdunkle Ritzen verkriechen wie geblendete Wanzen. Jeder, der einmal von diesem Ungeziefer heimgesucht wurde, kennt die Schwierigkeit, es in diesen Ritzen und Spalten auszuforschen und zu vernichten. Gerade das aber wird unsere Aufgabe in den nächsten Jahrzehnten sein. Ich bin alles andere als ein Visionär, ein Sehertyp und Unheilsprophet. Aber ich glaube, die Menschen zu kennen. Als Agnostiker glaube ich nicht, daß die menschliche Seele vom Satan besessen ist, eher von Ungeziefer, von lichtscheuer Wanzheit.«

Einige Monate nach diesem viel beachteten Ausspruch des Reizers, eines vielgereisten, weltläufigen Mannes, dessen bürgerliche Existenz nicht ganz durchschaubar war, ereignete sich während einer der Routinesitzungen der Ausruf der schläfrigen Pythia Musulin, die eines ihrer Küchenorakel ankündigte.

Man hatte sich gerade amüsiert über einen Bericht geäußert, in welchem in spöttischen Wendungen der Emissär aus Paris die »Fêtes nationales« beschrieben hatte. »Kirmessen ohne Kirche« hatte er gesagt, sogar die Entgleisung mit der hundertbrüstigen Naturattrappe erwähnt, Guillotinierungen geschildert, bei denen es einen gruselte, aber immer wieder betont, daß keinerlei Erlösungsstimmung herrsche, sich nicht einmal pseudoreligiöse Stimmungen breitmachten: alles gewöhnlicher Kirtagsjubel im Gigantischen, fröhlicher Blutdurst des Mobs und Plünderungsrausch ohne metaphysischen Hintergrund; bei den in raschem Wechsel Regierenden Ratlosigkeit und Flucht nach vorne.

Man riet hin und her, war sich ziemlich darüber einig, daß von Frankreich keine Gefahr drohe. Die dortigen Trubel zeigten keine Tendenz, auf die Nachbarländer überzugreifen. Mit den Volksbelustigungen vor der Guillotine und bei den Nationalfesten wird es auch bald ein Ende haben, witzelten einige, denn die emigrierten Aristokraten hätten schon an den deutschen Fürstenhöfen kräftig intrigiert, und der vergnügungssüchtige Pöbel würde bald gezwungen sein, zu zeigen, was »Volkssouveränität« auf die Beine bringt, wenn er gegen Berufssoldaten anzutreten hat. Man gab ihnen kein Jahr, es sei denn, es fände sich ein genialer Heerführer, der sich an die Spitze des zerlumpten, undisziplinierten Mobs stellte. Und selbst wenn dieses Unerwartete einträte, würde es ein Krieg sein, in welchem es nicht um Glaubenswahrheiten ging, sondern um nüchterne, materielle Werte: Gefallene, Verkrüppelte, Geschwängerte und viel unnütze Zerstörung, aber auch ein gesunder Überlebenswille bei Freund und Feind, gutmütige Verbrüderung nach dem Gemetzel und das Bewußtsein, daß der andere auch nichts war als ein armes Luder, dem man ein Gewehr in die Hand gedrückt hat. Kein Gotteslohn für einen Abgestochenen und kein Paradiesesversprechen für das Abgestochenwerden.

So redete man ziemlich ungeordnet durcheinander. Grüppchen bildeten sich, politische Meinungen wurden verfochten. Und in dieses Stimmengewühle hinein sprach plötzlich mit sonorer Matronenstimme die Musulin ihr: »Da fällt mir plötzlich etwas ein!« und dazu die ganz vom Thema abschweifende Mitteilung: »Vor ein paar Jahren hatte mein Wenzel geschäftlich in London zu tun, und ich und die Ottilie haben ihn damals begleitet. Meine Älteste, die Ottilie, die sich nach Frankfurt verheiratet hat, damals war sie noch ledig, aber schon über zwanzig, blaß, empfindlich und mit lockerer Träne, Sie wissen schon, das pikante Alter, in dem sich die Mädchen in einem gespannten Zustand befinden, Romane lesen und ihre nervöse Unrast an der Umgebung auslassen. Es legt sich dann, wenn ein Bräutigam auf-

228

taucht. Mein Wenzeslaus und ich dachten, die Reise wird ihr guttun.«

Diejenigen Sodalen, welche die Musulin noch nicht kannten, begannen unruhig hin und her zu wetzen, fragten sich erbost, was der gespannte Zustand der Ottilie mit den Problemen der Sodalitas zu schaffen habe, und wunderten sich über die älteren Sodalen, die der Musulin aufmerksame Gesichter zuwandten und kein Zeichen von Überraschung erkennen ließen.

»Jetzt ist sie ja gottlob gut verheiratet, das Kind«, erzählte die Musulin, die Hände über ihren Strickbeutel gefaltet, »und sieht ihrer zweiten Niederkunft entgegen. Sie hat mich dringend gebeten, ja nach Frankfurt zu kommen: ›Sie sind ja recht lieb und besorgt um mich, meine hiesige Verwandtschaft‹, schreibt sie, ›aber sie nehmen alles so ernst. Erinnern Sie sich noch, Maman, wie sie dastanden mit langen Gesichtern, wie Ihr mir während der Wehen lustige Geschichten erzählt habt, so daß ich meinen dicken Friedrich mit einem Lachanfall herausgeschüttelt habe? Die Schwiegermutter hätte es wohl würdiger haben wollen mit dem Stammhalter, aber dann hätte es wahrscheinlich viel länger gedauert.‹ So also hat sie mir geschrieben ... ja, und was ich eigentlich sagen wollte: Als wir damals in London waren, sind wir der Einladung eines gewissen Sir Horace Walpole, Earl of Orford, gefolgt und haben uns seinen kuriosen Landsitz angesehen. Die kostspielige Grille eines gelangweilten Aristokraten, habe ich mir damals gedacht. Jetzt aber seh ich es etwas anders. Wie es der Zufall will, hab ich mich unlängst im ehemaligen Mädchenzimmer meiner Ottilie umgesehen, und dabei ist mir ihr Tagebuch in die Hände gefallen. Vor ihrer Eheschließung hat sie nämlich ein Tagebuch geführt und dauernd darin gekritzelt und es wie ein Hund seinen Knochen im ganzen Haus herumgeschleppt nach einem geeigneten Versteck, aus Angst, ich oder die Geschwister könnten ihr darüber kommen. Meiner Jüngsten hat sie anvertraut, daß sie darin alle ihre Gefühle und Gedanken einer gewissen ausgedachten Henriette offenbare, einer idealen Seelenfreundin. Dieses Tagebuch also hat sie bei der Übersiedlung einfach liegen lassen, nachdem sich die henriettenbedürftige Gespanntheit gelöst hat bald nach dem Erscheinen des stracken, braunlockigen Gastfreundes aus einer Frankfurter Firma, mit der wir Verbindungen haben. Als er sich für das Mädchen ernsthaft zu interessieren begann, haben die Tagebuchaufzeichnungen abrupt aufgehört, ich hab's am Datum nachgerechnet. Denn wie es so dagelegen ist, das eifersüchtig gehütete, konnte ich mich nicht enthalten, ein paar Blicke hineinzuwerfen, und eben da – ja, davon wollten wir ja sprechen, da stieß ich auf die Aufzeichnungen über die Englandreise und den Besuch in Strawberry Hill.«

Nach dieser familienchronistischen Einleitung, welche die erfahrenen Sodalen ungerührt und ohne Zeichen von Ungeduld hinnahmen, gab Mme. Musulin einen kurzen, klaren und anschaulichen Tatsachenbericht und schloß ihm einen scharfsichtigen Kommentar an, der nun allerdings wirklich mitten in das anliegende Problem traf und dessen wichtigster Satz war: »Was in England die Marotte eines reichen Junggesellen ist, kann jenseits des Kanals auf deutschem Boden ohne weiteres eine Philosophie oder Weltanschauung werden. Jedenfalls was Tiefsinniges, und ich für meine Person traue tiefsinnigen Ideen nicht. Damals in Strawberry Hill mußte ich unwillkürlich an eine schillernde Luftblase denken, die der Klarheit des Himmels, die uns die Aufklärung beschert hat, nichts anhaben kann. Aber wer garantiert uns dafür, daß der Balg dieser Blase, durch das Überschweben des Ärmelkanals, nicht zäh geworden ist, so zäh und undurchsichtig wie die deutsche Philosophensprache? Und was geschieht, wenn durch irgendeinen äußeren Unfall die Blase angestochen wird, ihre Luft auspfeift und der zähe Balg Bodenberührung bekommt? – Sie wissen schon, wie ich's meine: deutsche Philosophie ins Volk!« – Damit setzte sich Mme. Musulin, entnahm dem Beutel ihre Strickerei und fing murmelnd an, Maschen zu zählen.

230

Die Sodalen waren hellwach. An die etwas bilderreiche Sprache der Musulin hinreichend gewöhnt, verstanden sie sofort und begriffen auch die Tragweite dessen, was die Sodalin aus ihrem familiären Strickbeutel herausgewickelt und ihnen vor die Schuhe gerollt hatte. Man hielt es für so wichtig, daß der Schriftführer der Sodalitas, ein junger Kanonikus, beauftragt wurde, aus dem Tagebuch der Ottilie Hirschheimer, geb. Musulin, jene Stellen zu kopieren, die das mitgeschriebene Referat der Sodalin ergänzten und aufschlußreich illustrierten. Man erbat dazu das Tagebuch für eine kurze Weile. Die unvermeidliche Indiskretion fiel unter die Notklausel: »In angustiis ...«

Zum Verständnis der weiteren Vorgänge ist es unbedingt nötig, dieses Protokoll im vollen Wortlaut wiederzugeben. Einschränkend allerdings muß auch gesagt werden, daß die wörtlichen Auszüge zu lang geraten sind, auch bisweilen abschweifen. Das ist auf einen Umstand zurückzuführen, der nicht an den einschlägigen Fähigkeiten des stillen Kanonikus lag, sondern an dem heiklen Faktum, daß der Arme seit Jahren eine schöne, daher unglückliche und als solche sorgfältig hinausgezogene Schwärmerei für die fesche Ottilie in sich großgezogen hatte, gleichzeitig mit einer leichten Aversion gegen die Mutter Musulin, deren Scharfblick ihn beunruhigte. (Die Aufklärung der Entgleisungen des sonst ausgezeichneten Protokollführers ist den beiden Sofraneks zu danken!)

Sitzungsprotokoll vom 12. Oktober 1794:
Hauptreferentin Mme. Sophie Musulin, ergänzt durch
das Tagebuch ihrer Tochter Ottilie.
Besuch in Strawberry Hill bei Sir Horace Walpole,
Earl of Orford, am 30. Juni 1782

Mme. Musulin: Der Landsitz zeigte schon von außen einen gotischen Stil, was aber bei englischen Schlößchen dieser Art nicht besonders auffällig ist. Die Innenräume jedoch waren – und zwar nach den persönlichen Anordnungen des Earls – nicht wie üblich à la greque, sondern, wie er sich ausdrückte, »in old Gothick manner« gehalten, was einem das Gefühl gab, sich in einer Mischung aus Burg, Kloster und Kathedrale zu befinden. Auch Türen, Fenster, die Bücherregale und die gesamte Meublage entsprachen dieser merkwürdigen Grille. Besonders geschmacklos fand ich, daß man im Speisezimmer – wo eine kleine Collation aufgetragen war – sehr unbequem auf Thronsesseln saß und der Tisch an einen Altar erinnerte.

Aufzeichnung des Fräulein Ottilie: Man saß auf richtigen Thronsesseln. Auch die Tischdecke war mit altertümlichen Motiven bestickt. Mir war ganz feierlich zumute, und du wirst es verstehen, liebste Henriette, daß ich unfähig war, auch nur einen Höflichkeitsbissen hinunterzukriegen, während Maman voll zugriff und dabei – meinem Gefühl nach ungebührlich genau – die Geschirrmuster betrachtete. Du mußt wissen, daß das Geschirr nicht gotisch war, sondern englisches Porzellan, bemalt mit Amoretten und Schäfern und Schäferinnen in ziemlich eindeutigen Szenen, zierlich, aber vulgär. – Bei der anschließenden Führung haben wir auch das fialengeschmückte Bett Sir Horaces besichtigt, das mich ein bißchen an die Stephanskirche erinnerte. Mich gruselte es, darin zu schlafen, aber ich sah mit Absicht Maman nicht ins Gesicht, die mich dauernd leise anstieß. Als uns der Earl auf die Stukkatur hinwies, rein gotische Vierpässe, und ich in eine träumerische Stimmung verfiel, flüsterte mir Maman zu: »Alles aus Papiermaché, schau genau hin!« – Da war natürlich jeder Zauber verflogen, und wider meinen Willen mußte ich Mamans Beobachtung bestätigen, die mit bewegten Nasenflügeln scharf umhersah, was sie immer tut, wenn sie etwas anlächert: »Achten Sie auf Ihre Nase, Mutter«, mahnte ich, »Sie schnobern ganz deutlich.« – »Was geht's dich an, Kind, wenn ich schnobere, es ist mir gerade danach.« – »Man hat mich gelehrt, nicht immer zu zeigen, wonach einem ist!« gab ich fein zurück. »Mach mir keine Vorschriften, du weißt, daß ich das nicht mag.« Natürlich schwieg ich, zeigte aber durch meine Miene an, daß ich ihr Benehmen nicht billigte. Sie sah es auch, und ich hatte eine Weile Ruhe vor ihr.

Mme. Musulin: Nach der Besichtigung dieses abstrusen Hauses, in dem ich keinen Augenblick leben könnte, führte uns Sir Horace in den Park, den er als Naturgarten pries, ausdrücklich als Gegenstück und Widerspruch zur unnatürlichen, stimmungslosen Anlage des französischen »Stutzwerks« gestaltet – wie er sich ausdrückte. Alles sei hier Wildwuchs und völlig naturbelassen, behauptete der Earl, wobei wenige Schritte von der entzückten Gesellschaft entfernt ein sehr abgearbeitet aussehender Gärtner sich mit einer verschmutzten Schürze den Schweiß von der Stirn wischte und haufenweise Unkraut in einen Schubkarren warf. Ich sah auch mit Interesse, daß in diesem sogenannten Wildwuchs sowohl die Brennessel wie die Distel und der wurzelzähe Löwenzahn fehlte, mit dem man auch in gepflegten Gärten dauernd zu kämpfen hat. Dafür unkrautfreier, weicher Rasen, Rosenbüsche und Blumenarrangements, zwar nicht als Rabatte, aber sehr bewußt komponiert mit blühendem Buschwerk sowie Baumgruppen, die so zueinander gesellt waren, daß dunkles Laub mit hellgrünem kontrastierte.

Aufzeichnung des Fräulein Ottilie: Du kannst dir mein Entzücken nicht vorstellen, Henriette, als ich dieses reizende Naturwunder betrachtete, und mit Unwillen dachte ich an unseren Wiener Garten, in welchem überall das Poetische durch das Nützliche in Form von Kohlköpfen, Paradeisern und Ribiselstauden erdrückt wird. Und denk dir! Plötzlich glitzerte es zwischen den Baumstämmen auf, und man sah einen stillen Teich, der nicht durch eine häßliche Steinfassung eingedämmt war, sondern an den Ufern Wassergewächse wuchern ließ, sogar ein Schilfinselchen machte sich sehr lieblich, sowie Wasserrosen. Natürlich mußte Maman mir wieder alles verleiden, indem sie sagte: »Seltsam, es stinkt nicht!« – »Muß alles stinken, was schön ist?« gab ich zurück, darauf sie: »Leider ist es gewöhnlich so! – Und im übrigen, sei nicht so frech zu deiner Mutter. Dieses schnippische Wesen macht es deinem Vater und mir nicht leicht, dich unter die Haube zu bringen. Männer schätzen das nicht an Mädchen.« – »Und Sie, Maman, waren als Mädchen ein Lamm?« – »Ich mag eine lebhafte Zunge gehabt haben, vielleicht bisweilen scharf, aber nicht schartig, Ottchen!« Nun weißt du, geliebte Henriette, wie ich es hasse, wenn die Mutter mich Ottchen nennt, denn sie tut es keineswegs aus Zärtlichkeit, sondern aus Bosheit, um mich zum Schweigen zu bringen, sie weiß, daß mir der Ärger dann die Rede verschlägt.

Mme. Musulin: Mir taten schon die Füße weh, aber der Earl schleppte uns noch in eine auf düster drapierte Ecke mit wucherndem Efeugerank, das sich aber beiseite schieben ließ und dem verblüfften Blick eine wilde Grotte preisgab, in welcher sich ein Marmortischchen mit verschnörkelter Sitzbank befand, offenbar da hineingestellt, damit das Gemüt seine Einfälle angesichts der Natur sofort auf ein Blatt Papier werfen konnte, damit sie der Welt nicht verlorengingen. Eine dunkle Tannengruppe barg eine falsche Ruine, in deren Innerem sich eine sinnig beschriftete Gruft befand. Leer, wie der Earl auf meine Frage zugab. Dieses Arrangement war mit einer Äolsharfe ausgestattet, die unangenehm wimmernde Töne von sich gab.

Aufzeichnung des Fräulein Ottilie: Mit von den Sphärenklängen der Äolsharfe aufgewühlter Seele betrat ich ein antikisch gestaltetes Tempelchen, »Der Freundschaft geweiht« stand auf dem Giebel. Ach, wie dachte ich da an dich, Henriette, wie wollte ich Brust an Brust mit dir ewige Treue schwören, die heiligsten Gedanken meines Herzens vor dir ausschütten! Leider mußte ich immer mit einem halben Auge darauf schauen, daß die Mutter mir nicht zu nahe kam, denn sie hatte das gewisse Gesicht und Glitzern im Blick. Da liegt ihr immer etwas auf der Zunge, das sie unbedingt anbringen muß. Es gelang mir aber, mich ihr fernzuhalten und mich noch einmal, von der Gesellschaft ungesehen, in die Grotte zu stehlen und mit fliegender Hand die paar Verse ins Tagebuch zu werfen, dir gewidmet, mein seelenvoller Engel!

Mme. Musulin: Endlich waren alle Schaustücke hergezeigt und gebührend bewundert. Zur unbeschreiblichen Befriedigung Sir Horaces schrie sogar ein Käuzchen – vermutlich hat er sie unter Vertrag genommen – und entlockte den Damen Gruselschreie. Fläschchen wurden herumgereicht. Ich sah Ottilie an, sie wurde rot und schob die Unterlippe vor, was auf Aufsässigkeit schließen ließ. Nicht um alles in der Welt hätte sie mir zugegeben, daß das Käuzchen zum Abschluß sogar ihr zuviel war. Sie fühlte sich aber dann sehr geschmeichelt, als der Earl ihr persönlich einen von ihm geschriebenen Roman, »The Castle of Otranto« geheißen, mit Widmung überreichte. Eine Schauergeschichte, wie sie in etwas primitiverer Form die Dienstboten lesen, wobei sie nächtens Licht verschwenden.

Aufzeichnung des Fräulein Ottilie: Denk dir, liebste Henni, der Earl persönlich hat mir, und zwar mit einem heimlichen Augenzwinkern, einen von ihm selbst vermutlich in der Grotte gedichteten Roman geschenkt, in dem ich sofort in der Kutsche zu lesen anfing, nachdem ich der Mutter – du kennst ihre legere Art – die Häkchen des Mieders öffnen mußte. Kaskadenseufzer, die sie von Zeit zu Zeit von sich gab, deuteten mir an, daß sie sich zu unterhalten wünschte. Ich blieb aber hart. Der Roman war sehr spannend, und es wurden die schauerlichsten Begebenheiten geschildert, die sich meist während eines Gewitters in öden Gewölben zutrugen. Ich muß dabei eingedöst sein und weiter geträumt und dabei aufgeschrien haben, denn die Mutter weckte mich vollends auf und beruhigte mich mit witzigen Geschichten. In dieser Hinsicht ist sie ja wieder recht lieb. Den Roman nahm sie mir weg und las nun ihrerseits darin, übrigens ohne Störung der Nachtruhe, was ich auf ihre seelische Zähigkeit zurückführe.

Jeder Sodale bekam eine Abschrift dieses Protokolls über den Besuch der Mme. Musulin samt Tochter in Strawberry Hill. Sicher, es war ein wenig wirr geworden und hatte sachlich ungerechtfertigte Längen. Man hatte diese aber nach kurzer Beratung durchgehen lassen, denn die Herzensergießungen der jungen Ottilie an die imaginäre Seelenfreundin sowie ihre Überempfindlichkeit gegen die handfesten Anmerkungen ihrer Mutter gaben recht unmittelbar die Stimmung wieder, die unter der jüngeren Generation herrschte und – wenn man einigen Klerikern glauben durfte – der streng puritanischen Atmosphäre der protestantischen Pfarrhäuser entsproß, die von pietistischem Frömmlertum durchtränkt war. Man drosch dort die Kinder in zärtlicher Liebe mit scharfen Gerten zu ihrem Besten wegen Kleinigkeiten. Stärkere Naturen trieb das in eine Trotzhaltung, die sich bisweilen in einem unvollendeten dramatischen Werk entlud, in welchem die vielen Ausrufungszeichen auffielen. In diesem Kraftakt schwitzte der evangelische Zögling seine Wirrköpfigkeit aus und kam wieder ins Gleichgewicht. Um diesen Typus machten sich die Sodalen wenig Sorgen. – In aller Verborgenheit wuchs aber jetzt – aus dem gleichen Nest ausgebrütet – ein stillerer, aber zäher Typus heran: das säuerliche Pfarrhausidyll schuf jenen Schlag, der die schaurige Vision des Musulinschen Kunstballons mit seinem widerstandsfähigen Balg rechtfertigen sollte.

Tatsachenberichte und Charakterschilderungen kamen von zwei Seiten: Großhandel in Spezereien Webknecht, sowie Beichtstuhlerfahrung von Frater Lebrecht, dem Kapuziner. Die in Frage stehende Wesensart wurde eigenartigerweise ganz gleichartig beschrieben, sogar in den äußeren Merkmalen.

Es waren lange, schmächtig gebaute Jünglinge mit schlichtem, eher dünnem Haarwuchs, blassen, schweifenden Augen, die an keinem realen Ding zu haften schienen, und einer weich verwaschenen Mundpartie. Alle verfügten über die Gabe, durch eine jähe Verquerung des Blicks und Verkneifung der Lippen unterdrückt feindseligen, unbeugsamen Starrsinn zum Ausdruck zu bringen. Diese mimische Überraschung trat stets ein, wenn man ihnen nicht ihren Willen ließ und sie mit der Zumutung irritierte, klar zu denken und frisch zu handeln.

Webknecht hatte sich von einem schlesischen Geschäftsfreund überreden lassen, dessen Neffen, seinem Schwestersohn, in der unprotestantischen Wiener Atmosphäre den Kopf zurecht zu setzen und ihn im Kontor ein wenig zu schinden. Leider schlug der Versuch völlig fehl. Das ganze Geschäftspersonal, angeführt vom Prokuristen, der die Hauptbücher führte, verweigerte weitere Zusammenarbeit. Der an sich willige junge Mann verluderte die Bücher, indem er Zahlen zu schwarmäugigen Blumen ausmalte und darüber die Rechnung vergaß; auch fanden sich in genialer Schrift mitten in der Bürokalligraphie Gedichtanfänge. Die Ruhe und Behaglichkeit des Kontors störte er, indem er von einer gerade eingetroffenen Lieferung von Zimtrinde abschweifte und vom frommen Mittelalter zu reden begann, auch viel über seine eigene Seele sprach, wobei ihm leicht die Träne kam. Die Lehrlinge lachten heimlich, die älteren Herren machte das nervös. Er ließ sich auch gehässig über alles »Welsche« aus und pries dagegen ein unklares »teutsches Wesen«, das man mit hartem T schrieb und aussprach. Es zeichnete sich angeblich durch Gemüt und Heldenmut aus und lehnte die Vernunft ab, was eine Charaktertugend war. Webknecht hatte sich entschließen müssen, den jungen Mann zurück in seine Heimat zu schicken, sonst hätte er die besten seiner Kontoristen verloren.

Die Ergänzung zu diesem Bericht kam von Frater Lebrecht. Der Katholizismus hatte es diesen Söhnen des Nordens angetan, und von diesem ganz besonders die Möglichkeit der Ohrenbeichte. In der weihrauchgetränkten und düster beengten Stimmung, die der Beichtstuhl hervorruft, eröffneten sie gerne ihr Innenleben, weniger um Sünden zu bekennen, als um Herzensergießungen abzulassen, was die gelangweilten Beichtväter erboste. Außerdem lagen sie ihnen mit dem Ansuchen um Übertritt zum Katholizismus in den Ohren, was man ihnen, da man es als frömmelnde Mode erkannte, ausredete oder verwies, worauf sie mit Selbstentleibung drohten oder wenigstens Schwindsucht in Aussicht stellten. Der Frater schimpfte und gestand offen ein, daß er diese fragwürdigen Beichtkinder absichtlich hunze und durch rüde, ja ordinäre Behandlung zu vergrämen trachte. Dabei bekämen sie dann diesen verkniffenen queräugigen Zug, der einen augenblicksweise fast schrecken könne. So der sonst wenig empfindliche Bruder.

Der Greis Rubinow, die jüdische Kassandra, erhob einen warnenden Zeigefinger und sprach sehr vernünftig – wenn auch im Künderton –, daß man es ganz eindeutig mit der von der Musulin beschworenen Kunstblase zu tun habe, und sagte: »So wie die Dinge stehen, wird Napoleon sich die deutschen Kleinstaaten nacheinander einverleiben oder verbünden, das heißt im neuen Sprachgebrauch: das Welsche wird das Germanische knechten. Da dieses zersplittert und daher nach außen wehrlos ist, wird sich der Haß nach innen schlagen. Man wird ein Ersatzopfer suchen. No, und wer wird es sein? Die Juden. Ich sag euch! und ihr werdet noch denken an mich: Von den französischen Bajonetten angestochen, wird die teutsche Blase mit einem Giftpfiff ein Gas ausfahren lassen, das Europa verpesten wird – und irgendwann, das kann gut seine hundert Jahre dauern, wird es eine Explosion geben, die sich gewaschen hat.«

Leider belächelten die Sodalen diese prophetischen Worte des visionären Greises und meinten, warum sollten die Deutschen sich nicht auch ein Nationalgefühl zusammenphantasieren, um dem gesund brutalen der Engländer und dem gockelhaften der Franzosen etwas entgegensetzen zu können.

»Gerade weil es so unrealistisch ist«, mahnte Chaim und verteidigte Rubinows Gruselschau mit vernünftigen Worten. »Alles Irreale ist mysterienträchtig.«

Da meldete sich Meister Melchior Leriot zu Wort, von

Beruf Feinmechaniker, der durch seine handwerkliche Geschicklichkeit und sein selbst erworbenes physikalisches und chemisches Wissen schon mehrere gescheite technische Erfindungen oder Verbesserungen gemacht hatte, die er in einer kleinen Fabrik mit wenigen Mitarbeitern herstellte und vertrieb. Ein kluger, bedächtiger Kauz, ein aufmerksamer Zuhörer, der selbst nur selten sprach. »Ich bin ein Mann der Praxis und der Technik«, sagte er, »ich habe ausschließlich mit handfesten Dingen zu tun, die keinen schöngeistigen oder philosophischen Aspekt haben. Soviel ich den Ausführungen der Vorredner entnommen habe, besteht die Gefahr, daß die wissenschaftlichen, aber auch die moralischen Segnungen, die wir der Aufklärung verdanken, durch eine geistige Unart der Folgegenerationen in Frage gestellt werden. Wie die Jugenderzieher von weltlicher und geistlicher Seite berichten, trifft der Appell an die Vernunft auf taube, wenn nicht sogar feindselige Ohren. Die politische Lage, die Napoleons Siegeszüge heraufbeschworen hat, schürt diese vernunftfeindliche Haltung noch.

Ich erlaube mir, die Aufmerksamkeit der Sodalen auf ein Phänomen zu lenken, das in den spektakulären Ereignissen um die Revolution und Napoleon zu wenig beachtet wird, obwohl es mir wichtig zu sein scheint. Auch langlebiger und zukunftsträchtiger. Ich meine die Erfindung aller Arten von Maschinen, ihre rasante Weiterentwicklung und damit im Zusammenhang etwas, wovon ich selbst nur so viel verstehe, daß es mit dieser Entwicklung eng verbunden ist: die Tätigkeit der Bankhäuser, der Einsatz und die Bewegung unvorstellbar großer Kapitalien.

Diese Maschinen und das, was sie können, was sich in keiner Weise vergleichen läßt mit dem, was das Handwerk je zustande brachte – nicht als Qualität, sondern als Menge und Möglichkeiten – sind dabei, das Leben selbst und das Lebensgefühl radikaler zu verändern als jede Philosophie oder Religion.

Im Guten, aber ebenso im Schlechten. Das muß ich –

trotz meiner Faszination – billigerweise zugestehen. Im Schlechten dadurch, weil das Können der Maschine, obwohl von den Menchen erfunden, und zwar nach Mustern und Gesetzen, die er der Natur abgeschaut hat, zu einer Eigenentwicklung ausarten könnte, die den Menschen überrennt und die Welt und das Leben ihren Gesetzen unterwirft. Ich nehme als ein Beispiel von zahllosen nur das Prinzip der Schnelligkeit. Sie kann ins bisher Ungeahnte gesteigert werden. Nun ist aber der Mensch, wie jedes organische Geschöpf, nicht nur in seinen Muskeln und Nerven, sondern auch in der Kraft seiner Sinne und seiner Intelligenz auf ein ganz bestimmtes Tempo eingestellt. Wenn dieses überschritten wird, muß er seine Aufmerksamkeit und Konzentrationsfähigkeit steigern, um nicht Opfer dieser Geschwindigkeit zu werden. Man denke nur, was das reine Durchgehen eines Pferdes, dessen Tempo größer ist als das menschliche, für eine Zusammenfassung an Kraft, Geschicklichkeit und Umsicht des Kutschers erfordert. Dazu kann das Pferd als Lebewesen vom Menschen gewissermaßen auch in seinem Gefühl, in seinen Nerven angesprochen werden. Die Maschine aber hat kein Ohr, hat keine Sinne, kennt keine Furcht. Wenn eine Maschine ›durchgeht‹, stehen dem Menschen nur bestimmte Handgriffe zur Verfügung, die er exakt beherrschen und präsent haben muß, will man die Katastrophe vermeiden. Es ist klar, daß der Mensch, der eine Maschine betätigt, über ganz bestimmte, stark ausgeprägte Eigenschaften verfügen muß: Wachheit, Klarheit, Nüchternheit, Konzentrationsgabe und Entschlossenheit. Das gerade Gegenteil des Typus von Menschen, der beschrieben wurde; das Gegenteil von Schwärmerei, Phantasterei, vagem Idealismus und Verachtung der Wirklichkeit.

Es mag für manche etwas Trauriges haben, wenn ich sage, wir brauchen jetzt keinen Philosophen, humanistischen Gelehrten und Künstler. Wir brauchen tüchtige Männer mit nüchternem Charakter, kühler Realitätssicht, nicht irritabel durch irgendwelche Ideologien, wozu ich auch den Nationalismus rechne. Die Maschine ist international. Es wird nie eine englische, französische oder deutsche Maschine geben, sondern nur eine Maschine, die den physikalischen Gesetzen dieser unserer Erde entspricht.

Ich möchte betonen, daß ich persönlich als ein Handwerker aufgewachsen bin, mit dem persönlichen Ehrgeiz, ein Werkstück von möglichst guter Qualität herzustellen. Ich will auch gestehen, daß ich während dieser Arbeit, die ebenfalls Genauigkeit und Konzentration erfordert hat, doch zuweilen vor mich hingepfiffen oder gesummt habe und meine Gedanken allerhand Wege gegangen sind, die nicht unmittelbar mit meiner Tätigkeit zu tun hatten.

Wenn ich eine Maschine bediene, kann und darf ich das nicht. Die Maschine arbeitet rascher, als selbst geschickte Hände es je zu tun vermögen, sie arbeitet auch intensiver. Ein Werkstück, von einer Maschine gefeilt, ist verdorben, wenn ich nur einen Augenblick abschweife. Und die kleinste Ungenauigkeit eines Werkstücks, das in ein anderes eingreifen muß, bringt den ganzen Apparat zum Stocken. Also nichts mehr von Pfeifen, Trällern und Träumerei.

Ich habe jetzt sehr lange geredet, was die Herren Sodalen von mir nicht gewöhnt sind; ich selbst übrigens auch nicht. Aber ich habe über diese Dinge nächtelang gegrübelt, und es mußte einmal aus mir heraus. Wie gesagt: mich fasziniert die Maschine, aber ich habe auch Angst vor ihr, entsetzliche Angst manchmal und Alpträume, wie eine Maschine, die ich selbst erfunden und hergestellt habe, mich einfängt und frißt.« In seiner bescheidenen Art nahm der kleine, gedrungene Mann mit den großen nervigen Händen wieder Platz und wirkte ein bißchen beschämt.

Die Sodalitas aber hatte ohne die übliche getuschelte Moquerie, die sie sonst bei Wortmeldungen zeigte, aufmerksam zugehört. Meister Leriot hatte in seiner nüchtern schlichten Sprache Aspekte dargelegt, die ihnen bisher entgangen waren. Die Kaufherren und Fabriksbesitzer hatten eine Ahnung davon, aber auch wenn sie Maschinen betrieben, hatten sie nicht persönlich damit zu tun. Dafür waren Werkmeister da, vermutlich mit weniger praktischer Phantasie, als Leriot sie besaß. Gerade aber solche Männer brauchte man, das war jedem klar geworden. Männer mit nicht einzuschläfernder Wachsamkeit, nicht ablenkbar durch schweifende Gefühle und mit mehr trockenem als schöpferischem Verstand; Männer auch, die in familiär geregelten Verhältnissen lebten, sodaß auch diese Ablenkungsmöglichkeit auf ein Minimum reduziert wurde.

Noch Monate nach dieser Sitzung schlichen die Sodalen bedrückt umher, keinem – auch Leriot nicht – war irgend etwas Brauchbares eingefallen, wie man die Schwarmgeister in tüchtige Übermänner verwandeln sollte – und noch dazu nicht im gewohnten Jahrhunderteverfahren, sondern möglichst rasch.

*

Thugut hatte natürlich ein Photokopie des Musulinschen Windeies erhalten und sich zur Diskussion desselben eingefunden.

»Die scharfzüngige Musulin hatte eine feine Nase! Alle Achtung«, sagte Singer. »Walpole ist 1797 gestorben. Der Besuch mußte also schon vorher stattgefunden haben. Die Sitzung der Sodalen wenige Jahre später. Und schon ahnt die Frau den Anstich der Blase und die Zähigkeit des Balges. Dabei darf man nicht vergessen, daß die Mehrzahl der romantischen Jünglinge sowohl Schwindsucht als auch Selbstentleibung vermeiden konnten und ins reife Mannesalter eingetreten sind, wo sie zum Teil hohe Positionen in Politik und Wissenschaft einnahmen und, als der Anstich der Blase erfolgte, die Geschicke Mitteleuropas politisch wie geistig beeinflußt haben.« – »Napoleon?« fragte Thugut. – »Jawohl, Napoleon und die zahllosen deutschen Kleinfürstentümer, deren Territorien er besetzte oder deren Politik er diktierte.« – »Die sträubten sich aber nicht sehr, wenn ich mich richtig erinnere. Wenn er sie nur

242

auf ihren Miniaturthrönlein sitzen ließ, hatten sie nichts gegen ihn.« – »Die Fürstchen nicht. Das Volk, das im Fall einer Besetzung die Lasten der Einquartierung trug, ließ es auch beim Jammern und Nörgeln bewenden und richtete es sich mit seinen Kuckuckseiern ein. Aber die Intellektuellen! Oder besser, die Halbintellektuellen: Studenten, Dozenten, Lehrer etc. und Landjunker, die empfanden die Sache als Schmach und persönliche Kränkung. Sie waren angesteckt von der Ritter- und Burgenepidemie, welche die ältere Generation gesät hatte, nicht um Nationalstolz zu entfachen, sondern um gegen die Aufklärer zu trotzen. Im Keim war ja die Möglichkeit der neuen Entwicklung darin enthalten, aber erst durch den Blasenstich ging sie auf. Da herrschte eine schwüle Glashausatmosphäre im geistigen Deutschland, die phantastische Blüten trieb. Als man dahinter kam, wieviel Gift die Wurzelknollen bargen, war es zu spät. Die Kettenreaktion war schon in Gang gesetzt. Der Hauptknall hat allerdings erst *unsere* Trommelfelle zerrissen. Damals eher noch harmlos! Aber die gefährlichen Ingredienzien schossen schon zusammen!« – »Zu Lützows ›wilder, verwegener Jagd‹? Die soll doch strategisch völlig unerheblich gewesen sein?« – »Persiflierte man sie nicht zu ›Lützows stiller verlegener Jagd‹?« warf ich ein. – »Militärisch war sie auch unerheblich, eher lästig«, sagte Singer, »sie befeuerte unreife Herzen und brachte die sogenannte ›Altdeutsche Kleidermode‹ hervor, mit deren ausschweifender Kopfbedeckung noch Wagner sich bemützte und in ›teutsche‹ Stimmung brachte.« – »Also ohnedies lächerlich. Vielleicht haben da sogar die Sodalen mitgestrickt.« – »Leider nicht nur lächerlich, sondern auch böse! Da muß ich dem künderischen Rubinow recht geben. 1811 gründeten Leute wie Brentano, Arnim, Fichte, Görres etc. in Berlin eine ›Christlich deutsche Tischgesellschaft‹ mit Aufnahmesperre wohl für wen?« – »Für Juden etwa?« – »Jawohl für Juden, und zwar ausdrücklich auch für getaufte, obwohl alle diese christlich deutschen Tischgenossen in jüdischen Salons aufgepäppelt worden waren. Es war also nicht mehr nur der alteingesessene Kirchenantisemitismus, sondern da spukte schon etwas von Fremdrassigkeit in den Hirnen, in denen das Licht der Aufklärung bereits wieder verhängt war, damit es so recht schummrig gemütlich würde.«

»Nun«, sagte Thugut, der abwiegeln wollte, weil er sah, wie Singer sich echauffierte, »da trat ja in der Sodalitas rechtzeitig der sympathische Meister Leriot auf und machte darauf aufmerksam, daß in Posthorn und Nachtigallengeflöte die Dampfmaschine pfiff und im Wettstreit mit den gotischen Kirchtürmen die Fabriksschlote in den Himmel wuchsen und stanken. Der ›Taugenichts‹ macht sich nicht mehr zu Fuß nach Italien auf, sondern mit der Eisenbahn, und hat dabei natürlich nicht mehr so viel Gelegenheit weder zu Herzenserlebnissen noch zur Sehnsucht nach dem Deutschen Wesen, wenn ihm ein ›Welscher‹ seinen Beutel gestohlen hat. – Vielleicht zieht's ihn gar nicht mehr so sehr nach Italien, sondern er macht eine ernsthafte Studienreise nach England und sieht sich dort die neuesten Fabriken und Maschinen an. Und Maschinen sind international. Ich glaube, angesichts dieser Entwicklung ging auch der ›Balg‹ ein oder führte jedenfalls zunächst ein Mülldasein, und die älter gewordenen Lützower waren genötigt, etwas Handfestes zu tun und zu lernen. Was machten wohl die Barette mit der blauen Blume in den Maschinenhallen und im Börsenbetrieb? Schon wegen der eigenen körperlichen Sicherheit mußten sie den Kopfputz nüchterner gestalten!«

»Ich weiß recht wenig über das Zeitalter des Industrialismus!« klagte ich, »das müssen Sie übernehmen, Singer. Das werden die Paragonviller auch in trockener Form willig studieren. Sicher gibt es noch und noch Quellenmaterial über die Metamorphose des romantischen Schwärmers zum kühlen Geschäftsmann und Ingenieur.«

»Aber ich«, sagte Thugut, vor Bosheit aufglänzend, »ich versteh gar nichts davon, und wenn ihr wollt, daß ich mitkomme bei eurer Zwillingsschöpfung, brauche ich unbedingt ein Windei darüber, wie das Barett sich in den männlichen Halbkondukt verwandelte.« Singer schloß sich natürlich aus reiner Schadenfreude an. Ich knirschte etwas über die abgefeimte Tücke der katholischen Geistlichkeit und ihre unverhohlene Lust am Bösen und ging. Im Gehör aber hing mir der männliche Halbkondukt.

DIE KOHNHÜLSE
ODER DER ÜBERMÄNNLICHE MANN

Da erging eines Tages an die Sodalen die Einladung eines Mitglieds namens Itzig Kohn.

Itzig Kohn, Maßschneiderei und Konfektion (was eine typische Untertreibung war, denn das Haus besaß Niederlassungen in allen bedeutenden Städten, und in der Welt der Herrenmode war der Name Kohn ein Begriff). Sein Erfolg lag weniger in einem ausgeprägten Geschäftssinn als in der echten Leidenschaft, mit welcher er sein Gewerbe mehr als Kunst denn als Handwerk verstand und betrieb. Er vermochte es dank einer intuitiven Menschenkenntnis und fulminanten Beherrschung seines Metiers, also durch eine winzige Versetzung einer Naht, verschüttete Charakterzüge und Fähigkeiten darzustellen und damit oft auch erst zur Entfaltung zu bringen.

Kohn galt als scharfsinniger Menschenkenner, der eine Art nüchterne Phantasie sein eigen nannte, pflegte aber nach außen hin betont bescheiden aufzutreten, war es wohl auch wirklich. Wenn er sich einen einfachen Schneider nannte, war das keine Widerspruch herauslockende Untertreibung. Er konnte sich diese schlichte Titulierung leisten. Wer Witterung hatte, wußte ohnehin, wer Kohn war und was er konnte. Der Stumpfe sollte ihn ruhig für einen polnischen Flickschneider halten.

Alle Sodalen ließen bei ihm auf Rabatt arbeiten, auch der Klerus, weil er es verstand, sogar aus einer Soutane ein Kunstwerk zu machen, und man erzählte sich immer wieder die Geschichte, wie er dem gescheiten, aber schüchternen Kaplan Wurmbser, der an einer nervösen Redehemmung litt, allein durch ein Priestergewand dazu verholfen hatte, ein blendender Kanzelredner zu werden.

Die Sodalen plazierten sich im Raum um Tischchen, auf denen kleine Erfrischungen standen, und waren nicht wenig verblüfft, als Itzig Kohn an einer eigens dafür freigemachten Wand ein Schaubild aufhängte, wie man es in Schulen in Natur- und Heimatkunde gebrauchte.

Zu sehen waren Eingeborene einer unentwickelten Zone, welche – als Hirsche und Bären verkleidet – sich einem rituellen Tanz widmeten.

»Sehen Sie, verehrte Sodalen«, begann Kohn in seiner bescheiden verbindlichen Art, »sehen Sie sich diese Wilden an. Sie haben sich keineswegs verkleidet im Sinne einer Redoute, eines Dschungelballs, um sich und den Zuschauern spaßeshalber etwas ›vorzumachen‹. Für den Verlauf dieses Tanzes *sind* sie – für sich selbst und die Zuschauer – wirklich Hirsche und Bären. Sie bewegen sich so, fühlen so und würden auch so handeln, wenn es sich ergäbe. Sie würden rohes Fleisch fressen, sich einschlägig paaren und zur Erholung eine Erd- oder Felshöhle dem bequemeren Zelt vorziehen.

Diese Fähigkeit des Menschen, meine Verehrten, durch das Kleid das Verhalten zu verändern und zu prägen, ist die Grundlage meines Gewerbes, wie ich es verstehe. Was ein wirklicher Schneider ist, der leistet nicht der jeweiligen Mode oder persönlichen Eitelkeiten Knechtesdienste. Er kreiert Kleider, die bestimmte Eigenschaften des Trägers, körperliche wie seelische, hervorheben oder verschleiern, auch verschüttete, durch Schüchternheit unterdrückte Möglichkeiten ans Tageslicht bringen und – ich wage das zu behaupten – dem Träger Eigenschaften durch das Kleid suggerieren und damit anschaffen. Eine alte Weisheit übrigens und nicht die Hybris eines entfesselten Schneiders.« (Kohn

ironisierte sich gern selbst ein bißchen.) »Warum, frage
ich Sie, steckt man Soldaten in ganz unzweckmäßige,
aber dafür martialische Uniformen, in denen sie mehr
Kampfhähnen gleichen als Menschen? Ich sag es Ihnen:
durch diese Verkleidung kommen sie in die Stimmung
des Raufens, sie *werden* Kampfhähne. Aber nun genug
zur Einleitung. Wir wollen unsere Schwarmgeister zu
nüchternen Männern erziehen? Gut! Lancieren wir eine neue Herrenmode!«

Die Sodalen saßen starr und wußten nicht, was sie
von diesem überraschenden Vorschlag halten sollten.
Aber Kohn hatte schon alles im voraus bedacht und
konnte bereits mit der fertigen Ausarbeitung seiner
Idee aufwarten. Er winkte als Mannequin für die neue
Kreation einen jungen Mann herein.

Den Sodalen fielen die Augen aus dem Kopf.

Vor ihnen stand ein altersloser, starr blickender Mann
mit herausgedrücktem Brustkorb, ein Bein mit leicht
auswärtsgestellter Fußspitze, aber durchgestrecktem
Knie vor das andere gestellt. Nichts vom sinnenden
Jüngling, der, die Rechte weich in die Hüfte gestemmt,
dem Betrachter ein wohlgeformtes Spielbein bot, kein
Jabot, kein Spitzentüchlein im Ärmelumschlag, das
man vor das tränende Auge halten konnte.

Totenstille: Nur einem Sofranek entfuhr die unpas-
sende Bemerkung: »Aber das ist ja der junge Kohn!«

Kohn senior begann nun, die Kreation zu erklären:
»Sie sehen einen einheitlichen dunklen Grauton auf
Hose, Jacke und Weste. Die Jacke ist rundum gleich
lang geschnitten, gerade so lang, daß sie das Gesäß bedeckt. Keine extreme Schweifung, keine flatternden
Schöße. Die Hose ist röhrenförmig, gerade so knapp,
daß keine Beinplastik sichtbar wird, aber auch kein le-
geres Wehen. Die Hosenbeine haben eine gesteifte Bü-
gelfalte. Derart ist der Herr gezwungen, mit gestreckten
Knien zu stehen und der Standfestigkeit halber ein Bein
etwas vorzustrecken, was Aktivität und Spannkraft an-
zeigt. Unter der geknöpften Weste befindet sich eine ge-
stärkte Hemdbrust, darüber ein steifer, hoher Kragen

ohne Zier und Spitzenwerk, ohne die Möglichkeit der Öffnung, denn um diesen Aufbau schlingt sich nicht die übliche Masche, die auch lose getragen oder mit einem leichten Zupfen geöffnet werden kann, sondern ein fester Knoten, die sogenannte ›Krawatte‹, einem Uniformstück der kroatischen Truppen nachempfunden, ein französisiertes Wort, das sowohl Halsbinde als auch Würgegriff bedeutet. Die hochgestellte Steifheit des Kragens zwingt den Träger, das Kinn anzuheben, die leichte Würgung verursacht eine energische Kieferhaltung, die Enge treibt das Auge aus den Höhlen, sodaß der Blick etwas hart Glasiges bekommt. Da auch die Bauchpartie eng gehalten ist, zwingt sie zur Brustatmung, wodurch der Thorax martialisch vorgetrieben wird. Der Schuh trägt keine verspielte glänzende Schnalle, sondern sachliche Schnürung in gleicher Farbe. Auch der Haarschnitt ist dem Kostüm angepaßt. Nichts Wucherndes, Gelocktes, worein man sich fahren kann, sondern kurz und straff anliegend.

Sie sehen, meine lieben Sodalen, einen durchgehenden Stil: die Röhrenform. Die Röhrenform der Hose setzt sich fort in eine Röhrenform des Halsgebindes und wird abgeschlossen durch die Röhrenform eines steifen, nicht eindrückbaren Hutes. Nun – ich bitte Meister Leriot mich eventuell zu korrigieren –, die Röhre ist physikalisch gesehen ein Hohlgefäß, das hineingepumpte Kraft, welcher Art auch immer, in eine gezielte Richtung auspufft, wobei nichts verschwendet wird, nichts unterwegs verlorengehen kann. Wie bei der Maschine ist es auch – in entsprechender Abwandlung – beim Menschen, wobei die Kraft weniger im Körperlichen als im Geistigen gedacht werden muß: Aufmerksamkeit, Konzentration, Unablenkbarkeit. Sehen Sie selbst:«

Nun forderte Kohn das reglos dastehende Mannequin auf, eine matte oder träumerisch sinnende Haltung einzunehmen. Die Kleidung ließ es tatsächlich nicht zu. Der Mann bemühte sich vergeblich um ein schräg geneigtes Haupt, um ein Einsinken des Oberkörpers, ein leichtes Knicken der Hüfte.

»Sie sehen«, sagte Kohn zufrieden, »selbst wenn er will, er kann's nicht. Bei der leisesten Halsbewegung kratzt der Kragen, Würgesymptome treten auf, der eingezogene Bauch und die herausgedrückte Brust verhindern auch verläßlich die weiche Bauchatmung, die eintritt, wenn man sich gehen läßt. Das spröde Röhrensystem dieses Kostüms erzwingt Gespanntheit vom Kopf bis zur Fußspitze, in der die gefalteten Zehen drücken. Die Haltung, die dem Träger den ganzen Arbeitstag lang von außen durch die Kleidung aufgezwungen wird, überträgt sich langsam auf das Innere, wird zum Wesenszug. Können Sie sich vorstellen, meine Herren, daß dieser Mann, wenn er aufrecht vor dem Schreibtisch sitzt, Gedichte heckt? Daß er vor Marienaltären rutscht und fleht? Daß er in Mondnächten durchs taufeuchte Gras schweift und Bäume kost? ... Du kannst dich ausziehen, Sami«, sagte er nebenbei, und sein Sproß eilte langschrittig hinaus, wobei aber das Kleid deutlich jede unziemliche Hast verhinderte.

Erst war es totenstill im Raum, nur Gewisper, dann lachte grob der Kapuziner auf und bekundete seine Freude, daß er berufshalber nicht diesen Kokon tragen müsse; die ganze Geistlichkeit segnete ihre sonst oft geschmähte Soutane.

Die Sodalen wurden unruhig. Aus dem Publikum fragte Rappaport mit zweiflerischer Stimme: »Wer wird denn sowas anziehen, und auch die Frauen werden sich's nicht gefallen lassen. Was sagt denn die Deine dazu, Itzig?«

Da blickte allerdings Kohn zu Boden. Es war nämlich dieser Sitzung eine unbeschreibliche Szene im Hause Kohn vorangegangen, an der sich sämtliche weiblichen Mitglieder, unabhängig vom Alter, sehr aktiv beteiligt hatten, von ihren Männern unterstützt, und man hatte den kopflosen Kohn so in die Ecke getrieben, daß man ihm heilige Schwüre abpressen konnte, worin er sich verpflichtete, für die Sippe tragbare Abweichungen auszudenken, ohne daß man sichtbar aus der Mode fiel. Noch ehe er sich dem Sturm der Sodalen aussetzte, versprach er ihnen vorbeugend solche Spezialanfertigungen.

In dieser Hinsicht beruhigt, anderseits aber durch die Erfindung fasziniert, besprachen die Sodalen den geschäftlichen Teil, die Herstellung im großen und wie man das wenig anziehende Produkt lancieren sollte. Man mußte sich dabei der Journalisten bedienen und die Euphorie ausnützen, die durch die Fortschritte der Technik ausgelöst wurde. Man würde sich Schauer und Skandalgeschichten ausdenken und vor allem illustrieren, ernst und karikaturistisch. Wie beispielsweise ein Jüngling im Wertherkostüm von seinem Spitzenjabot in eine rotierende Maschine gezerrt würde, an den Locken versengt, beim Dichten plattgewalzt, wobei mit seinem letzten Hauch auch der Endreim ausgequetscht würde. Daneben unberührt gelassen, Herr der Maschine, der Übermann in der Kohnhülse, auf dem Gipfel der Zeit. – Die Sodalen waren plötzlich sehr erfinderisch.

Herstellung und allgemeine Verbreitung gingen rasch voran. Eine der wenigen Aktionen der Sodalitas übrigens, deren Resultat noch von ihren Erfindern erlebt wurde. Auch die Wirkung der Hülse hielt, was Itzig Kohn versprochen hatte: keine lyrischen Abschweifungen mehr in Kontor und Werkshalle, keine nervenzehrenden Liebesromanzen mit schwebendem Ausgang. Kräfteverschwendende Gefühlsüberschwänge in Hinsicht auf das andere Geschlecht wurden von der Hülse unterdrückt, die im weiteren Verlauf durch eine passende Damenmode unterstützt wurde, die nur eine logische Folge des ›Übermannes‹ war.

Durch die Kreation eines gnadenlosen Schnürmieders wurden oben und unten die Geschlechtssignale isoliert herausgedrückt. Der Mann verlor sich nicht mehr in seelenvollen, lyrisch austreibenden Phantasien, sondern starrte auf Busen und Gesäß und schritt zur Tat. Unterdrückung von Gefühlsschwall und Hastigkeit der Ausführung wurden sehr gefördert durch die schwierige Aufnestelung des Schnürmieders, die durch seine kräftezehrende Überwindung die Entfaltung von

Gefühlen nicht erlaubte, sondern das seelisch nervliche System dermaßen erschöpfte, daß die sogenannte Erfüllung sich auf die Erleichterung der niedrigsten Bedürfnisse beschränkte.

Es wäre noch zu erwähnen, daß zur Unterdrückung des Gefühlsrausches im Liebesleben noch ein paar Accessoires zur Herrenmode entworfen wurden, und zwar auf Anregung der damaligen Sodalin Franziska Groll, die als Pädagogin einem Institut für Mädchen aus gutem Hause vorstand. Sie war in die Sodalitas wegen ihres Scharfsinnes aufgenommen worden, der die Männer oft in unbehagliche Klemmen trieb, eines Scharfsinns, der gewürzt war mit einer Gabe zur boshaften Karikatur, die, mit spitzer Feder dünnstrichig hingeworfen, oft mit wenigen Linien etwas erfaßte, woran man sich Köpfe und Zungen stundenlang ohne Ergebnis zerbrochen hatte. Als sie gewählt wurde, war sie auch sonst eine ganz propere, humorvolle Frau gewesen. In den letzten Jahren allerdings hatte sich nach einer zerbrochenen Ehe mit einem schönen Leichtfuß der Säurepegel ihrer Säfte so angereichert, daß sich die Sodalen ausnahmslos vor ihr fürchteten und sie mit besonderer Schonung und Behutsamkeit behandelten (sogar der Reizer). Sie kämpfte nun verbissen für die Rechte der Frau, war Malthusanhängerin und stand dem Geschlechtsverkehr feindselig gegenüber, was sie jedoch nicht daran hinderte, gern und viel darüber zu sprechen; allerdings ausschließlich mit Ekelworten. Ihre äußere Erscheinung vernachlässigte sie bewußt und gekonnt und bekam in Farbe und Form langsam etwas zäh Binsenartiges.

Die Entwicklung der Kohnhülse befriedigte sie sehr, aber nicht ganz. Es ließ die Groll die Vorstellung nicht ruhen, daß der Mann sich ja jederzeit zu schamlosen Zwecken dieser Röhre entledigen und dann inner- oder außerehelich unbehindert weiterschwärmen konnte, auch wenn er im Berufsleben guttat. So entwarf sie in schlaflos zergrübelten Nächten eine wahrhaft abgefeimte Idee, auf welche Weise man in solchen brisanten Situationen bei der Frau einen so jähen Hormonabfall erzielen konnte, daß das unzüchtige Vorhaben nicht zur Ausführung gelangte.

Frau Franziska Groll entwickelte gegen Unanständigkeiten bei Tage den Sockenhalter und gegen solche bei Nacht Haarnetz und Schnurrbartbinde. Obwohl Kohn sich lange sperrte und wand, erzwang sie von ihm, daß er die Kreationen vorstellte. An einem Haubenmodell und einem Kunstbein übrigens, weil er kein lebendes Modell dafür auftreiben konnte. Sein Sami weigerte sich unter Androhung, aus der Firma auszutreten. Die Sofraneks hatten in Erfahrung gebracht und verbreiteten auch, daß Kohn in einer exzitierten Szene seiner Frau bei den Häuptern der Kinder und Kindeskinder hatte schwören müssen, diese Gegenstände nie zu tragen und auch seinen Söhnen zu verbieten.

Soweit man wußte, gebrauchte kein einziger Sodale diese Zusatzstücke. Die Erfinderin der Schnurrbartbinde und des Sockenhalters aber durfte es erleben, daß die Damen der feineren Gesellschaft, die mit Erfolgsmännern verheiratet waren, den Geschlechtsverkehr nur mehr zwecks Zeugung der Nachkommenschaft mit Dulderinlenen hinnahmen.

In der Sodalitas mied man, soweit es die Höflichkeit erlaubte, den näheren Kontakt mit Frau Franziska, schon wegen des durchdringenden Essigaromas, das sie umgab. Viele Sodalengattinnen weigerten sich, ihre Töchter in das Grollsche Institut zu geben.

PACHYPYGISMUS ODER DIE KOHNHÜLSE
RÄCHT SICH

»Es befriedigt meine jüdische Seele«, sagte Singer, »daß der Kohnhülse gelungen sein soll, was Paulus und dem kirchenväterlichen Wettern und Gifteln widerstanden hat: die Verleidung der fleischlichen Gefühlsprotuberanzen. Aber ich frage mich: Wie haben sich die Menschen in diesen unterkühlten Zustand geschickt? Ersetzten Erfolg und Fortschritt im Materiellen die Entfaltung erotischer Freuden? Wie fühlten sich Mann und Frau in einer Verkleidung, die jeden Schmacht- und Wonneseufzer textil unterdrückt? Man vermochte zwar zu allen Zeiten gegen Anstand und Sitte zu versto- ßen, wer aber kommt auf gegen Fischbein und gestärk- ten Halskragen!«

»Vermutlich litten die Herrschaften unter schwülen Träumen«, meinte Thugut; »und da werden wieder die Gläubigen besser dran gewesen sein, denn in diesen Kreisen weiß man, woher die Sünde kommt in Taten, Worten und Gedanken, macht sich nichts vor und ver- fügt über probate Mittel. Aber Religion stand damals nicht hoch im Kurs.«

»Ich will es Ihnen zeigen, wie sie sich gefühlt haben«, sagte ich und schleppte ein Familienalbum heran. In bräunlichen Photos und Daguerreotypien war da eine reiche Kollektion meiner Sippschaft zu sehen, in der durch Sitte und Kohnhülse vorgeschriebenen Aufma- chung. Bereits die Kinder verfügten über Kleinhülsen. Da war es nun sonderbar, daß es außer der Kleider- und Familienähnlichkeit noch einen anderen typischen Zug gab, der allen gemeinsam war. Die Damen hatten unter weitschweifigen Hüten und Frisuren etwas bitter Schmallippiges und blickten groß, einen befremdeten Vorwurf im Auge, wobei offenblieb, ob Vorwurf und Be- fremdung von nachts gewonnenen Erfahrungen verur- sacht waren oder von der quälenden Schnürung der Leibesmitte.

Noch interessanter waren die Herren anzusehen. Auf- fallend war, daß viele, auch junge, Bärte trugen, und bei näherer Hinsicht wurde einem auch klar, warum. Diese Männer, die tüchtig und erfolgsbegierig sich in einer ei- lig fortschreitenden Welt tummelten, hatten vertu- schenden Wuchs um die Mundpartie nötig. Denn die- se neigte zu einer melancholischen Erschlaffung, die zur brustgeblähten Haltung in seltsamem Wider- spruch stand. Es war um die Lippen herum ein Zug von Resignation, von verschwiegenem Harm, der in den

Porträts der schwärmenden Jünglinge nicht zu finden war.

Die Herren Singer und Thugut musterten mit lebhaftem Interesse das Album und ventilierten Möglichkeiten der Deutung.

»So gut wie sicher eine Folge der Schnürung und Einhülsung aller befreienden Unarten«, meinte Singer. »Du hast vorher etwas von schwülen Träumen gesagt, Floris, und daß man vermutlich den geraden Weg von der Sünde zum Beichtstuhl und wieder zurück zur Sünde sich damals versagte. Das mag zu Gastritiden, Obstipationen und plötzlichen Anfällen von Herzflattern geführt haben. Den Damen stand noch der schrille hysterische Anfall zu Gebote, gewürzt mit einer Ohnmacht.«

»Mag sein«, sinnierte Thugut, »daß die damals aufkommende Hygiene gar keine Empfehlung der Medizin war, sondern daß der äußerliche Reinigungsdrang entstand, weil man sich innerlich schmutzig vorkam. Das Bad am Wochenende ersetzt den Gottesdienst!«

»Wurden damals«, fragte ich, »nicht auch die Ideen von der Heilkraft des Wassers entwickelt? Kneipp, Prießnitz, die Wasserheilanstalt? Vermutlich verschwanden die Erfolgreichen in gewissen Abständen in Sanatorien, wo man sie an den Busen der Natur preßte, der vorwiegend kalt und naß zu sein hatte.«

»Sie denken vermutlich an Ihren Dozenten Cornelius aus dem humanistischen Windei? Tatsächlich kam diese Behandlung als nervenstärkend damals sehr in Mode, beispielsweise das Etablissement eines gewissen Dr. Hahn, auch ›Wasserhahn‹ genannt.«

»Ich sehe ganz deutlich vor meinem inneren Auge«, unterbrach ich Singer, »die Kurgäste – natürlich nach Geschlechtern getrennt – reihenweise in Bächen sitzen, bis zum Gürtel in Unterwäsche, oben aber mit steifen Hüten bedeckt, wie die Sitte es vorschrieb.«

»Da geht Wertester wieder einmal die Phantasie durch, die sich ja immer besonders gern in boshaften Visionen bewegt. Sollte in Ihnen eine Franziska Groll verborgen sein? Da müssen wir uns hüten, Floris! Jene

Dame hat ja eine Lawine in Bewegung gesetzt mit ihrer männerhämischen Unterminierung, weit über ihre Wirkungszeit hinaus. Nach der Schnürung, die der Mann mit Ausdauer und Willenskraft immerhin überwinden konnte, verfielen die Frauen auf die ›knabenhafte Linie‹, hungerten und wurden nervös und unleidlich.«

»Die Männer werden sich in der Dienstmädchenkammer nach freundlichem Ersatz umgesehen haben«, meinte ich, »um sich von den harten Ansprüchen des nüchternen Alltags im tröstlich Weichen zu erleichtern. Und wenn sie nach stattgehabter Erleichterung ins Ehebett fielen mit Haarnetz und Schnurrbartbinde, fanden sie sich an der Seite einer zu exaltierten Szenen aufgelegten Dame, die schlankheitsfördernde Gymnastik trieb.«

»Ihr macht dauernd den verhängnisvollen Fehler, die Kirche zu vergessen, die immer noch lebte und das Geschehen nicht minder aufmerksam verfolgte als die Sodalitas.«

»Wie meinst du das?«

»Lourdes!« antwortete Thugut und lächelte in sich hinein. »Lourdes kam auf und hatte ungeheuren Zuspruch, sicher auch von solchen, denen die feuchte Natur keine Heilung bot und der innere Harm sich festgenagt hatte … Selbst Juden sollen dort, natürlich verkleidet, bittstellig geworden sein, und zwar mit geradezu mirakelhaften Erfolgen!«

»Ich möchte doch um ein bißchen mehr Ernst ersuchen«, mahnte Singer. »Lourdes ist ein abgestandener Spätzünder. Ein Altenteil für die verdrängte Omnipotente.«

»Glauben Sie, daß die sich so ins Ausgedinge abschieben ließ?« zweifelte ich; »das sieht ihr gar nicht ähnlich. Ich stelle sie mir keineswegs als verkalkte Greisin vor, sondern vom gipsernen Mißbrauch zur Hochwut getrieben.«

»Denken Sie an die Erscheinung auf der Gemeindealpe?«

»Ich bitte Sie, das war ein spontaner Warnungsakt, eher humoristisch gemeint. Es entspricht nicht ihrem Stil. Erinnern Sie sich, wie sie sich Zeit genommen hat und wie fein geplant ihr Auftritt an der Fassade von Amiens war? Ihre Mühlen mahlen langsam, mahlen aber schrecklich klein.«

»Nun, wenn Sie meinen, dann wird ja wohl ein stattliches Windei ins Haus stehen!«

»Ich habe in der letzten Zeit wie eine Legemaschine gearbeitet, jetzt sind Sie dran, Singer, alles was recht ist.«

»Ich bin fertig«, antwortete er satt befriedigt; »heut habe ich einen ebenso langen wie langweiligen Passus in die Kopieranstalt getragen, in welchem ich die Entwicklung der Industrialisierung und des Kapitalismus in allen wirtschaftlichen und sozialen Details bis hin zum Ersten Weltkrieg beschrieben habe, gespickt mit Zahlenkolonnen und Statistiken. Ich hab ihn euch erspart. In Paragonville wird man größeres Interesse und Sachkenntnis für diese Dinge aufbringen, als ich von euch erwarten kann. – Sie sind dran, Beste, und wenn Sie sich sperren, zwinge ich Sie, meinen Artikel durchzustudieren.«

Thugut sah mich aus vorquellenden Flohaugen boshaft an.

*

Eines Tages saßen einige Sodalen in ihrem Stamm-Café, im »Rebhuhn«, und besprachen die Zeitungsneuigkeiten und die allgemeinen Mißstände. Eher müd aussehend unter den Augen und allgemein nörglerisch aufgelegt. Da stürzte plötzlich Reb Hirsch ins Lokal, bleich bis in die Lippen, und bat atemlos um Gehör.

Mit fliegenden Händen zog er ein kleines Büchlein aus der Manteltasche und erklärte den Neugierigen, die die Abwechslung begrüßten, in betont dürren Worten, es handle sich um eine Neuerscheinung aus dem Gebiet der Psychiatrie von einem gewissen Herrn Freud und werde gegenwärtig in Fachkreisen lebhaft und erbittert diskutiert. Ein Bekannter, erzählte Hirsch, habe ihm das Büchlein zugesteckt mit einem Augenzwinkern und einem Lächeln, das man schmutzig nennen könnte, so etwa, wie man zuweilen gewisse Photos mit fülligen Damen in völlig unzweckmäßigen Textilien hinter vorgehaltener Hand gezeigt bekommt. Er, Reb Hirsch, habe für dergleichen nichts übrig, wollte aber den Mann, einen wichtigen Geschäftsfreund, nicht unnötig verstimmen, habe das Machwerk in die Tasche gesteckt und dort vergessen. Hier allerdings habe es seine Frau beim Ausbürsten des Mantels gefunden und, neugierig wie sie sei, ein bißchen darin geblättert. Als er ahnungslos vom Geschäft heimkam, fand er eine aufgelöste Gattin vor, die mit zornbebendem Finger auf eine Stelle in jenem Büchlein, an das er gar nicht mehr gedacht hatte, wies und dabei kreischte: »So einer bist du also, Hirsch, ich laß mich sofort scheiden.«

Um seine Bestürzung zu verbergen, habe er ruhig die aufgeschlagene Stelle gelesen; man höre! –

Hirsch zitierte: »Es gibt Pilze, die ihrer unverkennbaren Ähnlichkeit mit dem männlichen Glied ihren Namen verdanken (phallus impudiens); das Hufeisen wiederholt den Umriß der weiblichen Geschlechtsöffnung, und der Rauchfangkehrer, der die Leiter trägt, übt jene Hantierungen, mit denen der Geschlechtsverkehr vulgärerweise verglichen wird.«

Er, Hirsch, habe seine Verlegenheit zunächst dadurch verschleiert, daß er die empörte Gattin hinausschob und seine Arbeit aufnahm; allerdings, wie er zugeben müsse, nur mit Scheinkonzentration. Kurz, er habe das Buch, dessen Einleitung durchaus vernünftig und in kühlem wissenschaftlichen Ton gehalten sei, von Anfang bis Ende durchstudiert. Ja, er sage mit Absicht »studiert«, denn es handle sich eindeutig um ein ernstzunehmendes, gelehrtes Werk, weit entfernt vom Verdacht auch nur versteckter Pornographie.

Dieser Mann, der Autor des Buches, habe da eine Art

Topographie der Seele entworfen, die durchaus einleuchte:

Ein aufrecht gesinntes, männliches Ich vermittle zwischen einem bisweilen weltfremden und überstrengen, moralisch überaus heiklen »Über-Ich«, wie er es nannte, eine Art Sittenpolizei, welche einen etwas schmutzigen Bereich überwache, das sogenannte »Es«. Dieses aber habe man als eine äußerst mächtige Instanz anzusehen, die sich zwar geduckt im Verborgenen halte, solange man aufpasse, jedoch bei Ermüdung von Ich und Über-Ich – etwa im Schlaf – verheerend und beschämend, wenn auch eigenartig angenehm, hervorbreche und alle Dämme des Anstands überflute.

Nach diesem Kurzbericht sah Reb Hirsch auf und blickte seinen Gefährten aufmerksam in die Gesichter. Mit einer bitteren Befriedigung – er selbst hatte sich schon wieder etwas in der Gewalt – stellte er bei sich fest, daß diese ausnahmslos die Blicke gesenkt hielten und an den Lippen nagten.

Deshalb also! dachte jeder – und manche sprachen es auch aus –, deshalb das völlige Ausbleiben von Gegenaktionen von seiten derer, die man schon mit einer gewissen Vertrautheit das Große Weib oder die Magna mater nannte. Lourdes nichts als ein tückisches Ablenkungsmanöver! Sie selbst, die potente Götzin, hatte sich – in wissenschaftlicher Verkleidung – des unkontrollierten Innenraumes bemächtigt und in ihrer vollen Größe und Breite Platz genommen in der Seele des lebenstüchtigen Mannes. In jene schmerzlich kühle Leere, aus welcher die Kohnhülse alles verschwommene Gefühlsgewölk ausgepreßt hatte, war die Hexe persönlich eingeschloffen und hatte den Mann im vollsten Sinne des Wortes zum Besessenen gemacht.

Dank ihrer stupenden Regenerierungsfähigkeit hatte sie den gipsernen Kerker verlassen und sich mitten im lebendigen Fleisch eingenistet, Gier nach entbehrter Weiblichkeit und verscherzter Nestwärme anfachend und schürend. Da hockte sie nun frech und breitsteißig – der Reizer fand gleich das Wort »pachypyg« und prägte den Terminus Pachypygismus (Breitsteißigkeit) – und stellte von unten her, meist traumweise, die haarsträubendsten Forderungen, welche die beiden Redlichen oben, Ich und Über-Ich, zu seelischen Gewalttaten und den eigenartigsten Ausflüchten hinrissen, die Besetzten in gesundheitsschädliche Gewissensbisse stürzten und ins Sanatorium trieben.

Nach einer Phase entsetzter Lähmung, während derer jeder jeden musterte und mit betretener Erleichterung wahrnahm, daß auch der andere den Blick zur Seite schweifen ließ, erkannte man im kleinen Kreise, daß man unter sich war. Wenigstens wußte man nun, woher der böse Wind kam. Die zehrende Unruhe hatte ein Ende. Man konnte der Feindin zu Leibe gehen.

Ehe man eine Großsitzung der Sodalitas anberaumte, in welcher die Entdeckung vorgestellt und diskutiert werden sollte, beschloß man noch, obwohl die Materie etwas peinlich war, die Sodalin ins Vertrauen zu ziehen, vor allem, um in Erfahrung zu bringen, wie es sich mit der Besetztheit der Frauen verhielte. Man wollte die Dame selbstverständlich nicht zu pikanten Bekenntnissen nötigen. Man wollte sie nur über Details aus der Praxis ihres Gatten ausholen, welcher als Facharzt für Gynäkologie viel Zuspruch aus der besseren Gesellschaft hatte.

Als Sodalin wirkte in den zwanziger und dreißiger Jahren die Medizinalrätin Betty Kober, eine robuste, klarblickende Dame, die keine falsche Scham kannte und auch nicht glaubte, ihrem Geschlecht und gesellschaftlichen Rang eine solche wenigstens vorgeblicherweise schuldig zu sein. Die Herren taten sich daher auch nicht schwer mit ihrem heiklen Ansinnen. Frau Betty war längst im Bilde und konnte ziemlich genaue Auskunft geben, weil das Paar Kober beim Essen Blütenlesen aus der Praxis zu bereden pflegte, wo dem Doktor nicht nur die leiblichen, sondern sehr genau und langatmig auch die seelischen Gebresten seiner Patientinnen vorgetragen wurden.

Man erfuhr also von der Kober, daß die Pachypyge

auch in der weiblichen Seele einsitze und dort wüste. Sie habe einen unseligen Frauentyp herausgearbeitet, den man neuerdings »Vamp« nenne. Man überspiele mit dieser keß anmutenden Anglisierung das Unheimliche dieses seelenblutsaugerischen Charakters, der den Mann zerrütte, nicht minder aber sich selbst. Denn nur selten agiere eine solche Person zum eigenen boshaften Vergnügen so verheerend, sondern unter einer Art Zwang, der sich harmlos als Mode tarne.

»Was ein ausgewachsener Vamp ist«, erklärte die Kober geduldig den ebenso verlegenen wie neugierigen Sodalen, »entfesselt im Mann die ausgefallensten Hurenwünsche und läßt ihn dann – jäh abgeschnalzt – darin rösten. Wenn es sich nicht um eine Bösewichtin, sondern um eine im Grund gutmütige Frau handelt, sitzt sie selbst auch auf dem Rost, bringt es aber nicht über sich, der Mode zuwider zu handeln; besonders natürlich werden die dümmeren Exemplare Opfer der weiblichen Variante des Pachypygismus, wie mein Mann das nennt. Die Wohlhabenderen suchen übrigens eine Psychoanalyse auf.«

Psychoanalyse hieß die Behandlungsart dieser neuen Wissenschaft, mit welcher der arme Hirsch sich so in die Ehenesseln gesetzt hatte. Der Patient hatte sich längelang auf einer Couch auszustrecken, wobei der Arzt außerhalb seines Gesichtsfeldes schweigend in einem Sessel saß und zuhörte. Der Pachypygierte mußte alles vortragen, was ihm so in den Sinn schoß, unkontrolliert von Scham und Logik. Beonders wichtig war es, die eigenen Träume zu schildern. Der sitzende Arzt zeigte betont nicht das geringste Gefühl oder Urteil und nahm es mit eindrucksvoller Kühle und Selbstverständlichkeit hin, wenn der Redende die haarsträubendsten Einfälle oder Wünsche eingestand, die jeder Sittlichkeit spotteten. Nach einer solchen Stunde sah sich der Aufgelöste und Beschämte einem sachlich blickenden Analytiker gegenüber, der mit kaltem Auge einen beträchtlichen Betrag entgegennahm. Den Sodalen war klar, daß die Große Alte sich da eine teuflische Rache für die Unter-

260

drückung ausgeheckt hatte. Da wurde nicht mit den Gnadenverheißungen einer Himmelskönigin gelockt. Da hatte man es mit einer giftkrötenhaften Dämonin zu tun, die in archaischen Formen hohnbleckend ihre Macht spielen ließ. Es schauderte die Sodalen wie schon lange nicht mehr. Waren sie doch alle aufgeklärt und dem Gespensterwesen grundsätzlich abhold. Jetzt mußten sie sich eingestehen, daß die scheinbaren Erfolge ihrer Aktionen gegen die Götzin sie lau und unwachsam gemacht hatten.

Auf diese peinliche Weise aus dem selbstgefälligen Frieden aufgerüttelt, faßte man sich jedoch rasch und schritt mit geklärtem Geiste zur Analyse des Phänomens. Die Bedingungen waren insofern völlig neu, als es sich diesmal nicht um eine Massenbetörung handelte, gegen die man in einer Großaktion ankämpfen konnte, sondern daß der Greuel im Einzelindividuum arbeitete und man – wie es ja die Analyse versuchte – jedem seine persönliche Obsession aus dem Leib ziehen mußte wie einen schwärenden Zahn. Das war natürlich kaum möglich.

Sehr eingehend ventilierte man die Frage, ob der Pachypygismus zur Massenbewegung ausarten und eine Neuauflage des Großen Mysterienspektakels ins Leben rufen konnte: das alte kathartische Spiel von der Erlösung der leidenden Menschheit durch Vernichtung eines Bösen mit Hilfe einer gnädigen Gottheit.

In diese Frage verbissen sich die Sodalen, und nie wurde in der ehrwürdigen Gesellschaft so viel gestritten wie damals.

Die eine Partei vertrat den Standpunkt, daß es sich diesmal um einen reinen Racheakt einer schwer beleidigten Götzin handle, die gewissermaßen Opfer ihrer Leidenschaften war und als solche zwar verheerend, aber unbedacht agiere. Das persönliche Einsitzen in der Seele des Individuums habe keine dramatische massenbildende Brisanz beziehungsweise jeder spiele seine eigene Tragödie mit sich selbst.

Eine andere, kleinere Partei wollte den Fall nicht so

harmlos sehen. In ihr waren die strengeren Vertreter der Kirche und Kultusgemeinde aktiv geworden. Man fürchtete in diesen Kreisen – mit Recht, wie sich zeigte –, daß bei einer erfolgreichen Behandlung neben dem pachypygen Monster auch der Vater ausschösse, der in Form des Über-Ichs die moralische Instanz verkörpere. Diese also ›Geheilten‹ wären dann aber durch ihre allzu große seelische Gesundheit und Freiheit geradezu eine Gefährdung für die menschliche Gesellschaft. Gingen doch, wie die Erfahrung zeige, leider nur von der Seele, die sich in einer Klemme befinde, jene fruchtbaren Anstöße zur Entwicklung humaner Gesittung aus, ohne welche kein Mensch sich von krassen Untaten zurückhalten lasse.

Man schloß sich in dieser Gruppe zwar der Meinung an, daß die Situation kein Massenspektakel auszulösen drohte; man stellte sich aber die Frage: Wie widersetzt sich dieser Mensch, der jedem Laster Verständnis entgegenbringt und es für eine natürliche, also gewissermaßen legitime Erscheinung hält, wie widersetzt sich dieser Mensch dann der Bösartigkeit einer durch welche Parolen auch immer aufgeputschten Masse, die sich jederzeit bilden kann? Ist einer, der alles toleriert und erklären kann, fähig, eine solche Gefahr zu erkennen und richtig einzuschätzen? Bringt er den nötigen Haß, die nötige Empörung auf, einer solchen Entwicklung entgegenzutreten?

»Der Durchanalysierte«, sagte der Jesuitenpater Borromäus, »ist ein moralisches Neutrum. Wer während eines Überfalls die Motive und Zwänge des Strauchdiebs analysiert, fällt ihm wehrlos zum Opfer.«

»Ja, er leert freiwillig selbst seine Taschen aus«, fügte der Oberrabbiner Seidenzwirn dazu und wirkte plötzlich ganz eingefallen, obwohl er sonst ein dicker Mann war.

Die beiden Parteien konnten sich zwar über den Punkt der Spektakelbrisanz nicht einigen, arbeiteten aber gemeinsam einen Plan für eine Gegenaktion aus: Wichtigstes Ziel war möglichst rasche und vollständige

Entlarvung des geheimnisumwitterten, nur einem erlesenen Kreise verständlichen Phänomens. Man entschloß sich zur Flucht nach vorn. Nicht Vertuschung oder Verleidung, sondern Popularisierung und Information auf breiter Basis. Jedermann mußte um seine Besetztheit respektive Besessenheit durch dicke, schamlose Weiblichkeit nicht nur wissen, sondern sich dadurch auch beschämt, beschädigt und erniedrigt fühlen. Er mußte Schritte unternehmen, sich von dieser Zwangseinquartierung zu befreien.

Auch die Partei der Warner vor dem Befreiungseffekt durch die Analyse stimmte diesem Plan zu, weil sich inzwischen herausgestellt hatte, daß der Prozeß der Befreiung so zeitraubend, kostspielig und peinvoll war, daß er nur in wenigen Fällen bis zum Ende geführt wurde. Die meisten brachen vorzeitig aus und bewahrten sich dafür zumindest den angeschlagenen Rest eines Über-Ichs, das die Es-Kröte am Ausbruch hinderte, wirksam unterstützt durch ein zunächst sehr verunsichertes Ich, das sich aber überraschend schnell erholte.

Der Weg des Vorgehens ergab sich von selbst: Entlarvung und Bewußtseinsbildung erreicht man durch Ausschwatzung, und dafür ist der Journalismus zuständig mit seiner bewährten Strategie, allzu komplizierte Sachverhalte wie wissenschaftliche Details zu verschweigen, dafür aber die Gefährlichkeit der Seelenparasitin grell zu schildern, den Prozeß der Austreibung als pikant und die Befreiung als überwältigend darzustellen. All dies, versteht sich, scharf gewürzt mit skandalösen Indiskretionen aus der Welt der Prominenten. – Der ganze journalistische Apparat wurde massiv eingesetzt. Der kleinste Mann von der Straße sollte sich selbst in seinem Lieblingsblatt informieren, urteilen und frei entscheiden können, ob er besetzt sei, weiterhin besetzt bleiben oder sich zum Hinauswurf entschließen wolle.

Der Erfolg war unbeschreiblich. Zuerst fiel die Schranke der Scheu. Jeder geriet in seinem Innern auf die Spur einer dicken Weibsperson, die ihn in fuchtelnder Abhängigkeit hielt und in nächtlichen sowie in Tagträumen ausführlich zu Wort kam. Nachdem die Schranke der Scham einmal gefallen war, empfand man das dringende Bedürfnis, sich gegenseitig davon Mitteilung zu machen. Besonders in den gebildeten Kreisen hörte man von nichts anderem mehr. Jeder beherrschte die einschlägige Terminologie und machte jeden umgehend mit seinem speziellen Mutterkomplex bekannt. Man sah auf der Gasse Herren sich gegenseitig am Knopf festhalten, um dem andern den Traum zu schildern, den er nachts gehabt und sofort notiert hatte. War es einem gelungen, eine analytische Couch zu erobern, war er der Mittelpunkt jeder Gesellschaft und hielt die Runde in Atemlosigkeit, wenn er detailliert schilderte, wie die feiste Phantasmagorie aus seinem Inneren herausbrodelte, so wie in spiritistischen Séancen die Medien Astralleiber in Gestalt weißlicher Tücher absondern.

Mit oder ohne Couch, je nach Einkommen, wurde ›assoziiert‹, mit welchem Fachausdruck man ein unkontrolliertes Dahinköcheln bezeichnete, was nicht unangenehm war und jedem Mann die Überzeugung beibrachte, daß er bereits als Vierjähriger die Mutter leidenschaftlich begehrt habe, vom Vater aber roh an der Wunscherfüllung gehindert und damit fürs Leben geschädigt worden sei. Da auf diese Weise jedes Mißgeschick oder Versagen eine stichhaltige Erklärung fand, fühlten sich die Leute recht gut. Die nervöse Gespanntheit löste sich. Der Zug von seelischer Verhärmtheit um die Mundpartie verschwand und mit ihm verschwanden die Bärte.

Mit der pachypygen Untermieterin sprang man ganz leger um und duzte sich mit ihr. Es ist nicht bekannt, wie sie es aufnahm. Die Partei, die den Pachypygismus als ungefährlich beurteilt hatte, fühlte sich bestätigt.

Als in den dreißiger Jahren die braune Lehmflut über uns hereinbrach – aus völlig anderen Quellen brodelnd –; wanderte der Pachypygismus bereits in der ausgeschwatzten Form nach Amerika aus und kam dort

in einem calvinistisch getönten, leistungs- und erfolgs-
orientierten Bereich zu ungeahnter Blüte.

Leider zeigte es sich, daß hierzulande die Sorge des
pessimistischen Flügels nur zu berechtigt war. Eine das
Innenleben nüchtern und illusionslos betrachtende Generation erwies sich als erstaunlich standfest und trag-
fähig gegenüber den Verbrechen, die sich vor seinen Augen abspielten, und fand kluge Erklärungen dafür, die
jedes Entsetzen abkühlten.

Vielleicht sollte noch erwähnt werden, daß es nur
wenige Sodalen gab, die sich – wenigstens neugiershal-
ber – analytisch versucht hatten. Manche taten es sogar
offen unter dem Vorwand, man müsse schließlich kennen, was man bekämpfe. Unter den wenigen, die mit
dieser Versuchung nicht einmal kokettierten, waren der
Devotionalienhändler Chaimowitsch und der Kapuziner-
Frater Eberhard, dem das eher eintönige Angebot der
pikanten Details aus dem menschlichen Seelenleben
vom Beichtstuhl her bis zum Überdruß bekannt war.

Auch dem Reizer war nichts nachzuweisen, obwohl
sich die beiden Sofraneks an ihn ansetzten.

ADNEX ZUM WINDEI »PACHYPYGISMUS«,
betreffend die anstößige Besetztheit des Reizers
Carlo Maria Istakides

Der Ministerialrat Istakides, im Pachypygismus-Rum-
mel Reizer der Sodalen, war ein kleiner, zart gebauter
Mensch mit feinen Zügen. Seine großen, hellbraunen,
ein wenig hervortretenden Augen blickten lebhaft und
aufmerksam. Es schien ihnen nichts zu entgehen. Er
trug immer besonders elegante Hüte, die er eine kaum
wahrnehmbare Spur schief setzte, und bediente sich eines zarten Spazierstocks, den er in gefälliger Weise zu
tragen und bei der Rede einzusetzen wußte: ein uner-
schöpfliches Objekt für die Moquerien der Sodalen.

Istakides bekleidete eine höhere Stellung im Ministerium für Wissenschaft und Kunst, die ihm viel freie Zeit

und Muße ließ, seinen persönlichen Interessen nachzugehen. Er hatte sich mit den Jahren eine ebenso ausgedehnte wie tiefschürfende Kenntnis auf dem Gebiet der Altertumswissenschaften erworben und galt in den engsten Fachkreisen als exquisiter Kenner der Mythologie und Religion des östlichen Mittelmeerraumes und ihrer äußerst vielschichtigen, komplizierten, ja krausen Gedankengänge. Seine Veröffentlichungen darüber, kleine, aber brillante Studien, die in den einschlägigen Fachorganen sehr ernst genommen wurden, überraschten durch originelle Aspekte und unerwartete Schlußfolgerungen, die stets Beachtung, allerdings selten die volle Zustimmung der Fachkollegen fanden. In der Sodalitas hieß er, dieser Interessen wegen, »Paganus«, der Heide, und man ließ sich gern von ihm mit seinen Kenntnissen und Ideen unterhalten, die sich, wenn er sich keinen wissenschaftlichen Zaum anlegte, oft ins bizarr Phantastische verstiegen, aber nie ohne Witz und Geist.

Er war es, der zu dem neuen Dilemma die sarkastischesten Bemerkungen beizutragen wußte. Weder der katholische noch der mosaische Sofranek konnten auch nur die leisesten Verdachtsmomente eruieren, daß Istakides vom Seelenkummer des Pachypygismus angekränkelt sei. Er schien in dieser Hinsicht beneidenswert, geradezu anstößig ausgeglichen.

Für die Sodalen wurde er immer mehr Gegenstand heimlichen Neides. Sollte gerade dieser, im geistlich moralischen Sinn mehr als verdächtige Mann sich solch seelischer Balance erfreuen?

Eines Tages ergab es sich, daß eine Runde älterer Sodalen sich privat auf einen Kaffeeplausch in der Wohnung des Ministerialrats Istakides einfand. Er lebte als Junggeselle allein in einer weiträumigen Wohnung nächst dem Minoritenplatz. Herrschaftliche Räume mit sparsamer, aber erlesener Meublage und einer beneidenswert reichhaltigen Bibliothek, welche die Wände bedeckte und hinaufreichte bis zu den hohen Plafonds. Man saß in angeregter Stimmung, eingehüllt in eine würzige Duftwolke aus türkisch zubereitetem Kaffee und Tabak – Istakides selbst rauchte eine Wasserpfeife und trug einen Fez. Man genoß allseits die Atmosphäre, die Stille und das Fehlen des Türen durchdringenden Familiengezänks, auch die Abwesenheit jedes Gegenstandes, der auf die ordnende Hand einer Frau hinwies. Auf dem ausladenden Schreibtisch Istakides' türmten sich die Papiere ungeschichtet, dazwischen Aschenbecher und allerlei, was ein ungestörtes, behagliches Arbeitsklima schaffte. Mit Neidblicken merkten es die Sodalen an und dachten an die heimlichen Ordnungs- und Abstaubungsüberfälle, die durch ihre Frauen beziehungsweise deren angeleitete Dienstboten ihre Schreibtische periodisch zur terra incognita machten und sie zwangen, wochenlang wieder jene désordre bien ordonnée herzustellen, in der allein der geistig Arbeitende vertrautes Gelände findet.

Da plötzlich hörte man im verschlossenen Nebenraum leises Trappeln und Scharren und dazu eine kehlige Keifstimme, die unterdrückt etwas zu scheuchen schien. Flatternde Geräusche wurden vernehmbar, und Istakides sprach plötzlich lauter als sonst, und seine serenen Züge zeigten nervöse Zuckungen. Keiner der Sodalen war so taktlos, eine Frage zu stellen. Man setzte das begonnene Thema fort, als hätte man nichts vernommen, hatte aber ein vergrößertes Ohr in Richtung der Korridortüre eingestellt. Plötzlich vernahm man hysterisches Flügelschlagen, Aufgackern, sodann das Geräusch eines zerschmetterten Gefäßes, begleitet von einem rauhkehligen Fluch in einem Idiom, das keiner kannte, das aber irgendwie levantinisch wirkte.

Und siehe, da öffnete sich vor den vorquellenden Augen der Sodalen die Tür, und den Raum durchquerte grußlos eine Person unbestimmten Alters, nicht mehr jung, aber noch gut im Fleisch, was die wichtigeren Partien anbelangt. Sie trug ein rotes, etwas fetzig wirkendes Hausgewand und Schlapfen. Die reichen, glänzend schwarzen Haare trug sie in einer fremdartigen Tracht lose aufgesteckt.

Das Gesicht war fast hager, dunkel, die Backenknochen betont, der Mund groß, die lange Nase am Sattel leicht eingedrückt. Auffiel die breite, aber niedrige Stirn, und unter dichten schwarzen Brauen lagen gelbe Augen, die einen finster pathetischen Ausdruck hatten. Merkwürdig stand zu diesem Blick die Spur eines undeutbaren Lächelns, das nur in den Mundwinkeln saß. Zwei rote Katzen mit steil aufgerichteten Schwänzen begleiteten die Frau. Nur das leise Klirren der Ohrgehänge unterbrach das Schweigen der fassungslos gaffenden Sodalen. – Istakides stopfte angelegentlich seine Pfeife.

Nach wenigen Minuten durchkreuzte die Person abermals wortlos den Raum, trug nun eine Mistschaufel mit Bartwisch in der Hand und entfernte sich durch dieselbe Tür in den Nachbarraum. Dort schoß sie wieder in ihrem hartgaumigen Idiom ein paar Prallworte ab. Flatterndes Huschen und Tappeln. Beim Hinausgehen leimten sich die Blicke der Sodalen an den nackten, nicht allzu sauberen Waden der Person fest und an ihren – im Vergleich zur ganzen Erscheinung – erstaunlich zarten, edelgeformten Knöcheln. Auch der Gang hatte, trotz der Schlapfen und der Üppigkeit der übrigen Formen, eine erregende, etwas vulgäre Grazie.

Istakides blickte anhaltend ins Leere, die Sodalen blickten ihm voll ins Gesicht und dann sich gegenseitig an. Hinter ihren Stirnen arbeitete es sichtbar. Die Gedanken konnte man aus ihren Zügen ablesen, und sie glichen einander aufs Haar.

Also auch er! Warum denn auch nicht? Man hätte es sich denken können. Der geheimnistuerische Schwindler und Falott! Unsereiner hat die pachypyge Besetzung in den Kellerbereich der Seele verbannt und verborgen. In Gesellschaft zeigt man sich mit dem, was einem eine karge Realität beschert hat. Der da hat es in der Wohnung. Ihm sitzt es in persona auf, was auch etwas Angenehmes haben mag. Denn daß dieses Weib trotz dienender Stellung ihren Herrn beherrschte, war nicht zu übersehen.

So stand es also mit Istakides, der nichts als spöttelte, wenn einer seine Träume erzählte, sorgenvoll den Wechsel seines Analytikers besprach oder die Phase erörterte, in welcher sich sein Ödipus gerade befand. Schein! Nichts als leerer Schein das behagliche Arbeitszimmer, die Stille, die Ungestörtheit durch weibliche Eingriffe. SIE beherrschte die Räume und hielt sich sogar Hühner in der Wohnung. Wie mochte es im Schlafzimmer des Bedauernswerten aussehen? Die Sodalen gaben sich mit schadenfrohem Schauder genauen Vorstellungen hin. Manche hafteten neidisch wehmütig an der Vorstellung dieser seltsamen Person im Bette und waren überzeugt, daß sich jene in gehobenen Augenblicken nicht steif oder schmerzlich gab noch von der Entwicklungsphase ihrer analytischen Behandlung sprach. Zur Scheelsucht neigende Charaktere trösteten sich damit, daß sie die Leintücher mit Hühnerkacke beschwatzt sahen. »Ob sie dort in der warmen Kuhle auch Küken ausbrüten ließ?« fragte sich der verfressene Kapuziner und schnalzte, weil er sich das alles und noch dazu ein brutzelndes Brathuhn vorstellte.

Istakides hatte sich schnell gefaßt und seine souveräne Haltung zurückgewonnen. Nebstbei ließ er wissen, der Arzt habe ihm für jeden Morgen ein frisch gelegtes Ei verordnet. Nicht einmal der naive Kaplan Wurmbser glaubte ihm.

Istakides verlor an diesem Abend viel von seinem beneideten Ansehen. Manche behandelten ihn jetzt mit augenzwinkernder Vertraulichkeit, welcher er allerdings einen opalenen Blick entgegensetzte. Die Sofraneks ließen alle ihre Beziehungen spielen, doch ohne den leisesten Erfolg. In den Damenrunden wurde fast kein Bridge mehr gespielt, sondern nur Vermutungen und freudige Entrüstung abgeladen. Einzig Chaimowitsch war auffallend ernst. Er allein hatte bei der ganzen Szene nicht nur den Skandal gesehen, sondern tiefer geblickt. Er hatte die ernsten Augen des fast finsteren Weibes gesehen und darunter das seltsame Lächeln. Die Frau war ihm diaphan geworden. Er

kramte unter seinen ältesten Statuettchen. Chaimowitsch hatte das Astartische an der schlapfenden Person
erwittert und bedachte tief die Erkenntnis, daß einer
wie der Reizer dieselbe noch in figura besaß, während
sie alle, jüdisch oder katholisch, von ihr im Geiste heimgesucht wurden, was letzteres – daran zweifelte er keinen Augenblick – um vieles schwieriger war.

Um sich innerlich wieder ins Gleichgewicht zu bringen, las Chaimowitsch im Buch Jeremias, wo der Seher
die Unartigkeiten beklagt, die sein Volk mit der Melechet ha schamaim, der Himmelkönigin, treibt, und sah
hinter den Buchstaben des ernsten Textes die Knöchel
der istakidischen Besetzung. Er schlief unruhig.

Das »Ressort
für irrationale Erscheinungen
in der Politik«

SCHREBERGÄRTEN

Selbdritt schlenderten wir durch die Schrebergarten-
siedlungen des Schafberges zwischen Baumblüte, bunten Rabatten und kläffenden Hunden der Ladenburghöhe zu, von der es eine der schönsten Aussichten auf
Wien gibt. Wir unterhielten uns über die Ausschmük-
kung der Kleingärten und machten uns gegenseitig auf
pikante Details aufmerksam und wie treffend sie den
Geschmack und die heimlichen Ideale des Besitzers
spiegelten. Besonders fesselten uns die häufigen Fe-
stungsbauten mit Zinnen, Wehrgängen und Wachttür-
men, Burggraben und Zugbrücken, hinter denen das
Gartenhäuschen wie nebensächlich zurücktrat. Der
Anblick regte Singer zu einem lehrhaften Gespräch an:
»Ein interessantes Beispiel dafür, wie zäh sich die letzten Ausläufer geistiger Strömungen gerade in den Nie-
derungen des Volkes halten und treu gepflegt werden,
wie diese Ritterburg da, deren Frühjahrsanstrich noch
nicht getrocknet ist. Wer weiß auch in der gebildeten
Welt noch von Walpole und den Boisserés und von der
›Wackenröderei‹, wie Goethe es hämisch nannte. Keinesfalls weiß der Besitzer dieses Schmuckstücks etwas
davon. Befragt man ihn, warum er sein ohnehin einge-
schränktes Gartenareal auf diese Weise verbaut hat,
wird er vage daherreden von Burg, Ritter, stimmungs-
voll, deutsch.«

»Jedenfalls gefällt's ihm! Haben Sie eine Ahnung, wo
man dergleichen erwerben kann?«

»Ich weiß es nicht. Höchstens in Spielwarenhandlun-
gen, aus Plastik. Aber diese Burgen da sind solid gemau-
ert. Und es gab sie schon in unserer Kindheit, als das
Plastik noch nicht erfunden war.«

»Wäre das nicht ein schönes Windeithema?« ätzte
Thugut, »die Geheimnisse der Burgenindustrie für den
deutschen Schrebergarten?«

»Setz unserer Freundin nicht solche Flöhe ins Ohr«,
mahnte Singer, »sie hat ohnehin einen Hang zum Abstrusen, den man nicht genug überwachen kann.«

272

»Eigenartig ist«, meinte ich, »daß das Volk mit seinen traulichen Geschmacklosigkeiten ausschließlich dem Mittelalter huldigt. Nirgends ein antikisches Tempelchen, ein ›Klein Schönbrunn‹ oder etwas exotisch Fernöstliches. Warum eigentlich? Könnte das Gemüt eines Spezereiwarenhändlers nicht vom Zauber Griechenlands, der Pracht des Königtums oder den Geheimnissen eines Serails angerührt sein?«

»Eben nicht!« rief Singer, »da haben Sie ja wieder einen Beweis! Romantik ist national gefärbt. Tiefenschauer gemischt mit Nestbehagen und Gegenwartswehleidigkeit, ausgedrückt in der deutschen Ritterburg. Die Gefühlsmischung, auf welcher der Kleinnationalismus gedeiht, warm gedüngt mit fetten Vorurteilen. Ich möchte wetten, daß die Besitzer dieser Burgen überzeugt sind, es gäbe nur die *deutsche* Burg, sich spiegelnd im heiligen Rhein oder den Donauwellen ...« – »... und im sauberen Kleinbecken, in dem ein germanischer Goldfisch schwimmt.« – »Springen wir nicht so um mit dem harmlosen Volk und seinen traulichen Grillen«, wiegelte Thugut ab. – »Wenn dieses Volk nur nicht unter besonderen Umständen auch alles andere sein könnte als harmlos und traulich«, sagte Singer. »Möchtest du genau wissen, was jeder dieser Burgenbesitzer, vermutlich gesetzte Jahrgänge, zwischen 1938 und 1945 getan hat?« – »Nein, das möchte ich ausdrücklich nicht wissen.«

Wir hatten indessen die Ladenburghöhe erklommen und auf der Bank, die eine herrliche Aussicht bot, Platz genommen. Da stellte sich heraus, daß Thugut in einer ziemlich schweren Aktentasche, nach deren Inhalt ich schon fragen wollte, Mundvorrat mit sich trug. Er hatte umsichtig vorgesorgt und brachte sogar eine Flasche Wein mit drei Gläsern zum Vorschein sowie für jeden von uns eine große rotkarierte Serviette.

Wir genossen diese unerwartete Collation schweigend, aber jeder spann unterschwellig das Gespräch von vorhin weiter. So bedurfte es keiner erklärenden Einleitung, als Thugut, sich genußvoll Mund und Hände wischend, zu bedenken gab: »Hat es nicht einfach mit dem Hang des kleinen Mannes zum unwirklich Absonderlichen zu tun, welches er hartnäckig dem klaren Klassischen vorzieht? Zur Burg gehört ja auch irgendwie – wir haben ihn mehrfach bewundert – der Gnom. Wenn ich mich nicht täusche, leitet sich dieser aber nicht vom Mittelalter, sondern vom Barock her, als groteske Skulptur sowie in Gestalt des Hofzwerges, der zur Unterhaltung der hohen Herrschaften aus einer angeschnittenen Pastete trat?«

Ich wandte ein, daß der heimische Gartenzwerg nicht die Spur von Groteske an sich habe, vielmehr zeichne er sich – zum Unterschied zum boshaften Charakter des Hofzwerges – durch besondere Biederkeit aus, trage auch keine Hoftracht, sondern Arbeitsgewand. »Somit stellt er nicht die barocke Mißgeburt dar, sondern den Wichtel, Heinzel, den Zwerg der ›Kinder- und Hausmärchen‹, einen winzigen Menschen von freundlicher Wesensart. Der ›böse Zwerg‹ ist ein Kobold. Der steht in keinem Schrebergarten. Der Gartenzwerg ist ein Symbol der traulichen Natur.« – »Natürlich«, sinnierte Singer, »ebenso wie die Burg aus der Romantik stammend. Spätsprossen des Myzels aus Walpoles Grille, in deutschen Landen aber hintergründig geworden. Der kleinbürgerliche Widerstand gegen die Naturwissenschaft der Aufklärung, die ins Volk zu dringen begann. Erinnert ihr euch an das, was in den Bücherkästen unserer Väter stand? Klenzes ›Illustrierte Tier- und Pflanzenkunde‹, ›Die Wunder des Himmels‹ und die ›Wunder der Vorzeit‹ und ausstattungsmäßig anspruchsvoll das fünfbändige Werk ›Weltall und Menschheit‹.« – »Und auf dem Geburtstagstisch des Kindes«, setzte Thugut fort, »die Botanisiertrommel, das Herbarium und der grüne Schmetterlingshascher samt Spießungsbesteck, wodurch der Sproß erziehungsbewußter, aufgeklärter Eltern angehalten wurde, seinen Sammeltrieb nicht nach dem Aspekt optischer Gefälligkeit zu stillen, sondern nach den Linnéschen Tabellen.«

»Und nach dieser ernsten Ordnungstätigkeit«, höhnte

Singer, »klärte sich das Kind an Hand von Grimm, Bech-stein und Musäus über die Besiedlung des Waldes durch Hexen, Zwerge, Elfen, Nixen und Nöcken auf, die zwischen den Artbestimmungen Linnés hausten. Nicht zu fassen, daß sich die populär werdende Naturwissenschaft mit der Romantik vertragen hat!«

»Haben sie sich denn vertragen?« fragte Thugut und sah mir voll ins Gesicht; »ich glaube eher, daß die Naturwissenschaft scheel auf die neu gehobenen Schätze des Volkstums blickte, welche die kaum durchleuchtete Natur wieder mit Dämonen belebte.«

»So wie Sie mich anschauen«, murrte ich, »verlangen Sie jetzt von mir, daß ich als Adnex an die Sodalitas eine Aftergruppe aus dem Boden stampfe: ›Wider den Dämonenglauben in der Natur‹ mit Spezialaufgaben.« – »Sie vermuten ganz richtig, aber als Adnex geht das nicht! Sie müssen sich schon eine eigene Gesellschaft ausdenken!« – »Warum das auch noch?« – »Wegen der Humorklausel!« sagte Thugut. »Die Sodalitas setzt doch den Besitz von Humor als Aufnahmebedingung voraus. Ich kenne meine Fachkollegen. Der naturwissenschaftliche Geist zeichnet sich durch unerschrockene Ernsthaftigkeit aus und ist gegen alles Vieldeutige. Er lehnt es auch ab, sich mit Geschichte zu befassen. Er unterhält seine Kinder mit physikalischen Experimenten für den Hausgebrauch und zwingt sie, sich im wassergefüllten Lavoir kleine elektrische Schläge versetzen zu lassen, was ihnen einen Einblick in das Walten der Natur vermittelt.« – »Ein solcher Verein«, spann Singer lebhaft fort, »rekrutiert sich natürlich nicht aus den großen Forschern, sondern aus Gymnasiallehrern, Ingenieuren und kleinen Technikern und den Verfassern der oben erwähnten popularwissenschaftlichen Werke, wie sie in jedem Haushalt, der auf sich gehalten hat, um die Jahrhundertwende vorhanden waren.«

»Und wie stand wohl die Sodalitas zum Verein wider den Dämonenglauben?« fragte Thugut, mich hinterhältig in eine Produktion lockend, wobei er mir ein neues Glas einschenkte und Singer zublinzelte, was mir alles

nicht entging. Leider saß ich schon am Haken fest und
konnte die Feststellung nicht unterdrücken, daß der
Verein nicht in Wien amtierte, sondern in München,
und die Sodalitas darin einen getarnten Emissär sitzen
hatte.

Angefeuert vom ausgezeichneten Klosterwein gab ich
mich geschlagen und lieferte den Herren zur Unterhaltung ein *Stegreif-Windei.*

DER GERMANISCHE WICHTEL

Geheimbericht des bayrischen Emissärs von der
Sitzung des »Vereins gegen den Dämonenglauben
in der Natur« vom 27. 7. 1870

In der heutigen Sitzung der Vereinigung wurde das Modell eines Zwerges in noch knetbarem Ton vorgestellt,
das die Gesellschaft serienweise in Gips zur Schmük-
kung der Hausgärten in Umlauf bringen will.* Es handelt sich um eine Aktion im Rahmen der Bekämpfung
von »Grimms Hausmärchen«, deren unerwartete Verbreitung den Hang der Kinder und auch des einfachen
Volkes zum Übersinnlichen in der Natur wiedererweck-
te. Ein Mitglied – hieß es – habe dem Vorstand die Anregung zukommen lassen, das Bild eines beliebigen Na-
turdämons in einer einprägsamen Form herzustellen,
die durch die Art ihrer Gestaltung jeden Verdacht auf
Dämonie ausschalte und die Assoziation Naturgeist–
Biedermann schüfe, womit die Anziehung eines solchen
vor allem für das Kind entschärft würde. Die Aktion
sollte den für meinen Geschmack etwas marktschrei-
erischen Titel führen: »Für den Gabentisch des Kindes –
Grimms Hausmärchen oder die Botanisiertrommel?«

---

* Ein grobes Plagiat unserer Aktion »Vergipsung«, gegen das wir wegen des Geheimhaltungsparagraphen natürlich keine gerichtli-
chen Schritte unternehmen können. (Der weitere Bericht wird
den Fall übrigens aufklären!)

Ein bildnerisch talentiertes Vereinsmitglied wurde mit dem Entwurf betraut. Das Modell war im Versammlungssaal auf einem Postament aufgestellt und zur Besichtigung und anschließenden Diskussion freigegeben. Der Hersteller skizzierte kurz seine Auffassung:

Er habe sich nach längerer Überlegung für einen männlichen Naturgeist entschieden, weil seiner Meinung nach Männliches leichter zu entdämonisieren sei als Weibliches. Aus den Möglichkeiten Riese, Gnom, Nöck usw. habe er sich erstens aus praktischen Gründen den Zwerg ausgewählt (Größe, braucht kein Wasser), zweitens weil der Zwerg die am häufigsten auftretende Märchengestalt und dem Kinde wegen seiner adäquaten Kleinform besonders lieb sei. »Sie sehen, meine Herren«, sagte der Künstler auf sein Werk zeigend, »diesem Zwerg mit der roten Zipfelmütze fehlt jeder dämonische oder faunische Zug, auch jede Tücke und Bosheit, die bei Grimm der Gnom manchmal mit Güte vereinigen kann, sodaß der Figur jede gefährliche, mythenträchtige Zweideutigkeit fehlt. Um den Gedanken an wunderbare Wirkungskräfte gänzlich auszuschalten, trägt mein Zwerg Arbeitstracht: aufgekrempelte Ärmel, feste Schuhe, eine blaue Schürze. In der Hand hält er einfaches Werkzeug, das an Garten- oder Forstwirtschaft denken läßt. Das Kind, auf dieses Zwergenbild geprägt, wird Grimms Märchen als ›kindisch‹ beiseite legen und die Eltern um eine Botanisiertrommel oder ein Herbarium bitten.

Das Modell ist in lackiertem Gips – ich habe die Farbgebung nur leicht angedeutet –, billig und in großen Mengen herzustellen. Durch das Werkzeug könnte der Zwerg insoweit verschieden gestaltet werden, daß der Sammeltrieb sowie das Prestigedenken des Bürgers angeregt wird. Besitzt der Nachbar einen mit Mistgabel, ruht man nicht eher, bis man einen ebensolchen erworben hat und dazu noch etwa einen, der einen Schubkarren vor sich herschiebt.«

»So, das wär's!« sagte ich und widmete mich der Aussicht. Die Herren aber litten es nicht. »Und was ist mit dem Plagiat? Sie können nicht ein Moment der Spannung einführen und dann seine Auflösung verweigern und einen im Ungewissen sitzen lassen. Ein bißchen Pflichtbewußtsein, wenn ich bitten darf«, zankte Singer, und Thugut schloß sich an: »Da hat man Sie gespeist und getränkt ...« – Ich sah, daß ich einer Mehrheit gegenüber in der Klemme saß, und war zu schwach, den Fluchtweg zu wählen. So setzte ich also fort.

Schon der Erfinder des Gartenzwerges hatte kurz erwähnt, warum er sich für die männliche Form des Naturgeistes entschieden hatte. Ein Vereinsmitglied (Zwikker und weißer Vollbart) griff diesen Punkt noch einmal auf und forderte mit quengelnder Greisenstimme und vorstoßendem Zeigefinger, statutenmäßig festzuhalten, daß dem Zwerg niemals ein weibliches Pendant in Form einer Elfe, Nixe, Hexe oder auch Zwergin beiseite gestellt werden dürfe, auch nicht, wenn es vom Volk verlangt würde und die Geschäftsleute drängten. Auch müsse beachtet werden, daß der Zwerg zwar Manneskraft zeigen solle, aber in einem reifen, deutlich fortge schrittenen Alter, sodaß leichtsinnige Verlockung durch sexuelle Aktivität ausgeschlossen sei. Der Bart müsse daher weiß sein, nicht braun, wie das Modell es zeige. Dem Antrag wurde stattgegeben und hinzugefügt, daß nicht nur der Zwerg, sondern die ganze Gestaltung von Märchenfiguren unter Patentschutz zu stellen sei.

Nun meldete sich ein anderes Mitglied zu Wort, ein zarter Herr, der im Vergleich zu dem in der Gesellschaft gebrauchten Idiom auffallend gepflegt sprach. Er brachte die ganze Diskussion (die bisher dem Zuhörer eher lächerlich erschienen war) auf ein höheres, allerdings auch gefährliches Niveau.

Vorausschickend erlaubte sich der Emissär zu bemerken, daß sich in der ursprünglich den Ideen der Aufklärung verpflichteten Gesellschaft in letzter Zeit ein Flügel gebildet habe, der zwar gegen die Romantik sei, aber daraus die nationale Idee isoliert habe und hochspiele. Der Redner schien dieser Sondergruppe anzugehören.

Er forderte die Gesellschaft auf, den Gartenzwerg gleichzeitig mit der Entdämonisierung auch dem nationalen Gedanken dienstbar zu machen, was durch ein paar kleine Revisionen oder Zusätze durchaus möglich sei. »Vom Begriff ›Heimatscholle‹ her«, führte er aus, »kann das Bedürfnis des Volkes nach dem Irrationalen unschwer vom Wunderbaren auf das politisch Nationale gelenkt werden.« – In der Gesellschaft wurde gemurrt, aber ein größerer Teil klatschte Beifall mit »hört, hört«-Rufen. Nach einer kleinen Pause, während welcher der Redner ein mesquines Lächeln zeigte, setzte er fort. Aus eben erwähnten Gründen dürfe der Zwerg als entdämonisierte Verkörperung der Natur nicht international sein, sondern müßte urgermanische Züge tragen und den deutschen Wald, den deutschen Hausgarten symbolisieren sowie deutsche Charakterzüge aufweisen: grundehrlich, herzensgut und arbeitsam, jedoch auch muskelstark, wehrhaft und imstande, im Notfall den Hausgarten mit der Mistgabel als Waffe zu verteidigen. So habe er zum Beispiel starke Einwände dagegen, daß im Modell die Farbe der Augen als braun angedeutet sei, sie müsse unbedingt ein klares, ungebrochenes Blau zeigen und trotz des gutmütigen Gesichts auch eine latente Kampfeslust vermuten lassen.

Der Erfinder des Zwerges trat zu seinem Modell und knetete in der Augenpartie ein wenig herum. Die Augen traten jetzt vor, und mit ein paar Pinselstrichen wurde in ein kalkiges Weiß eine sehr blaue Iris mit relativ kleiner Pupille gesetzt, sodaß der Zwerg zum Erstaunen des Publikums plötzlich gefährlich wirkte; ein Eindruck, der aber durch das rotbackige Grinsen zur biederen Verschmitztheit verwaschen wurde, die gleichwohl etwas Hintergründiges hatte. – Genaugenommen eine treffende Wiedergabe des bayrischen Nationalgesichtes, wie es in kaum unterscheidbaren Exemplaren in den Bierhäusern saß.

Der Redner zeigte sich zufrieden, stellte aber den Antrag, im Patent festzuhalten, daß jede Abweichung in fremdrassige Formen verboten sei, beispielswiese der welsche oder jüdische Gartenzwerg.

Als der Redner vom Podium herabstieg, um sich auf seinen Platz zu begeben, der in seiner, des Emissärs, Reihe war, konnte er ihn genauer betrachten, woran ihm natürlich gelegen war, da seine Ausführungen für die Sodalitas wichtig werden konnten. Und da mußte er zu seiner größten Verblüffung erkennen, daß es sich um den Dozenten Cornelius handelte, der seinerzeit die Aktion der Reclamübersetzungen angeregt hatte, dann im Sanatorium verschwunden und nicht wieder aufgetaucht war. Er habe ihn nur deshalb nicht gleich erkannt, weil er nunmehr einen Bart trage. Erkundigungen entsprechend, die er sofort einzog, erfuhr der Emissär, daß es sich tatsächlich um einen Dr. Cornelius handle, der in der Münchner Universitätsbibliothek einen untergeordneten Posten besetze und ein völlig zurückgezogenes Leben führe. Auch keine Frauengeschichten seien bekannt. Neuerdings aber trete er fanatisch für ein unklares Nationales ein. Ursprünglich, hieß es, Altphilologe, befasse er sich derzeit mit anthropologischen Studien mit dem Schwerpunkt der Rassenklassifizierung.

Um den Herren zu zeigen, daß ich nicht mehr gewillt war, sie weiter mit Anekdoten zu unterhalten, erhob ich mich von der Bank und wies auf eine kühle Brise hin, die gerade in dieser Frühlingszeit, wo man sich unvorsichtig leicht anziehe, unangenehme Erkältungen erzeugen könne. Ich hatte für die Herren das Richtige getroffen. Singer zog umgehend einen Schal aus der Manteltasche und wand ihn sich sorglich um den Hals. Thugut aber hatte in der Aktentasche nebst dem Mundvorrat ein Leibchen mitgebracht, das er sofort anlegte, wobei er ohne die geringsten Umstände seine Soutane so weit aufknöpfelte, daß er das warme Wäschestück überstreifen konnte. Dabei ließ er sich von mir in die Ärmel helfen.

»Rassenkunde also trieb er«, raunzte Singer, »immer schon ein verdächtiger Kerl, der Cornelius. Einer der intellektuellen Typen, die dem Hitler in die Hände gearbeitet haben. Es gab sie schon in der Romantik. Man denke nur an die ›Christlich deutsche Tischgesellschaft‹ mit dem Judenverbot auch für Konvertierte. Und der französische Botschafter Morsan stellte in bezug auf diese Institution fest, daß die ›Abneigung gegen Juden ein geheimer Charakterzug der Deutschen‹ sei.«

Im langsamen Wandelgang der Endstation 41 zu wurde die Frage erörtert, ob das Ladenburger Stegreifwindei ins Doppelopus aufgenommen werden sollte. – Es fehle, gab Singer zu bedenken, ein Verbindungsglied vom Gipszwerg und seinem Käuferkreis zu dem ästhetisch hochgestochenen Typ vom Schlag des Cornelius. Die Geschichte habe die Vereinbarkeit zwar bezeugt, wir selbst wunderten uns daher nicht, Paragonville aber würde diesen Umstand – einen der heikelsten des Nazismus – kaum begreifen und wahrhaben wollen.

Da fiel mir spontan ein Eichendorffgedicht ein. Ich sagte es auf. Es war das Lied von den »Zwei Gesellen«, die voll Enthusiasmus hinaus in die Welt zogen, »in den singenden, klingenden Wellen des Frühlings«. Und was geschieht? – »Dem einen sangen und logen die tausend Stimmen im Grund« und zogen ihn hinab »in der buhlenden Wogen farbig klingenden Schlund. Und wie er auftaucht vom Schlunde, da war er müde und alt, sein Schifflein, das lag im Grunde ... und über den Wassern weht's kalt.« – »Der typische romantische Selbsterlediger, der altgewordene Frühvollendete; der hat sicher nicht mehr den Gartenzwerg erlebt«, stellte Singer kalt fest. – »Ich bin noch nicht fertig, hören Sie, was mit dem zweiten geschah: ›Der zweite, der fand ein Liebchen ...‹« – »No, und die wirft eine Schlinge aus!« – »›... kauft Hof und Haus und wiegte gar bald ein Bübchen und sah aus heimlichem Stübchen behaglich ins Feld hinaus‹.« – »Und im Garten steht der germanische Zwerg?« lachte Thugut. – »Ja, darauf will ich hinaus! Dank der ausgeworfenen Schlinge wurde der zweite

Geselle seßhaft und zum Kleinbürger und Biedermeier, an welchem zunächst gar nichts bemerkenswert erscheint als die Fähigkeit, seine Umwelt über den Gartenzaun hinaus nicht wahrzunehmen. Nicht gerade brauchbarer als der, dessen Schifflein am Grunde liegt, aber dafür bei weitem gefährlicher.«

»Das muß zwischen der Musulin und der Kohnhülse liegen«, stellte Thugut fest. »Keine Kehrtwendung in die nüchterne Realität, sondern Reißaus ins deutsche Schneckenhaus unter die Nachtmütze. Gewissermaßen der missing link, Singer: der ›Biedermeier‹, ein lieber Mensch, bösartig nur, wenn einer sein Gärtchen überfremdet? Ich bin für die Aufnahme des Blitzgeleges ins Opus.«

DAS ANGESICHT DES FÜHRERS

Singer lehnte Kaffee ab. Für Schnaps war er schon gar nicht zu haben. Im Augenblick vertrage er höchstens eine Schale Kamillentee ... Ja, eine Übersäuerung des Magens ... Nein, nicht durch einen Diätfehler oder Völlerei. Das Kapitel, das er gerade unter der Feder habe ... Alles dreht sich um die Frage, wie es möglich war, daß eine Generation, die gerade 1918 überstanden und noch nicht verdaut hat, sich kaum zwanzig Jahre später abermals ins Inferno stürzen ließ ... – »Natürlich! An Fakten fehlt es nicht. Schon gar nicht an Theorien politischer, wirtschaftlicher, sozialer, sogar psychologischer Art ... Eindeutig zu lösen ist die Frage nicht; ein filziger Belag im Verdauungsapparat.« Es war ihm tatsächlich speiübel, man sah es ihm an.

Widerstandslos legte er Jackett und Schuhe ab und ließ sich auf den Diwan betten. Er ließ es auch zu, daß ich ihm die Hosenträger lockerte und auf seinem Magen streichelnde Kreisbewegungen ausführte. Mit einem bitteren Gesichtsausdruck hielt er still, während ich ihm löffelweise Kamillentee einflößte. Er gab seine Anweisungen mit kleiner Stimme.

Ich legte ihm noch einen Dunstumschlag auf, dann hielt ich es für das Beste, ihn gut zuzudecken und – von sanftem Kopfkraulen unterstützt – zum Schlaf zu überreden. Obwohl ihm infolge des Zärtelns und der Wärme schon die Lider zufielen, versicherte er obstinat, daß von Schlaf schon seit Tagen nicht die Rede sein könne. Ich verließ mich auf die verhexende Wirkung des Kraulens und ging auf den Zehenspitzen hinaus. Als ich eine Weile später einen Blick ins Zimmer warf, lag er bereits in Embryostellung zur Wand gekehrt und gab ein zartes Schnarchen von sich.

Nach etwa einer Stunde kam ich wieder an den Türspalt und sah einen deutlich regenerierten Singer, die Arme unter dem Kopf verschränkt, hellwach zur Tür blicken. Der Dunstumschlag lag neben dem Sofa auf dem Boden.

Ich setzte mich zu ihm auf den Diwan. Fragen über seinen Leibeszustand überging er. Es drängte ihn zum Wesentlichen. Er ging sofort in medias res.

»Sicher, die Revisionspolitik nahm nur einen schleppenden Fortgang, auch Fehler wurden gemacht auf beiden Seiten. Aber das lag weniger an der Unfähigkeit der Weimarer Republik, auch nicht an der Perfidie der Siegermächte, sondern an dem zähen Gewölle der Fakten und Interessen, an politischen und wirtschaftlichen Verfilzungen, die man nicht gordisch durchhauen, sondern auf diplomatischem Weg zu lösen versuchte. Gar nicht aus Anstand oder besonnener Einsicht. Viel einfacher und zwingender. Man hatte auf beiden Seiten genug vom Krieg. Das war ein Punkt, in dem sich alle Beteiligten einig waren, Sieger wie Besiegte. Denken Sie doch: zehn Millionen Tote, die noch nicht verwest waren; zwanzig Millionen Krüppel und Verwundete, die ihre Gebrechen durch die Gassen schleppten. So etwas sitzt einem nicht nur im Kopf als nackte Zahl. Das sitzt einem in den Knochen. Alles! Nur dieses nicht noch einmal.

Und was geschieht? Die gleiche Generation läßt sich abermals in den Greuel treiben, und nicht einmal mit

Gewalt, sondern mit Jubel und Taumel und Kirtagsge-juchze.

Und das die Deutschen! Kein dummes Volk, kein Haufen rüder Analphabeten. Ein Volk mit kultureller Vergangenheit und dem besten Schulwesen der Zeit. Wie konnte dieses Volk diesem Spuk auf den Leim gehen, der nach abgestandenem Biertischfusel roch; dieser Pseudoideologie, die mit Hilfe versoffener Schläger- und Versagertypen verbreitet und schließlich durchgesetzt wurde? – Das soll sich einem nicht auf den Magen schlagen! Mit dem Hirn ist es nicht zu fassen.«

»Und die Intellektuellen? Die Akademiker und Künstler? Heute kann man sich nicht genug tun, die hochverfeinerte, fast bis ins Anämische sensible Kultur der zwanziger Jahre zu preisen. Haben die nicht gemerkt, was auf sie zukam? Hat es ihnen nicht gegraut und gegraust?«

»Gemerkt haben sie schon etwas. Aber eigenartigerweise erlagen viele von ihnen einer Art faszinierter Lähmung. Sie beredeten alles, verstanden alles, aber sie handelten nicht. Sie genossen Untergangsstimmung. Sie gönnten sich das Makabre. Manche fielen um, stürzten sich in die Kloake und empfanden sie wie eine Droge. Die anderen drehten sich l'art pour l'art um sich selbst und schlossen die Wirklichkeit aus mit gerümpfter Nase. Sie nahmen die Straße nicht zur Kenntnis.«

»Wieso hat sich eigentlich der Sozialismus nicht als Gegengewicht bewährt? Ich meine nicht den Salonsozialismus der linken Intellektuellen, sondern den handfesten des Proletariats?«

Wir wurden unterbrochen. Die Türklingel läutete. Es war Thugut. Er hatte die Eigenschaft, hereingeschneit zu kommen. Von Singer deshalb oftmals zurechtgewiesen, redete er sich lächelnd und unbetroffen darauf aus, daß man ihn ohne weiteres vor die Tür setzen könne. Er grolle weder noch sei er beleidigt. Vorankündigungen verpflichteten einen, und man müsse dann gehen, auch wenn man gar keine Lust mehr darauf habe; sitze dann als innerlich verknoteter Haßknäuel in der

Gesellschaft und verpeste die Stimmung. Nach ein paar boshaften Bemerkungen zu Singers Bettung, den Dunstumschlag auf dem Boden und den halbleeren Kamillentee auf dem Stockerl – Bemerkungen, die Singer ostentativ überhörte – zog er sich einen Sessel heran und ließ sich in unser Gesprächsthema einweihen.

Ich wiederholte meine letzte Frage: »Wieso hat sich der Sozialismus als Gegengewicht nicht bewährt, wieso ist auch der größte Teil des wirklichen Proletariats umgefallen?«

»Denken Sie nach!« sagte Thugut. »Was ist der Sozialismus oder Kommunismus? Eine intellektuelle Utopie. Verweltlichtes Christentum, dem man noch dazu eine humanistische Idealvorstellung vom Menschen aufgepfropft hat, wie sie der Kirche übrigens fremd ist. Der Mensch sei gut und rücksichtsvoll dem Mitmenschen gegenüber, wenn man ihn nur genügend aufkläre und erziehe. Man trug ihm Vorträge an, Kurse für Weiterbildung und einen Platz in der Abendschule. Dazu die sperrige Lektüre des ›Kapitals‹. Alles sehr verdienstvoll und human ausgedacht von Hochintellektuellen, die vom Wesen und Leben des Proletariers bestenfalls die Zahl der Kalorien kannten, mit denen er auskommen mußte. Von all seinen Seelennöten hielten sie den ungestillten Bildungshunger für die dringlichste. Aber die hungerten nach mehr als nach Brot und rationaler Aufklärung ihrer Lage. Nur die Klugen blieben bei der Stange. Der Großteil ist umgefallen, als man ihnen etwas ›fürs Herz‹ bot, und wenn es noch so verlogen war. Der Sozialismus rechnete mit dem Menschenbild der Aufklärung. Die Nazis rechneten mit einem sentimentalen Halbtier. Und leider war es diese Rechnung, die aufging.«

»Bleiben also noch die Kleinbürger, die beleidigten Biedermeier, die schon von der Romantik her ihre Schrebergärten als germanische Heimatscholle umgruben und mit ihrer verwaschenen Wehleidigkeit düngten. Von der ›Wacht am Rhein‹ über die ›Schmach von Versailles‹. Und aufging die furchtbare Mißgeburt des

Gartenzwerges, den sie, wie durch einen bösen Zauber verblendet, als den deutschen Herrenmenschen sahen. Man lachte über die geistigen Blähungen, die unter der Nachtmütze des Kleinbürgers wogten, und erkannte nicht deren explosive Potenz.«

»Ja, alle unsere Gescheiten, Gebildeten und Gewitzten: ihre Aufmerksamkeit galt den Armen, den Getretenen, die sie kraft der Vernunft zu Mündigen machen wollten. Dabei übersahen sie vollkommen, wie sich im Sudeltopf die romantische Suppe zum Edelblut des nordischen Ariers einkochte, an welchem man genesen wollte, sobald die fremdrassigen Viren ausgesiebt waren. Und an diesem Edelblut hatte selbst der Geringste teil. Und zwar ohne die leiseste Anstrengung. Ein paar Postkarten an diverse Matrikelämter, und man hatte den Nachweis in der Tasche, war verbrieft und gestempelt ein Herrenmensch. Bedenken Sie einmal! Noch nie in der Geschichte ist ›den Leuten‹ soviel geschenkt worden wie durch diese Schluder-Ideologie.

Diese letzte Erscheinungsform des ›Großen Spektakels‹ war nur noch Schmierenkomödie, aber sie hatte ungeheuren Zulauf.«

»Wie denn nicht?« sagte Singer. »Die Kirche verspricht zwar auch die Erlösung, aber man muß sich doch um eine gewisse moralische Integrität bemühen, um ihrer teilhaftig zu werden. Der Sozialismus wieder macht die ›Erlösung‹ von der Knechtschaft von Vernunft und Bildung abhängig. Allein im Nationalsozialismus wurde einem jede persönliche Mühe erspart und abgenommen. Man brauchte sich nur blind gläubig der Führung ins Glück und in die Größe zu überlassen. Zutritt gewährte der Ariernachweis. Und noch etwas! Das Leiden und die Ursache für das Leiden mußten nicht mühsam analysiert und in seine verwirrenden Stränge aufgedröselt werden. Man bekam einen Schuldigen gezeigt, einen bösen Verursacher, der in persona gestellt und gepackt und vertilgt werden konnte; ungestraft. Das war das Geniale an diesem Coup. Man erklärt den Leuten nicht, *was* die Ursache ihres Elends ist, sondern *wer.* Um wieviel leichter beseitigt man Menschen als Ursachen. Abgesehen davon, daß man sich dabei gleich auch noch für alles, was man je hat ausstehen müssen, rächen kann.«

»Das ist doch immer der brisante Moment, in welchem das Große Spektakel in Gang kommt?« – »Wenn auch damals entgöttert«, fügte Thugut hinzu. – »Etwas versteh ich bei dieser Auferstehung des Mysterienspiels nicht«, sagte ich, »den ›Retter‹. Er trug doch solch ein Gossengesicht. Wie war das möglich, daß man diesem Schmierenkomödianten bis zum Stimmritzenkrampf zujubelte, zuschluchzte? Und das auch in dem gaff- und theatersüchtigen, immer spott- und nörgelbereiten Wien. Und zwar nicht für die ›Hetz‹ von ein paar besoffenen Tagen, sondern sieben Jahre lang. Zujubelte noch, als der Krieg ausbrach, als die Gefallenenmeldungen kamen und die ersten Bomben fielen; zujubelte, als im Radio nicht mehr Eroberungen gemeldet wurden, sondern ›Frontbegradigungen‹, die sich unaufhaltsam näher schoben! Das verstehe ich immer noch nicht. Wie konnte diese Greißlervisage ein augenbegabtes Volk sieben lange Jahre von Angst und Elend so in Bann schlagen? An einem zarten Gewissen hat der Österreicher ja nie gelitten, aber für Angst und Elend ist er, wenn es ihn selbst betrifft, durchaus anfällig. Und mit den Jahren hat es ihn wahrhaftig auch selbst betroffen. Sieben Jahre somnambule Verzückung und keineswegs mit Gewalt und Terror erzwungen, wie sie es sich heute einreden. Sich selbst einreden; nicht nur dem Ausland. So war es aber doch nicht! Keine Heere gedungener Spitzel behorchten die Leute bis ins Schlafzimmer hinein. Keine verkleideten Agenten waren im Spiel, wenn man bis zuletzt nur flüsternd die Nachrichten des englischen Senders besprach; wenn man nicht wagte, die Wunderwaffe und den Endsieg zu bezweifeln, als man in der Stille der Nacht schon den Donner der Geschütze näherkommen hörte wie ein aufziehendes Gewitter.

Geheime Spione konnte das Regime sich ersparen. Da genügten die Hausmeister, die Nachbarn, der Greißler oder Gaskassier; ganz ›normale‹ Mitbürger aus der gleichen Gasse.«

»Was war das nur? So ein wehleidiger Schlag wie· der Durchschnittsösterreicher?« sagte Singer. »Klaglos ertrugen sie Leiden und Entbehrungen, Hunger und Kälte, die Bombardements, die Unzahl gefallener, verkrüppelter, vermißter Männer, Väter, Söhne – und denunzierten einen, wenn man ihnen Hoffnung auf ein baldiges Ende machte. Es müßte doch der Dümmste zu dieser Zeit begriffen haben, daß die Rache der Sieger nicht ärger sein konnte als das, was ihnen die eigene Führung auferlegte. In den ersten Jahren konnten sie noch einem Irrtum erlegen und auf die Siegeszüge hereingefallen sein. Aber in den letzten Monaten? Was sag ich! Wochen! Das hatte nichts mit Tapferkeit, mit Durchhaltevermögen zu tun.

Das war Verblendung! Sieben Jahre starrte dieses Volk auf die Gossenvisage von einem Hitler, bekam fromme Augen, wenn er aus dem Volksempfänger kreischte, beging in seinem Bann Verbrechen oder ließ sie geschehen und nahm klaglos auf sich, was ihm selbst zugemutet wurde.«

»Verblendung ist nicht das richtige Wort«, dachte Thugut laut; »Verblendung hat mit dem Verstand zu tun; ist eine Art hartnäckiger Irrtum des Denkens und der Wahrnehmung. Dieses jedoch, was wir damals erlebt haben, ist aus einer tieferen Schicht aufgestiegen. Wenn ich es in der Sprache meines Fachs ausdrücken darf, würde ich es einen ausgearteten Selbsterhaltungstrieb nennen. Tiere in freier Wildbahn kämpfen verbissen, aber ohne zwecklose Grausamkeit, und der Instinkt sagt ihnen, wann sie verloren haben und Schluß machen müssen. Dem Menschen fehlt diese Sicherheit des Instinkts. Da kann der Trieb zur Selbsterhaltung kollektiv in sein Gegenteil umschlagen, in Selbstzerstörung.«

»Bei den Deutschen ist es offenbar immer dann soweit, wenn sie von Nibelungentreue zu reden anfangen!«

Thugut nahm den Faden wieder auf.

»Du erinnerst dich ja sicher, Singer, wir standen damals vor der Matura, waren vom Aufmarschieren dispensiert. Trotzdem trieben wir uns natürlich in der Stadt herum, um etwas von dem Spektakel mitzubekommen. Wenn ich mich heute frage! Den nachhaltigsten Eindruck machte mir, neben dem rhythmischen Gebrüll der Parolen, die Gleichgesichtigkeit. Obwohl erst nur wenige vollständige Uniformen trugen, unterschieden sie sich kaum voneinander. Der gleiche Ausdruck, die gleiche Haltung. Irgendwie unheimlich. Eine Horde von Tieren. Gefährlichen Tieren in angriffsbereiter Stimmung. Aber es fehlte ihnen die Selbstverständlichkeit. Die zweckbezogene Selbstverständlichkeit, die auch ein Wolfsrudel, das auf Raub ausgeht, nicht grausam oder böse erscheinen läßt. Sie reißen gelassen ihre Beute, um sich am Leben zu erhalten. Aber an dieser Menschenherde damals, die sich von irgendeinem Leitvieh herumschieben ließ, spürte ich etwas, das mich schaudern ließ. Etwas latent Böses. – Mag sein, daß die Entartung oder Verkümmerung des Instinkts, wenn er nicht durch Vernunft ersetzt und kontrolliert wird, eben das entstehen läßt, was man als böse empfindet.«

»Das war es wohl, aber nicht allein«, sagte ich, versuchend, mich zurückzufühlen in diese Tage; »es war etwas wie eine hängengebliebene Ekstase, ein chronisch gewordener Rausch. Ich kann es schwer analysieren, aber ich spür es noch in allen Nerven.«

»Diese rauschhaft Verzückten«, warf Singer ein, »das war keine Ansammlung von Individuen, das war ein einheitliches Ganzes, und dieses war der Kontrolle des Gehirns und der Sinne entzogen oder hatte ein eigenes Gehirn, eigene Sinne und Gefühle. Ich glaube gar nicht, daß da jeder für sich ein illegaler Nazi oder ein politisch Überzeugter war. Dazu waren es schon zahlenmäßig viel zu viele, so kurz nach dem Einmarsch. Denen ging es in diesen Tagen und Wochen nicht um Politik, die dachten nicht an ein Parteiprogramm. Es ging ihnen um die Teilhaberschaft. Teilhaberschaft an einer ekstatischen Masseneuphorie. Ein rauschhafter Zustand, der einen befähigt, sich der individuellen Kontrolle, der humanen Schranken zu entledigen. Eine Art Glück und namenlose Erleichterung, die Grenzen der Vereinzelung, des Ich, aufzulösen und damit auch die Verantwortung und Wachsamkeit los zu sein. Eine Art Selbstaufgabe, fast ein geistiger Selbstmord, aber hochlebendig. Umgebracht wurde nur der lästige, krittelnde Teil des Ich. Ein Kollektivsuizid mit eingeschlossener Wiedergeburt, hinein in eine machtvolle Einheit, die einen trägt, ohne daß man einen Muskel zu rühren, einen Gedanken zu fassen braucht.«

»Und dieser unheimliche Chemismus vollzog sich in einer dröhnenden Geräuschwolke von Liedern und Sprechchören, die in die träge Masse Impetus und Rhythmus pumpte, eine Vitalkraft, die jede Anwandlung individuellen Aufhorchens brutal niedertrampelte. Nicht Entschlüsse, Kundgebungen, Deklarationen bildeten diese Masse oder Überperson, wie etwa ein zahmer Maiaufmarsch der Linken. Was damals geschah, das war eine Inszenierung. Wenn diese diabolische Bagage ein Talent hatte, dann war es ein theatralisches. Mit Gedränge, Tuchfühlung, Grenzaufhebung und Rhythmisierung im Großlärm wurde die Menge zusammengekocht zur Rolle im »Großen Spektakel«. Das erlösungsbedürftige Opfer, dem sich der Retter naht, das ihn kommen sieht. Nicht den Adolf Hitler aus Braunau am Inn, sondern den Erlöser, der sich den Hoffenden nicht nur zeigt, sondern der sich ihnen schenkt. Die Geste des ungeschützten Stehens im offenen Auto, das ganz langsam durch die Menge fährt, hochverletzbar und ausgeliefert: das war nicht Kühnheit oder Unvorsichtigkeit, das war ein geniales Mittel der Regie.«

»Und die dritte Rolle, die des Bösen, das war unsereiner. Zunächst erst als Ausgeschlossene, jene, die nicht dazugehörten. Die Vertilgung war einem späteren Akt vorbehalten. Aber das Nicht-dazu-Gehören, das war schon das Kainszeichen für morgen. Und eigenartigerweise – ich erinnere mich noch genau – nahmen wir die Rolle gefühlsmäßig an, was immer wir uns dazu dachten. Wir haben unseren Part regiegerecht gespielt, er fuhr uns irgendwie in die Knochen. Wie soll ich das beschreiben? Natürlich taten wir nicht mit, aber wir hielten auch nicht Distanz.

Wir drückten uns herum. – Das ist das richtige Wort. Auch die, denen man die Zugehörigkeit zur Rolle der Geächteten äußerlich gar nicht ansah, hochblond und blauäugig, auch sie bewegten sich befangen. Wir suchten schon den Schatten, die Deckung, hatten das Ausgeschlossensein angenommen und trugen das Stigma, das damals noch gar nicht vorgeschrieben war, eingebrannt ins fröstelnde Fleisch: den gelben Stern. Ein Menschenkenner hätte uns aus der Menge heraus identifizieren können allein nach der Art, wie wir uns hielten und bewegten. – Aber Sie«, wandte sich Singer mir zu, »Sie mit Ihren fünfzehn Jahren waren ja wirklich eine Unbetroffene. In diesem Alter ist man in sich selbst und seine Pubertätstrubel verbohrt. Ich wüßte gern, wie Sie das alles erlebt und gesehen haben. Die Schulen wurden doch zu jeder Großveranstaltung geschleppt. Die Jugend in die vordersten Reihen! – Haben Sie vielleicht auch ihn gesehen, den Erretter?«

»Aus nächster Nähe habe ich ihn gesehen. Ich habe mir alles angeschaut wie im Kino. Unbetroffen, wie Sie sagen, und mit dem nüchternen Scharfblick eines Halbwüchsigen, der auf Sensationen aus ist.«

»Erzählen Sie! Immer schon wollte ich wissen, was ein Unbeteiligter damals gesehen hat. Ich war ja leider zu beteiligt, da beschlägt sich die Sicht. Aber mit fünfzehn Jahren und einem Ariernachweis! Da waren sie vermutlich politisch kaum interessiert oder gar fixiert?« – »Nicht im geringsten. Ich hatte andere Sorgen und Spannungen. Mein wichtigster Bezug zur Sache war, daß wir keine Schule hatten. Es wurde marschiert in jenen Märztagen.

Auch damals, als er die Heldenplatzrede hielt, waren wir schul- und klassenweise aufmarschiert. Uns war ein Standplatz auf dem Ring zugewiesen worden. Spalierstehen. Er fuhr die Allee entlang in seinem schwarzen Auto. Vor oder nach der Rede, das weiß ich nicht mehr. Na und? fragen Sie, ich frage mich auch. Seit fünfzig Jahren frage ich mich und finde keine befriedigende Antwort ... Ich sah ihn sehr genau. Ich stand in der ersten Reihe ... er konnte ja in seinem jubelnden Wien wirklich völlig gefahrlos aufrecht im Auto stehen, das ganz langsam fuhr, damit ihn sich jeder einprägen konnte; auch seinen vielgepriesenen Führerblaublick, der einem – wie man allseits hörte – durch und durch gehen sollte.«

»Nun? Reden Sie schon. Was haben Sie gesehen und empfunden?«

»Ich habe zu meiner maßlosen Enttäuschung nichts gesehen als einen Gemischtwarenhändler, der seine graue Lüsterschürze mit einer Uniform vertauscht hat. Ich habe ein eitles Lächeln unter einem winzigen Schnurrbart gesehen und einen Menschen, der sich mit grüßender Hand dauernd nach rechts und links drehte mit den Bewegungen einer drittklassigen Soubrette, die gerade mit einer zündenden Zote tosenden Erfolg hat. Ich kannte das aus Filmen mit frivolem Einschlag und Jugendverbot, in die ich mich hineingeschwindelt hatte.«

»Sie haben also sehr nüchtern wahrgenommen und mit einer für Ihr Alter bemerkenswerten Präzision.« – »In diesem Alter nimmt man nüchtern und genau wahr ... aber ich grämte mich darüber.« – »Sie grämten sich? Weil Ihnen ein Heros aus den Wolken fiel?« – »Mir fiel nichts aus den Wolken. Politik interessierte mich damals ja nicht. Ich war ganz in meine Pubertätstrubel versponnen. Ich war höchstens auf ein Schaustück aus, etwas zum Begaffen, und dennoch grämte ich mich! Ja mehr noch: ich kam mir minderwertig vor.« – »Minderwertig? – Das war damals ein oft gebrauchtes Wort!« – »Ja, minderwertig. Ich kann es anders nicht ausdrükken.« – »Und warum?« – »Weil ich nicht sah und begriff, was offenbar alle sahen und begriffen und was sie zu frenetischem Gebrüll, Jauchzen und Schluchzen hinriß ... ich dachte, ich hätte irgendeinen Defekt ... auch leid hab ich mir getan. Ich neidete den anderen dieses Glück, diese Hingerissenheit.« – »Und dann?« – »Ja dann! Erst meinte ich, es hätte etwas mit dem Mitschreien zu tun. Vielleicht muß man sich einschreien in diesen Zustand, dachte ich, und dann sieht man richtig.« – »Ja?« – »Nun, ich hatte gegen ein paar innere Aufbäumungen zu kämpfen. Mit einer bürgerlichen Erziehung unter der Haut ist es gar nicht so leicht, auf offener Straße lauthals zu schreien. Aber ich nahm die Hürde, hörte mir dabei zu, genierte mich, überbrüllte die Hemmung und Peinlichkeit und schrie mich tatsächlich ein. Dabei empfand ich einen scharfen Kitzel in der Magengrube, der irgendwie verboten, aber nicht unangenehm war.« – »Und dann sahen Sie ihn als Messias?« – »Nein! Das war ja der Jammer. Ich sah noch immer, jetzt von hinten, eine drittklassige Soubrette, die sich langsam in einem schwarzen Auto entfernte, während die Schreiwoge sich fortpflanzte und allmählich um mich herum verebbte. Da spürte ich dann plötzlich all die angepreßten Schenkel, Hüften, Bäuche und roch sie auch. Übelkeit befiel mich und Platzangst. Ich drängelte mich frei und suchte eine stille Nebengasse. Dort setzte ich mich auf den Randstein. Ich verspürte ein Schwindelgefühl und einen leichten Brechreiz, aber nicht wie bei einer Magenverstimmung, sondern so, wie wenn man im Prater auf einem besonders brutalen Ringelspiel gefahren ist.« – »Und fühlten Sie sich immer noch minderwertig, wie Sie sagten?« – »Das war es ja. Ich war jetzt sicher, daß ich irgendeinen Defekt hatte, den ich geheimhalten mußte. Ich kam mir nicht stumpf oder blöde vor, sondern ein bißchen schlecht … ja, schlecht! … Nicht er hatte mich enttäuscht. Er war mir gleichgültig. Über mich selbst war ich betroffen, weil ich nicht sehen und empfinden konnte wie alle anderen. Verstehen Sie? In diesem Alter ist man gern wie alle anderen.« – »Und wie ging es dann weiter?« – »Nun, in der Schule wurde es bald wieder einigermaßen normal mit allem drum herum. Neu war nur, daß die Lehrer es fertigbrachten, fast in jedem Fach ›Rassenkunde‹

anzubringen. Man kannte seine Schädelmaße und mußte die Merkmale des nordischen Herrenmenschen herunterratschen können. Dabei blickte einen von der Frontwand der Klasse der ›Führer‹ an, flankiert von seinem fetten und seinem hinkenden Trabanten; und die besaßen ganz offensichtlich nicht die richtigen Maße und Merkmale.« – »Und da ging Ihnen einiges auf?« – »Nicht gleich! Ich merkte es wohl an, hütete mich aber, darüber zu reden. Nicht etwa, um keinen Anstoß zu erregen. Vorsichtig wurde ich erst später. Ich hielt es immer noch für einen persönlichen Defekt, daß ich so sah; eine etwas beschämende Schwäche meines Wahrnehmungsapparats sowie meines moralischen Habitus ... ja, moralisch! ... es mag gut ein halbes Jahr gedauert haben, bis ich mich nicht mehr schämte, bis ich die Genauigkeit meiner Sinne nicht mehr anzweifelte und mir zugestand, daß Hitler ein Mensch war, in dem auch ein Begeisterter nicht den ›Führer‹ erkannt hätte. Damals sah man Hunderte von Hitlern auf der Straße. Bärtchen und Haarsträhne wurden Mode, und das übrige war ein österreichisches Nationalgesicht, das man mit Führerblick straffte. Aber meine ›klare Sicht‹, etwas, das heute wie eine besonders nüchterne, unbestechliche Wahrnehmungsgabe wirkt, war damals doch so etwas wie ein Defekt, ein Mangel, eine Anomalie. Jedenfalls kein Verdienst, kein Zeichen von besonderem Scharfsinn. Vielleicht war es überhaupt nichts als eine besondere Berührungsempfindlichkeit, eine persönliche Unfähigkeit, aus mir selbst herauszutreten und in einem Ganzen aufzugehen, eine Unfähigkeit zur kollektiven Ekstase. Im Burgtheater war ich durchaus fähig zur Ekstase, fähig, mich ganz in eine Rolle zu versetzen. Aber das war kein Burgtheater, in dem einzelne auf separierten Plätzen ihre persönlichen Emotionen hatten. Da spielte die ganze Stadt im hellen Tageslicht, da war man mitten drin im Spektakel, da war es nicht mit Identifikation getan, da mußte man sich selbst aufgeben und sich in ein anderes verwandeln. – Aber ich habe das alles nicht gewußt. Auch heute weiß ich es nicht eigentlich, ich fühle es nur sehr stark, den Widerstand und das Unvermögen.«

»War es vielleicht«, sagte Thugut nach längerem Nachdenken, »daß Sie das Lächerliche daran gespürt haben? Das Lächerliche im bösen Sinn? Die Karikatur des Humanen?«

»Damals sicher noch nicht. Ich war noch nicht soweit. Das kam erst später. Zum Lachen gehört viel Distanz. Und die Fähigkeit, zu dieser ganzen Sache Distanz zu nehmen, wuchs mir erst später zu, viel später. Damals war ich ein verlorener Einzelteil und Fremdkörper in einem geballten Ganzen. Jemand, der in einem Stück keine Rolle hat, sich deswegen schämt, aber durch unübersteigbare Hemmungen verhindert ist, sich um eine Rolle zu bewerben. – Es war keine gute Zeit für mich trotz Ariernachweis und offiziell unbestreitbarer Zugehörigkeit zu denen, für die eine große Zeit anbrach.«

Als die Herren gegangen waren, blieb ich voll Unruhe und unformulierter Fragen und Einwände zurück. Ich legte mich auf den Diwan, um in aller Ruhe mit mir allein das Vielfältige, oft Widersprüchliche und Ungelöste durchzugrübeln, das in diesem Gespräch angeklungen war. Und sonderbar! wahrscheinlich hatte Thuguts Wort vom Lächerlichen weitergearbeitet: Was dabei herauskam – ich schämte mich ein bißchen – waren keine ernsten Erkenntnisse, so wie es dem Ernst des Themas entsprochen hätte, sondern ein Windei, mit dem ich noch dazu lachend niederkam. Natürlich fragte ich mich, ob ich es den beiden zeigen sollte, ob es nicht eine grobe Geschmacksverirrung, das Zeichen eines moralischen Defekts sei, eine so tödlich ernste Sache wie die Vorbereitungen zum großen Morden von einer lächerlichen Seite her zu sehen.

Dann fragte ich mich aber auch, warum die großen Tragiker, die Griechen und Shakespeare, ihren dramatischen Erschütterungen ein Satyrspiel folgen ließen beziehungsweise hineinmischten. Sicher nicht zur Beschwichtigung des Publikums. Man schonte in diesen starken Zeiten die Menschen nicht, und diese selbst waren weniger wehleidig als unsere eher schwächliche Periode, wo man zwar Überempfindlichkeit mit beispielloser Grausamkeit zu vereinbaren weiß, aber die Wirklichkeit nicht erträgt; die Wirklichkeit, in der sich das Tragische und das Lächerliche vermischen. Nur allzu gern läßt der Mensch sich die Seele aufwühlen und mit lustvollen Tränenfluten ins unverbindlich Metaphysische abschwemmen. Die Komik aber, die selbst dem Richtplatz nicht fehlt, nagelt ihn auf dem Boden der Realität fest und verleidet ihm den Seelenpomp der reinen Tragik. Gelächter vernebelt die Sinne nicht, es schärft sie eher. Lachen ist sicher kein Vehikel der Moral. Aber es ist ein rauhes Scheuertuch, welches das linde Gebrösel der Idealisierungen naß wegwischt.

DIE RAMELSLOHER MISTHAUFENEINHEIT VON BÜRZENRODE

*Versuchsreihe zur Erforschung der
künstlichen Steigerung des Aggressionspotentials
in einer Hühnerpopulation*

Im Herbst 1934 ersuchte – erstmalig in den Annalen der Gesellschaft – der Reizer um Anberaumung einer Vollversammlung der Sodalen. Er habe die verehrte Congregatio mit hochinteressanten Geheimdokumenten bekannt zu machen, die unlängst in seinem Ressort eingelaufen seien und großes Unbehagen erzeugt hätten. Die Sache erscheine ihm von solcher Wichtigkeit, daß er sich über den Geheimhaltungsparagraphen hinwegsetze und – mit absoluter Diskretion rechnend – der Sodalitas diese Schriften vorlegen und zur Diskussion stellen möchte (es handle sich um naturwissenschaftliche Versuche).

Der damalige Reizer, Ministerialrat Mirko Ištarovič, war ein kleiner, feinknochiger Herr, etwas dunkelhäutig für unsere Zonen, mit Gesichtszügen, die man hier ›römisch‹ zu nennen pflegt. Sein Äußeres war vermöge subtilster Kunstmittel auf elegante Unauffälligkeit stilisiert. Er bediente sich einer sehr gepflegten Ausdrucksweise mit wohlgebauten, wenn auch eine Spur zu langen Perioden. Ištarovič sprach leise, mit einem nur angedeutet näselnden Tonfall, der durch eine fast manierierte Monotonie auffiel. Im Redestreit verfügte er über einen zarten, aber scharf ätzenden Humor, den Witz einer Rasierklinge. Es wurde gemunkelt, er stamme aus einer ehemals byzantinischen Familie, die teils bei Hofe, teils an der Hohen Pforte in diplomatischem Dienst gestanden habe. Angeblich hatte diese weitverzweigte Familie schon mehrere Reizer gestellt.

Nachdem er in seiner Jugend in meist geheimen und heiklen Missionen viel herumgekommen war, leitete er jetzt ein Sonderressort, das lose dem Ministerium für Kunst und Unterricht angegliedert war und nur einigen Eingeweihten unter seinem richtigen Namen, »Ressort für irrationale Phänomene in der Politik«, bekannt war.

Die Versammlung wurde zum frühest möglichen Termin angesetzt, die Sodalen waren vollzählig erschienen.

Ištarovič begab sich zum Rednerpult und zog ein ansehnliches Faszikel aus der Tasche. In kurzen Worten betonte er nochmals den streng clandestinen Status seines Ressorts. Nicht das geringste Detail seiner Ausführungen dürfe nach außen dringen oder auch nur in der engsten Familie besprochen werden. Ištarovič sah dabei noch eigens die beiden Sofraneks an, die den Blick mit besonderer Offenheit zu erwidern sich bemühten.

Zunächst machte der Ministerialrat die aufhorchenden Sodalen damit bekannt, daß der vom Ressort schon längere Zeit beobachtete »Verein gegen den Dämonenglauben in der Natur« mit Hauptsitz in München kürzlich seinen Namen geändert habe. Er sei nun eingetragen unter der Bezeichnung »Verein gegen fremdrassige Einflüsse in die deutsch-germanische Natur«. Dem Ressort sei bekannt, daß man in den letzten Jahren die liberalen Elemente immer mehr zugunsten der nationalen verdrängt habe, die jetzt deutlich in der Mehrheit seien. Einige liberal Gesinnte hätten bereits auf die Mitgliedschaft verzichtet, weil der »Verein«, der früher rein naturwissenschaftliche Tendenzen im Sinne der Aufklärung verfolgt hatte, allmählich immer eindeutiger einen politischen Kurs einschlage und der aufstrebenden NSDAP nahestehe. Außerdem dränge sich immer rücksichtsloser die Afterwissenschaft der Rassenkunde ins Zentrum des Interesses, und man spiele – hieß es – schon ernstlich mit der Einführung eines Arierparagraphen, in den auch getaufte und jüdisch Versippte eingeschlossen waren. Das »Ressort« sei nun auf einem Wege, der, wie die Sodalen verstehen würden, nicht preisgegeben werden könne, in den Besitz der Abschrift eines Protokolls gelangt, in welchem eine Versuchsreihe geschildert würde, die der »Verein« kürzlich angestellt habe, und zwar im Auftrag einer Dienststelle der NSDAP für Volkserziehung. Sinn und Aufgabe des Versuches sei es gewesen, festzustellen, wie in einer domestizierten und von Anlage und Züchtung her friedlichen Tierpopulation gegen Fremdexemplare, die rayonsnah angesiedelt werden, aggressive Impulse erzeugt und gesteigert werden können, auch wenn diese keine feindseligen Haltungen zeigen, jedoch ihrem Habitus nach und an Zahl deutlich überlegen sind. – Ein Brief, den er, Ištarovič, nach dem Vortrag des Protokolls den Sodalen vorlesen werde, liefere den eindeutigen Beweis, daß der Versuch nicht aus rein wissenschaftlichen Gründen durchgeführt wurde, sondern in der eindeutigen Absicht, die Ergebnisse im humanen beziehungsweise politischen Bereich zu verwerten.

Die Sodalen mögen sich durch die ungewohnte, vielleicht befremdende Art des Stoffes nicht in der Aufmerksamkeit stören lassen. Es handle sich um Termini und Denkweise einer verhältnismäßig jungen Wissenschaft, der Verhaltensforschung. Er selbst und sein Ressort seien von der Tragweite dieser Versuche überzeugt und auf das höchste beunruhigt. Es bestehe für sie kein Zweifel, daß diese Experimente einer Stimmungsmani-

298

pulation der deutschen Bevölkerung dienten und auf Entfesselung eines Krieges hinzielten.

Es handle sich übrigens, fügte Ištarovič mit besonderer Trockenheit hinzu, um Versuche zur Frage und Möglichkeit der Aggressionssteigerung bei Haushühnern.

Die Sodalen blickten einander mit hochgezogenen Augenbrauen an. Da sie aber alle grundsätzlich neugierig waren, setzten sie sich zurecht und hörten aufmerksam zu.

Zur Frage der künstlichen Steigerung des Aggressionspotentials des Gallus domesticus

Versuchsmaterial: eine alteingesessene Misthaufeneinheit von Ramelsloher Leghühnern, ansässig im Gutshofe »Bürzenrode« nächst Dachau, Eigentum des Freiherrn Odo von Bürzeck.

Versuchsleiter: Prof. Dr. Burkhard Schisslinger von der Universität Graz.

1. Versuchsanordnung: 22. 9. 1934

Durch den Rayon der Ramelsloher Misthaufeneinheit wird ein Drahtzaun von 1,5 Meter Höhe gezogen und dahinter eine neu angeschaffte Hühnerpopulation der gleichen Rasse angesiedelt. Die Futterration bleibt in beiden Abteilungen gleich.

In der eingesessenen Misthaufeneinheit wird nach 4 Minuten 26 Sekunden der Maschendraht wahrgenommen, beschaut und dann von einigen in der Peckordnung höher stehenden Exemplaren durch Schnabelhacken geprüft. Eine leichte Unruhe pflanzt sich wellenartig durch die ganze Population, ohne allerdings die üblichen Tätigkeiten zu beeinträchtigen. Leise fragendes Gackern, zeitweise schräges Blicken in den Fremdrayon.

Nach 1 Stunde 37 Sekunden kein Interesse am Nachbarrayon mehr registrierbar.

Protokoll gez. von Dr. Franz Höpfschnabl, Naturhistorisches Museum München; als Hilfskraft Gröbel Aloisia, Wirtschafterin.

2. Versuchsanordnung: 29. 9. 1934
Anstelle der gleichrassigen Neuhühner wird hinter dem Maschendraht eine zahlenmäßig Ramelsloh überlegene Population des Cochinchina-Fleischhuhnes angesiedelt, das sich in den äußeren Merkmalen stark vom Ramelsloher Leghuhn (größer und schwerer) unterscheidet. Nach 3 Minuten 25 Sekunden nehmen die Ramelsloher die Fremdhühner wahr. Die gesamte Misthaufeneinheit gerät in Unruhe. Stichproben ergeben, daß Adrenalin ausgeschüttet wird. Aggressiv getöntes Futterscharren. Es kann eine deutliche Scharungstendenz beobachtet werden. Besonders die männlichen Exemplare bündeln sich, rötlich unterlaufene Blicke starr auf Cochinchina gerichtet. Auch die brütenden und kükenführenden Hennen beäugen scharf die Vorgänge hinter dem Maschengitter.

17 Minuten 5 Sekunden nach Versuchsbeginn erfolgen grüppchenweise Angriffe auf das Gitter mit leichten Beschädigungen an Schnäbeln, Krallen und Gefieder, die offenbar nicht als Schmerz empfunden werden. Die im Rayon noch nicht heimisch gewordenen Fleischhühner zeigen trotz ihrer Mehrheit ein durch Ratlosigkeit und Fluchttrieb gestörtes Verhalten und ziehen sich in angedeuteter Demutshaltung vom Zaun zurück (eng angelegtes, glanzloses Gefieder, gesteigerter Stoffwechsel mit diarrhöischer Tendenz). Noch nicht befriedigend gesicherte Sonderbeobachtung: Die aggressive Reaktion ist bei Exemplaren, die in der Hackordnung einen niedrigeren Rang einnehmen, stärker und tritt früher ein.

Protokoll gezeichnet: Karl von Hopfenreuth, Rittmeister i. R., Gutsbesitzer von Bürzeck. Hilfskraft: Hopfenreuter Karl, Saalwart des örtlichen »Deutschen Turnerbundes«

3. Versuchsanordnung: 6. 10. 1934

Die Cochinchina-Fleischhühner werden mit künstlichen Attrappen ausgestattet, die Kampfstimmung signalisieren: riesige, hochrote Schwellkämme aus Pappe sowie papierene Gefiedersträubung. Bei ihrem Anblick wird in der Misthaufeneinheit Ramelsloh im Verlauf von 3 Minuten 2 Sekunden eine rasante Steigerung der aggressiven Gestimmtheit erkennbar: Zusammenballung am Maschendraht, gemeinsames Krähen und Gakkern. Füßescharren, Blickrötung.

Das Kükenführen, beim Hühnervogel in lockerer Scharform gepflegt, nimmt marschkolonnenartigen Charakter an, was auf Kampfimpulse der Muttertiere schließen läßt. Bei den Jungtieren können Akzelerationserscheinungen festgestellt werden.

Sonderbeobachtung: ein zehntägiges Küken entwickelt einen fast ausgereiften, schwellfähigen Kamm.

Das Maschengitter wird entfernt. Die Ramelsloher nehmen den Umstand nach 2 Minuten 5 Sekunden wahr, die Cochinchiner um 37 Sekunden später. Ramelsloh stürzt sich, ungeachtet der eigenen zahlenmäßigen Unterlegenheit, wütend auf die Fleischhühner, die, im Rayon noch immer nicht ganz eingewöhnt, nur mit Defensivreaktionen antworten. Auf beiden Seiten blutende Hackwunden und Federverlust. Ramelsloh befindet sich nach 5 Minuten 7 Sekunden deutlich im Vormarsch.

Um die gegenseitige Beschädigung der Tiere in tragbarem Rahmen zu halten, wird der Versuch abgebrochen.

Protokoll gezeichnet: Prof. Dr. Burkhardt Schisslinger; als Hilfskraft Odo Edler von Bürzeck jun.

Resümee:

In einer friedfertigen Population domestizierter Tiere kann Aggressionsbereitschaft erzeugt werden, wenn man artfremde Exemplare rayonsnah ansiedelt. Diese Stimmung kann – falls die Fremdtiere Imponiersignale zeigen – bis zu einem Grad gesteigert werden, daß die

Kraft – zahlenmäßige Überlegenheit – des »Feindes« nicht mehr wahrgenommen wird und auch im Kampfgeschehen keine Rolle spielt, so daß die faktisch schwächeren Angreifer dem stärkeren Angegriffenen überlegen sind.

Das Äußere der angreifenden Tiere verändert sich während der Aktionen im positiven Sinn und läßt auf hohes Wohlbefinden schließen: beim Huhn Gefiederglanz, Blickweitung, prallrote Schwellkämme und straffe Bewegungsabläufe.

Auch Muttertiere werden von der Kampfstimmung ergriffen. Jungtiere zeigen einen Entwicklungsschub. In der Hackordnung niedrig eingestufte Exemplare lassen sich rascher zum Angriff hinreißen und zeigen größere Neigung zu Gewalthandlungen (Verletzung eines bereits in Demutsstellung verharrenden Feindes).

Ištarovič machte – unter angespanntem Schweigen der Sodalen – eine kurze Pause, um seinem Aktendeckel ein Blatt zu entnehmen, das er mit spitzen Fingern anfaßte, als ekle er sich vor fettem oder verschmutztem Papier.

»Ich verlese nun noch den Brief Schisslingers an die ›Reichsabteilung zur Straffung der deutschen Seele‹, in deren Auftrag die Untersuchungen vorgenommen worden waren.

Bürzenrode, am 10. Nebelung 1934

Werte Volksgenossen!

Die von der Sektion ›Straffung‹ in Auftrag gegebenen Untersuchungen (Protokolle in der Beilage) wurden mit folgendem Ergebnis durchgeführt: In einer durch Überzüchtung physiologisch schlappen Population kann Aggressionsbereitschaft künstlich erzeugt werden, indem man ihr artfremde Objekte mit ausgeprägten Imponiersignalen längere Zeit rayonsnahe vor Augen stellt. Durch den Anblick der rassenfremden Elemente entwickelt sich auf innersekretorischem Wege eine sich steigernde Feindseligkeit, die bei entsprechender Manipulierung in Form eines gemeinsamen Angriffs zur Entladung kommt und bei artifizieller Erhöhung der Gereiztheit unabhängig vom zahlenmäßigen Kräfteverhältnis zum raschen Sieg führt.

Erwähnenswert ist auch die gesicherte Beobachtung, daß sozial niedrig eingestufte Individuen rascher ansprechen und intensivere Feindhaltungen entwickeln.

Diese Untersuchungsergebnisse können vollinhaltlich auf den humanen Bereich übertragen werden, da der innere Chemismus des Hühnervogels dem menschlichen in den wesentlichen Punkten gleicht.

Ich erlaube mir folgende Vorschläge:

1. Bewußtmachung der Fremdrassigkeit: Der Lehrkörper sowohl der allgemeinen als auch höheren Schulen ist möglichst rasch mit gesinnungsstrammen Pädagogen zu durchsetzen, die – in welchem Fach auch immer – gezielte Rassenkunde unterrichten. Entsprechende Lehrmittel, besonders optischer Art, müssen bereitgestellt werden, um die Jugend auf Typenbilder zu prägen, welche in möglichst einfacher, signalhafter Form die Unterscheidungsmerkmale der verschiedenen Menschenrassen aufzeigen, wobei die kraß negative Tönung des nicht-nordischen Typus hervorzuheben ist.

2. Das optische Typenbild ist mit einem entsprechenden Charakterabriß zu koppeln, sodaß die visuell erfaßte Klassifizierung mit einer moralischen Wertvorstellung verbunden wird.

3. Neben der Jugendbildung in Schule und Parteiorganisation ist auch Erwachsenenaufklärung zu empfehlen. Für jedes Bildungsniveau geeignete, reich illustrierte Literatur, populärwissenschaftlich als auch belletristisch, sowie Kinofilme sind möglichst rasch und in großer Auflage herzustellen und zu verbreiten.

4. Besondere Aufmerksamkeit und Parteiförderung sollte dem sogenannten ›kleinen Mann‹ zuteil werden sowie Menschen, die sozial abgesunken sind. Aus diesen Gruppen könnten Stoßkader gebildet werden.

5. Im Geschichtsunterricht sind einprägsame Beispiele gezielter Deutschlandfeindlichkeit der Fremdvölker zu bringen (z. B. der welsche Erbfeind, die polnische

Perfidie im deutschen Ordensland, Repressalien der Tschechen gegen die Sudetendeutschen, Negervergewaltigungen im Rheinland).

Mit dem aufrechten Wunsch, unser Versuch möge zur seelischen und geistigen Genesung des Volkskörpers beigetragen haben!

mit Deutschem Gruß!

Ihr ergebener Prof. Burkhard Schisslinger,

Obersturmführer der illegalen SA, Gau Graz

Heil Hitler!

Auffallend still brachen die Sodalen auf, bildeten auch nicht die üblichen Diskutiergrüppchen, sondern strebten auf dem geradesten Weg nach Hause.

DIE ZEIT DER SCHAKALE

Ehe ich mich mit diesem Windei vor Singer wagte, vertraute ich mich Thugut an. Ich bedurfte einer Art fachlicher Absegnung, da ich meine Hühnervölker in ein verhaltenspsychologisches Experiment hineinmanövriert hatte. – Thugut las auch aufmerksam das Elaborat, kicherte erst, wurde dann ernst und dachte nach.

»Die Idee von der Aggressionssteigerung einer friedlichen Population durch fremdrassige Hühner, die man an der Rayonsgrenze zeigt und herumpicken läßt und durch Reizattrappen angriffslustig macht! – Das gefällt mir. Ähnlich ist ja die deutsche Regierung vorgegangen. Man hat dem Volk systematisch eingeredet, daß die Nachbarn räuberische Absichten hätten, und damit eine Abwehrspannung erzeugt. Aber das Wort, Reden und Zeitungen, erreichen ja nur einen relativ kleinen Teil der Bevölkerung, so drastisch man sich seiner auch bedient hat. Wichtig war es, die Leute gefühlsmäßig in den Griff zu bekommen, in rabiate Kampfstimmung zu versetzen und Rudelgefühl zu fördern. Das macht man nicht über das Gehirn.« – »Musik? Sie denken an die Lieder?« – »Ja, das meine ich. Was jung und alt damals bei jeder Gelegenheit gesungen oder gehört hat, besonders auch beim Marschieren. Das in Musik gesetzte Wort – möchte ich behaupten – prägt sich tiefer unter die Haut als jedes Bild, schon gar nicht ein Gedanke. Gemeinsames, rhythmisch melodiöses Gebrüll hämmert das Nervensystem zum Schema zurecht, macht aus einer Menge einzelner ein einfaches, geschlossenes Ganzes. Erinnern Sie sich? Sie waren noch in der Schule, ich schon beim Militär. Man ist nie marschiert, ohne dabei zu singen.«

»Ich habe die Lieder sogar noch im Ohr. Manche waren sogar schön. Alte Volkslieder, dann die Wandervogellieder, die schon die Pfadfinder und die ›Roten Falken‹ gesungen haben.« – »Dazu kamen Lieder aus dem Ersten Weltkrieg, die auch mehr romantisch als aggressiv waren, und schließlich die neuen Lieder: nackte Droh- und Haßgesänge. Das war ganz bewußt so inszeniert.«

»Sie meinen, die Kampflieder waren mit Absicht harmlos verpackt in Gefühlsseligkeit, die morschen Knochen versteckt unter der blauen Blume?« – »Freilich! Trautes Volkstum und Heimatschollenwärme wird bedroht von tückischen Fremdvölkern. Wehleidigkeit bäumt sich auf zu rauflustigem Trotz und Prügelbereitschaft. Der Stimmungspegel eines längeren Sauf- und Wirtshausabends. Ich sage Ihnen, das war bewußt so gemacht. Das Nest wird erst besonders heimelig dargestellt, dann fingiert man seine Bedrohung und schürt damit verläßlich Verteidigungsglut auf. Jetzt muß man nur noch den Bedroher zum tückischen Untermenschen, zum sadistischen Rohling machen, dann hat man die Leute, wo man sie haben will.«

»Was mir immer noch nicht in den Kopf geht, ist, daß dieses primitive Schema so zäh und langlebig war.« – »Als schon alles verloren schien und keiner mehr recht wollte, haben sie sich eine neue Taktik ausgedacht. Sie haben uns mit sogenannten Tatsachenberichten über die Bestialitäten der Russen an den Frauen, am häuslichen Nest, überschwemmt. Erinnern Sie sich?« – »Freilich! Genau. Richtige Hörspiele im Radio von eben Vergewaltigten mit grausigen Einzelheiten. Das hat die Leute im Hinterland verrückt gemacht. Es hat Männer gegeben, die ihre Frauen und Töchter umgebracht haben, um sie der Schmach einer Vergewaltigung durch einen Russen zu entziehen, und die haben es freiwillig geschehen lassen.« – »An der Front hat es auch deutliche Folgen gehabt: manche haben sich aufgerafft und plötzlich wieder gekämpft wie die Teufel, andere sind blindlings desertiert, um nach Haus zu kommen und ihr Nest zu verteidigen. Und weil sie es unüberlegt, in Angst und Rage gemacht haben, sind die meisten erwischt worden, teils von den Russen, teils von der SS. Im ersten Fall endlose Gefangenschaft, im zweiten Fall ein rascher Strick.«

»Haben Sie diesen Rückzug aus Rußland miterlebt?« – »Leider ja!« – »Was haben Sie getan?« – »Ich habe mich damals auch davongemacht. Nicht wegen der Untermenschlichkeit der Russen. Ich wollte in den letzten Wochen nicht noch draufgehen oder für weitere verlorene Jahre in Gefangenschaft geraten. Aber ich habe meine Flucht, die mich ebenso unbehelligt durch die Russen wie durch die SS-Streifen führen mußte, bis ins Detail geplant und habe alle nur erdenkliche Vorsicht walten lassen. Deshalb bin ich auch allein gegangen. Auf mich selbst konnte ich mich verlassen.«

»Sie sagen: bis ins Detail geplant! – Hilft einem in einer solchen Lage nicht mehr der Instinkt als das Hirn?« – »Der Instinkt! Der menschliche Instinkt hilft manchmal, aber selten, wenn es drauf ankommt. Das Schreckliche ist nämlich, daß die Instinkte des Menschenviehs nicht nur schwach entwickelt sind, sondern überdies noch zu Perversion neigen, zu einer fürchterlichen Unzweckmäßigkeit ... es war schon einmal die Rede davon. Aber jetzt erzähle ich Ihnen etwas, was ich selten erzähle, weil mir noch bei der Erinnerung übel wird ... aber man sollte es nicht vergessen, weil es viel über den Menschen aussagt, wenn er sich in einer extremen Situation befindet ... Eben auf dieser Flucht geschah es.

Da wurde ich Zeuge der scheußlichsten Szene, die ich im Krieg gesehen habe, in einem Krieg, der an Scheußlichkeiten nicht gerade arm war.

Es war auf der Flucht. Abends. Halb eingegraben und auch sonst sorgfältig getarnt rastete ich in einem ausgezeichneten Versteck. Ich war etwas eingedöst. Da weckte mich ein Lärm, und ich fuhr auf. Ohne selbst gesehen werden zu können, sah ich aus nächster Nähe in aller Deutlichkeit.

Zwei russische Soldaten hatten vier Flüchtlinge aufgebracht. Männer aus meiner Truppe. Wir waren monatelang zusammen gewesen. Ich kannte sie recht gut. Unauffällige Menschen aus den verschiedensten Berufen. Zumindest jetzt war keiner mehr ein Nazi. Jedem stand der Krieg bis zur Gurgel. Nun kamen noch die Schreckensgeschichten von der Grausamkeit der Russen. Die vier waren nicht die Jüngsten. Alle hatten sie Familie zu Haus, und die Angst um diese Familie war wohl das Hauptmotiv für die Desertion. Nun hat man sie also erwischt! dachte ich mir, als ich die Szene sah; sie können noch von Glück sagen, daß es nicht die SS ist. Ihre Familien werden sie nun aber wohl lang nicht sehen.

Im Handumdrehen waren sie entwaffnet. Was sind vier gejagte Hasen gegen zwei im Sieg begriffene Soldaten! Vermutlich hatten sie aus Erschöpfung geschlafen oder nicht richtig aufgepaßt. Ich beglückwünschte mich, allein gegangen zu sein. – Sie mußten sich auf den Boden setzen und die Waffen wegwerfen. Während der eine Russe sie mit der Maschinenpistole in Schach hielt, suchte der andere Riemen zusammen, um sie zu fesseln.

Da hockten sie auf dem Boden mit hängenden Köpfen und hatten sich offensichtlich in ihr Elend geschickt. Ich war ihnen so nahe, daß ich in ihren Augen die Müdigkeit sah und die Selbstaufgabe. Sie taten mir leid. Schließlich winkte der Russe den ersten heran, um ihn zu binden. Nicht brutal. Eher gutmütig, fast jovial. – Ich weiß heute noch nicht, was den Ausschlag gab.

Der Übergang vollzog sich so jäh und ohne gegenseitige Verständigung, daß man unwillkürlich an eine Art chemisch-technischen Vorgang denken mußte. Die eben noch willenlosen vier wurden im Bruchteil von Sekunden zu einer zusammengeschmolzenen Horde, die von einem einzigen Antrieb gelenkt schien, ein Muskelbündel, das sich mit der raubtierhaften Sicherheit eines Urinstinkts auf den Feind stürzt. Es geschah so blitzartig, daß die Russen nicht einmal ihre Maschinenpistolen anschlagen konnten, da war die Meute schon über ihnen. Erst sah ich nichts als ein ächzendes Gerangel von Körpern. – Und dann vollzog sich das Schreckliche! – Die vier hatten die beiden Überraschten zu Boden geworfen und traten, schlugen, würgten, kratzten wie eben bei einer Rauferei in höchster Erregung, wenn man sich der Hände bedient. – Ich dachte noch, warum langen sie sich keine Waffe her; genug lagen auf dem Boden herum, ihre eigenen und die der Russen. Ein Schlag über den Schädel und damit ist einer bewußtlos. Zum Würgen gehört doch viel Kraft und Übung? – So dachte ich in meinem Versteck, denn ich *dachte*. Und Denken zielt auf Zweckmäßigkeit. – Die aber dachten nicht mehr. Sie handelten. Das ging mir noch ein. Aber dann sah ich, erst wie betäubt, bald aber mit steigendem Grausen, daß sie keineswegs instinktgerecht, sondern höchst unzweckmäßig handelten, als wären sie die willenlose Beute eines kranken, perversen Triebes, der nichts mehr mit natürlichem Instinkt zu tun hatte – sie handelten bestialisch!«

Thugut starrte vor sich ins Leere, als sähe er ein ganz bestimmtes, grausiges, Brechreiz auslösendes Bild.

»Was haben sie getan?« fragte ich unwillkürlich leise. Und leise gab er zur Antwort: »Sie haben die zwei totgebissen.« – »Gebissen?« – »Ja, gebissen! Mein Gott, wie lang das gedauert hat ... unzweckmäßig, sagte ich, denn inzwischen hätten gut andere Russen kommen können, es war sogar sehr wahrscheinlich, daß welche in der Nähe waren ... es war der nackte Wahnsinn! Wie die Schakale schlugen sie ihre Zähne in die Halsadern, fanden genau die richtige Stelle, bissen sich fest und fetzten, bis Blut kam ... aber hat der Mensch Fangzähne? Hat er ein Wolfsgebiß? Es war ein gräßliches, lang hingezogenes Gefrette, ein Nagen und Kauen und Reißen, und dabei stießen sie ein tierisches Knurren und Jaulen aus, als hätten sie plötzlich Wolfskehlen. – Endlich – ich weiß nicht, wie lang es gedauert hat – endlich ließen die beiden Opfer ihre Köpfe zur Seite kippen und röchelten glucksend ihr Blut aus, weit offen die Augen, in denen das Entsetzen stand, wie ein gerissener Film.« – »Und die vier?« – »Ja, die vier! Die knieten sich auf, starrten benommen mit schwer gerunzelten Stirnen und verschmierten Mäulern die Leichen an und wischten sich mit traumhaften Gebärden das Blut aus dem Gesicht. Es fiel kein einziges Wort. Sie schauten sich auch nicht nach einem Feind um, griffen auch jetzt nicht nach den Waffen; alles Bewegungen, die uns in den Jahren in Fleisch und Blut übergegangen waren.« – »Flohen sie nicht?« – »Fliehen! Das kann man eigentlich nicht sagen. Sie machten sich davon. Auf eine eigene, seltsame Art. Jeder allein, jeder in eine andere Richtung und unabhängig von der Marschroute, als hätten sie vergessen, daß sie ein Ziel hatten. Aber das Unheimliche war, sie liefen, sie rannten nicht. Sie huschten, geduckt wie leise Kleintiere, deren einzige Überlebenschance die Unauffälligkeit ist.

Seit damals weiß ich, daß unsere Instinkte erodiertes Gestein sind, überzogen von einer wenig widerstandsfähigen Grasnarbe von Vernunft und Erziehung. In Ausnahmezuständen bricht das ganze Lebensgerüst zusammen und macht uns zu hochverletzbaren, zur Selbstzerstörung neigenden Monstren.« – »Das Unheimlichste ist mir, daß es offenbar nicht um pathologische Perverse, um Verbrecher oder Wahnsinnige geht, sondern um Leute, die sich unter gewöhnlichen Umständen ganz proper verhalten.« – »Ja, ich wüßte nicht, daß einer von den vieren irgend einmal abgewichen wäre vom Properen. Ich habe ohne heimliches Gruseln monatelang mit ihnen Unterkunft, Essen, Ängste und Hoffnungen geteilt ... Der Mensch ist ein grausiges Produkt der Unnatur. Eine Fehlschöpfung und mißgeborene Drachenbrut, die sich aus irgendeinem unerforschlichen Grund gegen das Gesetz der Natur am Leben erhalten hat.« – »Jetzt verstehe ich auch etwas von dem, was man als Durchhaltevermögen heroisiert hat. Es war viel perverser Selbstzerstörungstrieb darin! – Jetzt allerdings hat es mir mein Hühnerwindei gründlich verschlagen.« – »Nicht doch«, meinte Thugut, der mit einem Zug von Ekel und Übelkeit auf den Teppich gestarrt hatte, und raffte sich zusammen; »ganz im Gegenteil! Sie sind damit auf einem richtigen Weg. Die abnormen Instinkte domestizierter Tiere. Sie haben etwas Menschliches. Ausgeburten einer verkrüppelten Spezies! – Lassen Sie das Windei. Ja, ich würde sogar sagen: setzen Sie es fort! Treiben Sie auf irgendeinem Weg Ihre Hühner in eine blinde Aggressionsstimmung hinein. Denken Sie sich etwas dazu aus. Oder noch besser! Lassen Sie einfach geschehen, was die damalige Führung mit den Leuten gemacht hat, dann stimmt es schon.« – »Die Paragonviller werden es uns nicht abnehmen. Oder sie würden sich in Selbstgerechtigkeit spreizen und behaupten – wie wir es vor Hitler auch getan hätten –: bei uns kann so etwas nicht geschehen!« – »Vielleicht nehmen sie die Wahrheit über den Menschen im Umweg über die Haushühner an! – Schauen Sie! Der Singer wird wissenschaftlich berichten, wird mit Urkunden und Zahlen belegen, wie Menschen zu Bestien wurden; und zwar nicht Entsprungene aus Irrenanstalten oder Zuchthäusern, sondern Normalbürger mit der gleichen humanistischen, religiös tinguierten Erziehung, wie sie überall in der zivilisierten Welt seit mindestens zweihundert Jahren geübt wird. Und dann wird er zeigen müssen, daß diese Schicht nicht dicker ist als ein Lackanstrich.

Wer wird das verstehen und nicht an ein negatives Mirakel glauben, das sich aus irgendwelchen Gründen just bei den Deutschen zugetragen hat? Warum es sich gerade hier offenbart hat, weiß ich auch nicht klar zu sagen. Ich weiß nur, daß Bildung und Erziehung und Religion versagen, wenn das kranke, pervertierte Monstrum aus dem Schlaf gerissen wird. Und das kann immer wieder geschehen.«

DIE WEITERENTWICKLUNG DES BÜRZENRODENER EXPERIMENTS DURCH DEN STIFTSEIGENEN HÜHNERHOF HEILIGENKREUZ

Drei Jahre nach dem Bericht des Reizers über den Versuch des »Vereins gegen fremdrassige Einflüsse in der deutsch germanischen Natur (vormals gegen den Dämonenglauben in der Natur)«, die Frage der Aggressionssteigerung betreffend, ersuchte der Ministerialrat Ištarovič den Tetrarchen Ch. Chaimowitsch abermals um Einberufung der Sodalitas. – Auf Verlangen und mit Subvention des »Ressorts für irreale Einflüsse in der Politik« seien die damaligen Versuche unter den gleichen Bedingungen im Hühnerhof des Zisterzienserstifts Heiligenkreuz wieder aufgenommen und weitergeführt worden, und zwar unter der Leitung Abt Coelestins, Ornithologe mit dem Fachgebiet der Verhaltensforschung des Hühnervogels. Das Ressort hatte sich an diese Kapazität mit dem Ersuchen um kritische Beurteilung des Bürzenrodener Versuchs gewandt, und Hochwürden war der Ansicht, daß, »wie beim dilettantischen Charakter dieser Mittelschullehrerkumpanei nicht anders zu erwarten«, die Experimente stümperhaft angelegt, nicht abgeschlossen, trotzdem aber höchst bedenklich waren.

Im »Ressort« – wie übrigens auch bei den meisten Sodalen – rechnete man mit absoluter Sicherheit, daß Hitler zunächst die deutschsprachigen Gebiete, und zwar mit Duldung des Auslands, dem deutschen Reich einverleiben würde. Man sah aber auch voraus, daß er sich damit nicht zufriedengeben und möglichst rasch einen Krieg vom Zaun brechen werde, noch ehe die viel zu sorglosen Westmächte nachgerüstet hätten. Schließlich machten die Herren sich auch keine Illusionen darüber, daß von seiten der Bevölkerung Widerstand zu erwarten wäre. In diesen drei Jahren war das Volk ganz im Sinne der Bürzenrodener Versuche präpariert und aufgehetzt worden. In der Sodalitas wurden auch bereits Konsequenzen gezogen. Eine ganze Reihe, vor allem vermögender jüdischer Mitglieder hatte sich bereits ins Ausland abgesetzt, andere trieben die nötigen Vorbereitungen dazu energisch voran. Die Klarsehenden rechneten zwar damit, daß der »Feind« seinen Rüstungsrückstand mit Hilfe Amerikas in gemessener Zeit würde nachgeholt haben, sie vertrauten aber nur wenig darauf, daß innerhalb Deutschlands die nüchterne Vernunft und richtige Abschätzung der Siegeschancen sich durchsetzen würden. Sie sahen, welche Breiten- und Tiefenwirkung die propagandistisch ausgezeichnete Verteufelung des Feindes hatte, die an die niedrigsten Instinkte appellierte.

Leider konnten sich allzu viele der gefährdeten Personen nicht zur Ausreise entschließen. Sie warteten ab. Redeten sich ein, daß im Ernstfall doch die Vernunft in den Gehirnen einer Generation siegen würde, die erst vor zwei Jahrzehnten einen Krieg verloren und jahrelang an den Folgen getragen hatte. Und wenn schon Krieg, wie lange?

»Die ersten Gefallenen aus der Familie, die ersten Bomben und die ersten Einschränkungen der Lebensmittel werden dieses wehleidige Volk der Wiener zu erbitterten Widerständlern machen«, meinte der sonst so klar denkende Arzt Dr. Schlesinger, der seine Klientel zu kennen glaubte. Leider bestärkte er durch seine Meinung eine Reihe von Glaubensgenossen, dazubleiben.

Viel weniger Optimismus zeigte Hochwürden Coelestin, Abt von Heiligenkreuz, ein Mann, sowohl durch wissenschaftliche als auch kirchliche Erfahrungen in bezug auf die geistigen und moralischen Qualitäten der Spezies Mensch ohne Illusionen. Er arbeitete in sorgenvollen Nächten an einem Versuchsmodell, das die Bürzenrodener Experimente ergänzen und weiterführen sollte.

Den Verlauf und das Ergebnis dieser Heiligenkreuzer Versuche teilte nun Ministerialrat Ištarovič den Sodalen mit (abermals unter Umgehung der Geheimhaltungsklausel seines »Ressorts«).

In einer der bemerkenswertesten Sitzungen der Sodalitas, die am 28. Juni 37 stattfand, verlas der Reizer das Protokoll:

Versuchsreihe zur Erforschung der Möglichkeit einer Pervertierung der Aggressionslust im Sinne der Selbstzerstörung.
Versuchsobjekte: Ramelsloher und Cochinchina Hühnervölker im Wirtschaftshof des Stiftes Heiligenkreuz. Verantwortlicher Leiter: Dr. theol., Dr. rer. nat. Coelestin Frymuth, Abt.

1. Versuchstag: 26. April 1937
Der letzte Versuch der Bürzenrodener Reihe wird unter den gleichen Bedingungen wiederholt und die Ergebnisse im wesentlichen verifiziert. Beide Hühnerpopulationen geraten nach Entfernung des Trennungsgitters in erbitterte Rayonskämpfe, wobei Ramelsloh durch Reiz- und Imponierattrappen, mit denen Cochinchina ausgestattet war, von einer Kampfstimmung* überflutet wurde, die auch die kükenführenden Hennen sowie die Küken selbst mitriß. Beträchtliche zahlenmäßige Überlegenheit der Cochinchiner.

---

* Nebenbeobachtung: Im Heiligenkreuzer Hühnerhof befindet sich ein Taubenschlag, dessen Bewohner, obwohl separat gefüttert, sich immer wieder pickend unter das Hühnervolk mischen, ohne von diesem beachtet zu werden, weil es immer genug Futter gibt. Als sich im Verlauf des oben beschriebenen Versuchs ein paar Tauben gewohnheitsmäßig im Hof umtaten, ohne sich um das Kampfgetümmel zu kümmern, wurden sie von Ramelsloher Exemplaren, obwohl diese sich durch den Angriff der größeren und schwereren Chochinchina-Vögel in ernster Bedrängnis befanden, mit außergewöhnlicher Wildheit angefallen und, sofern sie sich nicht durch rasches Auffliegen retten konnten, zerrissen und zerhackt, obgleich sie augenblicklich Demutsstellung annahmen. Da sich dieser Vorgang außerhalb der geplanten Untersuchung zutrug, wurde er nicht weiter interpretiert.

Als Ištarovič die Fußnote verlesen hatte und sich dem weiteren Protokoll zuwenden wollte, erklang aus dem Publikum die unverkennbare Stimme des Pelzhändlers Eli Rubenjew, eines scharfdenkenden, leider fast krankhaft pessimistischen Herrn, der in der Sodalitas den Spitznamen »Reuben, der Nörgler« trug. Er gehörte zu denen, die sich weigerten, Wien zu verlassen, aber nicht aus Sorglosigkeit, sondern weil er fest von einem Weltsieg Hitlers überzeugt war. Er sagte mit seiner hohen, dünnen Stimme, in der immer ein anklagender Ton mitschwang, in den stillen Saal hinein: »Was mit den Tauben unter den entfesselten Hendln geschieht, ist den Stiftsherren gerade eine Fußnote wert!«

Füßescharren und Verlegenheitshüsteln. Ištarovič räusperte sich, blickte in die Runde und sagte: »Ich werde am Ende meines Berichts auf diesen Punkt zurückkommen, wenn die Herren sich gedulden möchten.« Dann setzte er die Verlesung fort:

2. Versuchstag: 30. April 1937
Die Cochinchina-Fleischhühner werden zwar mit ihren Imponierattrappen ausgerüstet, aber durch sedative Medikation gegen die Reizhaltung der Ramelsloher Population reaktionslos gemacht. Durch reichhaltiges Futterangebot werden sie dicht an die abgegitterte Rayonsgrenze gelockt.

Bereits nach 3 Minuten 2 Sekunden wird bei den Ramelslohern Aggressionsüberflutung festgestellt: Annäherung an die Rayonsgrenze im beschleunigten, steifen Kratzfußtritt, Augenerweiterung und Rötung, wütende Angriffe auf das Maschengitter mit Schnäbeln und Krallen. Die sedierten Cochinchina-Subjekte setzen ihre Picktätigkeit fort, ohne von der Bedrohung Notiz zu nehmen.

Nach einem Verharren von 26 Sekunden mit starrem Blick und Füßescharren wiederholt Ramelsloh den Angriff mit gesteigerter Heftigkeit ohne Reaktion von seiten Cochinchinas.

Die Attacken folgen nun in immer kürzeren Intervallen und werden deutlich wütender und rücksichtsloser auch gegen eigene Verletzungen durch die Drahtmaschen. Nach 10 Minuten 13 Sekunden zeigen sich bei den Ramelslohern die ersten Anzeichen von Ermattung, zugleich mit einer Verwirrung der lebenserhaltenden Instinkte im Sinne eines Realitätsverlustes.

a) Freßtrieb: Anstelle des dem Hühnervogel eigenen Pickens und Scharrens krampfartiges Zerhacken und Zerkrallen des Nahrungsobjekts (Regenwürmer) ohne Sättigungseffekt.

b) Eine Störung des Fortpflanzungstriebes deutet sich an: Männliche Jungtiere zeigen Ansätze zu homosexueller Gruppenbildung mit masochistisch getönter Grundhaltung (geschlossene Ausfälle auf das Maschengitter mit lautem, gemeinsamem Krähen bis zur Totalerschöpfung).

Resümee: Wenn das gesteigerte Aggressionspotential infolge der Reaktionslosigkeit des Gegners nicht abgeführt werden kann, zeigen sich Merkmale des Realitätsverlustes und Verstörungen der lebenserhaltenden Instinkte.

Das »Ressort für irrationale Erscheinungen in der Politik« interpretierte den Versuch mit vorsichtigen Rückschlüssen auf humane Bereiche und kam zu dem vorläufigen Ergebnis, daß politisches Stillhalten der Nachbarstaaten bei dicht geschlossenen Grenzen sich möglicherweise auf die aggressiv aufgepeitschte deutsche Seele durch korrumpierende Stauungsphänomene schädigend auswirken könne.

Nach einer kurzen Pause ergriff der Reizer wieder das Wort: »Erlauben Sie mir, verehrte Zuhörer, die Verlesung des Protokolls zu unterbrechen und einen kurzen Bericht einzuschieben, der meiner unmaßgeblichen Meinung nach viel zum Verständnis der folgenden Versuche beitragen wird.

Seine Hochwürden Coelestin ist ein – bis in die Gesichtszüge – großer, schwerer Mann von auffallend skrupelhafter Wesensart, die ihn oft in tagelange Anfälle tiefer Melancholie stürzt, besonders wenn er an schwierigen Problemen arbeitet. Es war allen Patres sowie uns vom ›Ressort‹ klar, daß Hochwürden Frymuth sich mit den bisherigen Resultaten nicht zufriedengeben werde, zumal die Ähnlichkeit mit den gegenwärtigen politischen Ereignissen nicht zu übersehen war. Die Westmächte wirken trotz des immer hemmungsloseren Gekläffes unseres deutschen Leitrattlers tatsächlich, als stünden sie unter sedativen Drogen. Immerhin besteht eine gewisse Hoffnung, daß dieses Stillhalten nicht einer Lähmung oder Ratlosigkeit entspräche, sondern – gewollt oder unbeabsichtigt – das überstürzte Imponiergehabe Deutschlands überreizen und den Kampfgeist bis zum Realitätsverlust steigern könnte, was unzweckmäßiges Handeln zur Folge hätte; unter günstigen Umständen für uns ein Hoffnungsschimmer.

In diese Überlegungen versunken, machte Abt Coelestin, wie er es in depressiven Phasen gerne tat, lange, einsame Spaziergänge im Weichbild des Stiftes und grübelte dabei an seinem Problem herum, kleine Brumm- und Fauchtöne ausstoßend. Ich erwähne kurz, daß der hochwürdige Herr beim Grübeln das genaue Bild eines schweren Hundes zeigt, der an einem zu großen Knochen zu nagen versucht.

An einem milden Maiabend wanderte er also mit gerunzelter Stirn, die Hände faustartig im Rücken verschränkt, Grolltöne ausstoßend durch die sanfthügelige Wiesenlandschaft von Heiligenkreuz, als ungewohntes Geräusch aufkam. Von zwei Seiten näherten sich singende Jugendliche, die aber, was man sowohl am Habitus wie an den Liedern erkennen konnte, verschiedenen Gruppen angehörten.

Von einer erhöhten Stelle aus, die der Abt bestieg, überblickte er die Lage und beobachtete mit steigender Spannung den Verlauf der nun folgenden Ereignisse.

Von einer Seite zog in prozessionsähnlichem Wanderschritt, von einem blaugoldenen Marienbanner spielerisch umflattert, eine Gruppe katholischer Jugend der Stiftskirche zu, offenbar um dort der täglichen Maiandacht beizuwohnen. Die jungen Leute sangen aus vollen Kehlen, wenn auch in etwas schleppendem Rhythmus »Meerstern ich dich grüße, o Maria hilf!« – Von der gegenüberliegenden Seite, die frommen Sänger also im rechten Winkel kreuzend, sah der Abt über die Hügelkämme in schnurgerader Reihe Köpfe aufwachsen und schließlich Gestalten in fragmentarischen HJ-Uniformen, schwarze Halstücher und weiße Stutzen, die im strammen Gleichschritt, taktfest und abgehackt sangen, und zwar, nicht sehr zum lieblichen Frühling rundum passend, ›es zittern die morschen Knochen der Welt vor dem großen Krieg‹. Es waren ihrer übrigens weit weniger als die Marienkinder. Kaum aber hatten sie die schlendernden, da und dort Blumen Pflückenden eräugt, rückten sie kurz zusammen, formierten sich zu einer dicht geschlossenen Marschkolonne und stießen – laut singend – mitten hinein in die völlig ungefaßte Schar der Maiandächtler, denen der ›Meerstern‹ im Hals steckenblieb, stießen durch, ohne Rücksicht und ohne rechts oder links zu schauen. Die friedliche Schar, obwohl wie gesagt in großer Mehrheit – darunter stracke Bauernburschen –, stob auseinander wie ein Hühnervolk und starrte dann den schnurgerade Weitermarschierenden mit Kuhblicken nach.

Der Abt hatte den Vorgang mit zusammengezogenen Brauen aufmerksam beobachtet, jetzt spielte ein schmallippiges Lächeln um seinen großen Mund, und er schritt geradewegs heimwärts. Er hielt seinen widerspenstigen Knochen nun fest zwischen den Pfoten und konnte ihn sauber und systematisch abnagen.

Er hatte nun den dritten Versuch bereits im Kopf. Seine Durchführung bedurfte allerdings gewisser technischer Vorbereitungen. Dazu wandte er sich an den Pater Lambert, eine Leuchte auf dem Gebiet der frühen Konzilien und dem Filigranwerk der Christologie, der gewissermaßen zum Ausgleich ein leidenschaftlicher Elektrobastler war und Stöße von Elektrospielkästen für Jugendliche und Amateure von acht bis sechzehn Jahren besaß.

Ihm übertrug er die Aufgabe, kleine, dem Hühnerkopf angemessene Hörapparate herzustellen, durch die Tonbandgeräusche gesendet werden konnten. Der Pater widmete sich mit Leidenschaft dem Auftrag und hatte binnen kurzem ein geeignetes Gerät entworfen. So konnte der nächste Versuch anberaumt werden.«

3: Versuch: 17. Mai 1937
Cochinchina, mit blutroten, übergroßen Schwellkammattrappen ausgerüstet, befindet sich – in deutlicher Mehrheit – den Ramelslohern gegenüber, welche auf den Köpfen winzige Hörgeräte tragen. Durch diese wird ihnen überlaut und in rhythmischen Sequenzen arteigenes Angriffsgeschrei übermittelt. Das Maschengitter wird entfernt. Die audiovisuell aufgereizten Ramelsloher Leghühner, die große Überzahl der Gegner überhaupt nicht wahrnehmend, greifen die musikalisch nicht betreuten Fleischhühner unverzüglich an und schlagen sie nach einem erbitterten Kampf von 5 Minuten 3 Sekunden vollständig in die Flucht.
Im Gefolge dieses leichten Sieges ist deutlich ein instinktgestörtes Verhalten zu beobachten:
1. Störungen im Fortpflanzungstrieb durch Objektverwechslung.
    a) Der in der Peckordnung hochrangige Hahn Friedrich versucht, Regenwürmer zu begatten.
    b) Der Kapaun Hans unternimmt Anstalten, die Zuchtsau Thekla zu vergewaltigen und wird dabei versehentlich von ihr zertreten.
    c) Das Junghuhn Frieda nähert sich einem im Hof befindlichen Blumentopf lesbisch und wird dabei durch eine rasende Eifersuchtsszene des Kükens Edi belästigt.
2. Störungen im Brutverhalten: Die Unruhe der Muttertiere überträgt sich auf die Jungtiere im Sinne eines Geborgenheitsverlustes der letzteren. Deutliche Zeichen von Regressionsneurosen: die Küken versuchen hartnäckig, in eiförmige Gegenstände zu schlüpfen und dort mit angelegtem Flaum in Embryohal-

tung zu verharren. Sämtliche Eischalen, ausgepreßte Citrusfrüchte, zerbrochene Glühbirnen des Misthaufens sind einschlägig besetzt.

Resümee: Die Kampfbereitschaft einer durch Sinneseindrücke, besonders akustischer Natur, euphorisierten Gruppe ist einer nicht manipulierten, durch den nüchternen Instinkt geleiteten Schar eindeutig überlegen. Nach eindrucksvollen Anfangserfolgen lassen sich jedoch selbstschädigende Pervertierungsphänomene feststellen. Frage: Wie lange hält die positive Phase des Zustands an? Kann die künstlich gesteigerte Kampfkraft korrumpiert und – möglicherweise mit Hilfe der Tendenz zur Instinktchaotik – frühzeitig erschöpft werden?

Auch zu diesem Versuch bedurfte der Abt gewisser praktischer Vorbereitungen, an denen sich das gesamte Stift sowie Ministranten und katholische Jugendliche mit dankenswertem Eifer beteiligten. Es wurden in Pappe und in Holz Cochinchina-Attrappen in beträchtlicher Anzahl hergestellt.

4. Versuch: 13. Juni 1937
Anstelle der Cochinchina-Fleischhühner werden Pappattrappen mit den entsprechenden Erkennungssignalen aufgestellt und das Maschengitter entfernt. Dicht an der Rayonsgrenze sammelt sich Ramelsloh mit Kopfhörern. Die Schreitbewegungen der Hühner sind marschähnlich aufeinander abgestimmt. Der Vorgang wird gefilmt, um die Beobachtung später in Zeitlupe analysieren zu können.

Die Tiere starren den Feind an, merken aber nicht, daß es sich um Attrappen handelt. Äußere Zeichen eines Anstiegs des Adrenalinspiegels: kurzes Erblassen der Lidhäute, gefolgt von Blickrötung und Gefiedersträubung, Steifbeinigkeit.

Die Cochinchina-Attrappen fallen nach kurzem Hackgeplänkel zerfetzt in sich zusammen, werden aber, vom Hilfspersonal umgehend erneuert, von Ramelsloh ohne Zögern wieder angefallen und zerstört.

Nach dem vierten Durchgang beteiligen sich auch Junghühner am Kampf, im späteren Verlauf brütende Hennen und kaum ausgeschlüpfte Küken. Nachdem die Attrappenpopulation zum siebten Mal ersetzt wurde, werden im Misthaufenbereich Ramelsloh Verwirrungs- und Auflösungserscheinungen festgestellt.

Folgende instinktfremde Verhaltensweisen konnten beobachtet und filmisch festgehalten werden:

a) Grobe Verstöße gegen die Peckordnung: verwilderte Kükenvölker formieren sich zu Gangs und durchstreifen vandalisierend den Rayon. Keinerlei Achtung vor Alt-Tieren.

b) Fortpflanzung: krasse Fälle von Promiskuität bei Jungtieren, Lähmung der Fortpflanzungsaktivität beim ausgereiften Tier.

c) Brutverhalten: der Brutinstinkt erlischt. Die vorbildliche Bruthenne Johanna sitzt 47 cm von ihrem Gelege entfernt im Staub und beobachtet stumpfen Auges, wie der Gutskater Hermes ihre Eier öffnet und ausleckt.

d) Bei Eintritt der Dunkelheit sucht nur ein Teil der Hühner seine gewohnten Sitzstangen auf. Andere schlafen, seitlich mit ausgestreckten Beinen gelagert, auf der Erde.

5. Versuch: 14. Juni 1937
Wieder Cochinchina-Attrappenaufstellung, diesmal aber nicht aus Pappe, sondern aus solidem Holz. Ramelsloh, wieder mit Kopfhörern ausgestattet, greift erst nach 4 Minuten 2 Sekunden an (also um 2 Minuten 1 Sekunde später als am Vortag). Die Bewegungen erscheinen schlaffer und schlecht koordiniert (genaue Messungen erst am Filmstreifen möglich).

Ramelsloh verbeißt sich in die Holzattrappen, wobei gewisse Zeichen von Hysterie sichtbar werden (Hackstakkato auf ein und dieselbe Stelle, Schrei- bzw. Gakkerkrämpfe, starkes Erblassen der unteren Augenpartie, Durchfälle während des Kampfgeschehens, die von den Befallenen nicht bemerkt werden). Bereits nach

9 Minuten 3 Sekunden verlieren Einzeltiere aus den niedrigen Rangstufen der Hackordnung (bei früheren Versuchen die ersten und wütendsten Angreifer!) das Interesse am Kampf und geben sich nervöser, ungezielter und besonders gieriger Picktätigkeit hin.

Nun werden die Kopfhörer auf ein anderes Tonband umgeschaltet; zwischen den Kampfrufen hört man Angstgepiepe verlassener Küken sowie das Schreckgegacker von Fremdhähnen vergewaltigter Hennen. Diese neue Tonkulisse rafft schlagartig die Ramelsloher Misthaufeneinheit zum Generalangriff zusammen. Die hölzernen Cochinchina-Attrappen – die natürlich weder Gegenreaktionen zeigen noch einen Zentimeter weichen – werden wie rasend gepeckt, gehackt, zerkrallt. Einige Ramelsloher erleiden ernste Verletzungen, die Althenne Gerlinde erliegt einem Schlaganfall (Obduktionsergebnis steht noch aus). Nach 15 Minuten 26 Sekunden tritt plötzlich eine Totalerschlaffung der gesamten Ramelsloher Population ein. Die Hühner sitzen oder liegen hechelnd mit nach oben verdrehten Augen im Sand.

Nach 5 Minuten 6 Sekunden brechen einzelne Tiere auf und schleppen sich in Demutshaltung auf die Cochinchina-Attrappenreihe zu. 3 Minuten später befindet sich die ganze Misthaufeneinheit auf diesem Weg. Die Kämme sind blaß und schlapp, die Lider wie schlafend über die Augen gesenkt. Die Vögel bewegen sich kriechend mit ausgespreiteten nachschleppenden Flügeln. In dieser Stellung verharren sie bewegungslos vor den Cochinchina-Attrappen. Jäher Federausfall und Glatzenbildung wird beobachtet.

In Einzelfällen kann eindeutig suizidales Verhalten festgestellt werden:

1. Die sexuell aneinander fixierten Junghähne Ralf und Roderich machen Kamikaze, indem sie sich im Gleichschritt einem in den Wirtschaftshof einfahrenden Lieferwagen der Firma Scheuchenhals & Witwe, Futtermittel, entgegenstürzen.
2. Die reife Bruthenne Hilda geht ins Wasser (Regen-

tonne); vorher kann die Entwicklung einer müden Zone unter ihren Augen beobachtet werden.

3. Das Küken Georg entleibt sich selbst durch wiederholtes Anrennen seines Köpfchens an den Trogstein. Keine Reaktion beim Muttertier Gerti.

»Nach Abschluß der Versuchsreihe«, setzt Ištarovič fort, »lud Abt Frymuth Fachkollegen und Herren vom ›Ressort‹ zur Jause nach Heiligenkreuz und berichtete über die Ergebnisse der Experimente sowie über mögliche Folgerungen im Humanbereich:

›Es kann mit großer Wahrscheinlichkeit angenommen werden, daß eine undosierte Steigerung der Angriffslust an einem noch näher zu bestimmenden Punkt in ihr Gegenteil umschlägt. Wenn die chemisch innersekretorischen Vorgänge, die sich als Aggressionsbereitschaft äußern (im Volksmund: Kampf- und Opfermut; psychologisch: euphorisch getönter Masochismus), durch systematische Reizung gesteigert werden und infolge mangelnden Widerstands nicht zur vollen Abfuhr gelangen, kommt es nach Überschreitung eines Schwellenwertes zu Störungen, möglicherweise auch qualitativen Veränderungen des innersekretorischen Gleichgewichts, die sich erst im Realitätsverlust, sodann in instinktpervertierenden bis autophonen Verhaltensweisen manifestieren. Eine eklatante Steigerung des Kampfwillens ist durch visuelle, stärker aber noch durch akustische Reizung zu erzielen.

Bezogen auf die gegenwärtige Lage: die audiovisuell ausgezeichnet präparierte Bevölkerung Deutschlands – bald wird auch Österreich angeschlossen werden – nimmt bereits jetzt nicht mehr die Realität der zahlenmäßigen wie materiellen Übermacht des Feindes wahr und wird voraussichtlich mit beträchtlichen Anfangserfolgen bis zur Selbstauslöschung kämpfen.‹

Während der sichtlich erschöpfte, aber auch gelöste Kirchenmann dieses vorläufige Resümee bekanntgab, eilte ein Bruder herbei und flüsterte dem Abt erregt eine Nachricht ins Ohr. Dieser teilte den etwas verständnislos blickenden Laien mit, es habe sich im Blut aller am Versuch beteiligten Exemplare Colesterol nachweisen lassen. – Erst als die Begeisterung des Forschers abgeebbt war, erkannte er unsere Unfähigkeit, seine Befriedigung zu teilen, und erklärte uns, daß es sich um ein Nebenrindenhormon handle, das Tier und Mensch im Gefolge einer Streßsituation ausschütte, die zu bewältigen sie nicht imstande seien.«

»Na und?« sagten die Sodalen und sahen Ištarovič fragend an.

»Das gleiche, wenn auch etwas leiser und weniger fordernd, haben auch wir, die Gäste des Stifts, gefragt«, sagte Ištarovič und zitierte wörtlich den abschließenden Ausspruch des Abts Coelestin: »Sie werden verlieren, aber es kann sehr lange dauern.‹ Sodann hat Hochwürden sich etwas hastig erhoben und wegen Übermüdung entschuldigt.

Die Ergebnisse dieses Versuchs, meine Damen und Herren«, setzte der Reizer fort, »können mit entsprechenden, an die – übrigens geringen – humanen Bedingungen adaptierten Veränderungen politisch verwertet und angewandt werden. Da ich mit Ihrer absoluten Diskretion wohl rechnen darf, möchte ich Ihnen verraten, daß mein Ressort ›Irrationale Erscheinungen in der Politik‹ bereits beträchtliche Anstrengungen in dieser Hinsicht gemacht hat. Vertrauenswürdige Papier und Pappe erzeugende Industriebetriebe sind unter Vertrag genommen. Ebenso die besten Theaterdekorateure der ersten Bühnen der Welt. Die Herstellung von Feindattrappen von höchster Lebenstreue und Täuschungskraft ist im Gang, ein Organisationsplan ihres Transportes und ihrer scheinkriegsmäßigen Aufstellung an den Grenzen Deutschlands ist entworfen. Ihre Plazierung sowie Soforterneuerung im Angriffsfall wird in Geheimmanövern eingeübt. Außerdem ist es unseren europäischen Außenstellen durch Indirektlenkung der Politik und Stimmung der betroffenen Länder gelungen, eine sogenannte ›Stillhaltegarantie‹ bei Regierungen und Völkern auszuhandeln. Kurz gesagt: Die Siegermächte von 1918 werden aggressiven Gesten und auch Handlungen Hitlerdeutschlands zunächst mit einer weitgehenden Duldung begegnen; die Toleranzgrenze ist so bemessen, daß genug Zeit bleibt, das Aggressionspotential der deutschen Seele zum Überkippen zu bringen, mit all den Folgen, die zu erwarten uns die Heiligenkreuzer Versuche berechtigen.

Hoffen wir, meine werten Sodalen, hoffen und beten wir im Interesse der Welt, daß das weise Spiel mit dem Schein diesmal über die Brutalität der Wirklichkeit siegt, daß die aufgepeitschte Kampflust der deutschen Massen durch Stauung und Vergeblichkeit pervertiert und sich gegen sich selbst richtet, ehe noch ein Pole, ein Franzose, ein Engländer auch nur eine Uniform angezogen hat.«

Nach dieser Ausklatschung der Aktivitäten des »Geheimen Ressorts« raffte Ištarovič seine Papiere zusammen, begab sich auf seinen Platz, schlug die Beine übereinander und wischte mit dem Nastuch ein Stäubchen von seinen eleganten Schuhen. Mit gelassenem Lächeln erwartete er die Reaktion der Sodalen. – Da zupfte ihn aus der rückwärtigen Reihe jemand zart am Ärmel. Es war Eli Rubenjew. »Sie wollten uns doch noch was von den Tauben sagen, Herr Ministerialrat?« Da erhob sich Ištarovič noch einmal kurz und wandte sich an die sehr stillen Sodalen: »Ich für meine Person rate den ›Tauben‹ dringend, keine weiteren Versuche mehr abzuwarten und alle Vorbereitungen zu treffen, die Misthaufeneinheit Wien auf dem schnellsten Wege zu verlassen.«

Die Versammlung ging schweigend und mit sorgenvollen Gesichtern auseinander.

Am 21. März 1938 war die letzte Sitzung der Sodalitas.

Die Zusammenkunft ist angemeldet und das Thema behördlich approbiert unter dem Tarnnamen »Sonderversammlung des Vereins arischer Schrebergärtner«, Verhandlungsthema: »Die Pflege des germanischen Wesens bei der Gestaltung nordischer Kleingärten.«

Die Reden einzelner Sodalen, die teils Vernunft-, teils

Religionsoptimismus vortäuschen wollten, wirkten matt und blieben ohne Reaktion. Zuletzt erhebt sich Ištarovič und gibt, Trauer und Müdigkeit in der Stimme, den Sodalen die letzten Entwicklungen aus dem »Ressort« bekannt. »Wieder einmal hat der kurzsichtige Rechenstift eines primitiv ausgelegten Realitätssinnes über das weise Gaukelspiel mit der Phantasie gesiegt, die allein Orientierung in den dunklen Irrgärten der menschlichen Seele zu geben vermag. Die Aktion ›Attrappe‹ ist über Nacht eingestellt worden. An ihrer Statt wird bei den von Hitler bedrohten Nationen hektisch aufgerüstet und einberufen und eine geistig und seelisch völlig unvorbereitete Jugend den Angriffen eines zur dressierten Masse aufgepeitschten Volkes zur Vernichtung preisgegeben.«

Durch die engen Gassen drängten sich jubelnde Massen. Das Grollen dröhnte durch die dicken Mauern und geschlossenen Fenster. Die knallenden Tritte der Marschierenden, ihre abgehackten Sprechchöre und Gesänge von schlichter Aussage. Sternförmig wälzte sich die tobende Menge dem Heldenplatz zu. In peristaltischen Schüben erbrach sich die Lehmflut in die Straßen der Stadt.

Einige Herren konnten sich kaum vom Fenster trennen. So starrte der dürre Rubenjew mit einer fast schmerzlichen Faszination durch einen Spalt der schweren Vorhänge hinunter, wobei er ohne Unterlaß »pfui« sagte, mit einer Betonung, als rede er einem Kind etwas Ekles aus, das dieses unbedingt haben wollte. Neben ihm stand dickwadig eingewurzelt der feiste Kapuziner-Frater Eberhard mit Quellauge, die Hände im Kreuz geballt, und stieß von Zeit zu Zeit Höllenparolen aus, die für mehrere Barockpredigten gereicht hätten. Auch andere Herren, selbst der zarte Kaplan Wurmbser, verbissen sich in den Anblick der kreißenden Gasse, wobei ihre Züge einen merkwürdig schlaffen Ausdruck zeigten, eine verhängte Resignation und weiche Störrigkeit. Verbal betonten sie wiederholt ihren Abscheu.

Ištarovič beschaute die Gesichter der Herren mit ironischer Schärfe: »Glaubt noch irgendeiner von Ihnen an die Macht der Vernunft und Belehrung, verehrte Sodalen? An den Stachel des Anstands? An die Macht des Glaubens und die Geißel der Furcht um das Heil der Seele? Diese Irrsinn kalbende Masse da unten, dieser gigantische Bauch in der Erregung seiner Därme, besitzt er Vernunft? Empfindet er Angst? Braucht er Gott? Was da unten brodelt und siedet, befindet sich in einem Zustand unappetitlich jauchzenden Glücks – und wenn ich mich nicht irre, empfinden Sie es selbst!« Die Sodalen blickten schräg und zogen sich vom Fenster zurück. »Erinnern Sie sich«, fuhr der Rat fort, »an die Beobachtungen von der Misthaufeneinheit? Da wurde das gesunde, strotzende Aussehen der Hühner im Zustand der Aggressionsüberflutung besonders registriert! – Wenn einer oder der andere unter Ihnen, meine Freunde«, sagte er kaum merkbar lächelnd mit einem boshaften Unterton, »ein gewisses Bedauern empfinden sollte, an diesem Glück aus triftigen Gründen nicht teilhaben zu können, ich für meine Person fände diese Regung ganz natürlich. Wären wir doch keine Menschen aus Epidermis, Wasser und Unrat – Sie verzeihen –, wenn wir nicht aus dem dunkelsten Abyssus unseres gefährdeten Wesens eine süchtige Gier aufschwelen fühlten, mitzukochen in dieser greulichen Seligkeit da unten.«

Einige Herren schossen empor aus der Versunkenheit, als hätte sie eine Wespe gestochen. Der Kapuziner lachte eigentümlich fett auf. Andere standen gesenkten Blicks.

»Ich selbst«, sagte Ištarovič trocken, »mußte unlängst im Auftrag des ›Ressorts‹ in der Funktion eines Beobachters an einer solchen Veranstaltung teilnehmen. Und ich kann Sie versichern – es liegt mir fern, etwas zu verheimlichen oder zu beschönigen –, ich ging für ein paar Augenblicke mit, ich hatte plötzlich teil an dieser Stimmung, wurde angesogen vom Kollektiv. Allerdings war ich dann bald genötigt, mich – entgegen meinem dienstlichen Auftrag – vorzeitig zu absentieren.«

Die Sodalen blickten scheel. Der ratlose Feingeist

Wurmbser jammerte auf: »Aber Ihr Menschentum, Herr Ministerialrat, Virtus und Dignitas, es muß sich doch aufgebäumt haben!« – »Oh, ja«, sagte freundlich Ištarovič, »es bäumte sich etwas auf, aber es waren weder der Verstand noch Virtus oder Dignitas. Die hielten auffallend still. Der schlichte, eher niedrig bewertete Magen war es, der sich aufbäumte: er zwang mich jählings, beiseite zu treten. Warum sollte man gerade heute, wo uns allen daran liegen sollte, zu verstehen, was geschieht, den Umstand leugnen, daß in Situationen wie dieser der Magen den Menschen verläßlicher an degoutanten Unartigkeiten hindert als die Vernunft und die Erziehung. Es scheint, daß das Humane vorwiegend Sache der Geschmacksnerven ist. Ich habe auch einen entsprechenden Rapport darüber an meine Dienststellen gemacht. Die Beobachtung und der Selbstversuch scheinen mir wichtig. Wenn Menschen sich zu einem Kollektiv bündeln, kommt es neben einer Herabsetzung der Denk- und Sinnesschärfe auch zu einer Lähmung der Magennerven. Wird dieser kritische Punkt erreicht, ist der Mensch zu jeder Untat an anderen und an sich selbst bereit, die ihm unter dem Namen der ›Pflichterfüllung‹ vom Leittier anbefohlen wird. Persönlichen Erfahrungen zufolge ist der entscheidende Moment nicht im Versagen der Vernunft und Perzeption gegeben, sondern im Ausfall des nervösen Systems, das die Verdauung steuert.

Betreten schwiegen die Sodalen. Es war ihnen nicht recht, was Ištarovič dozierte, aber sie konnten nichts dagegen sagen.

Der Ministerialrat mahnte noch einmal dringend die jüdischen Herren, das Land zu verlassen; Auslandsadressen von den »Ressort«-Stellen in jedem Kontinent stünden zur Verfügung; auch falsche Papiere. Außerdem sei seine »Ressort«-Abteilung jederzeit bereit, in Bedrängnis geratene Sodalen samt Familie aufzunehmen.

1. September 1939: Rundfunkmeldung: Seit sechs Uhr früh überschreiten deutsche Truppen und Panzereinheiten die polnische Grenze.

Nach Einbruch der Dunkelheit sieht man Gestalten mit Rucksäcken oder Koffern, sogar mit Kinder- und Handwägelchen in die Gasse einbiegen und dort in einer unauffälligen Seitentür des Ministeriums verschwinden.

Die Aufzeichnungen der Sodalitas judaica atque catholica, die mit wenigen Unterbrechungen seit dem Jahre der Gründung regelmäßig über die Sitzungen und Aktionen berichteten, brechen mit diesem Datum ab.

Das Folgende stammt aus mündlicher Überlieferung, aus verschiedenen Quellen.

SCHLAMMGEBURTEN

Sonntagsgewühl in der Kärntnerstraße und auf dem Graben. Strahlender Juli. Man flaniert vor den Schaufenstern, sitzt vor den Kaffeehäusern unter Sonnenschirmen. Der Dom wirft keinen Schatten, die Sonne steht im Zenit.

An der Fassade ein Grabkranz und Blumensträuße, die in der Hitze rasch verwelken. Eine Papptafel erinnert an die Toten des Widerstands gegen die große Lehmflut. Man hat in der Zeitung davon gelesen. Eine Protestaktion gegen den eben gewählten Bundespräsidenten mit der vergessenen Vergangenheit. Eine Insel im Verkehrsstrom – von diesem kaum wahrgenommen –, hat sich eine Gruppe gebildet. Das Hin- und Hergerede von Stegreifdiskussionen, wie sie eben sind: Behauptungen, die am Ziel vorbeigehen; vergebliche Versuche, logisch zu argumentieren; exaltierte Dummheiten auf beiden Seiten.

Von der Domfassade sehen die Heiligen herab und die Dämonenfratzen.

Die Antifaschisten stehen einzeln im Gedränge, reden, reden, jeder versucht zu überzeugen, glaubt, daß die andern einer Überzeugung zugänglich seien, wenn sie nur eindringlich genug ist. Junge Leute. Sie haben das große Debakel der Vernunft nicht erlebt.

Die anderen, die deutliche Mehrheit, bündeln sich. Abgegriffene, tot geglaubte Parolen sind plötzlich wieder da und werden vorgebracht, nicht nur mit den gleichen Worten, sondern auch im gleichen Tonfall: »... man hat als Soldat seine Pflicht erfüllt ... da muß sich keiner verstecken, im Gegenteil ... stolz darauf, seinen Mann gestellt ... damals war man wer, heut fehlt uns die starke Hand ... bis zuletzt waren wir die Sieger, Dolchstoß von hinten ... von wem gelenkt? ... Weltjudentum, heut so stark wie je ... zu wenig vergast ... hat es überhaupt Gaskammern gegeben? ... als wir uns für die Heimat schlugen, saßen sie im Ausland, in Sicherheit ... nicht von den feindlichen Waffen, vom jüdischen Geld ist der deutsche Soldat niedergerungen worden ... eine stolze Zeit, froh, dabeigewesen zu sein, möchte sie nicht missen trotz der Strapazen!« – Man fühlt sich unter sich, fühlt sich verstanden. Verwaschene Zackigkeit aus verschleimten Gurgeln und schlecht sitzenden Gebissen: »Auch draußen gewesen? ... Ostfront? Westfront? ... Waffengattung? Verwundet? ... dem Iwan haben wir's gegeben, ich mit drei Mann in Deckung, zwei Maschinengewehre. Da kommt der Russe. Ratatata! Aufgespritzt die ganze Rotte, wie die Fetzenpuppen, ein paar Zucker und tot, tot ... das waren Zeiten.«

Bis heute hatte man dergleichen allenfalls in geschlossenen Zusammenkünften hören können oder in Wirtshäusern, besonders in der Provinz, im vorgerückten Stadium von Bierräuschen. Diese aber standen nüchtern im prallen Mittagslicht auf offener Straße, nicht mit zusammengesteckten Köpfen, sondern freiweg und laut vernehmbar für jedermann. Freilich! Hatten sie doch plötzlich prominente Rückendeckung. Einer ist mit Mehrheit zum ersten Mann des Staates gewählt worden, einer, der sich endlich getraut hat zu sagen, was man Jahrzehnte nur gedacht und höchstens im engsten Kreis ausgesprochen hat: Wir haben unsere Pflicht getan. Was möglicherweise nebenbei geschehen ist, haben wir nicht zu verantworten. Wir haben nur Befehlen gehorcht.

Erst stieß mich der Ekel zurück, als ob der Deckel einer Senkgrube aufgemacht worden wäre. Aber dann sah ich mir genauer an, was da herausgekrochen war, und es traf mich wie ein Schock.

Ich fühlte mich zurückgeworfen in die Tage und Wochen des März, April 1938, und da sah ich plötzlich etwas wieder, das mir auch damals nicht entgangen ist, wofür mir aber jede Erklärung gefehlt hatte.

Aus ganz verschiedenen, individuell geformten Gesichtern wurde plötzlich *ein* Gesicht; kein Gesicht, eine Larve, als überwuchere ein flechtenartiger Belag die spezifischen Züge und lösche sie aus. Die da standen in der hellen Mittagssonne, zeigten auf einmal wieder die Massenfratze, das Ungesicht, das damals in verzückten Sprechchören geschrien hatte, mit dem geistentleerten Fanatikerblick, der spastischen Kieferverkrampfung und den Hampelbewegungen von Veitstänzern. Unheimlich und auch anstößig war, daß sie zu dieser peinlichen Eskapade die Zeichen fortgeschrittenen Alters an sich trugen: die Haut in Runzeln, Haar und Augen glanzlos verwaschen, die Haltung geprägt von allerhand Schäden und Schwächen. Sumpfkadaver, die es hochgetrieben hat aus Morästen, die man ausgetrocknet glaubte. Wie schillernde Schmeißfliegen schwirrten die hervorgeheiserten Phrasen. Sie wittern Mehrheit, haben Tuchfühlung mit ihresgleichen gerochen und sind geil auf einen neuen nationalen Orgasmus, der alle Probleme wegfegt. Mit einem Fuß schon im Grab, lechzen sie noch einmal dem Rausch einer Weltstunde entgegen, die ihnen immer noch nicht überzahlt erscheint mit Millionen Toten, eigenen und verschuldeten, und Millionen viehisch Vertilgten.

Wie betäubt ging ich nach Haus. Ungenau zwischen Wirklichkeit und Traum. Ich konnte mit diesem Alpdruck jetzt nicht allein sein, ich klopfte sofort Singer heran. Es dauerte eine Weile, bis er zum Vorzimmerfenster kam. Ich bat ihn, zu mir zu kommen oder hinunterkommen zu dürfen. Er sei im Weggehen, sagte er kurz angebunden und ohne nach dem Grund der Dringlichkeit zu fragen. Ehe ich noch einen späteren Termin vorschlagen konnte, schloß er das Fenster. Ich war etwas befremdet. Es war nicht seine Art.

Vom Hof aus hatte, auf den Besen gestützt, der Hausmeister zugesehen. Lag es an meiner aufgewühlten Stimmung, daß ich den Eindruck hatte, der gewöhnlichen Neugier sei noch etwas anderes beigemengt? Eine Art lauernder Wachsamkeit? Sensationsgier? Natürlich machte ich mir Gedanken über Singers merkwürdiges Verhalten. Sollte er ein peinliches Erlebnis gehabt haben? War er angepöbelt worden? Man hörte, daß es in diesen Tagen bisweilen geschah. Aber ich kannte ihn. Er hatte sich Empfindlichkeit in diesen Dingen abgewöhnt und einen verläßlichen Panzer zugelegt. Kam die Rede auf solche Dinge, war *er* es, der nüchtern und sachlich blieb und viel emotionsloser reagierte als ich. Und gerade diese Haltung war es, die ich jetzt nötig gehabt hätte: ein nüchternes, klärendes Gespräch, eine möglichst rationale Analyse des schlammigen Unbehagens, das mir die Luft abschnürte.

Die Tage gingen dahin. Ich kam wieder etwas ins Gleichgewicht. Daß ich Singer nicht sah, beunruhigte mich nicht besonders. Das geschah oft, wenn er sich in die Arbeit vergrub. Das einzige, was mir auffiel, war, daß ich jetzt im Aufzug häufig Leute von typischem Gepräge sah, die alle zu Singer hinaufstrebten. Gewöhnlich hatte er kaum Gäste. – Man rückt also zusammen, dachte ich.

Dann stieß ich im Hof bei den Mistkübeln auf die Hausmeisterin: »Wissen S' eh, der Herr da von Tür 18, wo i die Bedienung hab!« – »Was soll ich wissen?« – »No, a Jud is er!« – »Ja und?« – »Nix, nur so.«

Dann traf ich ihn auf der Gasse. Er wollte nach kurzem Gruß weitergehen, aber ich hielt ihn am Ärmel fest. Ja, es kämen jetzt dann und wann Glaubensgenossen zu ihm. Man habe allerhand zu besprechen.

»Kann ich da nicht einmal dabei sein? Das geht mir doch auch alles nahe?« – Er stutzte etwas, sein Blick schweifte ab. Er sah mir nicht ins Gesicht, dabei sagte er mit einer Kälte, die mir nicht unbeabsichtigt schien: »Verzeihen Sie, aber wir sind jetzt gerne unter uns.« Damit ging er weiter.

Ich stand da, regungslos. Zuerst nur verblüfft. Dann in rascher Folge hilflos, wütend, schließlich stieg Traurigkeit in mir auf. Ein nagendes, aushöhlendes Gefühl von grenzenloser Vergeblichkeit. Der Urmorast rührt sich, faulige Rückstände schwappen auf, und schon zerreißt ein Band der Vertrautheit zwischen seinesgleichen und meinesgleichen, ein Band, das nicht nur Sympathie gesponnen hatte, sondern erprobte Gesinnung, auf deren Festigkeit man bauen konnte. Irreales aus den Abgründen eingefleischter Erfahrungen und Schrecknisse wuchert, ein Filz des Verderbens, ins Gehirn und verändert den Zustand des nüchternen Bewußtseins, verklebt es mit dem Spinngeweb des Verdachts, des Mißtrauens. Singer hatte keinen Grund, an meiner Einstellung zu zweifeln. Er tat es wahrscheinlich auch nicht. Aber im Augenblick der Gefahr wurde ich ausgeschlossen von diesem WIR, dem ich abstammungsmäßig nicht angehörte. – Mein Gott! Wie groß, wie tiefverwurzelt muß die Angst sein! – Diese Einsicht löschte jede zornige Gekränktheit. Sie löste Erbarmen aus und Schrecken.

Keine Klopfsignale, kein Briefaustausch durch das Hoffenster. Es war, als wohnte unter mir ein Fremder. Zu alldem war auch Thugut nicht greifbar, weil er sich wegen einer Ordenssache im Ausland befand.

Da ergab es sich aus Zufall, daß ich mit Singer im Keller zusammenstieß.

Der Keller unseres Hauses ist tief und weitläufig und steht vielfach in Verbindung mit den Kellern der Nachbarhäuser. Während des Krieges hatte man Zwischenwände durchbrochen, um bei Verschüttungen Fluchtwege zu haben. Nachher war nur beiläufig und unvollständig wieder zugemauert worden. Die wenigen Kellerräume, die noch im Gebrauch standen, lagen im hofnahen Bereich und empfingen ein schwaches Licht von draußen. Die elektrische Leitung war schon lange schadhaft, und es bestand keine Notwendigkeit zu einer kostspieligen Erneuerung. Ein halbverschimmelter, kaum lesbarer Anschlag warnte vor der Verirrungsgefahr.

Ich war hinuntergegangen, um etwas zu holen. Da sah ich Singer in seinem Verschlag kramen. Als er meine Schritte hörte, blickte er auf. Wir standen einander gegenüber. Unschlüssig. Keiner wußte, was er sagen sollte.

Aus Verlegenheit, nur um das immer peinlicher werdende Schweigen zu brechen, fragte ich nach dem Fortgang seiner Arbeit.

»Die ist wohl zu Ende«, sagte er. – »Wollten Sie sie nichts bis zur Gegenwart heraufführen?« – »Da gibt's nichts mehr zu forschen und zu interpretieren. Was da geschah – und noch immer geschieht – ist von einmaliger Eindeutigkeit. Für mich ist diese Unternehmung abgeschlossen. – Und was Ihren Part betrifft! Die Sodalitas ist wohl in der lehmbraunen Flut erstickt. Von den Juden wird es keiner durchgestanden haben; und die Christen? Nun, die werden es sich gerichtet haben.«

»Nicht jeder hat es sich gerichtet«, sagte ich leise, »nicht alle, die davongekommen sind, waren emsige Schlächter oder gleichgültige Zuschauer. – Und das wissen Sie auch, Singer!«

»Freilich weiß ich es«, sagte er bitter, »ist ja alles belegt in Statistiken: wie wenige eigentlich wirklich dafür waren und wie viele beim Widerstand. Heimlich natürlich, versteht sich, und besonders in den letzten Tagen, als der Geschützdonner der Russen nicht mehr zu überhören war und man seine Lage neu überdenken mußte, da waren fast alle beim Widerstand und kassierten dann Renten und Opferfürsorge. Und alle die armen Verführten! Wer wird unschuldig Verführte zur Rechenschaft ziehen? Wie konnte der kleine Mann von der

Straße diesen perfekt organisierten Schwindel durchschauen? Und gab es vielleicht keine Gründe? Das Elend der Arbeitslosigkeit! Der gekränkte Nationalstolz durch das Versailler Diktat! Warum dürfen gerade die Deutschen keinen Nationalstolz haben, den die Engländer oder Franzosen im Übermaß kultivieren? Ist es eine Schande, dem Volk der Dichter und Denker anzugehören – jüdische natürlich ausgeschlossen – und das bißchen Anspucken, Trottoirabkratzen, Auslageneinschlagen, Zündeln, Plündern, Enteignen! Anfangswirren, von denen der Führer nichts wußte. Es hörte ja auch bald auf, und Ruhe und Ordnung kehrten ein, denn es gab keine Juden mehr zum Anspucken, und die Gehsteige waren sauber wie noch nie. Wo sie so plötzlich hinverschwunden sind, die Juden? Nun, sie hatten ja immer schon ihre Beziehungen weltweit und dicht vernetzt.« – Singer hatte diese Tirade stoßweise in die Dunkelheit hineingesprochen, ohne mich anzusehen. Mich erschreckte die Bitterkeit in seiner Stimme und der scharfe Hohn. Das war nicht er, den ich kannte. – Wir standen einander gegenüber, aber wir sahen aneinander vorbei.

»Singer«, sagte ich und wußte schon, daß es vergebens gesagt war: »Singer! Gibt es noch etwas zwischen Ihnen und mir, das uns verbindet?« – »Aber ja!« erwiderte er leichthin kühl, »eine ganze Menge! Ähnliche Interessen im Bereich der Wissenschaft, der Kultur, im Geschmack. Das ist schon etwas! – Es war recht anregend.« – »Es *war?*« – »Nun ja, das verstehen Sie doch? Wenn der Pegel sich senkt und durch die scheinbar klare Wasserfläche wieder einmal der Grundmorast sichtbar wird – der ja immer da war, man gönnte sich nur, ihn für eine kleine Weile zu vergessen –, also in solchen Zeiten zählt das nicht viel: Wissenschaft, Kultur und Geschmack. Angst wiegt schwerer ... da geht dann eben jeder auf seine Seite.« – »Und die meine ist nicht die gleiche wie die Ihre?« – »Sie sagen es.« – Darauf schwieg er eine Weile. Dann kam es in einem etwas gelinderen Ton: »Nicht, weil wir es so wollen! Das Stück schreibt es uns so vor. Wir haben unsere stehenden Rollen darin und unveränderliche Texte ... und jetzt sieht es so aus, als stünde es wieder einmal auf dem Spielplan.« – »Und wenn man die Rollen wechselt?« – »Machen Sie sich nichts vor. Sie kriegen unsere Rolle genausowenig wie wir die Ihre. Und wenn Sie partout den Hals hinhalten wollen, dann gibt es für Sie ein separates Henkerbeil und einen eigenen Block. Der stinkt nicht nach unserem Blut ... Sehen Sie, deshalb sage ich, Sie gehören nicht zu uns. Es ist kein Werturteil. Nur ein Wink.«

»Sagen Sie mir noch eines, Singer, dann geh ich in Gottes, nein, in des Teufels Namen ... oder nicht einmal das: ich geh in der grauen Vergeblichkeit Namen, auf ›meine‹ Seite ... Was heißt denn das, ›meine‹ Seite? Da gehör ich ja auch nicht hin. Also irgendwohin ins Niemandsland! – Aber verzeihen Sie, ich wollte nicht pathetisch werden. Sagen Sie mir nur das eine noch: Wir haben uns doch diese Monate hindurch recht gut verstanden. Ich habe mich sogar der Illusion hingegeben, wir wären Freunde ... Was bin ich eigentlich jetzt für Sie?« – Er dachte eine Weile nach, die Hände im Rücken und starrte zu Boden. Dann hob er den Blick und sagte: »Was Sie für mich sind? Nun, vielleicht so etwas wie eine interessante Bekanntschaft, die man in den Ferien gemacht hat. Und die Ferien sind leider zu Ende. – Die Ferien vom Ghetto meine ich.«

Damit wandte er sich um und ging. Aber er ging nicht hinaus in den Hof. Er ging kellerwärts. Hinein in die muffig riechenden Gänge, in das Labyrinth der Finsternis. Bald sah ich nur mehr schwach den Schein seiner Taschenlampe.

Dort hat er doch nichts verloren, dachte ich, weiß er denn überhaupt von der Unübersichtlichkeit und Weitläufigkeit dieser Kellergänge, die sich zum Schluff verengten, stets bröckelten und zusammensackten, wie ich vom Hausmeister wußte. – Ich ging ihm nach, rief und warnte ihn, horchte, aber es kam nur mein blindes Echo zurück. Auch konnte ich nicht weit vordringen, weil ich kein Licht hatte. Nach wenigen Schritten bog der Gang ab und verzweigte sich nach mehreren Richtungen.

Ich stand im Dunkel, horchte und strengte vergebens meine Augen an. Doch auf der Netzhaut sah ich nur das Bild seines Weggehens wie etwas Unwiderrufliches. Der etwas gebeugte Rücken, die kleine Gestalt, die vertraute Gangart; hinein in die Finsternis mit einem unzureichenden Licht, hinein in die modrig riechende Erde, die sich krümlig durch den Verputz fraß. Ihr bröselndes Rieseln war das einzige Geräusch, das man vernahm. – Und an seinem Bild kaute die Dunkelheit.

Ich spürte, wie mir das Blut aus dem Gesicht abrann. Ich kehrte mich zur Wand, die von kranker Feuchtigkeit troff. Ich spürte den schleimigen Belag auf den Handflächen, und in meiner Magengrube brannten Schmerz und Scham. Schmerz um alle jene, die dem Gesetz ihrer Rolle folgend in die Finsternis gingen, Scham über meine eigene Rolle, die mir von Geburts wegen erlaubte und auferlegte, ins Licht zu gehen.

Da fühlte ich seine Hand auf meiner Schulter. Ich wandte mich um, aber wir sahen einander nicht im Dunkel.

»Erinnern Sie sich an das alte Lied von den beiden Königskindern?« sagte er leise. – »Sie konnten zueinander nicht kommen, das Wasser war viel zu tief?« – »Ja«, sagte er; und dann plötzlich: »Ich hab Angst, entsetzliche Angst. Es kann alles wiederkommen!«

Ich suchte ihn mit den Händen und fand seine Wangen. Ich nahm ihn in die Arme, und er verbarg sein Gesicht an meinem Hals wie ein erschrockenes Kind.

»Sie müssen sich nicht fürchten«, sagte ich, »ich bin ja da.« – »Ich weiß«, sagte er, und in diesem Augenblick glaubten wir beide, daß dies ein Trost wäre, und wußten gleichzeitig um seine Vergeblichkeit.

KANNIBALISMUS – RAFFINIERT GEWÜRZT

Am Abend des gleichen Tages endlich wieder die vertrauten Signale am Heizungsrohr. Rasch war ich am Hoffenster. Minuten darauf stand Singer vor meiner Wohnungstür. Er sah mir forschend ins Gesicht. Wir waren beide etwas befangen. Ich nahm ihn an den Schultern und schob ihn herein und in den Alkoven. Dort setzte ich ihn in den Ohrenstuhl. Erleichtert sank er zurück. Um das Schweigen der Verlegenheit zu überbrücken, setzte ich das Gespräch fort, das wir im Keller begonnen hatten, ehe er in die Finsternis gegangen war: das alte Mysterienspiel und die Rollen, die uns darin zugewiesen waren.

»Handlungsablauf und Personen«, sagte er nachdenklich, »sind tiefer in die Seelen eingegraben, als je sich ein Wissen in Gehirne prägen kann. Trampelpfade von den Hufen und Radspuren ganzer Völkerwanderungen. – Wenn der Vorhang weggerissen wird, kommt das Spiel in Gang und bedarf keiner Lenkung und Regie. So wie das Paradestück einer Schmiere. Mit der Sicherheit eines Nachtwandlers fällt jeder in seine Rolle und bringt sie fehlerlos über die Bühne; ohne Souffleur. Glauben Sie mir, dieses Stück ist älter als die Geschichte, und ich wiederhole es, meine Liebe – selbst auf die Gefahr hin, Ihnen noch einmal weh zu tun – Sie sind zu unserm Part nicht zugelassen. Von Geburt her gehört Ihnen die Rolle derer, die erlöst werden. Mit unserem Blut. Wir müssen diese Rolle spielen und das Böse auf uns nehmen, gewissermaßen in Stellvertretung für alle. Man fragt uns nicht. Nicht nach unserem Willen und auch nicht nach unserer Schuld. Der alte Sündenbock, den wir jährlich in die Wüste trieben, Asasel, er wurde auch nicht gefragt.«

»Aber wenn es Menschen betraf, konstruierte man sich immer auf das spitzfindigste eine Schuld zusammen.« – »Freilich! Vom Christusmord bis zur kapitalistischen Ausbeutung, zur Brunnen- und Blutverseuchung. Der Mensch ist allmählich heikel geworden und sein

Gewissen zu zart, um einen unschuldigen Bock zu opfern – Menschen dagegen schon, wenn die Schlachtung nur gerechtfertigt erscheint durch eine brauchbare Lüge.

Und die hochkultivierte Oberschicht mit ihrem bis ins Hysterische verfeinerten, angekränkelten Ästhetizismus, der ist auch lüstern auf alle Barbarei. Nicht rüde Glaubenslosigkeit oder fein gestachelter Atheismus gefährden ernsthaft die Humanität. Nie ist der Schritt zur schwarzen Messe leichter getan als von der ›schönen‹ Messe.« – »So wird es auch verständlich, daß ausgerechnet im Evangelium des Johannes, bei Johannes, der im Neuplatonismus heimischer war als im Judentum, der heilige Kannibalismus des Götterfraßes heraufbeschworen wird, der Titanenmord am Dionysosböcklein. Und die Worte legt er Jesus in den Mund am See Genezareth: ›Qui manducat hunc carnem‹ ... nicht, wer dieses mein Fleisch *ißt*, sondern wer es *kaut*, zwischen den Zähnen hat. Das heißt ›manducare‹. Und es klingt gar nicht symbolisch, sondern schrecklich konkret. – Und viele seiner Jünger sprachen«, setzte ich fort, »was er sagt, ist unerträglich. Wer kann das anhören? ... ›scandalizunt‹, sie nehmen Anstoß daran, es ist ein Skandalon, eine Zumutung. – Und das steht nicht beim derben Markus, beim Juden Matthäus oder bei Lukas, dem Griechen. Beim hochsensiblen, gebildeten Johannes. – Schwer verständlich!«

»Schwer verständlich wohl«, stimmte Singer zu, »aber ich sage Ihnen, gerade diese Hochempfindlichen, die sich übergeben, wenn einem Huhn der Hals umgedreht wird, haben einen uneingestandenen Appetit auf rohes, blutiges Fleisch, auf den morastigen Bodensatz, aus dem die Kultur aufkeimt, von der sie nur die Blüten beschwärmen und den Nektar süffeln. Gerade sie sind es, die nicht widerstehen können, wenn ihnen die Lizenz gegeben wird, im Ursumpf zu sielen; die Lüsternheit wohlerzogener Kinder, sich ausgerechnet im Sonntagsstaat im Kot zu wälzen. Und das war es ja, was ihnen dieser Dämon der Gewöhnlichkeit geboten, womit er sie geködert hat: die frivolen, witzigen Schöngeister des barock-katholischen Wien und ebenso die sittenzarten Pastorensprößlinge des reformierten Deutschland mit ihren innigen Zügen. Rauschhafte Mysterien hat er ihnen geschenkt! Was waren denn die Parteitage, die Aufmärsche und Großveranstaltungen? Gigantische, genial inszenierte Meßfeiern: anstelle des Orgelgedröhns, der Choräle und Oratorien stand der tausendstimmige Orkan der Parteilieder; für den Prunk der Ornate die Uniformen in all ihren Abstufungen; Parteifahnengeknatter für die alten Kirchenbanner und anstelle des Glockengeläutes grelle Kriegsfanfaren. Und schließlich auf der Kanzel einer, der die Merkmale des Bösen schildert, mit dem Finger auf ihn zeigt und ihn freigibt für die heilige Hatz.

Da wundern sich die Leute immer, daß das gutkatholische Österreich so widerstandslos umgekippt ist in die braune Ostmark. Es war das gleiche Schauspiel. Wie die Mehrheit ein Schauspiel eben versteht. Wenn die Handlung stimmt, dann merkt sie nicht, ob es gut oder schlecht, ob es als Tragödie oder als Gruselfarce gespielt wird. Rollen und Versatzstücke bleiben dieselben, so gibt's auch keine scharfen Grenzen zwischen der Regie. Höchste kirchliche Weihe wälzt sich ohne Grausen in der Gosse.«

Während ich Singer zuhörte, drängte sich mir plötzlich ein Bild ins innere Blickfeld. Das weitete sich zur Szene aus und stand schließlich als präzise Erinnerung vor mir, nach Ort und Zeit genau definiert. »Ich seh es, ich spür es, fast kann ich es riechen, so gegenwärtig ist es mir auf einmal. Eigentlich hab ich es nie vergessen. Ich habe nur nicht daran gedacht«, grübelte ich, »aber jetzt, da Sie die Verbindung zwischen Heiligkeit und Kunst und Gosse gesetzt haben, jetzt begreife ich auf einmal, was damals geschah. Diese kleine, in diesen damaligen Wochen leider so alltägliche Begebenheit! Sie hat mich aus meinem gesamten Ordnungsraum geschleudert ... eigentlich für immer.

März 1938! Für die Katholischen war damals auch Ostern. Die obligate Beichte: Gersthoferkirche, Bischof-Faber-Platz 7. Die Religion war ja noch nicht abgeschafft, wenn auch ungern gesehen, weil Jesus nicht dem neuen Ideal-Typus entsprach.

Aber immerhin. Nebst Aufmarschieren und Spalierstehen wurde man von der Schule auch noch zur Osterbeichte geschickt. Die Leute vermochten das nebeneinander. Menschen können überhaupt vieles gleichzeitig tun, was man nicht gleichzeitig denken kann – sofern man denkt ... aber nicht davon wollte ich reden: es ist die Szene. Ich sehe die Szene noch vor mir, so deutlich mit allen Einzelheiten, als hätte sie sich vor einer Stunde abgespielt. Ich weiß sogar noch, was der Herr Dramer angehabt hat: einen etwas spiegelnden Lüsterrock, wie er ihn immer trug, seit ich ihn kannte, und ich kannte ihn, solange ich mich erinnern konnte.

Während man vor dem Beichtstuhl Schlange stand, übte oben auf der Orgelempore der Kirchenchor die Matthäuspassion für das Hochamt am Ostersonntag. ›O Haupt voll Blut und Wunden‹. Wie immer hörte man die Stimmen der älteren Fräulein P. von der Papierhandlung heraus, in deren Auslage die Ansichten des Turnvaters Jahn neuerdings ersetzt waren durch Hitlerbilder jeden Formats, en face und en profil. Neben blauen Schulheften liniert und unliniert und Bleistiften Faber Nr. 1, 2, 3 konnte man jetzt auch eine Broschüre ›Kampflieder der Bewegung‹ wohlfeil erwerben, wobei die Schwestern P. schilderten, wie ihnen bei der letzten Rede des Führers war. Seit ich denken konnte Stützen des Kirchenchors, beide. Ihre Organe gehörten für mich zum Bestand der Messe wie die abgewetzten Bänke und die Gipsmadonna im linken Seitenaltar; nüchtern wie ein Küchengerät.

So registrierte ich sie auch, als ich vor der Rampe kniete und mit halbem Bewußtsein die mir auferlegte Buße abbetete; noch ein Paternoster für Ungehorsam und Frechheit den Eltern gegenüber, ›erlöse von uns von dem Übel, Amen‹; von oben dazu her ›du edles An-

gesichte, wie bist du so bespeit‹ – da geriet der Spezerei-
warenhändler B. aus dem Takt, sodaß die Passage wiederholt werden mußte, bis bei meinem fünften ›Ave‹
wegen Faulheit in der Schule sich das jüngere Fräulein
P. bei ›wie bist du so erbleichet‹, con espressione, zu
hoch hinaufpfiff. Da capo also, die P. zügelt sich diesmal, und als ich, mir die Knie reibend, aufstand und
zwischen den Bankreihen hinausging, ein flüchtiges
Kreuz Weihwasser auf die Stirn feuchtete und mich unter dem Portal das Licht anfiel, das helle Grün der Ka-
stanien, das Sonnengesprenkel auf dem Kies. Ich hatte
gerade noch ›wenn mir am allerbängsten‹ im Ohr, da
drang mir von der Ecke Bastiengasse–Alseggerstraße ein
Grölen entgegen, das mich rascher gehen ließ, weil ich
sehen wollte, was los war.

Ein dichter Haufen Gaffer. Ich drängelte mich durch
und sah auf dem Trottoir Leute knien. Sie versuchten
mit ungeschickter Hast Heimwehrparolen vom Pflaster
zu kratzen; Reibbürsten, Fetzen, Lauge, und ich sah die
Rücken der Wäscher. Das Kommando führten Burschen
in Uniform, taten sich wichtig und stramm und schrien
mit Stimmen, die sich noch manchmal brachen und
umschlugen; gerade dann, wenn sie sich besonders
forsch geben wollten. Die Herumstehenden schienen
ihren Spaß an der Sache zu haben und hetzten zu flotte-
rem Arbeitstempo. ›Judenschweine, Geldsauger! Niemals noch Seife und Bürste in der Hand gehabt!‹ – Ich
stand und schaute und spürte, wie sich in meinem Magen ein spießiger Knoten bildete, in dem das weihrau-
chige Kirchenaroma mit dem beizenden Geruch der
Lauge zusammenschoß, das überschnappende Belfern
mit dem gemütsschwangeren Vibrato bei ›wie bist du so
bespeit‹, die schwitzende Pein der Wischenden, Sünde
und Reinigungsopfer, Herz Jesu im Dornenkranz und
die Vision einer ausgewundenen Seele, deren Schmutz-
wasser in schwärzlichen Rinnsalen über den Gehsteig
sickert.

An der Hand, nicht am Gesicht, denn er sah nicht auf,
erkannte ich unter den Wäschern den Herrn Dramer

von der Drogerie in der Salierigasse. An der weißen, kurzfingrigen Hand mit dem goldenen Ehering, in der er immer das Stollwerck versteckt hielt. Wenn ich Schichtseife oder Diana-Franzbranntwein einkaufte, hielt er mir stets mit geheimnisvollem Gesicht die geschlossene Hand hin und ließ mich raten, was drin wäre, und ich tat ahnungslos, bis er die Hand plötzlich aufspringen ließ. Dann durfte ich mir das Stollwerck nehmen. Sogar jetzt noch, wo ich schon fünfzehn war, bekam ich es und mit dem gleichen Ritual.

Als ich ihn jetzt unter den Knienden erkannte, schwamm mir die Szene ineinander mit der pikant grausigen Feierlichkeit der Kommunion, wo man sich Gott, den man erst geschunden hat, als reinliche Oblate einverleibt und sich dadurch läutert, heiligt und erlöst. Ein kitzelndes Entsetzen überschauerte mich. Ich stürzte ab im freien Fall um Jahre zurück bis in die Zeit, als man mir Manieren beibrachte und mit besonderem Nachdruck eindrillte, daß man in Geschäften laut und deutlich zu grüßen hat. Und plötzlich hörte ich mich – und war mir gleichzeitig der abgrundtiefen Deplaziertheit der Worte klar bewußt – mit einer fremden Kinderstimme sagen: ›Grüß Gott, Herr Dramer.‹

Die Leute brüllten. Sie hielten das für eine gelungene Verspottung, der sie Beifall zollten.

Ich rannte und rannte und empfand dabei die peinliche Art von Scham, die man im Traum empfindet, wenn man auf einmal merkt, daß man im Hemd auf der Straße ist; nur den Leuten scheint nichts aufzufallen.

Ich hatte in verzweifelter Ohnmacht – nicht für die Geschundenen, sondern für mich selbst – die Ordnung wiederherstellen wollen, die plötzlich schrecklich aus dem Lot geraten war, und nicht die rationale Einsicht in das Geschehen zeugte mir dafür, sondern die ungeheuerliche Absurdität des Bildes, der Szene, die sich abspielte am hellichten Tag, Ecke Bastiengasse–Alseggerstraße, im März 1938.«

Ich merkte erst jetzt, daß ich ohne Unterbrechung geredet hatte, ohne eine Pause, daß ich mich hineingeredet hatte in diese genau präsente Szene aus ferner Erinnerung, daß das Bild, das Gefühl, der Geruch gegenwärtig waren, die ganze fatale Mischung aus Weihrauch und Soda, aus Kirchenchor und Pöbeleien, durchtränkt vom Schweiß der Angst und der Demütigung der Wäscher.

Ich kam zu mir wie aus einer Art Trance, das Bild noch in allen Sinnen, auf die Netzhaut geprägt, und sah erst jetzt wieder, daß Singer vor mir saß, vorgebeugt, die Hände zwischen den Knien, und ich sagte: »Verzeihen Sie! Das ist wohl durchgegangen mit mir ... es kann für Sie keine angenehme Geschichte gewesen sein ... abgesehen davon, daß Sie das nicht nachfühlen können, weil Sie als Kind nicht beichten waren. Das gehörte dazu, die Kirche vorher, das Buße Abbeten ... Sogar das ›Haupt voll Blut und Wunden‹ aus den Kehlen der frommen Führerverehrerinnen gehörte dazu ...

Ich meine, Sie können diese schauerliche Feierlichkeit nicht kennen, mit der ein katholisches Kind aufwächst, bevor es noch denken kann, und die einem in den Knochen bleibt, auch wenn man längst nicht mehr glaubt, Jahrzehnte keinen Beichtstuhl mehr betreten hat und an keiner Kommunionsrampe gekniet ist, diese schauerliche Feierlichkeit, in deren Hintergrund das Wissen von einer heiligen Untat schwelt, weil man Gott gegessen hat. Man muß das von Kind auf in den Gedärmen haben. Für die Vernunft jedes Durchschnittsmenschen ist es ein unappetitlicher Unsinn, den jeder von sich weisen muß, aber eben weil es so ungeheuerlich und außerhalb jeder Ratio ist, unters Zwerchfell gehörig ... sehen Sie, da lagen sie auf den schmerzenden Knien, gehetzt von uniformierten Rotzbuben, und kratzten und bürsteten sich mit der Lauge die Hände wund, kratzten meine Seele rein, ätzten aus meinem ›arischen‹ Blut die Schadstoffe, mit denen sie unseren Volkskörper verunreinigt hatten. Das schwamm alles ineinander, wie im Traum die entferntesten Dinge ohne Hemmung und Hürde ineinanderschwimmen, und als ich sagte ›Grüß Gott, Herr Dramer‹, war das kein Akt des Widerstands oder eine moralische Empörung des Mitgefühls, das wäre gelogen, es war nichts als ein Versuch, die normalen Verhältnisse wieder zurückzubeschwören; irgendeine wahnsinnige Hoffnung, daß man in den nächsten Sekunden aufwachen wird im vertrauten Raum, im vertrauten Bett, unter den gewohnten Gegenständen, und alles Grausen ist nur ein Traumspuk gewesen, der nun fühlbar aus der Herzstauung abrinnt. Das Zittern unter der Haut verliert sich, und alles ist wieder wunderbar gewöhnlich und normal. Man schmiegt sich in diese fensterhelle, nüchterne Gewöhnlichkeit, die letzten Tümpel des Alpdrucks versickern und trocknen aus. Kaum eine ferne Erinnerung an die feierliche Mischung von Heiligkeit und Untat zittert im Zwerchfell nach.«

DAS RESSORT ALS ASYL UND DAS PROBLEM MIT DEN KINDERN

Extra-Ei für Singer, um wieder in den gewohnten
Verkehrston zu finden, nachdem zu ernste Dinge
in zu ernster Form besprochen wurden

Ištarovič hatte in weiser Voraussicht gewisse Vorkehrungen getroffen. Er hatte erraten, daß gerade die kinderreichen Sodalitasmitglieder sich nicht rechtzeitig ins Ausland würden absetzen können; je größer die Familie, umso schwerer fällt einem der Schritt über die Schwelle ins Abenteuer, auch dann, wenn eben dieser Schritt ins Ungewisse größere Sicherheit gewährleistet als das Hocken im Nest.

Nicht im gleichen Ausmaß hatte er allerdings mit der überall verstreuten Nachkommenschaft des katholischen Klerus gerechnet, die zwar nicht unmittelbar gefährdet war, aber als Erpressungsmittel mißbraucht werden konnte, wenn der Erzeuger sich dem Regime gegenüber aufsässig benahm. Zwar hielt die katholische Kirche als Institution unter dem Vorwand des Be-

stehenbleibens still, aber einzelne Vertreter der Priesterschaft – und die Sodalen gehörten natürlich dazu –
waren im Untergrund tätig oder machten sich durch
Predigten auffällig, sodaß auch sie untertauchen mußten, oft mit Kind und Kegel.

Chaimowitsch hatte zwar rechtzeitig seine Familie im
Ausland in Sicherheit gebracht, selbst aber fühlte er
sich – im Sinne des alten Tetrarchats als Vertreter der
Judenschaft – verpflichtet, das Schicksal mit jenen Sodalen zu teilen, denen das Entkommen nicht möglich
war. Sein Geschäft hatte er scheinarisieren lassen durch
ein kirchentreues Individuum unter der Firmenbe-
zeichnung Chlatopec & Ch., Andenken und Devotionalien. In den Auslagen fand sich ein Steckenpferd, welches das Kind Hitler beritten hatte, ein Gebetbuch
seiner Großmutter und sein Erstkommunions-Sträuß-
chen neben urgermanischen Knochenfunden.

Alle diese Menschen suchten Zuflucht im »Ressort
für irrationale Erscheinungen in der Weltpolitik«. Es
befand sich in einem abgelegenen Flügel des Unter-
richtsministeriums. Des geheimen Charakters dieser
Abteilung wegen und weil weder Parteienverkehr noch
inneramtliche Kontakte erwünscht waren, hatte man
auf ein Türschild verzichtet und den Eingang in den
Ressortbereich mit der Aufschrift versehen: »Unbefug-
ten ist der Eintritt strengstens untersagt«. Auf eine Anregung Ištarovičs hin wurde noch hinzugefügt »Achtung
Stufe«. Durch diesen Widerspruch, der eher unterschwellig zu Bewußtsein kam, wurde erreicht, daß besonders Herren aus dem »Altreich«, aber auch solche
aus Linz oder Graz von jenem feinen, mit Ratlosigkeit
vermengten Schrecken befallen wurden, der sie mit Sicherheit daran hinderte, unbefugt einzutreten.

Es versteht sich von selbst, daß die paar Räume des
Ressorts den Zustrom der Sippen nicht aufzunehmen
vermochten. Mit jenem Trakt aber hatte es eine besondere Bewandtnis. Nur der offizielle Teil gehörte zum
Hauptgebäude des Ministeriums. Allmählich hatte man
es zu Ablagezwecken um eine unübersichtliche Zahl

345

von Kellergelassen und Dachbodenräumen erweitert, die alle durch Korridore miteinander in Verbindung standen.

Dieses Labyrinth zog sich über den ganzen Häuserblock hin, streng abgemauert gegen die Räumlichkeiten des Ministeriums sowohl als auch der miteinbezogenen Nachbarhäuser. Nur Ištarovič verfügte über einen Detailplan, den er selbst angefertigt hatte. In diesen darmartigen, oft zu Kammern, Zimmern, sogar Sälen ausgekröpften Wühlgängen, die sich über verschiedene Etagen hinzogen, wurden die Asylanten untergebracht. Nach einigem Umherirren suchten sich die Familien meist selbst ein Nest, das ihnen zusagte, und richteten sich ein mit Inrusabetten, Matratzen, Pritschen und Koch- beziehungsweise Heizgelegenheiten in Form von Spirituskochern und Petroleumöfchen.

Ein größerer Raum wurde zum Klassenzimmer umfunktioniert, wo die Kinder aller Altersstufen in passende Gruppen zusammengefaßt und unterrichtet wurden. Die Organisation und einen großen Teil des Unterrichts besorgte die damalige Sodalin, Frau Studienrat Dorothea Windig, »Vollarierin« ohne Anhang, daher relativ aktionsfähig. Da sie im Schuldienst verblieb und politische Auffälligkeiten möglichst zu vermeiden suchte, war sie in der Lage, die Asylkinder nicht nur mit den nötigen Lehrmitteln auszustatten, sondern auch die Formulare und Stempel aus ihrer Schule zu entwenden, um gültige Zeugnisse auszustellen, die sie nach dem Krieg gebrauchen konnten, sodaß diese Jahre wenigstens in dieser Hinsicht nicht verloren waren.

Wichtig war – Ištarovič hatte das vorausberechnet –, daß die Asylanten möglichst bindend beschäftigt wurden. Einige fanden die Möglichkeit, im Maulwurfsbau ihre früheren Interessen weiterzuführen, einige wurden in der Schule gebraucht. Andere nahm Ištarovič selbst in Anspruch für die gerade in diesen Jahren besonders lebhafte Auslandskorrespondenz des Ressorts, die natürlich nicht auf dem Postwege erfolgen konnte. Dazu geeignete Sodalen wurden offiziell als Manipulanten oder Offizianten eingestellt und zweckentsprechend verwendet. Den Briefverkehr mit den Außenstellen in den meist feindlichen Ausländern besorgten am Minoritenplatz ansässige, eigens abgerichtete Brieftauben, die unter falschen Namen als Manipulanten geführt wurden und Lebensmittelkarten bezogen, was den Flüchtlingen zugute kam.

Ištarovič leitete diese ganzen Aktivitäten souverän und mit großer Umsicht von einem josefinischen Schreibtisch geradezu gigantischen Ausmaßes aus, der über und über mit Akten bedeckt war. Es waren darunter Stücke, die etwa die Jahreszahl 1675 trugen mit dem Vermerk: unerledigter Vorgang. Andere wieder mit jüngstem Datum waren verschnürt und mit der Aufschrift »Selbsterlediger« versehen.

Auf einem dickleibigen Akt, den Ištarovič gerade bearbeitete, war in Kanzleischrift zu lesen: »Spätestens im Frühjahr 1945 abzuschließen«. Es wurden darin Maßnahmen ausgearbeitet, wie man – nach dem richtig vorausgesehenen Kriegsende – die faschistisch infizierte Bevölkerung seelisch sanieren müßte. Man experimentierte gerade mit Methoden aus der Epidemiologie. Wertvolle Arbeit leistete dabei ein gewisser Professor Diamant, Experte der Tropenmedizin, der sich mit Massenepidemien im Tierreich befaßte und dafür eine eigene Sonderblase im Dachgeschoß labormäßig eingerichtet hatte. Als Versuchstiere benützte er eine seltene Spinnenart: im Durchmesser bis fünf Zentimeter, rundleibig semmelbraun, aber mit langen Stelzbeinen, die eine dichte schwarze Behaarung trugen, die an Stiefeletten denken ließ. Auffallend waren die glänzend schwarzen Augen, die einen lauernd bösartigen Ausdruck hatten.

Der Professor hatte die Spezies im Archiv des Ressorts entdeckt, das auf dem Dachboden untergebracht war und Karteikarten über alle Mitglieder seit der Gründung enthielt (Zeit Karls V.), die natürlich nicht nur in Wien ansässig waren, sondern europaweit vom Osmanischen Reich bis nach Spanien und dessen überseeischen

Kolonien. Diese Karteikarten – natürlich in zeitgemäßer Beschriftung und Form – befanden sich ziemlich ungeordnet in handgefertigten Behältern oder Schuhschachteln der Firma »Bata«, die getürmt und geschichtet in Kästen und Regalen untergebracht waren, die bis hoch hinauf ins Gebälk des Dachstuhles reichten. Eine verwahrloste Schatzkammer und Fundgrube, jedenfalls für den Asylanten Pater Odelhard, Universitätsprofessor für Paläontologie, der es trotz des zeitfernen Lehrfaches verstanden hatte, in der Vorlesung abfällige Bemerkungen über den Führer anzubringen, was nicht von einem seiner sechs Hörer der Gestapo zur Kenntnis gebracht worden war, sondern von der Putzfrau des Instituts. Herumstreunend im Ressortlabyrinth, hatte er zu seinem höchsten Entzücken dieses Archiv aufgestöbert und sich sogleich erbötig gemacht, die alten, oft nur sehr schwer lesbaren und in fremden Sprachen und Lettern geschriebenen Karteikarten zu übersetzen und einzuordnen.

Es versteht sich, daß diese Schachteltürme, die nie eine Hausfrauenhand berührt hatte, mit einer dicken, fettigen Schicht Staubes bedeckt waren und jenen makaber feierlichen Geruch ausströmten, den man in alten Kirchen, Krypten, geöffneten Grüften und Beinhäusern wahrnehmen kann. Vielleicht war es dieses spezifische Milieu, das die oben erwähnte Spinnenart angezogen und zu größter Fruchtbarkeit angeregt hatte. Jedenfalls waren die Archivkästen von dichten, teils verlassenen, teils bewohnten Fangnetzen überwuchert, die sich bei Zerstörung raschestens wieder erneuerten, sodaß der Pater ständig im Kampf mit den häßlichen Insekten lag, die er wegen ihres merkwürdigen Aussehens SA-Kanker nannte. Was ihn besonders aufbrachte, war der Umstand, daß das Getier wie mit Absicht gerade seine wertvollsten Karteikarten mit seinem Auswurf schändete, der in Form und Farbe eigenartigerweise wie winzige Menschenfäkalie aussah und roch. Er hatte seinem Ärger dem Dr. Diamant gegenüber Luft gemacht, der sich sofort einige Exemplare zur Untersuchung ausbat. Bei dieser Überprüfung erkannte er die vortreffliche Eigenschaft des SA-Kankers als Versuchstier.

Es war Pater Odelhard nur recht, wenn der Professor ihn von der eklen Population durch eifriges Einsammeln befreite. Es kam nur bisweilen zu kleineren Unstimmigkeiten zwischen beiden Herren, wenn Diamant sich darüber beklagte, daß die Exemplare häufig böswillig beschädigt waren – von der Zornhand des Paters – und während der Versuche eingingen. Aus Rachsucht gab er ihnen den Namen Arachneideus Odelhardensis, unter welchem sie auch in die Wissenschaft eingingen.

Es war vorauszusehen gewesen, daß die meisten Kinder und Heranwachsenden unter den unnatürlichen Lebensverhältnissen im Untergrund leiden würden. Man hatte daher von Anfang an für einen geregelten Schulbetrieb gesorgt sowie für eine halbwegs ausreichende Gelegenheit zu Leibesübungen. Die Ausflüge, die man veranstaltete, erwiesen sich leider als zu riskant, da in diesen Jahren jede Gruppierung Jugendlicher, die keine Uniform trug, Auffallen erregte. Sportliche Betätigung wie Hindernisläufe und Schnitzeljagden durch das Ganglabyrinth und Geräteübungen im Bodengebälk ermangelten des Platzes und vor allem der frischen Luft.

Dafür berichteten eines Tages die beiden Religionslehrer, der katholische Katechet Sofranek sowie der Rabbiner Sofranek, daß ihre Zöglinge ein auffallendes Interesse am Religionsunterricht zeigten, eine ganz unübliche Aufmerksamkeit, ja Hingabe an diese von diesen Altersgruppen eher schnöde und abfällig beurteilte Materie. Unter den Halbwüchsigen beider Konfessionen verbreitete sich eine Welle fanatisch getönter Frömmigkeit, die sogar auf die Kinder übergriff, die den Großen alles nachmachten. Jüdische Kinder zwangen ihren aufklagenden Müttern koschere Küchenführung ab, von der sie vom Oberrabbinat Generaldispens erhalten hatten. Katholische Kinder verlangten täglich die Kommunion und empfingen den heiligen Leib mit allen Zeichen tiefen Ernstes und Ergriffenheit. Mit wachsender

Sorge beobachtete man diese Erscheinungen. Auffällig war das Desinteresse, ja fast die Abscheu der Jugendlichen gegen alles Sexuelle. Die Mädchen, ohnehin in der Kleidung sehr beschränkt, brachten es durch oft erstaunliche Kunstgriffe zustande, daß ihre Gewänder etwas Kuttenmäßiges bekamen, das alle Formen verhüllte, auf deren Wachstum Mädchen dieses Alters gerade besonders stolz sind. Die Knaben zeigten keinerlei optische Neugier. Auch die angeborenen Verhaltensweisen der geschlechtlichen Anziehung, die in diesem Alter sich entwickeln, fehlten ganz.

Den vollen Ernst der Situation erkannte die Sodalitas, als es zu nächtlichen Ausbrüchen der Jugendlichen kam, in denen sie sich in Todesgefahr brachten, indem sie antinazistische Parolen an Planken und Hauswände schmierten. Sie brachten damit begreiflicherweise nicht nur sich persönlich in Gefahr, sondern auch das Asyl. Schwärmten sie noch so sehr vom Martyrium, einer Behandlung durch die Gestapo würden sie kaum gewachsen sein, denn sie waren trotz allem Kinder. Diese Unternehmungen wurden glücklicherweise von einem Kleinen, der Schmiere stand, aus Protzbedürfnis ausgetratscht, und so konnte man gerade noch rechtzeitig einen Riegel vorschieben. Künftighin wurden alle möglichen Ausgänge des Labyrinths laufend bewacht, was keinen geringen Aufwand erforderte.

Die Angelegenheit hatte nun einen Punkt erreicht, wo es mit Klagen und Einzelaktionen der Eltern nicht mehr getan war. Man mußte gemeinsam eine Lösung suchen. Die Eltern neigten begreiflicherweise zu Kurzschlußreaktionen und verlangten Sofortmaßnahmen. So lag die Hauptverantwortung bei den Kinderlosen, die entsprechend den uralten Methoden der Sodalitas vorgingen: objektive Analyse der Erscheinungen und Erforschung ihrer Ursachen. Erst das Ergebnis konnte zu Gegenmaßnahmen führen, die Erfolg versprachen.

Die erste Analyse ergab, daß die plötzliche Strenggläubigkeit der jungen Frömmler sich so viel wie gar nicht auf die moralischen und humanen Inhalte ihrer

Lehre konzentrierte, sondern ausschließlich auf die heroischen Elemente in Bibel und Religionsgeschichte. Die jüdischen Kinder schwärmten für die Makkabäer, für einen streitbaren Messias und träumten von einem militanten Zionismus. Die katholischen zeigten das größte Interesse keineswegs für die Bergpredigt, sondern für die Geschichte des Urchristentums, die Verfolgungen und die Martyrien. Dieses Zelotentum der Kinder richtete sich auf die Tugenden der Tapferkeit, Kampfbereitschaft, Bundestreue und Standhaftigkeit bis in den Tod im Namen ihres Glaubens.

Als dieser Punkt abgeklärt und durch Fakten untermauert war, meldete sich die Studienrätin Windig mit einer hochinteressanten Beobachtung zu Wort. Sie war als Gymnasiallehrerin in der Oberstufe tätig und hatte dadurch reichlich Gelegenheit, die Vierzehn- bis Achtzehnjährigen zu beobachten, die draußen in Freiheit lebten. Eigenartigerweise zeigten auch diese ein sehr unterschiedliches Verhalten zu den Pubertierenden der Vorkriegszeit. Nicht die üblichen Tendenzen, in Wachträumereien meist erotischen Inhalts abzuschweifen, keine Neigung zur Vereinzelung oder zu schwärmerischen Freundschaften, aber auch nicht die Widerborstigkeit und Verstocktheit gegenüber den Autoritäten in Elternhaus und Schule, der oft so lästige prinzipielle Widerspruchsgeist dieses Alters. Diese Jugendlichen waren natürlich durch ihre obligate Zugehörigkeit zur Hitlerjugend entsprechend indoktriniert in einer Richtung, die durch die Schule und meist auch das Elternhaus noch verstärkt wurde. Das Erziehungsziel war damals weniger auf Bildung und geistige Schulung ausgerichtet als auf körperliche Stählung, Kampflust und Gefolgschaftsgeist sowie Zugehörigkeitsgefühl und Unterordnung in eine Gruppe. All dies diente zur Vorbereitung auf kriegerische Einsatzfähigkeit. Die Beziehung zwischen den Geschlechtern übersprang jedes erotische Vorspiel. Ziel der Frau war es, dem Führer möglichst viele erbgesunde Kinder zu schenken. Sie wollte nicht durch geschlechtsspezifische Reize locken und gefallen, sondern durch die Fähigkeit, Kinder zu empfangen und auszutragen. Die BdM-Kluft war in modischer Hinsicht besonders reizlos. Für die bereits gebärfähige Altersgruppe gab es die Organisation »Glaube und Schönheit«, in welcher der Typ der deutschen Frau gepflegt wurde, die richtige Gefährtin für den kampftüchtigen Mann. Eine Art spartanische Weiblichkeit.

»Die Gemeinsamkeit dieser unter so grundverschiedenen Voraussetzungen heranwachsenden Jugend«, sagte die Sodalin Windig, »ist die erhöhte Konzentration auf die – dieser Altersstufe eigenen – Fähigkeit zur Aufopferung in heroischen Aktionen, die zu kollektiver Aggression ausartet, wenn das Gegenpendel der Erotik fehlt. Bei der Jugend draußen wird diese Entwicklung in den obligaten Organisationen und Schulen genährt und gesteuert. Unseren Asylkindern macht die unnatürliche Lebensweise zu schaffen, der Leidensdruck durch die Absonderung und Absperrung. Das Selbstgefühl, das man sich in diesem Alter durch Reibung an der natürlichen Umgebung erwirbt, muß künstlich erzeugt werden. Sie müssen selbst ihre Vorbilder finden und suchen sie – da ihnen die nationalen verwehrt sind – im religiösen Bereich, im Irrationalen.«

Da meldete sich der Reizer: »Erwarten Sie, liebe Sodalen, von mir keinen Lösungsvorschlag. Ich habe ebensowenig in dieser Hinsicht anzubieten wie die verehrte Rätin. Als Junggeselle habe ich auch wenig Erfahrung mit Jugendlichen. Gerade diese Distanz aber erlaubt mir möglicherweise, dieses Phänomen, das so viele von Ihnen mit Sorge erfüllt, vom trockenen Aspekt der Kulturgeschichte her zu sehen.

Die Sodalitas befaßt sich seit Jahrhunderten mit dem, was wir das GROSSE SPEKTAKEL zu nennen pflegen, ein Kürzel für eine der kompliziertesten Erscheinungen der menschlichen Geschichte, wie wir alle wissen. Da unsere Gesellschaft Jahrhunderte hindurch sich mit der geistigen Macht der Kirche auseinanderzusetzen hatte, haben wir die größere Erfahrung mit der weiblichen Variante dieses Spiels und seiner Gefahren. Erst

352

die letzten Jahre haben uns mit der männlichen Spielart konfrontiert, der Reiter- und Erobererreligion.

Anstelle der weiblichen Liebes- und Muttergöttin, die den Menschen aus eigener Machtvollkommenheit mittels ihrer Gnade von allerlei Ungemach rettet, tritt der kämpfende Mannsgott, der die Menschen in Bund und Vertrag nimmt, mit ihm gemeinsam das Böse zu bekämpfen. Die große humane Gefahr beider Spielvariationen liegt in der Vereinfachung der Realität und in der Personifikation des Bösen, das nicht als Ursache und Wirkung angesehen wird, die man auflösen muß, sondern als Individuen, die man stellen, überwältigen und vernichten kann.

Wir haben es heute ausschließlich und in einer besonders krassen Form mit dieser männlichen Variante zu tun und einem Bündel von Wünschen und Haltungen, die unsere Kinder gleicherweise wie die draußen entwickeln. Kurz, die Reitermoral: Kampfgeist, Opfermut, Gefolgschaftstreue. Nichts von den mildernden Sitten und Gefühlen, welche die Erotik zur Entfaltung bringt. Es ist die ›Religion‹ von Epochen bedrohter Existenz, Völkerwanderungsethos. Auch das Ethos, das die Juden im Sinai zusammengeschweißt hat. Tugenden, die ihre positiven, aber auch ihre negativen Seiten haben. Nämlich dann, wenn es durch ein versimpeltes Feindbild zur Auflösung humaner Hemmungen kommt.

Die Jugend draußen, die in dieser Richtung erzogen wird und sich erziehen läßt, wird ihre Begeisterung zu büßen haben, denn ihr Unterliegen ist angesichts des Kräfteverhältnisses nur eine Frage der Zeit. Unsere Jugend darf sich nicht ausleben. Sie muß überleben. In diesem Spiel ist sie das Freiwild. Aber wir können es Halbwüchsigen schwer schmackhaft machen, daß das Gebot für sie nicht der Heldenmut ist, sondern das Stillhalten, das Ducken und Untertauchen. Sie wären nicht jung, wenn das für sie gefühlsmäßig annehmbar wäre. Wir können nur eines tun: im ehrwürdigen alten Stil der Sodalitas das Gefährliche, Unzweckmäßige verekeln, indem wir zerstören, was daran anziehend ist.

Nicht durch die Vernunft. Wer kennt besser als wir die schwache Wirkungskraft der Vernunft bei der Mehrzahl der Menschen. Und erst bei Kindern! – Kurz, ich glaube, wir können unseren Jugendlichen das Heldentum nicht verbieten oder ausreden, wir müssen es ihnen verleiden. Wie das geschehen soll, weiß ich allerdings im Augenblick leider nicht.«

Die Gesellschaft ging niedergeschlagen auseinander. Der Fall war definiert, der Zielpunkt festgesetzt, hinsichtlich der praktischen Maßnahmen hingegen war man in tiefster Ratlosigkeit.

Weihnachten stand wieder einmal vor der Tür. Gerade der Kinder wegen hatte man dieses Fest auch hier im Abseits immer möglichst feierlich zu begehen versucht. Eine überkonfessionelle Feier mit Christbaum und Chanukkakerzen, besonderen Speisen, Liedern und Geschenken eben nach Möglichkeit.

Es hatte sich eingeführt – eine Idee der Sodalin –, an diesen Weihnachtsabenden für die kleineren Kinder ein Kasperltheater aufzuführen. Auch die Größeren zeigten viel Freude dabei, weil sie zu den Vorbereitungen und auch bei der Aufführung und Planung herangezogen wurden. Es herrschte die angenehme vorfestliche Spannung mit der Geheimnistuerei, die für alle Teile so anziehend ist. Auch die Erwachsenen hatten ihr Vergnügen daran, weil sie die freudige Spannung der Kinder sahen.

Für Stück und Regie war die Studienrätin Dorothea Windig zuständig. Es hatte sich das so ergeben.

Nach ihren Anweisungen arbeiteten die Größeren, die sich dazu geschickt zeigten, an der Ausstattung. Die Mädchen machten aus bunten Fetzen die Kostüme, elektrobastelnde Buben sorgten für die Lichteffekte, Rauchentwicklung und Geräusche. Ein leider schwer verstimmtes Klavier, das man in einem Keller gefunden hatte, sorgte für die musikalische Untermalung. Das gar nicht so leichte Handspiel mit den Puppen übten mit Talent und Hingabe ein Mädchen, das sich im Alltagsleben gerade als Judith, den Holofernes tötend, sah, sowie ein Knabe, welcher sich an der Vorstellung, der heilige Stephanus zu sein, jederzeit zu Tränen rühren konnte.

In diesem Jahr beschäftigte sich die Sodalin besonders ernsthaft mit dem Stück, denn es war ihr beim Sinnieren darüber eine Idee gekommen, die sie dem Reizer mitteilte: »Wie wäre es, wenn wir dieses Marionettenspiel für unsere Zwecke einspannten? Wenn ich mir ein Stück einfallen ließe, welches das ganze heroische Opferwesen in allen seinen Rollen lächerlich machte? Sodaß unseren ›Helden‹ – ohne ein Wort des Tadels oder persönlichen Spottes oder einer Predigt – das Heldentum durch die Parodie ausgetrieben wird? Mysterienspiel und Kasperltheater, es ist doch das gleiche auf verschiedenen Ebenen. Was halten Sie davon?«

»Es hat etwas auf sich«, sagte der Reizer nachdenklich; »aber vergessen Sie nicht, Verehrte! Die Reitergeschichte ist eben zum Unterschied zur weiblichen Variante kein Theaterstück. Aufmarsch der Getreuen, Kampf, Opfertod und Verklärung, das gibt dramaturgisch nichts her. Es ist auch viel zu ernst.« Die Sodalin sah das ein. Ließ aber doch nicht locker: »Geb's Gott, daß mir was einfällt ... Wenn ich nur einen fixen Rahmen hätte, dann wäre alles leichter! Was meinen Sie? Welche von den Göttinnengeschichten könnte ich zum Grundmuster nehmen?« – »Sie sind alle entweder zu kompliziert oder zu unanständig.« – »Und wie wäre es mit der Tammuzgeschichte? Natürlich ohne das Striptease der Ischtar beim Abstieg in die Unterwelt! Tammuz, ein Ziegenhirt, der Opferbock, nicht als Geliebter, sondern als Sohn. So genau hielt man es damals nicht. Und Sohn ist weniger anstößig. Er wird in die Unterwelt entrafft, wo die böse Schwester der Ischtar herrscht, Ereschkigal.« – »Und wo sind die Helden, die Sie lächerlich machen wollen?« – »Nun, die könnten im Dienst der Unterwelt stehen.« – »Aber den Kasperl können wir den Kindern nicht unterschlagen!« – »Den mach ich zum klarsichtigen Begleiter des Tammuzbockes, den ich mir nicht besonders hell und tüchtig vorstelle. Allzu ernst darf er nicht zu nehmen sein, sonst machen sie womöglich einen Märtyrer aus ihm.«

Sehr nachdenklich ging die Sodalin nach Hause, meldete sich in der Schule mit einem gefälschten Attest des Dr. Matthäus Graf krank, der den ganzen Klerus von St. Stephan einschlägig betreute, wenn etwa ein Nazifunktionär eine Letzte Ölung für seine Tante bestellte, die illegale Frauenschaftsführerin war.

Die Frau Studienrat arbeitete konzentriert.

Nach etwa einer Woche hatte sie das Stück in großen Zügen ausgearbeitet. Schauplätze, Personen, Handlungsverlauf waren festgelegt, Kulissen und Puppen konnten bereits vorbereitet werden.

Die Skizze legte die Windig dem Reizer zur Begutachtung vor.

Der nahm sich das Manuskript mit nach Hause, studierte es genau durch und machte ein paar Anmerkungen dazu. Im ganzen war er einverstanden und behielt sich gleich die Sprechrolle des Mondböckleins (Tammuz!) vor, das er leicht näselnd anlegen wollte. Er konnte das.

Nach den Annalen der Sodalitas zu schließen, war die Aufführung als eine Art Stegreifkomödie auf Grund des beiliegenden Librettos gedacht.

DIE INFAME ENTFÜHRUNG
DES MONDBÖCKLEINS IN DIE UNTERWELT
UND SEINE GLÜCKLICHE ERRETTUNG

Ein Heldenstück mit burlesken Zügen
in fünf Akten

PERSONEN DER HANDLUNG

Mächte der Oberwelt, göttlichen Charakters:
Mag. rer. myst.: bebrillter Truthahn (stumme Rolle)
Mondfee: orientalisch wirkende Schönheit. Sie trägt ein
weißes, schleierartiges Gewand, darunter einen ro-
ten Seidenrock. Viele, leise klirrende Goldreifen an
Hand- und Fußgelenken sowie in den Ohren.

Aus der Welt des Menschlichen:
Mondböcklein, Sohn der Mondfee: um die Hörneransät-
ze trägt es einen Blumenkranz, später kurzfristig
ein Nachtgeschirr.
Kasperl: dem verträumten Mondbock zugesellt als eine
Art robuste Lebenshilfe.
Hund: Rasse nicht feststellbar, manchmal flimmern Zü-
ge des Totenhundes Anubis durch; begleitet den
Kasperl und wirkt im Dienst des Guten, wenn auch
zerstreut (stumme Rolle).

Mächte der Unterwelt:
Ereschkigal (kein böhmischer, sondern ein babyloni-
scher Name), Herrscherin der Unterwelt: Kostü-
miert zwischen Hausmeisterin und Toilettefrau. Das
winzige, völlig hinterkopflose Haupt geht über den
Hals flaschenartig in einen riesigen, sackartig fetten Leib über. Kleine, tückische Augen. Die schüt-
teren fahlen Haare sind zu einem kleinen Knoten
gerafft. Sie trägt hohe schwarze Schnürschuhe. Am
Schürzenband befindet sich ein Schlüsselbund sowie ein zierlicher Klobesen, mehr Schmuck als Ge-

brauchsgegenstand. An der Brust trägt sie ein goldenes Frauenschaftsabzeichen.

Exekutive: starke Wanzböcke in SA-Uniform, armiert mit Staubsaugern, die sie bei sich selbst anschließen; darunter als profiliertere Erscheinungen die Standartenführer Cišarš und Bednarš sowie das Heldenpaar Pivonka und Přivonka.

Crapule (schadenstiftende Numina):
Monster aus der Südsteiermark (deutschstämmig): Conservator an der im Narrenturm des alten AKH untergebrachten Mißgeburtensammlung zu Wien. Ein bizarr verwachsener Gnom, dessen Kropf die Größe des Hauptes weit übertrifft. Trägt einen Steireranzug mit rosa Krawatte, die wegen der unübersichtlichen Wuchsverhältnisse dieses Naturspiels unklar angebracht ist. (Verehrt die Mondfee, wird aber nicht erhört.)

Runkelsteiß: Moderhexe. Zieht unter ihren Kitteln spinnwebartige Fäden hervor, die sie flinkfingrig zu einem schleimigen Netz verarbeitet, mit welchem sie frische Saaten überzieht und erstickt.

Rützenknaus: Alptraumhexe. Strickt unablässig Angsthauben, die sie wehrlosen Schläfern aufstülpt, daß sie schreiend erwachen. Ausstaffierung einer drittklassigen Bordellmutter. (Beide Damen verehren das Monster aus Kärnten, werden aber nicht erhört.)

Existenzen:
Orchester balgartiger Wesen (eigentlich Boviste, was sich aber erst später herausstellt, die auf Küchengeräten spielen, welche zu Musikinstrumenten entfremdet wurden).

1. Bild: Das auf einer Waldlichtung befindliche Haus, welches die Mondfee mit dem Böcklein bewohnt.

Sie erscheint in der Tür mit einer großen Einkaufstasche und sucht das greinende Böckchen daran zu hindern, sie zu begleiten.

Das Mondböckchen hängt sich der Mutter an die Gewandfalten und quengelt in näselndem Ton. Die Fee pflückt es energisch ab, schiebt das laut Aufplärrende ins Haus zurück und sperrt zweimal ab. Durch die geschlossene Tür hört man das entfesselte Tier aufstampfen und Worte rufen, die in besseren Häusern nicht gebraucht werden sollten. Weithin gellend und von zornigem Schluchzen gestoßen, sagt es der Mutter auf den Kopf zu, daß sie gar nicht einkaufen geht, sondern Tarockieren in schlechter Gesellschaft.

Ohne sich umzusehen, eilt die Mondfee dem Waldesdunkel zu. Unter dem gerafften Gewand wird der rote Unterrock sichtbar. Sie verschwindet im Dickicht.

Das Kreischen des Zickleins wölbt die Hauswände sichtbar. Sodann plötzliche Stille. Dabei sieht man das verlassene Kind sich in abgeflachtem Zustand unter der Haustür hervorschieben. Draußen bläht es sich wieder zu natürlichen Leibesverhältnissen auf und rennt, leise, aber aufsässig weinend, dem Waldrand zu.

Dort aber steht – durch Pilzhüte und Moosmützen getarnt – Cišaršens Spezialtrupp, ausgestattet mit Sendeapparaten, die pfeifende und schnalzende Töne von sich geben. Bei Annäherung des Mondböckchens hört man: »Hier Cišarš, ich rufe Bednarš!« – »Hier Bednarš, alles einsatzbereit, Ende!« Auf einen schrillen Pfiff des Standartenführers Cišarš preschen zwei Wanzböcke vor, bemächtigen sich des schreckgelähmten Mondbocks und werfen ihm einen porzellanenen Nachttopf über den Kopf. Er wird in ein grüngestrichenes Dienstauto gestoßen, das, als Forsthäuschen (Hirschgeweih) verkleidet, bereitsteht. Aus der porzellanenen Bemützung hallt dumpf des Opfers Wehklage.

Nach dem furzenden Abholpern des Entführungswagens tritt der Kasperl hinter einem Baum hervor, bei

Fuß einen bestürzten Hund, den er gerade äußerln geführt hat. Statt sofort die Spur aufzunehmen, wirft dieser sich mit einem tiefen Aufseufzen ins Gras und beginnt umgehend schwer zu träumen. Nachdenklich blickt der Kasperl ins finstere Gestrüpp.

Während dieser dramatischen Vorgänge war der Mag. rer. myst. blicklos, aber mit geschwollener Gurgelhaut mehrmals über den Schauplatz geschritten, ohne das geringste wahrzunehmen.

2. *Bild: Café »Grausloch«, eine Waldesgrotte. Von den schlitzigen Wänden, auf denen gelbliche Flechten wuchern, tropft es. Im Hintergrund hängen schlafende Fledermäuse, darunter ihre reichliche Losung. In der Mitte der Höhle stehen ein rundes Tischchen mit Marmorplatte und einem verschnörkelten Gußeisenfuß sowie einige Thonetsessel. Man spielt Tarock.*
Anwesend sind das Monster aus Kärnten, die Damen Runkelsteiß und Rützenknaus sowie die Mondfee, die das weiße Schleiergewand bis über die Knie hochgeschlagen hat, sodaß sie praktisch im roten Unterrock dasitzt. Man bezichtigt sich gegenseitig des Falschspiels.

Aus dem Walde tritt der Kasperl mit einer bunt bemalten, aber ausgeblichenen Drehorgel. Er trägt sich als antikischer Hirtenknabe und nimmt die entsprechende Pose ein, die Rechte auf die leicht vorgeschobene Hüfte gestützt, das linke Bein mit auswärts gestelltem Fuß, Contrapost. Das Haupt ist träumerisch nach rechts geneigt. Der deutlich genierte Hund ist mittels einer Ulanka als Affe verkleidet und trägt um den Hals eine Kollektenbüchse.

Das Paar nimmt Aufstellung vor der Grotte. Aus dem Werkelkasten ertönt zur Melodie von der »Letzten Rose« der Klagegesang der syrischen Weiber zur Höllenfahrt des Adonis (»Tot ist Adonis, Adonis ist tot, Adonis der holde Knabe«). Dem Kasten entströmt ein durchdringender Kunstgeruch nach Myrrhe und Weihrauch.

(Es muß klar herauskommen, daß der Kasperl mit

diesem Auftritt die Mutter schonend auf die Tragödie der Entraffung des geliebten Sohnes vorbereiten will!)

Die Mondfee horcht zwar kurz auf, wendet sich aber sofort wieder dem Kartenspiel zu und sagt einen Pagat an. Die unholden Existenzen lachen gellend und werfen dem tief beleidigten Hund Unaussprechliches in die Kollektenbüchse, das sie vom Höhlenboden aufheben.

Kasperl und Hund nach mißglückter Mission ab in den Wald, aus dem noch lange das klagende Lied ertönt, bis plötzlich ein schnatterndes Krachen im Spielwerk die Weise abbricht, wozu ein unantikischer Fluch des falschen Hirtenknaben erfolgt.

Während der ganzen Szene hört man den Mag. rer. myst. mit stärker geschwollenem Halsbeutel leise kollern, weil er sich im Brombeergebüsch verfangen hat. Nichts läßt vermuten, daß er von den Vorgängen Notiz genommen hat.

3. Bild: Unterwelt, eine Schulklasse in ruinösem Zustand. Spinnweben hängen tief aus den Plafondecken, behaust von riesigen, pelzbeinigen Spinnen. An den Bodenleisten Asselklumpen. Die Wände sind abgeblättert, Schimmelflecken. Eine dichte Staublage bedeckt die Pulte, das Katheder und einen Kasten mit eingedrückter Tür. Die Tafelleinwand ist mehrfach durchbohrt von zornigen Zirkeln. Schirmlose schwache Birnen, an deren Kabeln Spinnweben taumeln, beleuchten unzureichend den Raum. Die Fenster sind mit einer Verdunklungseinrichtung versehen. An einem verschmierten Kübel hängt ein feuchtes Tafeltuch, das einen penetranten Geruch verbreitet, in dem sich billiges Bodenöl, faulende Fetzen, Urin und ein von Ereschkigal ausgehender Altweibergeruch auf trostlose Art vermählen.

Der einzige Schmuck des tristen Raumes ist ein großes, bräunlich verblassendes Gruppenbild: Ereschkigal sitzt, säuerlich grinsend, die Hände auf den fetten Knien, im Zentrum. Sie ist umtürmt von der pyramidisch angeordneten Exekutive. Alles starke

Wanzböcke, die Dienstkappen fesch in ein Auge ge-
zogen oder aus der Stirn geschoben, martialisch
blickend. Die Bodengruppe, lässig gelagert,
schmachtet neckisch auf zu Ereschkigal. – Ein ge-
lungener Schnappschuß, offenbar in vorgerückter
Stunde bei einem geselligen Beisammensein der Be-
triebsgemeinschaft aufgenommen.

Etwa unter diesem Gruppenbild sitzt Ereschkigal selbst,
die königliche Herrin der Unterwelt, und häkelt an einem wurmartigen Gebilde. Bisweilen holt sie sich mit
dem Zeigefinger einen Spinnwebfetzen von der Wand,
mit dem sie das fahle Strickwerk belebt. Die also beraubten Tiere begeben sich hochstelzend und vor unter-
drückter Wut leise schnatternd in eine entfernte Ecke,
wo man sie dann sitzen und von hinten heraus emsig
neue Fäden nesteln sieht.

In einer Schulbank sitzt das Mondkitzlein, noch immer topfbemützt. Es scheint unter schwerem Lei-
stungsdruck zu stehen und arbeitet an einer Rechen-
aufgabe. Die kreativen Vorgänge in seinem Gehirn
heben zeitweise das Nachtgeschirr etwas an, wobei sich
unter dem Topfrand schillernde Denkblasen hervor-
quetschen und taumelnd in der Luft schwanken.
Ereschkigal erhascht und zertritt sie verächtlich mit ihren schwarzen Schnürschuhen.

Kein Dialog. Nur das feine, giftige Schnattern der be-
raubten Spinnen. Die Szene muß allein durch die dichte
Atmosphäre wirken, die dem Klassenzimmer und
Ereschkigal selbst entquillt.

Im Hintergrund plötzlich unterdrücktes Knarren der
Tür. Ereschkigal fährt mißtrauisch auf, horcht angespannt, beruhigt sich aber wieder. Tief am Boden (jedoch nur für das Publikum sichtbar!!) schleichen Kasperl und Hund mit nerventrillernder Vorsicht herein
und verstecken sich unter der Bank des Mondbocks.
Ausdrucksvolles Blick- und Gestenspiel zwischen diesem und dem Kasperl. Hochgespannte Stille.

Ereschkigal strickt und summt ein Lied der Bewegung.

Bosheitsgeschwollen lauern die Spinnen, die die Vorgänge wahrgenommen haben.

Auf ein Zeichen des Kasperls reißt sich das Mondzicklein das Nachtgeschirr vom Kopf, schmeißt es Ereschkigaln gezielt vor die Füße, und die drei rasen aus dem Klassenzimmer.

Nach einer kurzen Frist glotzender Fassungslosigkeit schleudert die Herrin der Unterwelt den Häkelwurm von sich, stemmt sich zitternd vor ohnmächtiger Wut aus dem Sessel und ruft – mit überraschend hoher und kleiner Stimme – nach Cišarš.

Aus weitläufigen Korridoren hört man die Echos einander widersprechender Kommandos, die näher kommen: »Hier Cišarš, ich rufe Bednarš, sofort zur Chefin, Ende!« – »Hier Bednarš zur Stelle, ich rufe Cišarš, was ist?« – »Höchstalarm aus dem Hauptquartier! Einsatz tut not, Ende!« etc. etc. (Kann ausgeführt werden.)

Mit erprobter Promptheit hat sich der Trupp formiert und naht im Gleichschritt, wobei in abehacktem Rhythmus das aufpeitschende Kampflied »Die Wanzenwacht« ertönt (ein Werk des unvergeßlichen Pospischil von der NSKK, der es nach seiner Entnazifizierung auf die Melodie von »Es zittern die morschen Knochen« erdacht hat).

Ereschkigal hat sich nun gefaßt und steht sehr aufrecht, die Schnürschuhe auswärts gerichtet, und empfängt ihre Mannen mit entschlossenem Führerblick. Die Wanzen sind ergriffen.

4. Bild: Gewöhnliches Schulklo, Anlage und Aroma kann als bekannt vorausgesetzt werden.
Die drei Flüchtigen haben sich in einer Abortzelle verschanzt, es besteht aber wenig Hoffnung auf Rettung. Fenster fehlen. Die Zelle ist von oben leicht zugänglich, für flachere Existenzen auch von unten. Der Kasperl sucht wie rasend nach Fluchtmöglichkeiten. Der Hund schlempert aus Nervosität aus der Klomuschel Wasser. Mit den Worten »gehst weg, du Schwein«, drängt der Mondbock den Widerstrebenden ab, wird aber unverse-

hens tief und anhaltend gefesselt vom Wasserspiegel des Ausflusses, dem ein intensiv bläulicher Schimmer entströmt, der von zitternden Protuberanzen belebt wird. Das Böcklein verfällt in eine Art Trance, und es kommt zu dem ergreifenden lyrischen Monolog: »Mutter, du magischer Mond, du hast mich geheckt im flirrenden Glanz, nicht das Gras und die Zweige der Weide, sondern dein bläulicher Schein ist meine berückende Nahrung« usw. ...

Hund, Kasperl sowie dem Bock selbst stehen Tränen in den Augen. Da aber naht Cišaršens Trupp, lechzend von Kampflust. Nach einem scharfen Kommando werden mit unglaublicher Präzision gleichzeitig die Staubsauger in die Gesäßkontakte der von Kampfbegier elektrisch aufgeladenen Wanzen gesteckt, in tadelloser Disziplin Zelle für Zelle zerniert, gestürmt und erobert. Vor dem Abteil der Flüchtigen kurze Beratung, »signa dantur«, und unter dem Saugschutz des ersten Treffens kriecht Tetschkas Sonderkommando die Seitenwände hoch, während der wackere Bednarš unter den Augen des Kommandanten freiwillig zum Schlüsselloch vorprescht und dort den Sauger ansetzt. Die Eingeschlossenen geraten in einen unwiderstehlichen Sog, bald auch von oben, wo sich über der Zellenwand bereits die Saugnäpfe und die besonders feschen Dienstkappen des Spezialtrupps vorschieben. Die schwer Bedrängten wagen einen Ausfall, indem sie Bednaršen gegen die dünnen Beinchen treten, die verwundbarsten Stellen des Korps, weil sie ungeschützt sind (an Wanzen halten keine Beinschienen).

(In der folgenden Szene ist beim Vortrag streng auf hexametrische Skandierung zu achten, um die Kampfszenen, die sich jetzt in homerischer Großartigkeit entwickeln, voll zur Geltung zu bringen!!!)

Aufbrüllend sinkt der herrliche Bednarš mit klirrender Wehr in den Staub und reißt bei sich selbst einen Kurzschluß. Ewige Nacht bedeckt die strahlenden Augen, während der Gummi angesengt aufstinkt. Aber den teuren Leib des Gesunkenen deckend, stürmt,

dampfend von Mordlust, Seite an Seite das reisige Paar
Pivonka und Přivonka vor. Unaufhaltsam schieben sich
beide unter die Klotür. Doch mit erhobenem Bein
schwemmt Anubis der Hund und treue Helfer der Isis
die Kühnen hinweg mit wälzenden Wassern, während
der Kasperl, eigener Deckung nicht achtend, die rasen-
den Wanzen mit stachlichtem Besen vom Zellenrand
scheuchet. Doch draußen, die stärksten der Wanzen,
schicken brüllend sich an, die Klotür zu sprengen, leider
erfolglos.

Da naht Ereschkigal und wirft die wuchtige Pracht
ihrer göttlichen Glieder gegen das wehrende Holz. Laut
ächzen die Riegel, ringsum bersten splitternd die Planken. Finster strahlend in gräßlichem Erze bläst Cišarš
zum Endsieg. Doch da ward dem Mondbock die Gnade
der Göttin zuteil und im Zwerchfell erleuchtet, ruft er
»mir nach« und stürzt sich hinein in den bläulichen
Spiegel der Muschel, die sich zu einem perlmutternen
Becken verwandelt, und teilt mit gewaltigen Armen die
Flut, vom Hunde gefolgt und dem Kasperl, der noch im
Sprung vom Gott der Listen erleuchtet die Strippe gezogen.

So schäumen dem schnaubenden Cišarš, der eben
Bahn sich erstritten, beim Blick in die Tiefe nur stür-
zende Wasser einer wieder gewöhnlich gewordenen
Klomuschel entgegen. Aufduftet »Tofix«, brandneu.

Nach dieser episch aufwühlenden Szene scheint eine
ballettartige Einlage angebracht, in welcher man den
gefällten Bednarš mit dem »Wutcsardas« der Spezial-
truppe ehrt, an dem die ganze Exekutive samt der Füh-
rerpersönlichkeit teilnimmt. (Übrigens ein Meilenstein
der zeitgenössischen Choreographie!) Besonders genial
der Einfall, daß durch blitzschnelles Ansaugen der eigenen beziehungsweise Gegenbeinchen ein synkopaler
Rhythmus entsteht, der den stumpfesten Sinn hinreißen
muß. Umwerfend geradezu der schwerfüßige Stampf-
tanz der finsteren Göttin, der in die klassische einbeini-
ge Spitzentanzpose ausklingt, das andere Bein nach
rückwärts gestreckt. Hinreißend die majestätische Er-

scheinung in den schlichten Schnürschuhen von wuchtiger Grazie. – Anschließend Marcia funebre im würdigen Schleppschritt, begleitet von gestopften Bombardons, zu denen die Staubsauger umfunktioniert sind. Das teure Sterbliche des unvergeßlichen Bednařs wird auf der Bahre mitgetragen.

Bild 5: »Café Grausloch«.
Die Tarockpartie steigert sich mit der Entdeckung, daß jedes Mitglied falsch spielt, einem Höhepunkt zu. Im erbittertsten Streit dringt die Gesellschaft aus der Grotte, und es beginnt ein Ballett mit lyrischen Couplets, in denen jeder die besondere Störfunktion, die ihm Mutter Natur zugewiesen, preisend schildert.

Das Orchester besteht aus weißlichen Wesen beutelartiger Gestalt, die als Instrumente zweckentfremdete Küchengeräte benützen: in der Schlag- und Bläsergruppe blecherne Mistkübel, Trichter und Auspufftöpfe, bei den Streichern Roßhaarsiebe, Eierschneider und saitenbespannte Nachttöpfe. Die Art der Musik gemahnt an spätbarocke Schäferweisen, interessant durchsetzt mit Rockrhythmen.

Nach den ersten paar Takten springt, von innerem Feuer ergriffen, das Monster aus dem Steirischen in den Kreis und tanzt eine Hinkpolka in cis-Moll von dämonischer Schwermut. Gleich zu Beginn das erschütternde Bekenntnis eines Fehlästheten:

Ich kröpfe die Kragen
ich schröpfe die Magen
ich heiße die Rücken
sich krümmen und bücken
verwachse mit Brücken Finger und Zehn
denn das nenn ich schön, denn das nenn ich schön.

Ich schwelle die Bäuche
wie schwappvolle Schläuche
ich krümme das Bein
zum Würzelchen ein

laß giftige Blasen
erblühen auf Nasen
über Nacht wird geboren
Gekrös aus den Ohren.

Das hüpft und das kriecht
und das runkelt und rübt
zwischen prangenden Fluren ...
wird Notzucht geübt.

Nach einer Pause stiller Ergriffenheit donnernde Ova-
tionen. Das Monster verneigt sich strahlend mit einem
hündisch bettelnden Blick auf die Mondfee, die gnädig
mäßigen Beifall spendet. Das Monster glänzt auf und
scheut eine männliche Träne nicht.

Nach einem flotten Introitus schnellt nun die Runkelsteiß vor und legt mit ihren beschlapften Dürrbeinen
ein Tarantelfurioso aufs Parkett, zu dem sie schrill ihr
Arioso vorträgt, und zwar mit einem kessen Seitenblick
auf das Monster, dessen Auge jedoch noch in Tränen
schwimmt und daher nichts merkt.

Auch die Runkelsteißin verherrlicht ihre Naturmis-
sion:

Moderschwarzen Schlamm vom Sumpf
strick ich ein in meinen Strumpf
und in schwüler Neumondnacht
hinterlaß ich meine Tracht.
Moder, Fäulnis, Schimmelpilz,
da und dort ein Hexenfilz
und die Keime, kaum geboren
sind in selbger Nacht verloren
Saat verkommen und vergoren.
Das bin ich, die Runkelsteiß
falls es einer noch nicht weiß!

Sie verbeugt sich linkisch grinsend und nach dem Conservator schielend. Tosender Beifall belohnt sie. Ausrufe
wie »unvergleichlich«, »fulminant«, »ravissant«.

Nur die Mondfee hat sich des Applauses enthalten und betritt, nunmehr ganz in weißschimmernden Schleiern, den Kreis im gemessenen Reigenschritt und profiliert sich selbst ausschließlich positiv in glockenhaftem Alt:

Vollmondschimmer, Blütenschnee
strickt die andre zum Filet
senkt's auf sieche Keime nieder
und genesen sind sie wieder.
Zauber spinnt die Mondesfee
aus Vollmondstrahl und Blütenschnee.
Unter ihren Duftgeweben
Moderdünste irr entschweben
grünet neu das frische Leben.

(Während dieser Darbietung müssen aus den Schleierfalten bläuliche Protuberanzen quellen und eilfertig unter die Erde verschwinden. Vielleicht sagt ein Sprecher zum besseren Verständnis, daß es sich dabei eben um dieselben Phänomene handelt, die gleichzeitig das Böcklein zum Rettungssturz begeistern! Die andere Möglichkeit wäre ein erklärendes Rezitativ der Blasen selbst.)

Das Monster ist geschüttelt von einem haltlosen Weinen, Rützenknaus und Runkelsteiß schnattern leise miteinander, giftige Blicke auf die Fee schießend. Die Rützenknaus zieht den eigenen Beitrag zurück, um die Veranstaltung zu sabotieren.

Die Mondfee beutelt sich, wie von einem Schlaf erwacht, wirft entschlossen den Schleier über die Knie hinauf und greift zu den Karten. Nach scharfer Musterung des eigenen Blattes und einem gekonnten Blick in das der Runkelsteiß, sagt sie einen Mond an. Die Rützenknaus keift schrill auf und paßt. Es kommt zu einem furiosen Haßduett Mondfee–Runkelsteiß, wobei beide Damen in der Wortwahl nicht heikel sind und bei dessen Höhepunkt der Mondfee ein falsches As aus dem Unterrock fällt, das sie unbetroffen aufhebt und der

Runkelsteiß ins Gesicht wirft. Das Monster wirft sich mit dem Ausruf »Meine Damen, ich bitte Sie, meine Damen« erfolglos zwischen die Streitenden.

Um die Wirkung dieser hochdramatischen Szene zu steigern, ist an eine passende Untermalung gedacht. Das Orchester der Beutelartigen hat zunächst andeutungsweise eingesetzt, sich aber mit fortschreitender Handlung selbst entzündet und zu einem mänadischen Tanz entfesselt, dem sich die Crapule anschließt, während die Mondfee umsichtig die Karten der Mitspieler mustert. Die orchestrale Musik hat die schlafenden Vögel aufgeweckt, und sie schmettern und tirilieren aus vollen Kehlen, aber falsch mit, was die Existenzen in so ohnmächtige Wut versetzt, daß sie sich gegen ihren Willen aufblähen und platzen. Dabei stellt sich heraus, daß sie Boviste waren. Schwärzlicher Staub wölkt auf, und die Instrumente und ausgestaubten Bälger liegen überall herum.

Da kommt vom Waldrand her, langsamer gefolgt von Kasperl und Hund, das Mondböckchen gelaufen und wirft sich aufschluchzend der Mondfee in die Röcke, ihr in ungeordneter Form die Geschichte seiner Entführung schildernd, und was es in der Unterwelt hat durchmachen müssen. Die Mondfee wickelt den Sohn aus ihren Röcken, zieht ein großes, etwas ordinäres Taschentuch hervor und schneuzt ihn. Zum Abkuschen schenkt sie ihm einen hervorragend gefälschten Herzkönig.

Mit einem zarten Wink zum Kasperl hin sagt sie mit läutender Stimme: »Geh, räum die Schweinerei da weg«, und verläßt die Lichtung, mit dem in ihren Schleiern verkrallten Mondbock. Der Hund stöbert unter den Bälgern. Die Crapule verschwindet zwischen den Farnen.

Während dieses ganzen turbulenten Aktes ist der Mag. rer. myst. mehrmals kollernd über die Lichtung geschnurrt und hat nicht das geringste gesehen und gehört.

*

Die Aufführung ging ohne Zwischenfälle glatt über die Bühne, fand viel Beifall in allen Altersstufen, auch von den Halbwüchsigen, die alle irgendeine Funktion zu erfüllen hatten. Keiner merkte auch nur das geringste von einem Zusammenhang mit seiner Weltanschauung. Die Wirkung vollzog sich unterschwellig. Man versuchte auch, nach dem Weihnachtsrummel die Posen des Heldentums wieder aufzunehmen, aber es hatte sich irgendwie eine Mattigkeit eingeschlichen. Man war nicht mehr so voll bei der Sache, konnte sich nicht mehr so richtig hineinlegen.

Erst versuchten sich alle zu »ermannen«, steigerten sich künstlich hinein, aber es gelang nicht recht.

Auch störten die Kleinen, weil sie sich bei den Gleichschrittübungen Cišarš und Bednarš nannten und lachten.

Dann fetzte sich eines Tages die dreizehnjährige Esther Blumenstein plötzlich ihre nonnenhafte Kutte vom Leib und paradierte durch die Gänge des Asyls mit einem Ballkleid aus den zwanziger Jahren, das sie in irgendeinem alten Koffer auf dem Gerümpelboden aufgestöbert hatte samt den dazugehörigen Spitzen und viel zu großen Stöckelschuhen. Obwohl sie darin keinen besonders grazilen Gang hatte und das Dekolleté mehr Knochenbau zeigte als fleischliche Verheißungen, wurde sie nicht ausgelacht, sondern von den Knaben mit hervorquellenden Augen begafft.

Vollends löste sich die heroische Opfer- und Asketenstimmung, als Trude Pfinzig, die natürliche Tochter Hochwürden Gabriels, in enger Verleimung mit Moische Salomon aus einem Archivkasten kippte, den Pater Odelhard ahnungslos öffnete.

Vor ihre Erziehungsberechtigten gezerrt, die gerade zufällig miteinander Schach spielten, empfing erst jeder Sünder eine schallende Ohrfeige, wurde dann aber jäh und heftig an die Brust gedrückt und abgeküßt, was von den Beiwohnenden nur die Erwachsenen begriffen.

Etwa eine halbe Stunde, nachdem ich Singer den Librettoentwurf am Plafondwischer hinuntergelassen hatte, hob er mir stumm auf demselben Weg einen Brief entgegen:

»Also, alles was recht ist, Verehrteste, aber diesmal sind Sie zu weit gegangen. Sie werden doch nicht verlangen, daß ich dieses Machwerk, das sich hart an der Grenze der Blasphemie bewegt, unseren Paragonvillern als Windei zumute? Ich gebe zu, es ist Witz darin. Aber darf man über alles witzeln? Sie wissen, ich bin nicht prüde. Aber auch für mein nüchternes Gemüt haben die Urgeschichten der Menschheit etwas Ehrwürdiges, das ich trotz des Unrats, den sie bisweilen aufgerührt haben in der Geschichte, unangetastet sehen möchte.«

»Seien Sie nicht kleinlich, Singer. Mit Paragonville aber haben Sie schon recht. Die kommen da nicht mit. Ich hab's eher für uns zur Unterhaltung gedacht.

Doch was die Blasphemie betrifft, da bin ich anderer Meinung. Das ist ja geradezu der Prüfstein einer großen Geschichte, daß sie alles aushält. Hat das ›Große Spiel‹ seine blutrünstige Perversion überstanden, so übersteht es auch ein harmloses Kasperltheater. Was hat die klassische Literatur schon alles auszuhalten gehabt die Jahrhunderte hindurch, die simple Persiflage pubertierender Jugendlicher ebenso wie die Profilierungssucht phantasiearmer Regisseure. Wurde auch nur *eine* Verszeile umgebracht? Wahre Kunst ist eben nicht empfindlich. Sie ist zäh wie Leder. Das ist ihr Gütezeichen. Und wie mit der Literatur ist es mit jeder Hervorbringung der Kultur. Auch mit der Religion und den mythologischen Fabeln. Das Spiel vom gefährdeten Sohngeliebten, den mörderischen Mächten der Unterwelt und der nicht ganz sittenreinen Göttin: man kann es als Tragödie bringen und als Komödie, als Meßritual oder als Horrorstück. Warum nicht als Märchentheater mit tieferer Bedeutung für Kinder und Erwachsene, zum Lachen und zum Nachdenken. Ich bin da einer Meinung mit dem Reizer und der Sodalin: nichts ernüchtert so wie Gelächter. Ernst steigert den Rausch, auch der

Ernst der redlichen Abwehr und Entlarvung. Der Rausch greift auf ihn über. Es spricht vielleicht nicht sehr für die Spezies Mensch, aber ich glaube, daß tugendhafte Humorlosigkeit anfälliger für irrationale Anfechtungen ist als leichtfertige Lachlust. Ernst läßt sich ein. Gelächter hält Distanz.«

»Sie sollen recht haben. Ich bin überstimmt, denn der Thugut wird sicher Ihrer Meinung sein, wenn wir ihm die Geschichte zeigen.« – So war es dann auch.

Das Schisma von Tulln
und die
Zerstörung der Phantasie

Singer und ich stapften im Schneematsch, übellaunig und mit nassen Füßen durch die innere Stadt. Der Rutschgefahr wegen hatten wir uns eingehängt. Auf Vorübergehende mußten wir wie ein altes Ehepaar wirken: zänkisch, aber sorgfältig aufeinander bedacht. Mit Thugut waren wir in der »Arabia« verabredet. Wir hatten allerhand zu besorgen.

Dieser Gang durch die penetrant weihnachtlich aufgeputzte Innenstadt hatte eine Vorgeschichte.

Singer bestand plötzlich darauf, einmal in seinem Leben mit einem Christbaum, selbstgebackenen Lebkuchen und einer Festgans überrascht zu werden; er habe sich das heimlich immer gewünscht. Er hatte mich mit dieser Idee richtiggehend überfallen und daher ausgeliefert gefunden.

Ich kochte gerade Kaffee. Da kam Singer, der sonst bequem im Fauteuil saß und sich servieren ließ, wie von ungefähr in die Küche und stellte sich dicht neben mich mit jener hartnäckigen Hautnähe, wie Kinder es machen, wenn sie ein Ansinnen haben, das so geartet ist, daß sie mit hartem Widerstand rechnen, den zu brechen sie eisern entschlossen sind.

Mit dem ohnmächtigen Trotz eines, der sich verloren weiß, tat ich, als merkte ich nichts.

Da eröffnete er mir sein Begehren nach einem kompletten Weihnachtsabend. Natürlich verhärtete ich mich und tarnte meinen Schrecken mit Kälte. Zügig wählte er eine andere Vorgangsweise; das heißt, er setzte einen schamlosen Trick ein, gegen den er mich wehrlos wußte. Er senkte erst den Blick und hob ihn dann langsam zu mir auf, wobei er seine langen dichten Kinderwimpern – er besaß diesen bei älteren Menschen seltenen Reiz – routiniert einsetzte. Dieser langsame Aufschlag verhalf ihm zu einem unschuldigen rehartigen Ausdruck. Man konnte diesem Blick nichts abschlagen, ohne sich selbst für einen brutalen Rohling zu halten.

Singer beobachtete die Wirkung seiner Korruptionsstrategie, registrierte den Erfolg befriedigt und besprach aufgeräumt alles, was ich nun zu tun hatte. Denn der Hauptanteil der Scherrerei fiel natürlich mir zu. Er wollte überrascht werden.

So war es also bei diesem schauderhaften Wetter zu einem Stadtgang gekommen, weil wir ein passendes Geschenk für Thugut suchten. Auch mußten die Ingredienzien für das Backwerk eingekauft werden. Seit Wochen schon hingen die Girlanden mit den aufgefädelten Glühbirnen über den Straßen. Es wimmelte von Weihnachtsmännern, schnapsgegerbte Visagen sommerlicher Parkbewohner, die für die kalte Jahreszeit in Wattebart und Rotmütze eingekrochen waren und Reklamezettel verteilten. Dafür aber fanden sich in den Auslagen praktisch orientierter Geschäfte Krippen mit Ochs und Esel und zwischen Waschmuscheln und Klodeckeln ein wächsernes Jesulein. Dazu kam noch die sentimentale Tonkulisse. Aus jedem Lokal quoll in voller Lautstärke als Liebe zitternde Qualle ein Weihnachtslied und verschleimte die Gehörgänge. Da die Darbietungen beziehungsweise Tonbänder nicht gleichgeschaltet waren, verschlangen sich die Melodien zu fugenartigen Kompositionen und boten interessante Textvarianten. So erfuhr man, daß »das traute, hochheilige Paar nicht zur Sommerszeit grünte«, daß »Christ entstanden ist im leise rieselnden Schnee« sowie daß »Josef, lieber Josef mein, grüne Blätter« trug.

Thugut saß schon breit vor einem Marmortischchen in der »Arabia« und befaßte sich konzentriert und mit zierlichen Handbewegungen mit einer besonders fetten Torte, die er in ganz kleinen Bissen mit nachschmekkendem Genuß zu sich nahm. »So andächtig kann nur ein katholischer Pfaffe völlern«, sagte Singer neidisch, als wir auf Thugut zugingen, der uns noch nicht wahrgenommen hatte; »sie zelebrieren auch die Sünde. Unsereiner gönnt sich nichts ohne Schuldgefühl. Fällt man, dann verleidet man sich die Lust und wirft alles in sich hinein, damit einem nachher schlecht wird und man abbüßt.« – »Eure Schuld«, sagte Thugut, der alles gehört hatte und weiter aß, »weil ihr die Wohltat des Beichtsakraments verschmäht, das einem erlaubt, Genuß und nachfolgende Buße aufzuteilen. Nur so hat man was von der Sünde. Das Ineinandermischen von Sünde und Gewissensbiß ist seelisch ganz unökonomisch, und daher kommt es, daß bei den Juden statistisch der Gallenstein und das Magengeschwür so verbreitet sind.«

Wir nahmen Platz und schimpften über den weihnachtlichen Geschäftsbetrieb. Es gelang uns aber nicht, Thugut im Genuß zu stören. Er nahm heiter am Gespräch teil, bestätigte unsere Beobachtungen und zeigte keine Verleidungssymptome.

»Genaugenommen müßtet ihr beide doch frohlokken!« sagte er, und auf unseren fragenden Blick: »Nun, könnte man nicht in diesem technisch geschändeten Weihnachtsmysterium den Erfolg einer geheimen Sodalitas-Aktion sehen? Totale Zersetzung und Verekelung! Welches Kind wird noch in einem batteriegespeisten, selbstpissenden Jesulein das göttliche Kind sehen und anbeten? Wer wird sich in seinem Namen noch zur Kunst inspirieren lassen? Allerdings auch nicht zum Gemetzel! Das Spiel ist tot. Die Rollen Automaten, hergestellt aufgrund sorgfältiger Marktforschung nach dem niedrigsten Geschmacksniveau.« – Ich klagte: »Man hat das Festliche ausgetrieben aus dem Spiel, das einmalig Besondere, Geheimnisumwitterte. In meiner Kindheit waren die Weihnachtssachen, Krippe und Glaskugeln, Silberketten und Kerzenhalter, das ganze Jahr hindurch versteckt, und so neugierig und ungehorsam ich war, nie wäre es mir eingefallen, diese Dinge hervorzuholen, obwohl ich genau wußte, wo sie versteckt waren. Nicht aus Folgsamkeit, sondern um meiner selbst willen, um der Einmaligkeit des Festes willen, der besonderen Zeit.« – »Wie unser Passahfest«, warf Singer ein. »Warum ist dieser Tag anders als alle anderen Tage? – nur einmal im Jahr wird diese Frage gestellt!« – »Und einmal im Jahr durfte die ›Stille Nacht‹ gesungen werden. Jetzt ist sie ein Ohrwurm, der einen bis in die öffentlichen Abtritte verfolgt, weil sich die Klofrau davon offenbar ein größeres Trinkgeld erwartet.« – »Wir haben eben nach amerikanisch puritanischem Vorbild die Heiligkeit mit dem Geschäftsumsatz gekoppelt«, sagte Thugut und pickte die letzten Tortenbrösel auf; »die einzelnen Elemente des Mysteriums fügen sich auf diese Weise, ihrer Seele beraubt, widerstandslos in den Jahrmarktsalptraum. – Wer weiß wirklich«, fügte er boshaft hinzu, »ob das nicht eine gelungene Aktion eurer Sodalitas ist?« – »Diese alten Weisen waren nie geschmacklos und im erbittertsten Streit auch immer pietätvoll!« verteidigte ich meine Gesellschaft. – »Wer weiß denn, was da für eine junge Generation herangewachsen war«, stichelte Thugut weiter; »manche von ihnen werden ja in Amerika aufgezogen worden sein.« – Singer und ich schwiegen bedrückt.

Wir vereinbarten für einen der nächsten Tage ein Backfest in meiner Küche zur gemeinsamen Herstellung des Weihnachtsgebäcks und verabschiedeten uns dann von Thugut, der die entgegengesetzte Richtung einschlug.

Thugut und ich arbeiteten angestrengt in meiner Küche an der Herstellung der typischen Weihnachtsbäckereien: Lebkuchen, Zimtsterne, Vanillekipferln usw. Vieles übrigens nach ordenseigenen Rezepten. Thugut war sehr aufgeräumt, schlug Schnee, kostete ab, war mit seinem Finger in jeder Schüssel und summte Weihnachtslieder. Es war wirklich gemütlich. Mit der Schererei hatte ich mich abgefunden, auch schon einen schönen kleinen Christbaum gekauft und vor Singer auf meinem Dachboden versteckt. Zum Backen hatte er sich angesagt, doch jetzt kam er nicht. Zu Hause aber war er. Wir hörten ihn unten rumoren.

»Er wird Vorbuße tun«, vermutete Thugut, »er wird sich das Backvergnügen mißgönnen aus schlechtem Gewissen, weil er an einem katholischen Weihnachtsfest teilnimmt! Es hat gar keinen Sinn, hinunterzugehen und ihn überreden zu wollen. Vermutlich sitzt er vor einer Arbeit, die ihm besonders ekelhaft ist, um sich zu strafen.« – »Zureden nützt sicher nichts! Man müßte ihn korrumpieren!« – »Und wie?« – »Vielleicht über die Nase. Er fliegt auf warmes Backwerk. Wenn man ihm den Duft vor die Nase brächte? Man müßte ihn dem Geruch aussetzen und damit alleinlassen, daß er niemanden zum Widersprechen hat und sich dadurch das Rückgrat stählt. Leider weiß ich nicht, wie!«

Da zeigte sich, daß Thugut nicht umsonst naturwissenschaftliche Studien betrieben hatte. Er besaß eine praktische physikalische Phantasie. Die Idee von Singers Korruption gefiel ihm.

Singer pflegte aus Gründen der Lüftung einen Spalt seines Vorzimmerfensters offenzuhalten. Auf diesem Umstand baute Thugut seine Strategie auf. Das kalte, neblige Wetter kam ihm zupaß. Er rechnete sich aus, daß ein Schwall überhitzter Luft aus meiner Küche durch mein geöffnetes Vorzimmer hinausgesogen und dann hinuntergedrückt und von Singers Vorzimmerspalt eingeschlürft werden müßte: dieser Luftzug aber würde gesättigt sein vom feisten, süßen Aroma des Backwerks. Der verführerische Astralleib unserer Tätigkeit würde dann Singer, etwa, wenn er sich auf die Toilette begab, vor die Nase kommen. – Die Rechnung ging auf.

Gar nicht lange, und wir hörten unten Singers Wohnungstür zuschlagen und ihn mit langsamen, nachdenklichen Schritten die Stiegen heraufkommen. Vor meiner Tür verharrte er noch ein bißchen. Dann läutete es zaghaft. Thugut und ich sahen einander an, und ich schoß zur Tür. Draußen stand Singer mit einem langen, kalten Gesicht und fragte an, ob ich ihm mit einem Farbband aushelfen könnte. Seines sei am Ende. Die Geschäfte aber hätten bereits geschlossen. Er befinde sich mitten in einer Arbeit, die er keinesfalls unterbrechen könne. Ich versprach nachzusehen, bat ihn aber, trotz seiner Eiligkeit einzutreten, damit nicht die Kälte vom Gang in meine Wohnung dringe.

»Ah, Thugut ist da?« sagte er und blieb im Vorzimmer

stehen. Thugut ließ sich nicht stören und bestreute ein frisch aus dem Backofen gezogenes Blech von Kipferln mit reichlich Vanillezucker.

Singer näherte sich mit ein paar zögernden Schritten der Küche. »Ihr backt?« fragte er, und sein Blick leimte sich an dem überzuckerten Blech fest, wobei er vollnüstrig den Duft einsog. – »Ja, wir backen«, sagte Thugut ungerührt und lief geschäftig hin und her.

Singers Weheblick ließ mich weich werden. »Sie könnten mir rasch einen Gefallen tun, natürlich nur, wenn es Ihre Zeit zuläßt! Hätten Sie die Güte, ein Stückchen zu kosten? Ich habe das Gefühl, daß dieses Blech etwas zu kurz im Rohr war!« Thugut grinste. Singer sah es nicht. Mit grämlichem Munde, aber aufleuchtendem Blick griff er nach einem Stück und schob es sich ein. Er ließ es auf der Zunge zergehen und plötzlich knurrte sein Magen auf.

»Wirklich beurteilen kann man es nur, wenn man einen kleinen Schnaps zwischen zwei Proben nimmt. Wir wollten ohnehin gerade, nicht, Pater Florian?« – »Ja, wir wollten gerade«, sagte Thugut und blickte Singer mit seinen leicht vortretenden Augen voll ins Gesicht. Singer grunzte etwas Unverständliches und blieb festgewurzelt stehen. Dabei mußte er mehrmals schlucken, und sein Magen sprach laut mit der Klage der Leere. – »Halten Sie ihn nicht auf«, sagte Thugut boshaft, »er hat doch – wie wir gehört haben – dringend zu arbeiten.« – »Ich hab schon immer den Verdacht gehabt, daß die katholische Kirche Sadisten heranzüchtet«, zischte Singer und griff mit beiden Händen zu.

Es wurde dann noch ein gemütlicher Abend, der mich allerdings nötigte, die Bestände an Süßem durch ein nochmaliges Backfest aufzufüllen.

Thuguts Bemerkung in der »Arabia«, die weihnachtlichen Geschmacklosigkeiten in den Gassen könnten der Erfolg einer Sodalenaktion gewesen sein, ließ mir keine Ruhe und befruchtete mich schließlich mit einem Windei.

An jenen Männern, welche die Zeit des Schreckens im In- oder Ausland überlebt hatten, waren diese sieben Jahre nicht hinweggefegt, ohne tiefe Spuren zu hinterlassen. Sie waren müde. Und was noch mehr zählt, sie waren von nagenden Zweifeln gequält; von Zweifeln am Sinn ihrer Tätigkeit in der Sodalitas. Was rechtfertigte die mühevolle Plage von Jahrhunderten, wenn dann ein dämonisierter Kleinbürger, eine Gossengeburt, für mehr als eine Dekade die ganze zivilisierte Welt aus den Angeln ihrer humanen Ordnung zu heben vermochte?

Den Alten war es immer klar gewesen, daß es bei ihrer Aufgabe keinen Sieg im Sinn der Auslöschung des Gegners geben konnte: das »Große Spektakel« konnte und sollte lediglich eingeschränkt und kontrolliert werden – solange es um Religionen und Ideen ging, ob es sich nun um die Große Götzin handelte oder um eine männliche Version, den Donnerer vom Sinai, durch die das Volk in die rauschhafte Unart des »Mysteriums« versetzt wurde. Nun hatten sie erfahren müssen, daß es diesen mörderischen, alle Menschenwürde schändenden Rausch auch ohne alles göttliche Beiwerk geben konnte, von höchst irdischen Instanzen zelebriert, von keinem Messias, Dionysos oder Christus entfacht, sondern von einem ordinären Bandenführer, der im Namen einer verwaschenen »Vorsehung« zu agieren vorgab. Ein gewaltiger und primitiver Betrug, von dem sich aber die halbe Welt willig und widerstandslos hatte hereinlegen lassen und ihn sogar genossen hatte.

Die Sodalen konnten es sich nicht verzeihen, daß sie diese gewöhnliche, hundsföttische Möglichkeit zu spät erkannt, vor allem zu spät ernstgenommen hatten, und das Grübeln über diesen folgenschweren Kardinalfehler machte sie nahezu aktionsunfähig.

So konnte es geschehen, daß die Jungen in der Sodalitas – diese Lähmung ausnützend – die Zügel an sich rissen. Sie verzichteten auf alle Unterscheidungen und feineren Differenzierungen mythologischer, theologischer, historischer und philosophischer Natur und stellten die Forderung auf, das ganze Problem endlich an der Wurzel zu fassen und damit aus der Welt zu schaffen.

Diese jungen Sodalen sahen die Dinge zu einfach. Ihre Lehrzeit war durch die Ereignisse und die vielen Ausfälle zu kurz, zu wenig gründlich gewesen. Sie glaubten an die Möglichkeit rascher Verwirklichungen und lechzten nach sichtbaren Erfolgen.

Die Alten hatten nie etwas einfach gesehen, nie an »Lösungen« geglaubt und nie damit gerechnet, daß sie den Erfolg einer Aktion, die sie geplant hatten, selbst erleben würden.

Nun bekam der junge Flügel rasch ein gewisses Übergewicht in der Gesellschaft, weniger zahlenmäßig als durch den Impetus seiner durch keine Lebenserfahrung gestörten Unbedenklichkeit. Man war entschlossen, sich von den »Vergreisten« nichts mehr dreinreden zu lassen, und wischte deren Erfahrung, Vorsicht und Skrupelhaftigkeit vom Tisch wie die Frühstücksbrösel. Diese Jungen, die teils im Ausland, teils in den Abseitsräumen des »Ressorts« aufgewachsen waren, trugen ihren Vätern diese Jahre als ein Versagen nach. Jedenfalls hatten sie für sie die Autorität eingebüßt, und das Vertrauen in die Methoden, die immer nur mühselige, sich über Jahrhunderte hinstreckende Teilerfolge erzielt hatten, war endgültig verlorengegangen. Hinter dem Rücken der Alten hatten sie sich organisiert, planten gewissermaßen eine Machtübernahme, und schließlich kam es zu offenem Streit, Aufruhr und Unordnung; und endlich zur Spaltung.

Die entscheidende Sitzung fand in der »Krone« zu Tulln statt, einer der vier Städte des alten Tetrarchats, und ging unter dem Titel »Das Schisma von Tulln« in die Annalen der Gesellschaft ein.

Die Versammlung war – unerhört in der Geschichte der Sodalitas – auf Antrag der Jungen einberufen worden, deren emotionaler Animator Sigismund Chaimowitsch war, Stolz und Kummer des Vaters. Als Kopf des

Flügels galt der a.o. Professor Alois Wurmstecher, ein in Fachkreisen vielbeachteter Ethnologe, dessen Spezialgebiet Anomalien und Manipulationen in der Evolution bestimmter Tierarten waren.

Es ging übrigens das Gerücht, daß Wurmstecher ein natürlicher Sohn eines Franziskaners, Frater Aloisius, sei – kein Sodalitasmitglied! –, ein von Fasten und Geißelungen knochenhagerer Mann mit einem düster flakkernden Asketenblick. Keiner dachte bei ihm an die Möglichkeit einer Nachkommenschaft. Durch eingehende Recherchen der beiden Sofraneks jedoch kam an den Tag, daß Wurmstecher die Frucht einer Vergewaltigung des heiligmäßigen Fraters durch ein Beichtkind war, welches im Zustand einer mänadischen Ekstase – vom Frater angeheizt, aber in die falsche Richtung losgegangen – mit ihm mystische Vereinigung gesucht und auch durchgesetzt hatte, weil der fromme Mann, von Entsagungen aller Art geschwächt, die Begeisterte nicht abzuwehren vermochte. Man hielt in der Sodalitas allgemein die außergewöhnliche Trockenheit und das verächtliche Menschenbild des Gelehrten für eine Folge seiner Zeugung im heiligen Rausch!

An jenem denkwürdigen Tag in der »Krone« zu Tulln – es war der 13. April 1947 – ergriff als erster Chaimowitsch junior das Wort, um das Problem aus der Sicht der Jungen zu umreißen.

Sigismund Chaimowitsch war ein scharfer Denker, aber leider ein etwas verkniffener Charakter. Er war ein sogenannter Pubertätsstotterer gewesen, hatte aber dieses Leiden völlig überwunden und sprach nun viel und gern, besonders öffentlich. Er hatte sogar einen Rhetorikkurs besucht, der von einem noch nicht entnazifizierten Lateinlehrer abgehalten wurde, der nur die patriotische Literatur beherrschte, vor allem Cicero. So gewöhnten sich alle seine Schüler einen attisch-rhodischen Mischstil an, was aber nur der Reizer und die Sodalin Windig merkten und einander auch – zu laut – ins Ohr flüsterten.

Der junge Chaimowitsch, vom Vater mit kritisch bekümmertem Stolz scharf beobachtet, begab sich zum Rednerpult, komponierte sich dort, als raffe er eine Toga – was aber nur ein Schal war –, und ließ souverän und gleichzeitig bohrend seinen Blick über die Gesellschaft schweifen. Er begann mit einer antikisch wirkenden Begleitgeste der rechten Hand: »Wie lange noch, ehrwürdige Sodalen, soll unsere Geduld mißbraucht werden? Wie lange wollen wir noch zögern, die Schlangenbrut des unwürdigen ›Spektakels‹ zu vernichten, zu vertilgen, auszutreten?« (Pause.) »Bis zu dieser Stunde – ich kann uns den Vorwurf nicht ersparen – ließ die Congregatio es, nun seit fast tausend Jahren, dabei bewenden, der gräßlichen Hydra bestenfalls einzelne Köpfe abzuschlagen, die sofort wieder nachwuchsen.« (Und nun mit dumpfer Stimme, die den Tanzsaal der »Krone« beben machte:) »Wir haben versagt! – Es wurde nicht gehandelt, man kroch von Niederlage zu Niederlage ...« (Und nach einer gekonnten Kunstpause, plötzlich donnernd:) »Wie endete, frage ich Sie, verehrte Greise, die Aktion der Vergipsung? – Hohnbleckend prunkte das Idol von Cellensis und fügte der Sodalitas die Schmach des Prälaten Vešelik zu! – Wie, frage ich weiter, verlief die Aktion zur Verleidung der schamlosen Geschichten? – Die Kirche wurde durch schabende Mönche verhöhnt, die an den Tag brachten, was man vergessen glaubte. Und immer noch lernt bildsame Jugend die verderblichen Sprachen des Altertums und verschmutzt sich die Gehirne mit skandalösen Ammenmärchen.«

Nun konnte der alte Chaimowitsch es nicht mehr aushalten und machte seine Nachbarn damit bekannt, daß es sich beim jungen Chaimowitsch um seinen Sohn handle. Der raffte sich gerade zu einem prasselnden Schlußwort zusammen: »Und wie, verehrungswürdige Versammlung, Häupter des alten Tetrarchats und der heiligen Ekklesia, wie endete die Aktion ›Contra Pachypygismus‹? Haben alle ehrenwerten Männer das beschämende Weibsidol aus ihrer Seele gerissen, gehetzt, gejagt, verworfen und gestäupt und ihr Inneres zum Tabernakel des Unsichtbaren geläutert?«

An dieser Stelle schlug einer der Herren vom Klerus eine rauhe, fast schmutzig zu nennende Lache auf. Viele drehten sich um oder schauten die Nachbarn an. Kichern kam auf.

Der Junior errötete, seine Gestik bekam etwas Flatterndes, und Anklänge jugendlichen Stammlertums schlichen sich in die gebändigte Artikulation. Allerdings faßte er sich rasch und forderte nun in besonders trockenen Worten die Sodalen auf, von der lauen Vorgangsweise der Vergangenheit abzugehen und härtere Maßnahmen zur endgültigen Gesamtlösung des Problems zu ergreifen. Sodann stieg er gemessenen Schritts vom Rednerpult und machte es mit einer eleganten Gebärde für den Folgeredner frei, den a.o. Professor Alois Wurmstecher, der zum Unterschied zu Chaimowitsch staubtrocken auftrat und seinen Vortrag, nachdem er eine Lesebrille aufgesetzt hatte, in monotonem Tonfall verlas; der ganze Mensch eine Erscheinung, die in Farbe und Konsistenz irgendwie sandig wirkte.

Er verzichtete auf eine Einleitung und kam direkt zur Sache:

»Der Mensch ist von der Natur mit den nötigen Mitteln zur Selbst- und Arterhaltung ausgestattet worden. Falls diese eingesetzt werden, ist er imstande, sich gegen die meisten von außen kommenden Bedrohungen seiner Existenz wirksam zu schützen. Unbeherrschbare Konflikte ergeben sich dann, wenn die Gefahrenbekämpfung nicht durch Instinkt, Vernunft und den Einsatz der Realwissenschaften vollzogen wird, sondern auf emotioneller Basis; in der nicht ganz wissenschaftlichen Sprache der Sodalitas: durch Entfaltung des ›Großen Spektakels‹, in welchem der Mensch sich als unmündiges Opfer eines Mißstandes sieht, der nicht analysiert, sondern als Leidensfaktor personifiziert wird; anstelle von Wissen und Vernunft tritt eine mystische Autoritätsfigur sakralen oder profanen Charakters.

Ein solches Verhalten entspricht evolutionsmäßig dem Kindesalter, wo der Realitätssinn und die Umweltkenntnis noch nicht ausgereift sind und die Erzeuger

384

vorübergehend die Schutzfunktion übernehmen. Bei jenen Tierarten, die nicht unmittelbar nach der Geburt reif zur Selbsterhaltung sind, hat die Natur eine Jugend- und Lernphase eingelegt. Die zur Lebens- und Arterhaltung notwendigen Verhaltensweisen werden an Modellsituationen erprobt und eingeübt. Man nennt es die Spielphase. Ist das Tier körperlich ausgereift, erlischt dieser Trieb und das Interesse an imaginierten Situationen vollständig.

Durch eine noch nicht befriedigend erklärte dekadenzähnliche Erscheinung hält beim Menschen dieser Spieltrieb – in variabler Stärke – bis ins Stadium der Reife, oft lebenslang an. Man nennt dàs Phänomen ›Phantasie‹, ein Begriff, der sowohl Vorstellungsvermögen und Einbildungskraft, jedoch auch Trugbild bedeutet. Das Vermögen zur Trugbilderzeugung befähigt den Menschen zu den sogenannten Leistungen von Kunst und Kultur, sowohl aktiv als auch passiv, als Erzeuger wie als Konsument. Sie macht ihn nicht nur empfänglich, sondern sogar manipulierbar für Vorspiegelungen. Die Daseinbewältigung auf der Basis von Vernunft und Realität ist für den Infantilen nur schwer und mit Widerständen durchführbar und wird als trocken empfunden. Dazu muß betont werden, daß bei der Gattung Mensch ein hoher (zahlenmäßig noch nicht gesicherter) Prozentsatz der Exemplare die volle Reife nie erlangt.

Um die Entwicklung der artgefährdenden Variante des Spieltriebs, das sogenannte ›Große Spektakel‹, zu unterbinden, genügt es nicht – wie die Sodalitas bisher getan –, die Lustkomponente durch bloße Verleidung zu zerstören. Unser Ziel muß die Zerstörung des Spieltriebs überhaupt sein, die Zerstörung der Phantasie, wobei es sich bei dieser aller Wahrscheinlichkeit nach um einen noch nicht genügend erforschten enzymatischen Prozeß des physischen Chemismus handelt. Ehe die Vorgänge wissenschaftlich durchleuchtet sind, muß man sich mit symptomatischer Ersatzbehandlung begnügen.

Aus der Forschung wissen wir, daß Triebe und sogar Organe verkümmern, wenn sie nicht unmittelbar der Lebenserhaltung dienen. (Beispiel: Verkümmerung des Gebisses durch Einführung des Kochens!) Künstlich kann ein solcher Vorgang erzielt werden, wenn der Impuls zur Entfaltung des Triebes herabgesetzt oder, etwa durch Überangebot, zum Verlöschen gebracht wird.«

»Heißt das«, meldete sich Ištarovič, »daß beispielsweise beim Zuchtschwein durch Überangebot an Nahrung der Trieb zum Pferchen im Dornengebüsch erloschen ist und sich das Tier jetzt, des schützenden Fells nicht mehr bedürftig, in kahlem Rosa präsentiert?«

Der Redner geriet durch den Einwurf nicht aus dem Konzept, sondern setzte, nur mit leicht erhöhter Stimme, seine Ausführungen fort.

»Die Grundtriebe des Menschen zielen, wie bei jedem Lebewesen, auf Selbst- und Arterhaltung, das heißt Familiengründung und Sicherung des Lebensnotwendigen; in der Zivilisation: berufliche Existenz und Karriere. Gerade in diesem Punkt aber kommt es zu den erwähnten Ausartungen. Der Mensch sucht sich den Partner nicht nach dem Maßstab der Fortpflanzungstüchtigkeit, sondern als sogenanntes Liebesobjekt; oft genug ein Wunschziel, das mit realen Mitteln nicht erlangt werden kann. Ferner: die Neugier des Tieres beschränkt sich auf die Umgebung des Rayons zwecks Futtersuche und zur rechtzeitigen Erkennung von Gefahren. Beim Menschen artet diese Wißbegier aus und richtet sich auf das nutzlose Fremdartige, Entfernte, Exotische. Er entwickelt, wenn ihm reale Erfüllung versagt ist, den sogenannten Wachtraum und investiert in dieses Laster geistige, oft auch körperliche Energien, die praktisch nutzlos sind und nur Lebenskraft vergeuden.

Das Ziel der Erziehungsarbeit durch die Sodalitas sehen wir, der jüngere Flügel, in der Zerstörung der Vorstellungs- und Imaginationsfähigkeit. Die Methode der Wahl: gezielte Korruption der Erscheinung ›Phantasie‹ durch Übersättigung.«

386

Sodann gab Wurmstecher mit unbewegtem Gesicht bekannt, daß die progressive Gruppe bereits entsprechende Vorschläge ausgearbeitet habe. Er ließ Abzüge verteilen. Die Gesellschaft zog sich zur Prüfung des Elaborats ins Extrazimmer zurück, wo man bereits für einen kleinen Zwischenimbiß gesorgt hatte.

Der Arbeitstitel hieß: »Radikalplan zur endgültigen Liquidierung des Magna-Mater-Idols durch Zersetzung der menschlichen Phantasie.«

Mit mißtrauischem Unbehagen machten sich die alten Sodalen mit dem Plan der Jungen bekannt. Man las Folgendes: Die Schimäre der weiblichen Götzin, das Urbild der Retterfigur im »Großen Mysterium«, tritt mit dem Menschen mittels der Fähigkeit in Verbindung, bildhafte Vorstellungen zu erzeugen (Phantasie) und ihnen Gewicht und Wirklichkeitswert zuzumessen. Die sogenannte Phantasie des Menschen ist eine angeborene Eigenschaft, die im seelischen Haushalt der Aufgabe dient, Spannungszustände, die durch unerfüllte Wünsche entstehen, zu lindern, manchmal sogar aufzuheben. Sie schafft Befriedigung und Beruhigung durch Scheinbilder. Fiele der Stau der darbenden Spannungen weg, kann angenommen werden, daß die Phantasie – aus Mangel an Bedarf – gar nicht beziehungsweise nur in Kümmerformen entwickelt wird. Gelänge es, die Phantasie zu zerstören, wäre dem Idol der Magna Mater das Vehikel genommen, kraft dessen sie sich in die menschliche Seele einschleicht.

Arbeitshypothese: Da es die seelischen Spannungen sind, welche die Entwicklung der Phantasie fördern, sind diese durch unmittelbare Wunscherfüllung in den wesentlichen Bereichen abzubauen, womöglich aufzuheben.

Als Ansatzpunkt eines diesbezüglichen Eingreifens in die Psyche müssen jene Spannungszonen ins Auge gefaßt werden, die das menschliche, besonders das jugendliche Gemüt am meisten belasten:

    a) Liebesweh
    b) Fernweh

Rahmenvorschlag für a): Sexualfrühaufklärung in Bild, Ton und Praxis.

Rahmenvorschlag für b): Sozialtourismus, gekoppelt mit Film und Photographie.

Als die Alten diese Denkschrift, deren knapper Logik sie die Anerkennung nicht versagen konnten, studiert hatten und wieder den Saal betraten, in dem die Jungen, weil sie Angst hatten, mit outriert gelangweilten Gesichtern saßen, herrschte Totenstille. Für die Kirche sprach der Prälat Nezhyba, für die Judenschaft Dr. Loeb. In dürren Worten formulierten die beiden Herren den Standpunkt der Alten. Es war eine totale Absage.

Die vorgeschlagene Aktion wurde in allen Punkten abgelehnt. Zutiefst widerstand den Sodalen der dreiste Eingriff in die menschliche Natur. Und so sehr sie seit Hunderten von Jahren die üppigen Auswucherungen bildhafter Phantasie im religiösen Bereich bekämpft hatten, so verbot ihnen doch ein humanes Solidaritätsgefühl mit der Schöpfung, eine Gabe, die Gott den Menschen verliehen hatte, auf diese dreiste Weise zu schädigen und zu zerstören.

Unter dem eisigen Schweigen beider Parteien kam es zum Exodus der Häretiker und damit zum großen Schisma.

Die Jungen zogen in die nahe gelegene Café-Konditorei um und konstituierten sich dort sofort zu einer Aftergesellschaft unter dem Namen »Alternativclub zur Verschneidung der Phantasie«.

Frei von der lästigen Fußfessel des – wie sie es nannten – senilen Umwegdenkens entfaltete der Club eine hektische Betriebsamkeit. Man hielt Hearings ab, gab unablässig Statements von sich. Vorurteilsfrei, wie man sich sah, ging man – zur Empörung der Alten, die alles argwöhnisch beobachteten – eine enge Verbindung mit der zur »Gesellschaft gegen den Dämonenglauben in der Natur« rückbenannten ein, der die alte Sodalitas schon vor ihrer passageren Umwandlung in den »Verein gegen fremdrassige Einflüsse in die germanische Natur« mit einer mokant gefärbten Skepsis gegenübergestanden war, weil ihr die dort geübte Denkweise zu simpel und eingleisig erschienen war. Der Alternativclub bediente sich vor allem der großen Erfahrungen, die diese Gesellschaft mit dem Einsatz photographischer Techniken für ihre Zwecke besaß.

Gerüchtweise verlautete, der Club habe die alte Sodalitas einmal in versöhnlicher Absicht zu einem »sit in« eingeladen. Die Altsodalen hätten aber diese entgegenkommende Geste nicht einmal zur Kenntnis genommen; im vertrauten Kreis aber seien Worte und Wendungen gefallen, die bisher in der Sodalitas unbekannt waren. Man erzählte sich, daß es vornehmlich der Ausdruck »sit in« gewesen sei, welcher die Sodalen schwer verärgert hatte, vor allem auch, weil einige den Verdacht hegten, man mute ihnen zu, dieser Veranstaltung im Türkensitz beizuwohnen, was man als Verstoß gegen die der Gesellschaft schuldige Würde nahm.

Der Reizer verstieg sich einigen Sodalen gegenüber zu der Behauptung, die Versöhnung sei weder aus sachlichen noch Stilgründen gescheitert, sondern an der Eitelkeit der Sodalen, die sich alle insgeheim vorstellten, daß sie aus dieser orientalischen Sitzweise schwer ohne lächerliche und demütigende Hilfsmaßnahmen hochkommen würden (Knien auf allen vieren, ächzendes Aufstemmen unter Zuhilfenahme von Möbelstücken oder Personen). Manche ventilierten sogar den Verdacht, der Afterclub habe sich das mit Absicht so ausgedacht, um die Alten – deren natürliche Autorität sie noch immer ängstigte und biß – in eine beschämende Situation zu manövrieren und dadurch ihren Starrsinn zu brechen.

Wie immer es sich verhielt: Früher als irgendeiner der Altsodalen es für möglich gehalten hätte, zeichnete sich beim Alternativclub ein voller Erfolg ab. Bereits in den sechziger Jahren unseres Jahrhunderts konnten beide Arbeitsgruppen mit eindrucksvollen Zwischenbilanzen aufwarten. Die Ergebnisse der intensiven Erziehungsarbeit im Sinne der Korrumpierung der Phantasie wurden in einer knappen Broschüre zusammengefaßt und den Alten zur Einsicht und Kritik vorgelegt.

Der sogenannte »Aktivbericht I« referierte über den Entwicklungsstand der Arbeitsgruppe »Liebesweh«. Bei 89 Prozent der Untersuchten hatte die Behandlung angeschlagen. Sie hatten drei Jahre hindurch eine »phantasiegereinigte« Sexualerziehung genossen und zeigten nun in bezug auf das Geschlechtsleben ein überraschend einheitliches Bild. Jene hektischen, aufreibenden Strapazen, die der Mensch der letzten Jahrhunderte im Rahmen des Liebeslebens auf sich genommen hatte, fehlten ganz; sie waren praktisch unbekannt.

Zusatzbeobachtung: Bei einer zahlenmäßig durchaus relevanten Gruppe männlicher Versuchspersonen fiel eine eher negativ getönte Einstellung zum Geschlechtsverkehr auf, Ermüdung, Desinteresse, ja Überdruß und oft eine reizbare Unlust. Bei den gleichaltrigen weiblichen Untersuchten zeichnete sich ein Trend zum eigenen Geschlecht ab, der aber weniger lesbisch als politisch motiviert war. Es entstand der Typ der »Emanze«.

Die Zielgruppe der Pubertierenden zeigte lebhafte sexuelle Betätigung, die aber keinen erotischen, sondern, eher möchte man sagen, naturwissenschaftlich sportlichen Charakter hatte. Mit mehr oder weniger Systematik wurden alle erdenkbaren sexuellen Spielarten und Verhaltensweisen, einschließlich der früher als Perversionen verschrienen, durchexerziert, und zwar mit einer oder mehreren aufgeschlossenen und zum Beobachtungsaustausch bereiten Personen. Diese Experimente fanden in einer Stimmung trockener Sachlichkeit statt, die sowohl Jubel wie Ekel ausschloß. Es wehte gewissermaßen Laboratoriumsluft. (Der Reizer sagte einmal, die Erospfeile hätten sich in Injektionsspritzen verwandelt.)

Ein großer Vorteil war, daß die Testpersonen dadurch absolut präzise Angaben machen konnten. Sie beherrschten die Fachterminologie perfekt. Bei der Befragung gaben sie sich unbefangen, manchmal ein bißchen patzig und von oben herab.

Geradezu rührend kollaborativ zeigten sich die Sechs- bis Zehnjährigen. Schon die gewissenhafte Art, in der sie in Kinderschrift die Fragen beantworteten und sich mit klugen Zusätzen artikulierten, bewies ihre Freude an der Mitarbeit. Die Zielgruppe der Kleinen berichtete durchwegs – mit wenigen Ausnahmen – über eine regelmäßige sexuelle Betätigung, die dem Reifezustand der diesbezüglichen Organe entsprach, über den sie genau informiert waren. Ein hochinteressantes Interview mit einem Siebenjährigen konnte leider nur im engen Kreis übertragen werden, weil der Kleine infolge Zahnwechsels mit schwerem Zuzeln beziehungsweise Lispeln zu kämpfen hatte, das seine Aussagen nahezu unverständlich machte. Besonders das von ihm häufig und durchaus korrekt gebrauchte Wort »Frustration« vermochte er nicht ohne Schwierigkeiten auszusprechen, was ihn jedesmal in einen Wutrausch versetzte. Sonst war der – wie die Pressephotos zeigten – körperlich eher unterentwickelte, mit hängenden Beinen im Studiosessel sitzende Brillenträger vollkommen gelöst und sprach ohne kindische Verlegenheit mit einer geradezu souveränen Distanz und Gelassenheit über seine persönliche sexuelle Problematik.

Zusammenfassung: Der phantasiefrei Erzogene regelt sein Geschlechtsleben im Rhythmus seiner Hormonausschüttungen mit einem oder mehreren Partnern, mit denen ihn der Pegelstand der Sekretion zusammenführt, den er wie einen Menstruationskalender kontrolliert. Auf diese Weise gelingt es ihm, pathogene Spannungszustände, die zur Phantasieentwicklung führen, zu vermeiden.

Nur fahrlässige und charakterlich ungefestigte Individuen, die ihren innersekretorischen Vorgängen nicht die nötige Aufmerksamkeit schenken, geraten bisweilen wachend oder schlafend in traumhafte Wahnvorstellungen »erotischer« Natur und müssen eine psychiatrische Betreuung in Anspruch nehmen.

Über eine ähnlich günstige Entwicklung der Phantasieverleidung berichtete die Aktionsgruppe II (Fernweh):

Dank der rasanten Entfaltung des Sozialtourismus, gekoppelt mit allen Techniken der photographischen beziehungsweise filmischen Abbildung ist der Stauungszustand »Fernweh« nicht mehr nachweisbar. Einzelfälle sind statistisch nicht relevant.

Ein reiches, bequemes und wohlfeiles Angebot von Reisearrangements ermöglicht es allen Alters- und Einkommensgruppen, einen sachlichen und instruktiven Überblick über die ehemaligen Sehnsuchtsgebiete der Erde zu gewinnen, wie etwa Dschungel, Wüste, Hochgebirge und Eismeer. Dazu kommen natürlich die wichtigsten Kunst- und Kulturstätten mit entsprechenden Aktiv-Sonderangeboten, beispielsweise Teilnahme an einem lamaistischen Gottesdienst vor Himalajapanorama, Besuch eines gesundheitspolizeilich überwachten Bordells in Bangkok; die sogenannte Abenteuersafari vermittelt unter garantiertem Sicherheitsschutz das Erlebnis der Gefahr.

Man kann heute die statistisch fundierte Behauptung aufstellen, daß ein Großteil der Menschen aller Schichten und Altersgruppen frei von pathologischen Spannungszuständen im Zusammenhang mit Fernzielen ist und im Exotischen deutliche Zeichen von Gleichgültigkeit, ja Gelangweiltheit zeigt, wie Testfilme und Tonbänder beweisen, die mit versteckter Kamera angefertigt wurden: zum Beispiel Gähnen und Schlummern vor Naturwundern und Kulturdenkmälern, Hühneraugenpflege in Museen, schlaffe Züge vor Zeugnissen heroischer Vergangenheit.

Die Hauptbeschäftigung der Reisenden ist die emsige Anfertigung von photographischen Aufnahmen des Gesehenen, eine Tätigkeit, die psychologisch dem Sammeltrieb zugeordnet werden kann. Dem Sippenbewußtsein entspricht die Gewohnheit, einen Angehörigen ins Bild zu stellen, der etwas Rotes trägt, was besonders ruinöse Kunstdenkmäler farblich belebt. Ein fleißiger Sammler ist während einer Reise so angestrengt beschäftigt, daß er erst zu Hause in der Lage ist, zu sehen, was er gesehen hat.

Zu erwähnen wäre noch die Erwerbung in Hongkong angefertigter einheimischer Folklore, die neben der Funktion der Erinnerung und Schmückung des Eigenheims auch eine soziale Bedeutung gewonnen hat. Manch ein berufliches Avancement hängt vom Besitz einer bestimmten Indiomaske oder Negerplastik ab, welche die korrekte Teilnahme am Sozialtourismus beweist und damit auf einen sozial aufgeschlossenen, anpassungsfreudigen und somit kollaborativen Charakter schließen läßt, die betriebsstörende Eigenbrötelei ausschließt. Auch in der Testgruppe Fernweh zeichnet sich ein deutlicher Überdrußtrend ab. Als Ursache für die Reisemüdigkeit wird – ungefähr in gleicher Verteilung – angegeben:

a) Alles schon gesehen
b) Kost
c) Primitivität der sanitären Anlagen
d) Lauter Tschuschen.

DAS FEST UND EIN ERPRESSTES
STEGREIFWINDEI ZU DEN FOLGEN DER
AKTIONEN DER AFTERGESELLSCHAFT

Weihnachten wurde bei uns ganz nach Singers Wunsch gefeiert. Er selbst und Thugut hatten die Zubereitung der Gans übernommen (aus dem stiftseigenen Geflügelhof geliefert!). Meine Aufgabe war es, im – auf Singers ausdrücklichen Wunsch versperrten – Wohnzimmer den Christbaum mit Kerzen, Glaskugeln, Lametta und Zuckerwerk zu schmücken, weil Singer etwas zum Abpflücken haben wollte.

Die Herren schossen indessen, mit Schürzchen angetan, in der Küche herum, prüften die Gans, sotten die Leber und betteten sie sachgemäß und liebevoll in das allmählich abgeschöpfte Fett; bereiteten auch die passenden Beilagen, wie Krautsalat und Erdäpfelknödel, zu. In der ganzen Wohnung zeugte sich der einzigartige fromme Weihnachtsgeruch nach Tannenreisig, Fettgans und Lebkuchen. Thugut sang in der Küche laut Bruchstücke aus Weihnachtsmessen.

Das Fest war in jeder Hinsicht ein Erfolg. Singer war vom ersten Christbaum seines Lebens verzaubert und fast zu Tränen hingerissen, was auch Thugut und mich rührte. Die Gans war zart und fett.

Friedlich saßen wir im dicken Aroma mit heimlich geöffneten Beengungen in der Taillengegend. Wir fühlten uns zu schwach zum Anstand.

»Erzählen Sie mir was«, verlangte Singer behaglich zurückgelehnt, da aufrechtes Sitzen im gegenwärtigen Zustand Selbstquälerei gewesen wäre. »Katholische Großmütter, hab ich mir sagen lassen, erzählen am Weihnachtsabend!«

»Bin ich Ihre Großmutter?« protestierte ich schwach; »was wollen Sie hören? Das obligate Englein, das gerade draußen vorbeigeflogen ist, möglicherweise das Christkind selbst, das sehen wollte, ob die Kindlein alle am Weg zum Bethlehemstall sind? Wenn schon, Singer, dann reißen Sie sich zusammen, dann müssen Sie jetzt auch die Mette besuchen!« – »Gott soll abhüten. Bin ich ein Goj?« rief er erschrocken aus. »Erzählen Sie uns was von der Sodalitas! Was die Alten so getrieben haben, nachdem die Jungen die Zügel an sich gerissen hatten.« – »Auch sind Sie uns noch immer die Antwort darüber schuldig geblieben, wie die Magna Mater sich zu diesen Ereignissen gestellt hat«, stieß Thugut fröhlich ins Singersche Jagdhorn und mich aus dem Behagen.

Aber, bitte, es war Weihnachtsabend! »Friede den Menschen auf Erden, die guten Willens sind!« Sollten sie ihre Geschichte haben. Daß sie etwas einfordern würden, hatte ich geahnt, und so war ich nicht ganz unvorbereitet. – »Die entscheidenden Vorfälle«, begann ich, »ereigneten sich nicht in einer Sitzung der Sodalitas, sondern eigenartigerweise im Kino.« – Die Herren rückten sich gespannt zurecht. »Die alten Sodalen saßen aus Neugier viel im Kino, obwohl sie prinzipiell darauf schimpften. Besonders aber echauffierten sie sich über die Beobachtung und besprachen sie auch ausführlich, daß selbst perfekten Landschaftsbildern jenes schwer definierbare Fluidum abging, das den Betrachter einer echten Landschaft oder eines guten Landschaftsgemäldes mit dem unwiderstehlichen Verlangen erfüllt, von einem süß ziehenden Reiz berührt, in diese Landschaft hineinzugehen und sich darin zu verlieren. Dieser Reiz fehlte der photographischen Abbildung ganz. Es blieb bei einer gut getroffenen Fassade, einem Paßbild der Natur.

Da wartete eines Tages Reb Singer, der regelmäßig das Roxykino, Ecke Hardtgasse/Billrothstraße besuchte, mit einer sonderbaren Geschichte auf, die Hochwürden Köck, der Stammgast im Gersthoferkino war, lebhaft bestätigte. Beide Herren hatten in den letzten Monaten in ihren Kinos eine Gruppe gesichtet, die durch ihre äußere Erscheinung und ihr Auftreten allgemeines Aufsehen erregte. Außergewöhnlich hübsche Mädchen in hochmodischer, ans Gewagte grenzender Kleidung sowie einige junge Herren in auffallendem Karo scharten sich um eine ältere Frau von stattlichem Wuchs. Diese Matrone hüllte sich in fremdartig geraffte Gewänder, trug viel falschen Schmuck und eigenartigerweise flache Sandalen, die von weiter Wanderschaft sprachen. Die Augen waren stark geschminkt. Die großen Züge, durch tiefgeprägte Falten hervorgehoben, gaben dem Antlitz eine gewisse verwüstete Majestät: eine Erscheinung von imposanter, jedoch verschlissener Pracht. Kurz dachte man an ein Freudenhaus auf Urlaub, verwarf aber diese Spekulation sofort wieder, ohne genau sagen zu können, warum. Die Gruppe besetzte im Kino stets die vorderste Reihe, was auf geringe Mittel schließen ließ. Das Betragen der Jungen war etwas lose. Kaugummis, Coca Cola und Popcorn wurden herumgereicht und lebhaft getuschelt und gelacht. – Wirklich befremdend aber benahm sich die Alte.

Sonst am Gebotenen nur mäßig interessiert, manchmal dösend, erwachte ihre Aufmerksamkeit deutlich bei Naturszenen. Sie setzte dann eine Brille auf, die sie, wahrscheinlich aus Eitelkeit – in ihren Röcken versteckt hielt. Manchmal zog sie sogar einen Operngucker hervor, betrachtete eingehend das Landschaftsbild, suchte es genau ab und lachte dann laut und hämisch auf. Als einmal in einem Film eine sehr eindrucksvolle Gewitterszene im Gebirge gezeigt wurde, soll sie mit ausgestrecktem Zeigefinger auf die Leinwand gewiesen und mit voller, doch rauher Stimme ausgerufen haben: ›Nicht einmal meine Löwen!‹ Was niemand vom Kinopublikum, das sich zischend umdrehte, verstand.

Professor Hamburger, ein namhafter Numinologe, stellte eine sehr interessante Vermutung auf, der sich die Mehrzahl der Sodalen anschloß: Es handle sich, erklärte er, bei dieser Gesellschaft mit großer Wahrscheinlichkeit um die Magna Mater selbst, die, begleitet von einigen Najaden und Faunen, das Kino besuche, weil sie neugierig sei, wie sie sich auf der Leinwand ausnehme. Ihr Ausruf aber sei die Feststellung, daß sie sich an den Orten ihrer Erscheinung und Wirksamkeit nicht abgebildet finde.

In diesem Licht wurde auch das Fehlen des ziehenden Reizes klar, der im Film von den Sodalen vermißt wurde. Nur die Materie also war es, die sich photographisch abbilden ließ. Divines dagegen, selbst in der niedrigen Rangstufe der Numina, erwies sich als immun gegen das Ablichtverfahren. Kein Nymphenknöchel, Faunenschwanz, Zwerg, Querz oder Gnom konnte eingefangen werden. Dieses Fehlen der göttlichen Präsenz erklärte vollkommen die eigentümliche Ödigkeit selbst technisch ausgezeichneter Photographien.

Das Phänomen war natürlich auch der Alternativgruppe nicht entgangen und hatte bei den Empfindlicheren ihrer Mitglieder ein gewisses Unbehagen erzeugt. Die seelisch Robusteren dagegen begrüßten diese Eigenschaft der Photographie, wenn sie auch nicht so weit gingen, sich einem Statement anzuschließen, das die ›Gesellschaft gegen den Dämonenglauben‹ damals abgab, dessen Logik den jungen Sodalen doch zu simpel war. Die Naturwissenschaftler hatten nämlich schnurgerade geschlossen: »Das Fehlen numinöser Spuren oder Erscheinungen auf der Photographie ist ein schlagender Beweis für deren Nichtexistenz.«

Ich schwieg. Auch die beiden Herren schwiegen und schienen in sich hineinzuhorchen. Wir befanden uns in jenem Stadium post festum, wo die innersekretorische Chemie einen Giftstoff erzeugt, der sich seelisch als Wehmut niederschlägt.

»Damit sind wir wohl wirklich am Ende der ›Geheimen Gesellschaft‹ angelangt«, klagte Singer. »Sie ist mir nachgerade ans Herz gewachsen. Aber was blieb ihnen noch zu tun? Ist die Potenz, vermöge derer religiöse Vorstellungen entwickelt und ausgebildet werden, einmal angefressen oder gar zerstört, dann ist der Prozeß nicht mehr aufzuhalten, die Welt im vollsten Sinn des Wortes entgöttert.«

»Mir ist auch leid um die skurrilen Alten«, sagte Thugut; »denn was nun eintrat – und so ist es ja auch wirklich –, ist keineswegs die Kontrolle über unsere Abschweifungen ins Irrationale, die soviel Gefahrenstoffe enthalten, sondern dieser Bereich wird überhaupt als lästiger Ballast über Bord geworfen. Und wohin dann mit unseren Ängsten? Wohin sogar mit unserem Verzicht auf einen kleinen Ausflug ins Metaphysische? Diesen alten Männern kann eine solche Gewaltlösung keine Beruhigung gebracht haben. Sie hatten das Ende ihrer Lebenstage vor sich. In den Zeiten vorher hatten sie viel gesehen, allzuviel; aber jetzt sahen sie gar nichts. Was werden die getan haben?«

»Ich denke, man wird sich auf düstere Prophezeiungen beschränkt haben«, meinte ich, »milde Klagen, resignierte Elegien auf die Eitelkeit alles menschlichen Tuns. Vielleicht, daß ein paar Kleinaktionen nebensächlicher Natur ohne richtigen Ernst so dahinliefen, mehr aus alter Gewohnheit, vielleicht zur Betäubung.« –
»Und was könnte das gewesen sein«, forschte Singer plötzlich wach; »füllt es ein Windei?«

»Sie denken immer nur an die Nutzbarkeit«, schimpfte ich. »Schämen Sie sich. Zeilenhonorar schinden!

Wird dann aber von mir geliefert, danken Sie mit nichts als Genörgel.«

»Gut, gut! Man streitet nicht am Heiligen Abend, pax in terra!« wiegelte Thugut ab; »mir fällt nur gerade ein, weil ich hörte, sie gingen viel ins Kino: Es kann ihnen doch nicht recht gewesen sein, wie die Filmleute, als ihnen die eigenen Ideen ausgingen, schamlosen Stoffraub an der Bibel begingen und die heiligen Geschichten mit Pomp und Getöse auf die Leinwand brachten?«

»Das war ein viel zu gutes Geschäft«, raunzte Singer, »da werden die Sodalen auf Stahl gebissen haben.«

»Dabei fällt mir auf«, sinnierte Thugut, »daß die klassisch-mythologischen Stoffe weit weniger mißbraucht wurden als die Offenbarung. Dabei enthalten sie viel Schinkengerechtes.«

»Ich verrat Ihnen was«, mischte ich mich ein; »das, was Sie gesagt haben, ist natürlich auch den Sodalen eingefallen, und es wurmte sie, auch ließ Ištarovič es nicht an stichelnden Bemerkungen fehlen. Mit umso boshafterer Befriedigung stießen sie im Kaffeehaus, wo sie alle Journale durchgingen, eines Tages auf eine Ankündigung, Metro Goldwyn Meyer habe ein millionenschweres Projekt in Arbeit, welches das Liebesleben der babylonischen Ischtar mit allen seinen frivolen Details zum Thema habe. Wegen der Besetzung der Hauptrolle habe es unter den bekannten Stars schon die wildesten Szenen und Krisen, gewürzt mit eindrucksvollen Schreikrämpfen, gegeben. ›Nun, was sagen Sie jetzt!‹ hielt man Ištarovič unter die Nase. Der ging mit verschlossener Miene nach Hause.

Wenige Wochen später fand der Dr. Schlesinger, der nicht die kleinste Notiz ausließ, eine winzige Anmerkung in einem wenig gelesenen Blatt: Metro Goldwyn Meyer hätte – mit noch nicht übersehbaren finanziellen Verlusten – einen fast fertiggestellten Filmstreifen mythologischen Inhalts im Zensurverfahren zurücknehmen und sogar vernichten müssen. ›Na, was sagen Sie? Die Frauenvereine müßte man für sich einspannen können. Das siebenmalige Striptease, dem sich Ischtar auf Befehl ihrer lieben Schwester Ereschkigal unterwerfen mußte, war ihnen doch zuviel!‹ – ›Wahrscheinlich haben sie es im Hollywoodstil zu fett und ausführlich zurechtgemacht!‹ freute sich Pater Benedikt und schnalzte. Da fuhr ihnen Rubenjew ins behagliche Geschwätz und wies mit zitterndem Zeigefinger auf eine Stelle in der Rubrik ›Ehrungen‹. Hier stand zu lesen: ›Herrn Hofrat M. I. wurde der große goldene Orden mit Diamanten Pro Pietate verliehen. Herkunft der Auszeichnung, Datum und Ort der Überreichung sowie Genaueres über den Empfänger bis Redaktionsschluß noch nicht bekannt.‹

Die Blicke der Sodalen richteten sich ohne Ausnahme langsam auf Ištarovič, der undurchsichtig lächelnd an seinem Kaffee schlürfte. ›Seine Beziehungen müßte man haben‹, giftete Rubenjew und sog neidisch an seinem Gebiß.

Nicht lange darauf erhob sich Ištarovič – es war seine übliche Zeit –, setzte seinen Homburg eine kaum greifbare Spur schräger als sonst auf, was seinen römischen Zügen etwas angedeutet Faunisches gab, zog seinen geschweiften Überzieher an und verließ, eine gewisse Steifbeinigkeit geschickt überspielend, nach einem freundlichen Nicken das Lokal. In der Linken hielt er wie gewöhnlich feine Handschuhe, in der Rechten neuerdings ein schwarzes Stöckchen mit Elfenbeinkruke, eine unbekleidete Najade darstellend. Dabei summte er einen Päan auf die Blachernissa, die Jungfrau zu den neunzig Schiffen.«

»Nun also«, grinste Thugut, »man muß sie nur ein bißchen reizen, dann kommt sie in Legestimmung. Hier, liebe, verehrte Frau Doktor«, Thugut füllte mir das Glas nach und stieß mit mir an, um mich zum Trinken zu zwingen und damit etwa vorhandene Barrieren oder Trotzstimmungen zu brechen, »jetzt erzählen Sie uns, was sich weiterhin begab. Denn sicher begab sich noch etwas.« – Singer scheute nicht vor der Schamlosigkeit zurück, zu sagen: »Wissen Sie was? Ich wünsch mir's zu Weihnachten!« Ich war zu schwach zum Widerspruch.

»Weitsichtiger und auch um vieles zäher als die Jungen, ersparten sich die alten Sodalen nicht, das ganze Ausmaß der Verschneidungsaktion festzustellen. Der Erfolg war ja weit über das Angestrebte hinausgegangen und hatte – wie man fürchtete – nicht nur den Aberglauben ausgerottet, sondern jede Fähigkeit zur Religiosität überhaupt. Kühlen Kopfes traf man die Vorbereitungen dazu, die Katastrophe in ihrer ganzen Breite und Tiefe schonungslos auszuloten. Man berief alle Emissäre ein, die von alters her noch immer in den religiös brisanten Zonen die Entwicklungen zu beobachten hatten; alte Herren durchwegs, die sich in den betreffenden Ländern längst eingelebt hatten und kaum mehr auf eine Berufung gefaßt waren. Trotzdem fanden sich alle die Herren aus Istanbul, Athen und Tel Aviv termingerecht in Wien ein.

Die Versammlung fand im erzbischöflichen Palais in einem abgelegenen Bibliotheksraum statt, den zur Zeit Monsignore Gianfredo besetzt hielt. Er hatte sich in die Kirchenväter verbissen und war, seit er im tertullianischen Gestrüpp festhing, so unleidlich, daß die geistlichen Herren, die das Palais bewohnten, seine Gesellschaft verläßlich mieden. So blieb man unter sich.

Als erster ergriff der Abgeordnete für Groß-Hellas das Wort. Ehemals ein heiterer, überaus kontaktfreudiger Levantiner. Er war kaum mehr zu erkennen. Die beiden Sofraneks wollten wissen, daß er die letzten Jahre als Einsiedler auf Patmos verbracht und vorhatte, sich demnächst in ein Kloster auf dem Berge Athos zurückzuziehen.

Land und Inseln sowie das Meer selbst, berichtete er, seien durch ameisenhafte touristische Invasionen entstellt, das Volk durch den leichten Profit korrumpiert, die Natur aber von einem kaum beherrschbaren Virus infiziert, der besonders verheerend unter den Numina wüte, die sich sehr anfällig erwiesen. Die Populationen hätten bereits stärksten Schaden genommen. Dieser Virus bewirke eine Hemmung des Fortpflanzungswillens, sowohl untereinander als auch mit Menschen (hier flüsterten einige Herren mit einem Seitenblick auf den Emissär). Sie alterten jetzt auch, und infolge einer Schädigung des Orientierungssinnes verirrten sie sich in die Städte, verwahrlosten und fielen den Fürsorgeeinrichtungen zur Last. Viele Faune ergaben sich dem Trunk, Najaden, Oreaden und Dryaden fretteten sich mit Andenkentrödel, Handlesen und ein bißchen Hurerei durch; ein paar intelligentere Altnymphen wirkten im Fremdenverkehr als Kunstführerinnen.

Im heiligen Byzanz, hörte man vom dortigen Emissär, fehle, wahrscheinlich aus ähnlichen Ursachen, bereits jede göttliche Präsenz. Es werde nicht einmal mehr die ›heilige und selige Euphemia‹ gesichtet, die nun schon seit mehr als tausend Jahren am Jahrestag ihres zweiten Martyriums (als der Kopronymos, Konstantin V., ihren Schrein in den Bosporus werfen ließ) diese Meerfahrt im offenen Sarge wiederholt hat, und zwar – wie bekannt – ›die Arme auf der Brust gekreuzt, so lieblich, als ob sie schliefe‹. So hatte eine hocherbaute Menge sie jährlich durch die Dardanellen nach Lemnos treiben sehen. Leider war im Zuge des Tourismus das holde Mirakel ausgeschwatzt worden. Gleichzeitig kreuzten am bestimmten Tage ein Exkursionsschiff der ›Ozeanographischen Gesellschaft‹ sowie eines der ›Spiritistischen Weltkongregation‹ in diesen Gewässern, um das Ereignis filmisch festzuhalten. Die einen, um die Realität des lieblichen Wunders zu leugnen, die andern, um es zu bestätigen. Als die ›heilige und selige Euphemia, die Hände über der Brust gekreuzt, so lieblich, als ob sie schliefe‹, merkte, was man vorhatte, soll sie sich im Sarge jäh aufgesetzt und auf altgriechisch gezankt und geflucht haben, und zwar in unwiederholbaren Wendungen. Jedoch weder die sofort eingeschalteten Tonbänder noch die laufenden Kameras hatten das Geringste aufgenommen. – Seit diesem Eklat zeige sich die heilige Euphemia nicht mehr an ihrem Ehrentag.

Zuletzt bestieg der Emissär für den Nahen Osten die Rednerbühne. Eigenartigerweise war er bis an die Zähne bewaffnet. Eine tiefe Trauer lagerte auf seinen Zügen. Er faßte sich kurz. Mit wenigen, aber erschütternden Worten gab er bekannt, daß im Samen Jakob die Gottesleidenschaft in eine ganz gewöhnliche nationale Grille umgeschlagen sei, eine Kinderkrankheit, die andere Völker schon hinter sich gebracht hatten. Mit der stammeseigenen Zähigkeit niste man sich in jedem Fußbreit Boden ein, über den vor Zeiten die Herden eines Patriarchen getrippelt, was die bisherigen Eigner erbose. Dadurch herrsche Unruhe und Unsicherheit im Lande.

An dieser Stelle brach der Emissär den Bericht ab, weil er etwas ticken hörte, was er für eine Bombe hielt, und ging aufseufzend suchen.«

Nachdem ich das erpreßte Stegreifwindei gelegt hatte, verlangte Singer im Ton eines quengelnden Kleinkindes, daß der Christbaum noch einmal angezündet würde zur Klavierbegleitung eines Potpourris der gängigen Weihnachtslieder. Es sei sein erstes, wahrscheinlich letztes Weihnachten, ließ er nebenbei fallen, er möchte es voll und ganz haben. – Ich tat ihm also die Liebe. Der Dank war, daß er, angenehm von Speise und Gefühlen gesättigt, plötzlich ganz nüchternen Tones unter der Wohnungstür feststellte, daß das »Schisma-Windei« einen schlampigen Schluß habe. Es fehle eindeutig die Beantwortung der Frage, wie der Phantasieverschnittene Gott sieht.

Ich deutete einen Tritt an, der nicht aus Feinheit, sondern aus Angegessenheit nicht zur befriedigenden Ausführung kam.

STATISTISCHE UMFRAGE NACH DEM WESEN
GOTTES UND DAS LOCH IM SICHTBAREN

Singer hatte sich in seiner üblichen vorbehaltsprallen Art im wesentlichen mit dem »Schisma von Tulln« einverstanden erklärt. Er gab sogar zu, daß er von der Idee der statistischen Umfrage angeregt worden sei. So habe er im Statistischen Zentralamt die Umfragen der letzten Jahrzehnte durchpflügt. Zunächst erfolglos. Was erforschte man schon? Meinungen über Politiker und Waschmittel. Er war schon dabei gewesen, aufzugeben. Da wurde er von einem Archivar, der sein Tun beobachtet hatte, darauf aufmerksam gemacht, daß große Firmen, die eher ordinäre Produkte erzeugten – aus unterschwelligen Gewissensbissen oder aus Reklamegründen, um sich als Mäzene zu profilieren –, freigebliebene Fragepunkte kulturellen Institutionen zur Verfügung stellten, die sich aus eigenen Mitteln solche Umfragen nicht leisten konnten. Sie verlangten dafür nur, in einer daraus resultierenden Publikation mit einem Hinweis erwähnt zu werden, beispielsweise: »Wir danken die großzügige Freistellung unserer Fragepunkte der Firma ›Cosy Plus, kuschelweich‹.«

Auf diesen Hinweis begab sich Singer abermals auf die Suche und wurde überraschend schnell fündig.

»Tofix desodoriert verläßlich Ihr Bad und WC« hatte ein breit gestreutes Publikum befragt, wie das Produkt ankomme. Und siehe da! Anschließend an die Umfrage »Würden Sie Tofix auch lieben Freunden empfehlen – schenken – haben Sie schon«, ganz sachfremd:
»Wie stellen Sie sich Gott vor:
männlich
weiblich
bi
geschlechtslos
bildhaft
bildlos bzw. unsichtbar*?

---

* Sollten Sie sich für »bildlos/unsichtbar« entscheiden, geben Sie uns bitte eine kurze Definition des Begriffs der Bildlosigkeit.

»Na, was sagen Sie?« – »Großartig, Singer. Jetzt möchte
ich nur wissen, was bei der Umfrage herausgekommen
ist?« – »Ja, das möchte ich auch gern wissen! Leider ist
die Auswertung wegen des Datenschutzes nicht zugänglich.« – »Das heißt, daß ich mir eine ausdenken
muß?« – »So wird es wohl sein!«

Auswertung der an die TOFIX-Umfrage
angeschlossenen Punkte unter Umgehung
des Datenschutzes durch eine mäßige
Bestechungssumme

Der Aftergesellschaft, von ihrem eindrucksvollen Erfolg
in der »Verschneidungsaktion« geschwellt, schien die
Zeit reif für eine letzte, entscheidende Umfrage: das
Gottesbild des modernen Menschen. Man wertete diese
Aktion lediglich als eine Gegenprobe, um den alten Sodalen jedes sicher zu erwartende Genörgel kurz abkap-
pen zu können. Die stolzen Ergebnisse, welche im Bereich »Fern- und Liebesweh« erzielt worden waren,
schlossen alle Zweifel aus. Die Einbildungskraft, jenes
Medium, das den Menschen anfällig für das Mysterienspektakel mit seinen stehenden Rollen macht, unter denen die Magna Mater in verschiedener Gestalt eine prominente Position eingenommen hatte, diese Einbildungskraft war praktisch zerstört. Die wenigen noch
davon Befallenen lebten am Rande der Gesellschaft in
Sanatorien, Einsiedeleien und Irrenhäusern, zumindest
in psychoanalytischer Behandlung, die sogar die Kran-
kenkassen zu zahlen bereit waren.

Es bestand im jungen Flügel nicht der geringste
Zweifel, daß sich die überwältigende Mehrheit der Be-
fragten für einen bildlosen Gott entscheiden würde, der
natürlich auch sexuell nicht fixiert war. Man befand
sich in euphorischer Verfassung und stellte sich vor, wie
man den alten, grollenden Sodalen dieses Ergebnis vorlegen würde, nicht ohne einen trockenen Hinweis auf
die Raschheit und Vollständigkeit des Erfolgs in einer

Sache, an der sie, die Alten, Jahrhunderte vergeblich herumgenagt hätten.

Eine Unzahl von Bogen kam unter die Leute, von dem erfahrenen TO FIX-Team kundig ausgefragt; Exploratoren, die sich über keine Frage wunderten, die keine Peinlichkeit kannten und geübt darin waren, dem zahnlosen Mütterlein, dem hochfahrenden Akademiker sowie dem stammelnden Halbidioten Aussagen zu entlocken.

Der Alternativclub fieberte der Auswertung entgegen. Zwei Mitglieder hatten einen einschlägigen Kurs absolviert. Eine Hollerithmaschine war für einen Nachmittag gemietet worden. Sämtliche Sodalen waren anwesend, standen blaß und nervös herum oder gingen rastlos auf und ab. Man rauchte unzählige Zigaretten und trank Schweppes Tonic, während die beiden Experten die Maschine speisten.

Endlich erschienen die Ergebnisse.

Bezüglich der Frage nach der geschlechtlichen Beschaffenheit Gottes waren nur sechs Prozent der Bogen eindeutig beantwortet. Die große Mehrzahl war nicht ausgefüllt, einige zeigten ein großes Fragezeichen. In vier Fällen fand sich ein obszönes Schimpfwort.

Die nähere Analyse der ausgefüllten Formulare ergab, daß sich ungefähr die Hälfte davon für »männlich« beziehungsweise »weiblich« entschieden hatte. Dabei war auffallend, daß es sich in beiden Fällen überwiegend um Frauen handelte. Die Zusatzfrage nach dem am meisten bewunderten Mann (respektive Frau) des Beantworters ergab bei denen, die sich für »männlich« ausgesprochen hatten, die Antwort: Papst, Herr Pfarrer, der Führer. Bei jenen, die für »weiblich« stimmten – übrigens fast durchwegs ledige oder geschiedene Akademikerinnen und Politikerinnen –, hatte eine überraschende Anzahl, neben anderen berühmten Frauen, Penthesilea, die Amazonenkönigin, angegeben. So konnte man mit Recht auf eine militant feministische Gruppe schließen.

Da sechs Prozent aber statistisch nicht relevant sind,

wurde das Fehlen der Antwort bei der überwiegenden Mehrzahl der Angesprochenen als Zeichen für eine geistig abstrakte Gottesvorstellung gedeutet und als Beweis für die rationale Reife der phantasiebefreiten Menschen interpretiert. Wesentlich gelassener, ja schon mit einer fast leichtfertigen Launigkeit, ließ man Frage 2 durch die Maschine laufen: bildhaft oder bildlos/unsichtbar. Das Ergebnis war noch magerer. Man hatte diese Frage offenbar nicht als Problem erfaßt. In einem einzigen Fall hatte sich eine Testperson für »bildlos/unsichtbar« entschieden und »Bildlosigkeit« in etwas zittriger, großzügiger Kurrentschrift definiert als »ein Loch im Sichtbaren«.

Was nun geschah, konnte nur durch langwierige Kleinarbeit der beiden Sofraneks wie durch einige Indiskretionen der Gattinnen und Mütter der jungen Sodalen einigermaßen rekonstruiert werden. Sicher ist, daß den Alten *kein* Untersuchungsbericht vorgelegt wurde, obwohl als einziger, der unemotionell reagiert hat, Professor Wurmstecher einen solchen Bericht abgefaßt haben soll, und zwar mit folgendem Wortlaut: »Die Aktion ›Verschneidung der Phantasie‹ kann eindeutig zu 94 Prozent als Erfolg gewertet werden. Der Umstand, daß konkrete Fragen über das Gottesbild nur von sechs Prozent der Teilnehmer (außerdem sozialen Randgruppen!) beantwortet wurden, zeugt für eine vernunftbetonte Gottesvorstellung. Der phantasiebeschnittene Mensch zeigt durch seine zurückhaltende Reaktion großen Ernst den Fragen der Religion gegenüber und ist durch die Verkümmerung beziehungsweise Sterilisierung der Vorstellungskraft immun gegen die Entfaltung des ›Großen Spektakels‹.«

Angeblich war dieses Resümee eine Alleinarbeit Wurmstechers. In Wirklichkeit soll es nach der Auswertung der Gottesfrage im Alternativclub keine geordnete Diskussion gegeben haben, sondern Schreiduelle. Die Mehrzahl der jungen Sodalen erlitt Nervenzusammenbrüche, depressive Schübe oder wenigstens Weinkrämpfe.

Das Gerücht von der Selbstentleibung eines jungen Klerikers, des Verfassers eines modernen Schulbuches für den progressiven Religionsunterricht namens »Come on, Jesus!«, erwies sich als falsch. Der Betreffende war nur wortlos in einen sehr konservativen und in strengster Zurückgezogenheit lebenden Orden eingekrochen.

Der junge Chaimowitsch demütigte sich vor dem Vaterhaupt und stieg ins Devotionaliengeschäft ein. Es soll dabei zu Szenen gekommen sein, die der Geschichte vom »Verlorenen Sohn« nachgefühlt und von beiden Beteiligten ergreifend gestaltet worden sind.

Die von den jungen Häretikern so dreist und unbedacht ausgelöste Lawine war allerdings nicht mehr aufzuhalten. Seit man die Menschen der Phantasie beraubt hatte, griff rapid eine allgemeine geistige Verödung um sich. Selbst Kinder vermochten nicht mehr in Bildern zu denken beziehungsweise sich Geschichten bildhaft vorzustellen. Die Sodalin, noch immer im Schuldienst tätig, gab eindrucksvolle Beispiele aus der Praxis. Eine gewisse Müdigkeit ergriff die alten Sodalen, die keine Zukunft mehr für die ehrwürdige Gesellschaft sahen. Man berief eine Zusammenkunft ein, in welcher die Ergebnisse der Jahrhundertearbeit resümiert und gedeutet werden sollten.

Nach einigen meist sentimental getönten Aussagen mit senilem Einschlag meldete sich Dr. Solomo, ein hochgelehrter Talmudist und Schriftkenner. Das Wort wurde ihm erteilt. Dr. Solomo begab sich zum improvisierten Rednerpult und hüstelte sich frei. Dann setzte er zum Sprechen an, brach aber noch einmal ab, pokelte sorgfältig in seinem rechten Ohr. Nachdem er das Bohrgut eingehend betrachtet hatte, sagte er: »Dieser Mensch ist ein tiefsinniger Grübler!« Nervöses Füßescharren bei den Zuhörern. Aufschrecken Solomos aus tiefer Nachdenklichkeit, dann mürrisch: »Der mit dem Loch im Sichtbaren, mein ich natürlich.«

Nun waren die Sodalen im Bilde und setzten sich zurecht. Man kannte den Gelehrten. Hatte er gewisse Präludien hinter sich gebracht, förderte er für gewöhnlich anregende und gescheite Ideen zutage, die nur bisweilen einen leicht abstrusen Einschlag hatten.

»Dieses Herumschnitzeln an der Phantasie, das sich die Buben da geleistet haben«, sagte er mit angeekelten Zügen, »war ein Kardinalfehler, der kaum mehr rückgängig gemacht werden kann. Ein logischer Fehler war es und ein moralischer dazu.«

Jetzt begann sich allmählich das Schwungrad seiner Gedankenproduktion in Bewegung zu setzen. Er wurde lebhafter.

»Jene«, sprach er und wies mit einem verächtlichen Daumen in unbestimmte Richtung, aber jeder wußte, daß er den Afterclub meinte; »jene haben mit der Fähigkeit, sich Bilder zu machen, auch die Möglichkeit vernichtet, sich Gott ohne Bild vorzustellen. Ist doch die bunte heidnische Bilderüppigkeit die Voraussetzung dafür, den Begriff der Bildlosigkeit zu erfassen. Als wir uns vor Zeiten entschlossen haben, uns den Allerhabenen unsichtbar und bildlos vorzustellen, geschah das nicht aus einem Unvermögen, aus einer Art optischer Phantasieschwäche. Daß wir auf den großen Trost des Bildes verzichtet haben, war ein Akt bewußter Entsagung. Denn – unter uns gesagt – der Unsere ist so beschaffen und hat sich unseren Urvätern in einer Weise dargestellt und in Szene gesetzt, daß wir uns Bilder von ihm hätten machen können, daß es dem Heidenvolk ein Gaffen und Augenübergehen gewesen wäre! Aber wir wollten es nicht. Teils zu Fleiß, vor allem aber, um ein Zeichen der Ehrfurcht zu setzen und der Besonderheit dieses unseres Gottes, der über allen Bildern ist.

Aber noch etwas war es, Freunde, was uns dazu trieb, uns das Bildermachen zu versagen, obwohl doch Gott selbst – die ganze Schöpfung ist Zeuge – dem Bildermachen ganz und gar nicht abhold ist. Jedoch! Und da liegt's: der Allgewaltige kann seinen Bildern eine Seele geben. Wir können das nicht. Unsere Bilder sind bestenfalls halbe, sehr verminderte Schöpfungsakte. Ein Bild von Menschenhand, so schön es sein mag, hat immer etwas Lügenhaftes an sich, ein ›so tun als ob‹. Spukwerk, Irrlichterei und Gaukelspiel haftet auch an den besten Bildern, die von Menschen geschaffen wurden, und wer möchte es verantworten, den Allumfassenden herabzuzerren in die traurige Zwielichtigkeit, in das Blendwerk zwischen Sein und Schein, das kein Spiegel der Gottheit ist, sondern Magie und hexische Gespensterei wie das ›Große Spektakel‹ selbst, das wir immer bekämpft haben. Sicher, es hat das Schönste hervorgebracht, was Menschen gemacht haben in ihrer schwerfingrigen Nachahmung der Schöpfung, aber es hat auch das Grausigste in Gang gebracht, das Menschen einander angetan haben im Namen einer wie immer gesehenen Gottheit. So haben wir uns lieber abgeplagt mit der Bildlosigkeit.

Diese Unsichtbarkeit hat nun jener anonyme Beantworter ein ›Loch im Sichtbaren‹ genannt. Eine Definition, meine Verehrten, die eine tiefe, absprechende Wahrheit enthält. Denn – seien wir ehrlich! – mit der Vorstellung des Bildlosen ist es – trotz redlichster Mühe – nie weit her gewesen. Wer kann eine bildlose Wahrheit erfassen, es sei denn im Nichtbild, im Negativen. Und – verzeihen Sie mir – das Nichtbild innerhalb einer bilderstrotzenden Schöpfung ist dann eben ein ›Loch‹.«

Nach dieser verblüffenden, aber zweifellos scharfsinnigen Aussage nahm Solomo wieder Platz. Da sagte laut der Reizer mit klagender Stimme: »Aber trotz allem! Gott hat uns diese Fähigkeit, diese überheikle, verführerische und unfugträchtige Fähigkeit zum Bildermachen doch nicht angeschaffen, damit wir sie verschmähen, ihm gewissermaßen vor die Füße werfen. Ist es doch gerade dieses Gottesgeschenk, das uns einen würdigen Ort in der Schöpfung gibt, dies Schwebende zwischen Tier und Gott. Mögen diese Bilder auch Spukwerk sein! Die Phantasie, die sie schafft, ist zwar nur fähig zur Blendung – wer wüßte das besser als wir! –, aber *ohne* Phantasie – das sei klipp und klar gesagt – fallen wir zurück in die traurige Entwicklungsstufe schnatternder Makaken.«

In die nachdenkliche Stille, die sich lähmend ausbreitete, hörte man die Sodalin Monsignore Gianfredo schallend ins Ohr sagen: »Kann ein Loch nicht auch ein Ausblick sein?«

Dazu muß gesagt werden, daß die Frau Studienrätin Windig mit steigendem Alter immer öfter die logische Orientierung verlor und dabei mit Aussagen überraschte, die erst befremdeten, sich dann aber zum Ohrwurm auswuchsen. Man litt dann unter der Ungewißheit, ob man es mit Unsinn oder Tiefsinn zu tun habe.

ICH MUSS EINEN ANNALENBRAND VERANSTALTEN

Singer war in den letzten Tagen unleidlich, nörgelte und stänkerte vor sich hin, bezichtigte sich der schnöden Geldgier, sah sich als Opfer der Verhältnisse dieser Welt, die ihn dazu genötigt hatten, eine Arbeit anzunehmen, die er innerlich ablehnte, der er sich nicht gewachsen fühlte.

Was war geschehen? – Er hatte von Paragonville, das mit seiner bisherigen Arbeit hochzufrieden war, eine sehr höflich gehaltene Mahnung bekommen, das Werk, das ja nun im Sachlichen abgeschlossen war, mit der ausbedungenen Würdigung Paragonvilles abzuschließen. Es sei davon bei den ersten Besprechungen die Rede gewesen. Der ganze – übrigens hervorragende – Überblick über die europäische Geschichte diene ja schließlich dem Hinweis, daß man in Amerika – Paragonville sei dafür ein besonders lobenswertes Beispiel – jene Verwicklungen klug vermieden habe, die Schrecknisse, wie die Geschichte der Alten Welt sie böten, auslösen könnten.

»Dieses eingebildete Pack«, schimpfte Singer ungerecht, »mit welch reinem Gewissen sie sich willkommene Gruselschauer verschaffen an unserem Elend, um sich dann brüsten zu könncn: ›Welch herrlicher Skandal! Und am herrlichsten ist es, daß in meiner Familie so etwas nicht vorkommen kann!‹ Und dafür soll ich ihnen noch die Argumente liefern, damit sie sich als persönlichen Verdienst anrechnen können, was sie nur dem Umstand verdanken, daß sie mit gekappten Wurzeln über den Ozean getrieben sind. – Und was sie dort angetroffen haben, wurde als Ungeziefer vertilgt, gerodet, ausgerottet.«

»Ja, das ist nun Ihre Sache«, konnte diesmal ich mit sattem Gewissen sagen und in denselben Worten, mit denen er mir immer Windeier herausgezogen hatte. »Ich habe meine Pflicht getan.«

Er schoß mir beim Abgang einen verqueren Blick zu, sagte aber nichts.

Merklich aufgeheitert, mit einem gewissen verdächtigen Glanz in den Augen, fand er sich nach ein paar Tagen beim Vorzimmerfenster ein und streckte mir auf der Besenstange einen Brief entgegen. Voll böser Ahnung überflog ich ihn und mußte mich sofort niedersetzen.

In Paragonville hatte sich ein ehrgeiziger junger Historiker niedergelassen. Er stammte aus einer eingesessenen Familie, hatte sich aber lange in Europa aufgehalten. – Man hatte ihn in das Projekt eingeweiht und ihm das Doppelopus zur Begutachtung vorgelegt.

Sehr beeindruckt vom sachlichen Teil, war er über den Windeiern in ein mesquines Grübeln geraten und hatte den Urhebern des Unternehmens den Floh ins Ohr gesetzt, daß sie von den »Annalen« der Sodalitas, auf die manchmal angespielt wurde, doch Originalkopien anfordern sollten, die sich auch als Illustration des Textes gut machen würden.

Jetzt hatte ich's. Das Stänkern und Unbehagen waren nun bei mir. »Jede Bosheit fällt zurück«, sagte Singer heiter.

»Nun, haben Sie sich vielleicht den Preisgesang schon abdestilliert?« warf ich ihm spitz hin und brachte ihn dadurch zum Schweigen; allerdings mich selbst nicht zur Ruhe.

Nach tagelangen gründlichen Überlegungen gedieh ich zu folgendem Text, den ich Singer gab, um ihn dieser lästigen, europäisch übertünchten neuen Wanze in den Saugrüssel zu stopfen.

Sehr geehrte Herren!

Ich beglückwünsche Sie zu dem verheißungsvollen Zuwachs im Kulturleben Ihrer schönen Stadt, das durch ihn sicher sehr bereichert werden wird. Die Forderung des Kollegen – den ich unbekannterweise herzlich grüße – ist verständlich und zeugt von Klugheit und wissenschaftlicher Reife. Zur befriedigenden Beantwortung muß ich allerdings ein bißchen ausholen. Ich bitte um geneigtes Gehör. Es ist ein wenig Umständlichkeit vonnöten, um Ihnen die verwickelte Art zu erklären, wie ich zur Einsicht in diese »Annalen« gelangte; genaugenommen die angesengten Reste dieser Annalen, deren Entzifferung oft beträchtliche paläographische Mühe erfordert hat.

Wie ich erwähnt habe, gab es in der Geschichte der Sodalitas immer einen Sekretär, der das Sitzungsprotokoll führte und auch die wichtigsten Ereignisse, die sich außerhalb der Sessionen abspielten, getreu vermerkte. Der jeweilige Sekretär war auch für das Konvolut verantwortlich und hielt es bei sich zu Hause unter Verschluß, da die Sodalitas ja über keine öffentliche Amtsräume verfügte.

Über die strenge Schweigepflicht wissen Sie Bescheid. Ich füge noch dazu, daß niemals in der bekannten Geschichte der Sodalitas gegen dieses Gebot verstoßen wurde, bis zu jenem unglücklichen Zwischenfall, der sich vor wenigen Jahren ereignet hat und von dem ich Ihnen nun berichten will.

Sie werden den letzten Darstellungen entnommen haben, daß der Kreis der Sodalen durch natürlichen Abgang (regelmäßig ein schöner Tod im höchsten Alter) sehr geschmolzen ist, zumal seit dem unglückseligen Schisma keine Neuzugänge stattfanden und durch die Aktion »Phantasieverschneidung« sich eine Weiterführung der Gesellschaft erübrigte.

Da geschah es, daß eines Tages der hochbetagte jüdische Sofranek verschied und einen schwer betroffenen, geistig und seelisch zerrütteten katholischen Sofranek zurückließ. Leider wirkte sich diese Zerrüttung bei dem Sechsundneunzigjährigen auch auf die Charakterfestigkeit aus. Etwas Entscheidendes lockerte sich in ihm, und als ob jahrhundertealte, schwer getragene Fesseln plötzlich zersprengt würden, brach sich ein ungehemmtes Trätschertum Bahn, das sich bis zu diesem Augenblick Generationen hindurch immer streng auf die Interessen der Sodalitas beschränkt hatte. Niemals war auch nur der leiseste Verdacht aufgekommen, daß ein Garullus Sodalitasgeheimnisse auch nur andeutungsweise ausgeplaudert hätte.

Der letzte Sofranek nun – er ist inzwischen dem Verblichenen in die Grube gefolgt – wurde wie gesagt in einer Art Orientierungslosigkeit, in die ihn der Schmerz um den Verlust des Freundes gestürzt haben dürfte, Beute einer plan- und uferlosen Austratsch-Sucht. Bekannte und Unbekannte, die er bei seinem Umherirren in den Gassen der Stadt traf, hielt er am Revers fest, um sie mit fliegender Hast mit Sodalitasagenden bekannt zu machen, glücklicherweise fragmentarisch und Heutiges mit Uraltem wahllos vermengt. Durch diese abstruse Mischung und Wunderlichkeit des Ausgetratschten sahen die meisten seiner Opfer nichts als senile Geschwätzigkeit und nahmen nichts ernst. Man löste seine Finger sanft von Knopf und Revers, nickte ihm freundlich zu, schlug ihm aufmunternd auf die Schulter und hatte nach drei Schritten alles vergessen. Trotzdem sprach sich die Sache herum, und die gefährliche Auflockerung des alleingelassenen Sofranek kam auch den Sodalen zu Ohren. Er selbst war Vorhaltungen nicht zugänglich, verstand sie nicht einmal. So blieb nichts übrig, als in einer Sofortaktion dem Sekretär und Protokollführer den Auftrag zu erteilen, die Annalen vollständig zu vernichten.

Nun war der letzte Protokollführer emeritierter Beamter des »Haus-, Hof- und Staatsarchivs« aus der Beamtenklasse B und hatte daher nur eine kleine Pension

413

zu verzehren. So erklärt es sich, daß er seine Behausung mit einem Kanonenofen beheizte, jener schon ganz aus dem Gebrauch gekommenen Art des Heizkörpers, dessen Wärmeentfaltung nur mit viel Erfahrung und ständiger Aufmerksamkeit zu regeln ist.

Läßt man es an dieser Dauerbeobachtung fehlen, geschieht es leicht, daß der Kanonenofen in hitziger Glut aufbrennt, plötzlich ausgeht, oder aber auch zischende, fauchende und pfeifende Rauchstöße aus allen möglichen Ritzen und Öffnungen seines Systems entläßt und den Raum in Schwaden hüllt.

So geschah es, als der Archivar, von der Plötzlichkeit des Befehls erschreckt, auch vielleicht von einer gewissen Wehmut abgelenkt, zuviel Papier auf einmal in seinen noch dazu sommerlich ausgekühlten Ofen stopfte und dann noch nachschob, um die traurige Bestattung der ihm werten Papiere rasch zu Ende zu bringen. Es kam zu oben erwähnter Rauchentwicklung, die dem greisen Mann zunächst einen fürchterlichen Hustenanfall bescherte, ihn sodann aber für kurze Zeit sogar der Besinnung beraubte.

Vom Gestank angelockt, kam glücklicherweise die Gattin aus der Küche ins Zimmer gelaufen und erkannte raschen Blicks die Bescherung. Ein Wasserguß löschte das Feuer. Der halbbenommene Gatte wurde in sein Bett gestützt und mit Baldrian gelabt, was ihn eindämmern ließ. Sodann machte sich die rüstige Alte über den Ofen, um zu sehen, was da eigentlich so hastig verbrannt worden war. An sentimental gehütete Liebesbriefe dachte sie nicht, weil sie deren Verstecke seit langem genau kannte und sorgfältig abstaubte. Die Existenz der Annalen aber war ihr natürlich nicht bekannt gewesen. Sie hatte nur gewußt, daß der Gemahl in einem eisernen Behälter, dessen Schlüssel er stets bei sich trug, Akten amtlich geheimen Charakters verwahrte, die sie nicht besonders interessierten. Als sie also die teils versengten, teils durchnäßten Reste dessen hervorzog, was einst die stolze Chronik einer Jahrhunderte hindurch agierenden Gesellschaft war, sah sie nur altes, zum Teil mit unleserlicher Schrift bedecktes Papier, an dem noch dazu ihr Mann fast erstickt wäre. Nachdem die Asche zusammengekehrt war, nahm sie dieses noch ganz ansehnliche Paket und warf es in den im Hof befindlichen Coloniakübel, indem sie ihm noch eine Verwünschung nachmurmelte.

Nun gibt es in Wien – vielleicht nicht in Ihrer sauberen Stadt – die Gilde der sogenannten Miststierer. Es sind sozial undefinierte Existenzen, die sich ihren Lebensunterhalt aus den städtischen Mistkübeln verschaffen. Teils Essensreste, teils Gegenstände, die unter Umständen verkauft werden können.

Was letzteres betrifft, so kommt der gegenwärtige Zeitgeschmack dem Miststierer durch die sogenannten Flohmärkte entgegen, die sich heute schon in fast allen Städten etabliert haben. Es wird dort von einem durchaus gemischten Publikum nahezu alles ver- und gekauft. Aber ich möchte Sie nicht durch eine Soziologie des Flohmarkts langweilen. Nur so viel ist zu sagen, daß ein männlicher oder weiblicher Angehöriger der sogenannten »Colonia-Ratten« (Colonia ist der Name der Wiener Mistkübelfirma), der einmal bessere Tage gesehen und etwas Bildung genossen hatte, das halbzerstörte Manuskript der »Annalen« auffand und an der antiquierten Schrift und dem nicht mehr im Gebrauch stehenden Papier erkannte, daß es sich um »Altes« handeln mußte, was auf dem Flohmarkt immer hoch im Kurs steht.

Dort nun wurde dieser inzwischen getrocknete, aber schwer angesengte und durcheinandergekommene Haufen Papiers mit der teils verblaßten, teils ihrer Form wegen schwer leserlichen Schrift aufgestöbert und wohlfeil erworben durch eine alte Tante von mir, die seit ihrer Witwenschaft einen Sammeltrieb für Abstrusitäten entwickelt hat, die sich in ihrer Wohnung häufen.

Aus Neugier, und weil es sich manchmal um wirklich wertvolle Funde handelt, pflege ich ihre Neuerwerbungen von Zeit zu Zeit zu begutachten. Auf diese Weise kam auch das Manuskript in meine Hände, und ich bat mir aus, es durchstudieren zu dürfen. Die alte Dame, die recht eigensinnig ist, gestattete es mir nur unter der Bedingung, daß ich es in ihrer Wohnung zu tun versprach. Es verhält sich so, daß sie ihre Besitztümer, über die sie längst die Übersicht verloren hat, eifernd hütet und keinen an sie heranläßt, mich ausgenommen, aber nur in ihrem Beisein.

Mich hat sie allerdings auch in einem notariell beglaubigten Testament zum Erben ihrer Schätze eingesetzt. So wird vermutlich in nicht allzuferner Zeit – die Dame hat unlängst ihren 97. Geburtstag begangen und läßt etwas nach – das Originalmanuskript beziehungsweise seine Reste in meinen Besitz übergehen, und ich werde dann in der Lage sein, Ihnen eine vollständige Kopie zu senden. Sie werden aber verstehen, daß ich im Augenblick aus Gründen begreiflicher Pietät die Greisin nicht mißtrauisch machen, bedrängen oder gar berauben möchte.

Ihres Verständnisses und Wohlwollens sicher,

Ich muß nicht eigens betonen, daß Singer mir diesen Brief aus der Hand fraß und sofort unterschrieb.

DIE KINDERREVOLTE VON PARAGONVILLE

Erregtes Heizungsgetrommel. – Ich denk mir: um Gottes willen, was ist passiert, und laufe zum Hoffenster. Da hängt Singer schon halben Leibes über seinem Fensterbrett und schwenkt eine Zeitung, den Finger auf eine Stelle geheftet, die ich natürlich nicht lesen kann. »Kommen Sie, kommen Sie schnell herunter, ich muß Ihnen etwas zeigen!« Mitten am Vormittag! Das muß etwas Besonderes sein. Hoffentlich keine Katastrophe! – Unten steht Singer schon in der offenen Wohnungstür und hält mir das Blatt unter die Nase. Auf der Auslandsseite eine winzige Notiz: Paragonville, Texas: Aus bisher nicht ganz geklärten Gründen kam es in der texani-

schen Kleinstadt Paragonville zu Zusammenrottungen
Jugendlicher mit Demonstrationen und Sachbeschädi-
gungen. Gewisse Anzeichen legen die Vermutung nahe,
daß der Aufruhr im Zusammenhang mit einem vor kurzem errichteten Forschungszentrum steht, in welchem
mittels Tierversuchen die Wirkungen bestimmter che-
mischer Stoffe auf den Organismus untersucht werden.

»Was sagen Sie?« – Singer schlug mit dem Handrük-
ken auf das Blatt. »Ich muß mir sofort amerikanische
Zeitungen verschaffen. Vielleicht gibt's eine, in der Genaueres steht.«

Er kam bald zurück. Tatsächlich fand sich in einem
Journal ein ausführlicherer Bericht:

»In Paragonville (Texas), einer Stadt von schätzungs-
weise 50 000 Einwohnern, kam es in den Nachmittags-
stunden des 12. 10. 1989 völlig unerwartet zu einer Zu-
sammenrottung von etwa dreihundert bis vierhundert
Jugendlichen – ausnahmslos Kinder aus angesehenen
und wohlhabenden Familien –, die in eine Orgie des
Vandalismus ausartete: Zertrümmerung von Geschäfts-
auslagen, Umwerfen und Anzünden von Autos, Entlee-
rung städtischer Mistcontainer. Aus herausgerissenen
Pflastersteinen wurden Barrikaden gebaut, welche den
Verkehr für einige Stunden lähmten. Die Aufständischen drangen in das Rundfunkgebäude ein und bemächtigten sich des lokalen Senders. Sie gaben Parolen
aus, in denen sie die Bevölkerung aufriefen, den Hei-
matplaneten vor den verbrecherischen Machenschaften
einer ›Todeslobby‹ zu retten.

Soweit man den ziemlich unklaren Formulierungen
entnehmen konnte, handele es sich um eine weltweite
Organisation, welche die Lebensgrundlagen der Menschheit zerstören, diese selbst dezimieren, den Rest ver-
sklaven wolle. Ein Großteil der Forschung und Industrie
sowie die Hochfinanz befinde sich bereits in ihren Händen. Justiz und Exekutive seien unterminiert, die Politiker blind, machtlos oder bestochen.

Während ein Teil der Aufständischen durch Rundfunk und Fernsehen das Volk aufklärte, stürmten die

anderen ein Forschungszentrum, das am Rande der Stadt liegt. Einigen Berichten zufolge befanden sich unter dieser Gruppe Individuen mit Strumpfmasken und Schlagstöcken, welche die Direktiven gaben. Offenbar Stadtfremde. Die einheimischen Jugendlichen wirkten eher spielerisch und nicht ganz orientiert.

Die städtische Polizei, auf solche Vorkommnisse keineswegs gefaßt, verfügte weder über Tränengas noch Wasserwerfer und war überdies durch die Eltern der Rebellen behindert, durchwegs honorable Bürger, die im Trubel ihre Kinder suchten, mit ihnen diskutierten oder sie in Einzelfällen ohrfeigten.

In den Abendstunden war es der Polizei mit tätiger Hilfe aus der Bürgerschaft gelungen, des Aufstandes Herr zu werden. Von den Maskierten konnte leider keiner gefaßt werden. Nach glaubhaften Aussagen der Jugendlichen seien sie erst während der Aktion aufgetaucht und hätten dann die Befehle gegeben.

Nach den Ursachen der Demonstration befragt, antworteten die Beteiligten mit ähnlichen phrasenhaften Wendungen, wie sie bereits im Rundfunk durchgegeben worden waren. Bezüglich eines Anstifters konnten bis Redaktionsschluß keine konkreten Angaben ermittelt werden.«

»Jetzt werden sie Sie wenigstens nicht mehr wegen der Jubelschrift quälen! Die haben jetzt andere Sorgen. Der ganze Stolz auf ihr vernünftiges System ist dahin, von den eigenen Rotznasen zerstört. Aber die werden sich rasch wieder einfügen, brav und bürgerlich werden und dann nach Jahren im Club mit ihrer Heldenzeit renommieren.« – Singer blieb auffallend ernst. »Sie tun mir leid, die Paragonviller. Zum erstenmal empfinde ich etwas für sie. Sie haben es mit ihrer ›vernünftigen‹ Lebensform so gut gemeint. Eine Welt muß ihnen zusammengebrochen sein mit diesem Miniaufstand der eigenen Brut. Zu bagatellisieren ist er aber nicht! Der Keim ist da.« – Ich sah ihn fragend an. – »Nicht die Parolen oder die paar zerschlagenen Scheiben. Ich denke an die Maskierten, die so plötzlich aufgetaucht und dann verschwunden sind. Die einzigen, die zu wissen schienen, was sie wollten, gezielt vorgingen und die Jungen mitrissen.«

In den nächsten Tagen trieb Singer zwei Journale auf, die mit Details aufwarteten.

Eines war ein rechtsradikales Klatschblatt:

»Aufruhr linksradikaler Aussteiger von unerschrockener Bürgerinitiative niedergeschlagen.«

Unter diesem Schreititel las man folgendes:

»Mit kommunistischem Gedankengut indoktrinierte Jugendliche aus konservativen Familien befreien Zuchthäusler, hetzen die Arbeiterschaft auf, laden zu Plünderungen ein und beschädigen fremdes Eigentum. Durch das tapfere Eingreifen der Polizei und Angehöriger der Bürgerschaft konnte die Revolte in wenigen Stunden unter Kontrolle gebracht und niedergeschlagen werden.

Über die Anstifter herrscht zwar noch nicht volle Klarheit, aber es ist bereits mit ziemlicher Sicherheit anzunehmen, daß es sich um einen Anschlag asozialer Individuen handelt, die sich zum Ziel gesetzt haben, die weiße Mehrheit unseres Landes zu schädigen und zu korrumpieren. Zwei Hauptverdächtige sind bereits gefaßt. Ein Schwarzer, der bei einer Plünderung ertappt wurde, sowie ein Indio, der in letzter Zeit auffällig geworden ist, weil er schwere indianische Drogen an Jugendliche verteilt hat.«

In einem liberalen New Yorker Blatt, das für seinen witzigen, aber doch etwas überflotten Schmiß bekannt ist, las man es etwas anders:

»Kinderrevolte von Arbeitern der städtischen Müllabfuhr mit nassen Fetzen niedergeschlagen.

Eine Gruppe wohlstandsgelangweilter Jugendlicher rottete sich zusammen und bemächtigte sich – ohne ernsten Widerstand zu finden – des örtlichen Senders. Dort forderten sie die Bevölkerung in unklaren Parolen zur Rettung des Planeten vor der Zerstörung auf und appellierten in flammenden Statements an die Unterprivilegierten des Städtchens, sich ihnen unverzüglich anzuschließen. Diese hatten sich bereits zu Beginn der Unruhen in ihren schmucken Einfamilienhäuschen verbarrikadiert. Beherztere stellten sich der Polizei zur Verfügung.

Ein einziger Fall von Plünderung wurde bekannt: Der achtjährige farbige Jimmy B. entnahm einer bereits eingeschlagenen Auslage eines Spielwarengeschäfts eine elektrische Eisenbahn, die er schon seit Monaten von draußen betrachtet hatte. Noch ehe der verschreckte Inhaber das Fehlen der Eisenbahn bemerkt hatte, kam der völlig verstörte Vater mit dem Knaben und der Eisenbahn in die Spielwarenhandlung Kraus, um unter wiederholten Entschuldigungen den Raub zurückzuerstatten. Sodann begaben sich Vater und Sohn ins Pfarrhaus ihrer Kirchengemeinde, und das Kind mußte sofort vor dem Priester ein umfassendes Geständnis ablegen. Unseren Reportern gelang es, den schluchzenden Knaben beim Verlassen der Sakristei von mehreren Seiten ins Bild zu bekommen und den fassungslos weinenden Vater zu interviewen, der stockend vor Erregung und Scham seinem Abscheu vor dem Delikt seines Sohnes Ausdruck gab.

Ein Teil der Demonstrierenden drang in das Stadtgefängnis ein und befreite einen Vagabunden, der am Vortag in volltrunkenem Zustand von der Polizei aufgelesen und wegen Selbstgefährdung zum Ausschlafen interniert worden war, sowie den stadtbekannten Streuner John C., der sich Jahr für Jahr durch ein kleines Eigentumsdelikt für die kalte Jahreszeit Quartier im Gefangenenhaus verschafft. Obwohl er sich heftig sträubte, wurde er von der Menge auf den Schultern in die Freiheit getragen.

Eine andere Gruppe zog in das städtische Altersheim, um die Insassen, die sie über ihren menschenunwürdigen Zustand aufklärten, in Großfamilien einzugliedern. Die erbitterten Greise verscheuchten ihre Befreier mit Hilfe von Krücken, Leibschüsseln, Nachttischlampen und Urinflaschen.

Ernster zu nehmen und von stadtfremden Maskierten angeführt, war ein Überfall auf das neuerrichtete Forschungslaboratorium, in welchem mit verschiedenen Viren infizierte Versuchstiere gehalten werden, deren Freisetzung für die Stadt und ihre Umgebung katastrophale Folgen hätte haben können. Indessen aber hatte sich glücklicherweise der Widerstand organisiert, und es gelang der Polizei und ihren Helfern gerade noch rechtzeitig, in das Forschungszentrum einzudringen und die Zerstörung wichtiger, für ungeschulten Umgang auch gefährlicher Geräte zu verhindern, wobei sich besonders die Angehörigen der städtischen Müllabfuhr – durchwegs Schwarze – verdient machten, die mit bloßen Fäusten und nassen Fetzen arbeiteten. Als ein besonderer Glücksfall ist es anzusehen, daß die gut gehaltenen Versuchstiere, denen man die Käfige geöffnet hatte, von der Befreiung keinen Gebrauch machten und sich im hintersten Teil ihrer Käfige verkrochen, offenbar vom Tumult erschreckt.

Die Maskierten verschwanden in dem Augenblick, als die Müllabfuhr zu arbeiten begann. Die Jugendlichen ließen sich einzeln abtragen und riefen ›Gewalt, Gewalt‹, selbst die ›ärgste Folter‹ werde ihnen keine Aussage entreißen können. Auf Festnahmen und Verhöre verzichtete man vorläufig. Die anwesenden Eltern verbürgten sich für spätere Einvernahmen und brachten die Kinder im Auto nach Hause, wo die meisten sofort einschliefen.

Ein Indio, den man unter der Anklage, die Jugendlichen zum Drogengenuß verführt zu haben, verhaftet hatte, mußte mangels Beweisen wieder freigelassen werden. Das Halluzinogen, das er den Jugendlichen gegen einen Farbfernseher verkauft hatte, stellte sich bei der chemischen Analyse als harmloser Schwindel heraus: ein sanftes Vomitiv mit Schläfrigkeitswirkung.

Der eigentliche Anlaß und der Urheber der Krawalle sind noch im dunkeln. Die Teilnehmer sind zur Zeit nicht vernehmungsfähig, weil sie sich durchwegs in psychotherapeutischer Behandlung befinden, die nicht gestört werden darf.

Ein Interview mit den Therapeuten brachte keine befriedigende Aufklärung. Es wurde von einem psychischen Stauungsphänomen geredet, wobei noch unklar ist, was gestaut wird. Allgemein aber wird beobachtet, daß die Patienten während der Behandlung am Überwurf der Couch zupfen, an der Wand kratzen sowie an der Kleidung nagen oder saugen, was die Experten einhellig als regressiv-aggressive Ersatzhandlungen deuten.

Die Stimmung in der Stadt ist leicht bedrückt. Man bemüht sich aber mit wachsendem Erfolg, den ›Unfall‹ – wie man es nennt – auf unreife Terroristenromantik zu wenig geforderter Jugendlicher zu deuten. Mit stärkerer Einbindung in nützliche Tätigkeiten werde sich der Zustand rasch normalisieren.

Einige wenige Interviewte teilen diesen Optimismus nicht. Sie wollen in diesem ›Aufstand‹ einen möglichen Keim zu ernsteren Ausschreitungen sehen und drängen im Stadtrat nach Maßnahmen zur Ausforschung des Anstifters.«

»Diese wenigen könnten recht haben«, sagte ich nach der Lektüre dieses Artikels; »im kleinen ist alles da. Stellen Sie sich vor, diese ›Revolte‹ bricht in einer Großstadt aus, wo sich immer genug Pöbel findet, der nicht in ›schmucken Eigenheimen‹ lebt und sich leicht aufputschen läßt? Wo nicht die starken Männer der Müllabfuhr der Polizei unter die Arme greifen? – Da könnte sich unter der Devise der Kosmosrettung sehr wohl das ›Große Spektakel‹ entwickeln.« – »Dazu fehlt nur noch eines: der Führer. Irgendein verkniffener Charakter mit beweglichem Maulwerk und übertriebenem Geltungsbedürfnis und dem diabolischen Instinkt für die Verführung; ein Neider und Versager, ein Zukurzgekommener, der jemandem die Schuld für sein Versagen zuschiebt und sich dafür rächen will.« – »So etwas findet sich immer!«

Nach wenigen Tagen langte ein dicker Brief von Dr. Earstone ein. Er schien das »Doppelopus« genau

422

studiert zu haben und war einer von denen, welche die Vorgänge nicht leicht nahmen. Seine Gedanken kreisten um den eigentlichen Anlaß und vor allem auch um einen »Führer«.

Im einzelnen bestätigte er die Version des New Yorker Blattes. Hinsichtlich des festgenommenen Indios ergänzte er den Bericht: Seit einigen Jahren sei es in Paragonville Mode geworden, Studienfächer zu wählen, für die sich in der Stadt selbst kaum Verwendung fand, wie beispielsweise Ethnologie, Orientalistik, Soziologie, Religionswissenschaften. Auch ein Hang zur Esoterik und diversen Praktiken sei zu bemerken, die bei der Jugend die gewohnten altersgemäßen Leidenschaften für Sport, Flirt und feuchte Parties abgelöst habe. Viele ernährten sich nur biologisch, wodurch sie ihren Muskeltonus verlören und die grünliche Gesichtsfarbe keimenden Saatguts annähmen. Besorgniserregend sei diese Mode allenfalls, wenn sie bei schwereren Erkrankungen Medikamente verweigerten und sich statt dessen mit angeblich indianischen Hausmitteln behandelten.

Seit Earstone sich erinnern konnte, lebte weit außerhalb der Stadt am Rande der Wüste in einer elenden Keusche ein uralter Indio, der nur an den Markttagen in die Stadt kam und primitive indianische Schnitzereien und Flechtwerk feilbot.

Den Behörden war der Mann niemals auffällig geworden, wenn man von kleinen Diebstählen in den umliegenden Farmen absah; nie mehr als ein paar Eier oder ein verlaufenes Huhn. Die meiste Zeit des Tages verbrachte er, selbstgebraute Pulque trinkend, in der Hängematte, die er zwischen zwei Bäumen aufgespannt hatte.

Im Zuge des neuerwachten Interesses für Mythen und Stammesriten der Indianer hatten sich ein paar Jugendliche dieses Einsiedlers entsonnen und ihn aufgesucht, um ihn über die »Geheimnisse« seines aussterbenden Volkes auszuhorchen. Um den Schweigsamen mit den bis zum Ausdruck der Blindheit verschlossenen Zügen seines Volkes überhaupt zum Reden zu bringen,

bestachen sie ihn mit Whisky, den er seinem Naturge-
tränk deutlich vorzog. Dafür verdarben sich die Besu-
cher aus ernsthafter Überzeugung den Magen mit seiner Pulque. In der allgemeinen Verwirrung und
Ratlosigkeit nach der »Revolte« und von einem rechtsra-
dikalen Lokalblatt aufgestachelt, wurde der Alte unter
dem Verdacht der Verführung und Schädigung der Jugend verhaftet. – Eine hysterische Alibihandlung der
Polizei, die immer noch im dunkeln tappte. Der Verdacht wurde durch den Umstand bestärkt, daß jener Indio seit kurzer Zeit einen teuren Farbfernseher besaß,
den er sich aus eigenen Mitteln sicher nicht hätte anschaffen können.

Der verschreckte Mann wurde sofort geständig und
erzählte – auf den Knien liegend und mit aufgehobenen
Händen –, die jungen Damen und Herren hätten ihm
eine solche Wundermaschine versprochen, wenn er ihnen nach alten Indianerrezepten etwas zusammen-
braue, wovon sie glaubten, nach der Einnahme »fliegen
zu können«. Er habe zwar nicht gewußt, was sie meinten, aber des Fernsehers wegen, dem größten Wunsch
seines Lebens, und weil sie ihm immer Zigaretten und
Schnaps brachten, habe er den jungen Damen und Herren etwas ganz Harmloses zusammengekocht, worauf
sie sich linde erbrachen und zufrieden eindösten. Einige behaupteten nach dem Aufwachen, tatsächlich ge-
flogen zu sein.

Da die Beteuerungen des Alten glaubhaft erschienen,
von seinen jungen Besuchern auch bestätigt wurden
und eine chemische Analyse des Tranks dessen absolute
Harmlosigkeit erwies, ließ man den Festgenommenen
frei und nahm ihm auf seine inständigen Bitten hin
auch den Fernsehapparat nicht weg, in welchem er von
der Hängematte aus das ganze Programm verfolgte und
auch nicht abdrehte, wenn er schlief.

Er, Earstone, und einige seiner Freunde konnten sich
nun des unguten Gefühls nicht erwehren, daß diese
Verdächtigungen von unbekannter Seite in die Presse
lanciert waren, um von Recherchen in andere Richtung

abzulenken. Ihnen sei nämlich im Nachhinein eingefallen, daß sich in den Wochen vor den bewußten Vorfällen in der Stadt ein Fremder auffällig gemacht habe; ein junger Mann, der durch die Art seines Auftretens und seiner Ansichten die Jungen wie ein Magnet angezogen habe. Er war in einem Sondermodell eines Luxuscabriolets angekommen, habe im ersten Hotel eine Suite gemietet und dort für seine jungen Freunde Parties mit den ausgefallensten Delikatessen und Getränken gegeben, deren Namen seine Gäste nicht einmal kannten. Dieser Mann aber habe – wie man aus Andeutungen und fragmentarischen Berichten der Kinder entnehmen konnte – nicht so sehr durch seine Freigebigkeit und die Sicherheit seines Auftretens gewirkt, als vor allem durch seine überraschenden Ideen, die er nicht etwa ernst und lehrhaft vortrug, sondern auf die lockerste, spritzigste Art, ganz Playboy in Maßanzug und Maßschuhen, lässig an die Motorhaube seines glitzernden Cabriolets gelehnt, ein Champagnerglas in der Hand.

Was er in dieser legeren Form zum besten gab, teils mit beißendem Hohn, teils mit aufflackernder Rage, war nichts weniger als eine Verwerfung von Paragonville, Amerika, der ganzen westlichen Welt. Er sprach von Lobbies, die mit Weltvernichtungsplänen spielten, von Forschungslaboratorien, in denen Substanzen hergestellt würden, die das Leben des Planeten aus dem Gleichgewicht bringen würden mit der Absicht, einen Teil der Menschheit auszurotten und sich den Rest zu unterwerfen und zu Sklaven zu machen, um sich selbst mit dem unerhörtesten Luxus zu umgeben.

Es gelte nun, diesen satanischen Machenschaften des absolut Bösen einen heiligen Krieg zu erklären und seine Macht zu vernichten. Dies allerdings erfordere den vollen Einsatz des Lebens, den Verzicht auf persönliche Interessen und Rücksichten, einen asketischen Spartanismus. Anders könne der Feind nicht überwältigt und ausgetilgt werden. Guerillatrupps seien bereits in Ausbildung begriffen. Der Kampf gelte der Hochfinanz und Industrie sowie ihren feilen Handlangern, den wissenschaftlichen Eliten. Diese müßten gefaßt und in Lagern isoliert werden. Untergeordnetere Elemente könnte man einer Zwangsumerziehung unterwerfen. Nur so sei – fünf Minuten vor zwölf – der Heimatplanet und die darauf wohnende Menschheit zu retten.

Es müsse auch erwähnt werden, schrieb Earstone, daß dieser Mensch, der die Jugend so faszinierte, keineswegs eine anziehende Erscheinung sei. Selbst die hervorragende Schneiderarbeit seiner Kleidung könne nicht über den ausgesprochen unedlen Wuchs hinwegtäuschen. Glanzloses, fahlblondes Haar über einer irgendwie zerdrückt wirkenden Stirn. Farblose Augen, die einen teils verqueren, teils starren Blick hatten, allerdings meist unter Dior-Sonnenbrillen verborgen waren. Ein auffallend roher Mund, der es aber gelernt habe, überlegen zu lächeln und dabei vermutlich falsche Tarzanzähne zu zeigen. Trotzdem flögen vor allem die Mädchen auf diese sinistre Erscheinung und schienen alle diese Einzelheiten unter dem Firnis des äußeren Schliffs nicht zu bemerken, berauscht von der exquisiten Bewirtung mit sowohl kulinarischem als auch ideologischem Kitzel.

Eine Nachfrage im Hotel ergab, daß der interessante Fremde genau einen Tag vor den Unruhen abgereist war. Als sich diese Recherchen herumsprachen, meldete sich eine zur Winzigkeit geschrumpfte alte Dame, die früher als Schullehrerin in der Stadt gewirkt hatte. Sie glaubte mit Sicherheit behaupten zu können, daß es sich bei dem jungen Mann um einen ihrer früheren Schüler gehandelt habe. Daraufhin angesprochen, habe er aber fremd und ablehnend getan und sie unwirsch abgewiesen. Bei dieser Gelegenheit habe sie, da sie doch klein sei, an seinem Revers eine blaue Plakette gesehen mit Umschrift und einem Totenkopf in der Mitte. Die Umschrift habe sie leider nicht lesen können, weil sie die Nahbrille nicht zur Hand hatte und das Gespräch so rasch abgebrochen wurde. Die letzte Gewißheit über die Identität des Individuums aber sei ihr geworden, als er sein stehendes Lächeln ablegte und die Lippen in einer Weise einkniff, die für jenen Schüler typisch gewesen war und an die sie sich genau erinnere.

Die Herren nahmen den Hinweis der alten Dame umso ernster, als man bei den befallenen Kindern tatsächlich solche Plaketten gefunden hatte: Ein Totenkopf mit der Umschrift ›Tod der Weltvernichtungslobby‹. Diesen Slogan habe man in der letzten Zeit auch oft auf Planken und Hauswände gesprüht gesehen sowie in sämtlichen öffentlichen Abtritten und Pissoirs der Stadt mit brutalen und schweinischen Zusatzzeichnungen im Comic Stil.

Nun bat Earstone Singer noch um zusätzliche Geduld, denn es sei unerläßlich, die Vorgeschichte des Subjekts zu erzählen:

Wie Singer sich wahrscheinlich erinnere, sei der Boden um Paragonville ölhaltig. Immer wieder fänden sich Anzeichen eines Vorkommens. Um bei der Suche zielgerecht vorgehen zu können, habe die Stadt im Umkreis von Quadratkilometern das Land von den wenigen Farmern aufgekauft. Diese seien auch, ohne zu zögern, zum Verkauf bereit gewesen, weil der Boden nicht ertragreich war und die gebotene Summe den realen Wert des Besitzes nicht unbeträchtlich überstieg. Ein einziger Farmer nur hatte sich mit einer boshaften, fast paranoid wirkenden Hartnäckigkeit gegen den Verkauf gesträubt. Der Ärmste von allen übrigens, der nur ein kleines Stück Land von schlechtester Bodenqualität besaß, von dem er kaum und nur unter unmenschlicher Plackerei sein Leben fristete. Seine Frau war an den Strapazen zugrundegegangen, der Sohn schuftete schon im Kindesalter wie ein Knecht. Dieser zerlumpte, entwicklungsgeschädigte Knabe hielt sich von den anderen Kindern seines Alters fern, weniger weil sie ihn hänselten, sondern weil ihn der Neid fraß. In der Schule, die er nur unregelmäßig besuchte, erweckte er das Mitleid der Lehrerin. Auch glaubte sie, bei ihm eine besondere Intelligenz entdeckt zu haben. Was praktische Vifheit anbelangte, war er seinen Altersgenossen weit voraus. Er spielte nie, und wenn, dann nicht um des Spieles, sondern um irgendeines Vorteils willen, was ihn den anderen überlegen machte, weil er die Sache mit viel mehr Ernst und Umsicht betrieb. Kurz, die Schullehrerin, ein lediges Fräulein mit wenig Menschenkenntnis, aber einem heiligen Eifer für das Gute, setzte es durch, daß dieser Knabe ein Begabtenstipendium zum Besuch eines Colleges erhielt. Um ihm Reise und Aufenthalt zu ermöglichen, wurde in Kirche und Synagoge eine ansehnliche Kollekte zusammengebracht.

Man habe seither nur gerüchtweise von ihm gehört. Eher unangenehme Affairen: kleinere, schwer nachweisbare Delikte hatten ihn gezwungen, mehrmals die Institute zu wechseln und schließlich ganz zu verlassen. Er schien keine Berufsausbildung abgeschlossen zu haben. In der Stadt hatte er sich niemals mehr gezeigt. Ob sein Vater von ihm wußte, war nicht herauszubekommen, denn der Alte rackerte immer noch auf seinem kargen Stück Land, grollte aller Welt und sprach mit niemandem. – Die oben erwähnte alte Dame war aber eben die Lehrerin gewesen, die, von philanthropischen Impulsen erfüllt, dem Fragwürdigen zu einer Ausbildung hatte verhelfen wollen.

Nun folgte noch eine Nachschrift, welche die ganze Sorge und Angst des armen Earstone zum Ausdruck brachte; er schrieb nun deutsch:

PS: Lieber Singer! – Mein Großvater hat noch Ohrenstein geheißen und stammte aus Lemberg. Er kam zu Fuß nach Wien mit einem Bauchladen und hat sich hochgearbeitet. Sein Sohn hat schon studiert. Dann wanderte die Familie nach Amerika aus ins Land der Religionsfreiheit. Hier wurde ich geboren. Wir sind unserer angestammten Religion treugeblieben, auch wenn wir es in der letzten Generation nicht mehr ernstgenommen haben mit Speisegesetzen, Tillem lesen usw. Sie wissen schon. Wir haben die europäische Kultur geliebt und nach Möglichkeit gepflegt, obwohl sie sich oft genug an uns vergriffen hat. Ich war dumm und satt genug zu glauben, daß diese besondere Art, sich zu ›vergreifen‹, hier in Amerika endgültig unmöglich geworden sei. Jetzt hab ich Angst. Seit ich Ihr Buch gelesen habe, sind mir die Augen geöffnet worden für vieles; auch daß die Anfänge nicht immer religiös sein müssen. Als ich am Fenster stand bei vorgezogenen Gardinen und auf das Spektakel hinuntersah, auf unsere Jungen, und betete, daß sie sich nicht wehtun dabei, da hatte ich plötzlich eine Vision, wie sie noch mein Großvater geschildert hat. Pogrom, Geschrei, brennende Häuser, Gemetzel unter den Bewohnern. Ich bekam Angst. Eine Urangst. Sie sagen zwar, der ›Feind‹, der Inbegriff des Bösen, seien jetzt die Forscher und Techniker, aber ich frage Sie, geehrter Professor: Wie lange wird es dauern, und es werden wieder wir Juden sein, weil vielleicht ein paar von uns unter den Prominenten sind!

Können Sie uns vielleicht einen Rat geben?

Singer gab mir einen Brief zu lesen, den er an Earstone schicken wollte.

Mein lieber Dr. Earstone!

Ich danke Ihnen dafür, daß Sie mir die Ehre des Vertrauens erwiesen haben, mir brieflich Ihre Sorgen vorzutragen und sogar meinen Rat einzuholen. Ich habe nur in der Presse einiges von den Vorfällen gelesen und – wie das schon so üblich ist bei Zeitungen – verzerrt und ungenau. Ich bin sehr froh, von Ihnen Hintergründe und Details erfahren zu haben. Und da Sie und ich ja gewissermaßen über gleiche Sippenerinnerungen verfügen, kann ich mir sehr gut vorstellen, was Sie da am Fenster hinter den Gardinen stehend für Visionen hatten. Ich hätte dieselben gehabt.

Das einzige, wozu ich raten kann, ist, diese Vorfälle – auch wenn sie sich im Augenblick friedlich gelöst zu haben scheinen – um Gottes willen nicht leicht zu nehmen. Machen Sie allen Ihren Einfluß geltend, energisch und konsequent gegen alle Symptome, wenn sie jetzt auch noch so unerheblich wirken mögen, vorzugehen;

gegen alle Zeichen, die auf die Entwicklung einer Welt-rettungsideologie hindeuten. Und setzen Sie alles daran, diesen »Führer« dingfest zu machen beziehungsweise jene, die hinter ihm stehen. Er ist in der Form, wie Sie ihn geschildert haben, ein echtes Typenbild eines Dem-agogen, ein flinkmäuliger, geschickter Zukurzgekom-mener, der einen Sündenbock für sein Versagen sucht, der die Welt nicht verbessern, sondern sich selbst an ihr rächen will. Und achten Sie darauf, daß ihm und den Seinen keine Märtyrermöglichkeit gegeben wird. Keine Nadel darf ihn ritzen, kein blaues Auge geschlagen wer-den. Aber setzen Sie alles daran und scheuen Sie vor nichts zurück, den Mann vor Ihren armen Jungen der Lächerlichkeit preiszugeben. Nicht Verbot, nicht Auf-klärung, nicht Entlarvung der Gefährlichkeit dieser Menschenratten schützt uns davor, daß sie unsere Ord-nung unterminieren und zernagen. Nur die Lächerlich-keit. Alles Gefährliche, Heroische, auch der Heroismus des Bösen, der Verneinung, zieht junge Leute an, und sie lassen sich gerne verblenden. Nur das Lächerliche hat keine Zugkraft.

Ich denke mir oft, ob die Katastrophe des Zweiten Weltkriegs nicht hätte abgewendet werden können, wenn man diesen Minderling Hitler rechtzeitig in sei-ner ganzen erbärmlichen Lächerlichkeit herausgestellt und gestäupt hätte. Und zwar zu einem Zeitpunkt, wo die Leute noch mit eigenen Augen zu sehen vermoch-ten und kein verschweißter Klumpen mit einem Glasau-ge waren und einem Maul, das nur Parolen nachbrüllen konnte.

Es ist ja unser aller Problem, daß der Erdball in Ge-fahr ist. Das eine, was geschehen muß, ist, sich in aller Besonnenheit und Präzision der Rettung zuzuwenden. Das andere ist, Pseudoaktionen, die aus Dummheit oder aus Schlechtigkeit Radikallösungen vorspiegeln, zu un-terdrücken.

Das mindeste, was sie anrichten können, ist, daß sie wirkliche Lösungen stören oder verhindern.

Gerade die Denkenden unter Ihren Jungen haben

Angst, und wir müssen ihnen rechtgeben, Lebensangst. Sie sehen richtig die Gefahr der hemmungslosen Ausbeutung unseres Planeten durch kurzsichtige Planung und unsinnige Raffgier und suchen einen Weg aus dem Teufelskreis unserer wirtschaftlichen Konzepte. Aber Existenzangst ist ein ungeheures Potential an Einsatzwillen, und wenn die Stoßkraft in die falsche Richtung gelenkt wird, dann gnade uns Gott. Vor fünfzig Jahren hat er uns diese Gnade versagt. Führen wir ihn nicht in Versuchung, daß er uns noch einmal verläßt.

Glauben Sie mir, daß ich lebhaft mitfühle mit Ihnen persönlich und mit Ihrer ganzen redlichen, wohlmeinenden Stadt und daß ich Ihrem Land und Ihren Maßnahmen alles Glück wünsche.

Von ganzem Herzen, Ihr S.

»Du nimmst die Geschichte ziemlich ernst?« sagte Thugut, nachdem auch er den Brief gelesen hatte.

»Freilich nehm ich sie ernst, auch wenn sie sich komisch anhört. Sehr ernst sogar. Ihr beide nicht?«

»O doch!« sagte ich. »Auch das ›Lächerlichmachen‹ leuchtet mir ein, wie Sie wissen, und die Gefahr, die Masse könnte die Geduld verlieren, aus Dummheit Schaden anrichten oder einem Verführer auf den Leim gehen und wieder einmal ausarten. – Aber das Problem ist nun einmal da: die Gefahr der Zerstörung unseres Planeten durch Raubbau. Andererseits versuchen Wirtschaftsfachleute zu beweisen, daß ein Rückgang des Überkonsums uns in die schwersten sozialen Klemmen bringen würde. Als Laie fühlt man sich zwischen zwei Sesseln: auf dem einen sitzt das Arbeitslosenelend, auf dem anderen das Siechtum dieser Erde, von der wir leben, in deren Antlitz schon durch die Schminke ihrer künstlichen Reservate die hippokratischen Züge sichtbar werden. Kein Wunder, wenn gerade die jungen Menschen, die noch mit einer Zukunft für sich und ihre Kinder rechnen, Hirn und Toleranz verlieren, die unendliche Langsamkeit, mit der sich rationale Lösungen entwickeln, nicht aushalten können und zu unbedachten Radikallösungen neigen.«

»Vernünftige, rationale Lösungen«, sagte Thugut, »haben wir denn überhaupt ein Konzept dafür? Wissen die damit Befaßten, wo man ansetzen müßte? Kann man denn – wie die Jungen möchten – plötzlich die Forschung, die Technik und Industrie einschränken, knebeln?«

»Das sicher nicht«, sagte Singer, »man kann in der Geschichte nie zurückgehen. Zivilisatorische Rückschritte wurden nur durch Katastrophen erzwungen, und die wünscht sich niemand. Freiwillig zurück ins vorindustrielle Zeitalter? Das sind haltlose Träumereien. Es wäre auch falsch. Denn es sind ja nicht die Möglichkeiten der Technik und Industrie, welche die Erde umbringen, sondern die Art, wie man sie mißbraucht. Dabei meine ich nicht einmal den Mißbrauch in der Politik. Ich meine nicht die Atomwaffen, sondern den alltäglichen Kleinmißbrauch: den Überkonsum.« – »Also nicht das Auto an sich, sondern die Unart, daß es alle zwei Jahre spätestens durch ein neues ersetzt werden muß, weil man Rentabilitätsrechnungen aufstellt, die vermutlich sogar stimmen?« – »Ja, so meine ich es. Diese Rechnungen stimmen sogar, wie Sie richtig sagen, aber verscherbelt man heute seinen Hausrat wirklich nur deshalb unentwegt, weil es sich finanziell rentiert?«

»Ich weiß nicht«, sinnierte Thugut; »dieser Überkonsum, dieses Kaufen und Kaufen, nicht weil man braucht, sondern weil es einen gelüstet, wirkt wie eine neue Spielform der Völlerei, die Sünde eines fehlgelenkten Instinkts. Ein Völlerer frißt nicht aus Hunger, sondern um des Fressens willen. Er überfordert damit seinen Organismus, handelt also gegen seine Gesundheit, gegen seine Natur. Ein Konsumierer tut das gleiche mit dem Kaufen. Er erwirbt Dinge, die er nicht braucht und die dann ihm selbst beziehungsweise der Welt über den Kopf wachsen, denn erstens weiß man nicht, wohin damit, und zweitens erschöpft man bei der Herstellung die Ressourcen der Erde. Das Geschäft und die Reklame ist da nur eine Folgeerscheinung der Gier. Es nistet im Laster, wie Ungeziefer sich in schmutzigen Ritzen festsetzt und fett wird.«

»Woher aber kommt diese neue Gier nach Konsum? Nicht als Laster eines einzelnen Raffers, sondern als Laster einer ganzen Generation, der ganzen westlichen Zivilisation. Es ist sogar das vorwiegende Motiv für Menschen, sich dieser Zivilisation in die Arme zu werfen. Fragen Sie einen Ostflüchtling oder einen Angehörigen der Dritten Welt, was ihn zu diesen westlichen Lebensformen drängt. ›Shopping, shopping‹, hören Sie; oft das einzige englische Wort, das sie kennen.«

»Die Bereitschaft zum Laster, welcher Art auch immer, ist im Menschen selbst begründet«, sagte Thugut; »ob man es ausübt, das liegt an der Gelegenheit, und wenn es nicht den einzelnen, sondern eine ganze Zivilisation erfaßt, dann muß in der Art dieser Zivilisation diese Verführung liegen. Unser Wirtschaftssystem bietet nicht nur die Möglichkeit, im Übermaß zu konsumieren, sondern liefert gleich die Ausrede dazu mit und macht es gewissermaßen zu einer Art Bürgertugend. Angeblich leben wir vom Wirtschaftswachstum. Ich bin kein Fachmann, es steht mir nicht zu, zu beurteilen, ob das wahr ist. Aber da es auch Zeiten gegeben hat, wo man mit anderen Systemen nicht schlecht gelebt hat, denke ich, wir haben uns da, bewußt oder unbewußt, hineinmanövriert, und es mag sein, daß es kein Zurück mehr gibt.«

»Sie sagen, der Mensch ist grundsätzlich für jedes Laster disponiert und verführbar. Je massiver und geschickter die Verführung erfolgt, desto wahrscheinlicher der Fall. Aber gibt es – ob von der Natur oder von Gott eingesetzt – nicht auch ein Gegengewicht? Eine Art Riegel?«

»Die Gebote sind so ein Riegel, aber der hat sich nie als besonders fest erwiesen.«

»Mir fällt auf all dies keine Antwort ein, sondern eine Erinnerung, ein Gefühl ... Sie haben doch beide in Ihrer Jugend sicher auch ein Fahrrad gehabt. Ein einziges vermutlich. Man hat es bis zum Rand seiner Leistungs-fähigkeit beansprucht, aber auch gepflegt. Geputzt, geölt, poliert und repariert – und vor allem geliebt. Es war für uns nicht nur ein Stahlgestell mit Gummireifen, es war etwas Lebendiges. Erinnern Sie sich an das Prikkeln der Luft an der Haut bei einer schnellen Abfahrt, an den Schweiß, wenn man sich einen steilen Weg hinaufgetreten hat, an das Gefühl elastischer Geschmeidigkeit, wenn man sich in Kurven gelegt hat: das alles hat diesen mechanischen Gegenstand beseelt. Hätten Sie es übers Herz gebracht, dieses Rad ohne viel Umstände für ein neues, besseres umzutauschen oder, als es außer Gebrauch kam, wegzuwerfen? – Meins steht immer noch auf dem Dachboden. Ich werde vermutlich nie mehr damit fahren. Aber auf den Müll werfen kann ich es heute noch nicht ... Ja, was ich damit sagen will: Vermutlich klingt es sentimental und pathetisch, und Sie werden mich auslachen ... ich will damit sagen, unser Riegel gegen den Überkonsum war nicht nur die versperrte Brieftasche der Eltern, sondern die Seele, die wir den Dingen zugesprochen haben, mit denen wir umgegangen sind. Oder kühler: unsere Beziehung zu den Gegenständen war nicht vom Rechenstift bestimmt, sondern weitgehend von der Phantasie.«

»Die von Ihren jungen Sodalen verschnittene Phantasie?«

»Ja! Warum nicht? Durch unsere Phantasie haben wir die Dinge um uns herum belebt und sitzen auch jetzt noch zwischen den Möbeln und dem Hausrat unserer Großeltern, auch wenn sie nicht mehr so ganz ansehnlich sind und ihre Mucken und Tücken haben. Wir würden uns sogar irgendwie schämen, sie wegzugeben. Nicht aus Pietät den Großeltern gegenüber; vor den Dingen würden wir uns schämen, weil wir sie als etwas Lebendiges empfinden.

Heute läßt man den Dingen gar keine Zeit, eine Seele zu entwickeln, man nimmt sie nicht ans Herz. Daher trennt man sich so leicht von ihnen und lebt hauslos wie ein Stadtvagabund, der seine Habe im Nylonsackerl bei sich trägt und auf einer beliebigen Parkbank schläft. Vögel, die keine Nester bauen, sind kranke Vögel.

Und diese Dinge, denen man Leben und Dauer verweigert, rächen sich an uns. Nicht die Technik wächst uns über den Kopf und frißt uns, sondern ihre Gespenster auf den Müllhalden. Kadaver, die nie gelebt haben. Totgeburten, die sich Schritt für Schritt an uns heranpirschen, uns überrollen, einziehen, ersticken, weil wir ihnen die Seele verweigert haben.«

Die Sodalitas löst
sich auf

NASCHMARKT UND DER SCHEUSSLICHE HAUTGOÛT DES TODES

Wie es zu sein pflegt, wenn man eine längere Arbeit abgeschlossen hat: beide litten wir unter den üblichen Ausfallserscheinungen, so ähnlich, als entwöhne man sich einer Droge. Der Abschluß einer Arbeit, die einen längere Zeit beschäftigt hat, ist wie ein kleiner Tod. – Wir hatten auch nicht viel Lust, einander zu sehen. So war es der reine Zufall, daß Singer und ich uns trafen, als jeder für sich durch das triste Wetter vor sich hin schnürte, Kragen aufgestellt, Hände in den Taschen, gesenkten Blicks.

Draußen in Salmannsdorf war es.

Singer faßte unsere unterweltliche Stimmung in ein Zitat aus dem Gilgamesch: »Wo Erdstaub die Nahrung ist und Lehm die Speise, wo man im Dunkeln sitzt, und auf dem Boden liegen die Mützen der Könige.« – »Wenn ich mich richtig erinnere, kommt er dann zu Siduri, der Schenkin, und sie rät ihm, ›den Bauch zu füllen und die Arme des Weibes zu suchen‹ ... Ich glaube aber«, sagte ich nach einigem Nachdenken, »in diesem Zusammenhang bedeutet das nicht eine Rückwendung zu den angenehm heiteren Gewohnheiten des lieben Lebens. Eher eine Wendung zum endgültigen Tod: Essen, Trinken und sich Paaren wie einer, der sich geistig aufgegeben hat und nun das Fleisch sich selbst überläßt zur Vorfäulnis und Zersetzung.«

Singer blieb einen Augenblick stehen und sah mich forschend an. Eine leichte Röte überflog sein Gesicht. Im Weitergehen fing er dann zu reden an, erst stockend und leise: »Verzeihen Sie, wenn ich Sie jetzt mißbrauche ... ein Mißbrauch ist es ... zweifellos! Ein Mißbrauch Ihrer Geduld und leider auch Ihres Geschmacks! Aber ich muß es losbringen. Aushusten gewissermaßen, wie etwas, das einem die Bronchien verlegt und am Durchatmen hindert ... ›Keine Rückwendung zum Leben‹, haben Sie gesagt, ›eher eine Wendung zum endgültigen Tod, wenn man das Fleisch sich selbst überläßt!‹ So haben Sie doch gesagt?« – »Ja, ich glaube. Gemeint hab ich es jedenfalls so.«

Singer ging eine ganze Weile schweigend neben mir her; endlich kam er ins Sprechen; leise und in einer auffallend monotonen Art, die mir ganz fremd war bei ihm.

»Seit ich mit meiner Arbeit fertig bin, Sie wissen, wie das ist: die Leere, das Unbehagen, man tut nichts Rechtes. Trödelt herum, kommt ins Kramen. – Vor ein paar Tagen war es. Ich habe irgend etwas gesucht in einer Kommodenlade. Ich hab's nicht gleich gefunden. Taste mich nach rückwärts. Es sind nur Papiere in dieser Lade, wissen Sie, aber ich ertaste etwas Weiches. Ganz leise erschrocken zieh ich es hervor. Es war ein Handschuh meiner Frau. Ein einzelner Lederhandschuh. Man muß ihn beim Ausräumen nach ihrem Tod übersehen haben. Ein ziemlich abgetragener Handschuh! Sie verstehen, es war noch etwas von der Form ihrer Hand darin. Eine gespenstige Geste von Lebendigkeit ... Ja, ich war einmal verheiratet. Ein paar Jahre nur.

Als ich nach dem Krieg aus der Emigration zurückgekehrt war, habe ich versucht, was die meisten von uns versucht haben: möglichst rasch in ein ›normales‹ Leben zu finden. In das Leben, in dem wir aufgewachsen, für das wir erzogen worden sind, bis uns das Schicksal auf die freie Wildbahn warf und zwang, wie Tiere zu leben, rennend oder verkrochen, immer auf der Hut, in einer Art permanenter Übernächtigkeit. – Ein normales Leben! Was heißt das schon? – Beruf, Familie, ein warmes Nest. Das war nicht ganz so einfach für unsereinen. Jeder hat seine Ängste, seine Hemmungen unter der Haut und ein untilgbares Mißtrauen, welches das ganze Lebensgefühl durchschwelt. – Nun gut! Ich fand eine Gefährtin. Sie war in der gleichen Lage wie ich. Es war keine lodernde Leidenschaft. Dazu waren wir verdorben. Was uns zusammentrieb, war die Verlorenheit. Wir liebten einander in einer stillen, vernünftigen Weise. Die Verständigung war leicht, weil wir durch die gleichen Erfahrungen durchgegangen waren, die manchmal aufbrachen in unerklärlichen Ängsten, Stimmungen, Reaktionsweisen, die anderen unbegreiflich, manchmal sogar unsinnig erschienen.

Meine Frau starb ganz plötzlich und unerwartet innerhalb weniger Tage. Als ich noch ganz betäubt und wie in Trance von der Bestattung kam und die lange, trostlose Strecke vom Zentralfriedhof in die Stadt fuhr, in die leere Wohnung trat, sagte ich mir: ›Da hast du es auch einmal gut haben wollen. In bescheidenen menschlichen Grenzen gut haben. Es war offenbar zu viel verlangt.‹

Durch eine karitative Organisation ließ ich alle Kleider und Gegenstände wegschaffen, die mich an meine Frau erinnerten. Gleichzeitig vergrub ich mich in die Arbeit. Ich nahm alles an, vor allem Aufträge, die mich unter Zeitdruck hielten. – So überwand ich den ersten Schock. Das Leben lief sich langsam wieder ein, nur daß da eine sorgfältig verhängte Tür war, die zu öffnen ich mich hütete.

Das ist jetzt schon viele Jahre her. Viel länger, als unser Zusammenleben gedauert hat. Ich denke auch nur mehr selten an meine Frau. Manchmal träume ich von ihr, aber eher blaß. – Und da halte ich plötzlich diesen spukhaft belebten Handschuh in meinen Fingern! – Erst war es ein Schreck, dann ein Leidensstich, der in Herzklopfen verebbte, und schließlich ein flatterndes Bedürfnis, mir den Gegenstand aus den Augen zu schaffen, dieses grausige Scheinleben, hämisches Foppwerk des Todes, der sich hinterhältig Zutritt ergaunert in die sinnliche Wirklichkeit. Ich fühlte plötzlich, wie dünn und brüchig der Boden ist, auf dem man steht; ein morscher Lattenboden, der unter den Füßen knistert und schwankt, trennt Lebendiges vom Abgrund, von der großen Leere und Finsternis. Mein Gott! – Kann man den Handschuh seiner toten Frau wegwerfen? Soll man ihn in die Vitrine legen? – Ich schob ihn wieder tief in die Lade zurück, nahm Hut und Mantel und rannte weg.

Erst dachte ich an den Friedhof. Es schlug mich das

Gewissen, daß ich so lange nicht dort war. Ich bin kein treuer Grabbesucher. Man steht dort herum und macht sich etwas Vages vor von einer geistigen Gemeinschaft mit dem Toten, die bestehen geblieben ist, und noch ein paar sentimentale Notlügen, die einen zu Tränen bringen. Die trocknet man sich nach einer Weile und geht beruhigt nach Haus. Nachdem ich diesen Handschuh gesehen hatte, konnte ich das nicht. Ich schämte mich. Nicht vor mir, sondern vor meiner Frau, vor dem Andenken an meine Frau. Und außerdem hatte ich Angst. Ja, Angst vor dem Grab. Ich hatte den leeren Handschuh gesehen und darin die Form ihrer Hand, die – mir kam das ganz plötzlich zu Bewußtsein – noch irgendwie da sein mußte als Kadaverstück in diesem Grab. Zum erstenmal konnte ich den Gedanken nicht verscheuchen: dieses Grab ist nicht leer. Da ist etwas darin, das ich nicht sehen möchte, obwohl es noch etwas Wirkliches von meiner Frau ist, die ich verloren habe. Etwas, das in seiner ganzen unsauberen Armseligkeit allein gelassen worden ist. Sich selbst überlassenes Fleisch. Der Geist hat sich verflüchtigt ins reinliche Nichts. Der Kadaver muß es ausbaden, das Menschsein, ganz langsam sich zersetzen, bis der letzte persönliche Zug sich auflöst in feuchte Erde.«

Singer redete immer noch leise mit dieser Monotonie, die an ihm so ungewohnt war, ohne jede Gestik der Hände, aber oft unterbrochen von langen Pausen.

»Ich stieg also nicht in die Straßenbahn ein, sondern lief, lief, an den Fersen Grauen und Mitleid und Vergeblichkeit. Ich glaube, es war ärger als damals, als ich vom Leichenbegängnis nach Hause kam ... Föhn war vorgestern! Erinnern Sie sich? Ein scheußliches Föhnwetter, und ich rannte ohne Richtung und Ziel und hielt den Hut fest. Plötzlich finde ich mich auf dem Naschmarkt. Eine Gegend, in die ich sonst nie komme. Ich hab dort nie etwas zu tun. Vorgestern war es. Samstag nachmittag. Alle Stände geschlossen und abgeräumt. Überquellende Coloniakübel. Die Böen schleiften Papier und leere Schachteln durch die Budengasse, lästige Holzwollelocken, die sich an den Knöcheln verfingen. Weiter oben räumten sie gerade den Flohmarkt ab. Trödel, der keinen Käufer gefunden hat, wurde in klaffende Lieferwagen gestaucht.

In Auflösung befindliche Prostitution ... Ja, Prostitution habe ich gesagt. Dieser bloßgestellte, zusammenhanglose Kram hatte etwas von Prostitution. Wohlfeil für Geld zu haben. Wenn das Zeug in Bewegung kam, stieß es Geruchsschwaden aus nach ungelüftetem Schlafzimmer. Stundenhotelaroma.«

Singer schwieg jetzt. Er schien mit sich zu kämpfen. Dann redete er doch weiter, immer noch in diesem monotonen Tonfall: »Der kälter werdende Wind hat mir ein Frösteln unter die Haut getrieben, halb Kälte, halb Nervosität. Ich trat ins nächste Wienzeilen-Café und ließ mir einen heißen Tee geben. Minderes Gebräu, aber ich hab's hinuntergeschüttet des Fröstelns wegen. Und dann bin ich im eigenen Schweregefühl sitzen geblieben im Rauch- und Bierdunst, in dem halb einschläfernden, halb aufreizenden Durcheinandergerede des Naschmarktpöbels. Geschniegelte Zuhälter, Vagabunden, die ihre ganze Habe in Nylonsäcken mit sich schleppten, angealterte Punker oder Rocker, die den Anschluß an ihre Jahre versäumt haben, blöd vor sich hinduselnde Berauschte, von was auch immer. Die Gesichter und Gestalten rannen in den feuchtwarmen Rauchschwaden ineinander. Da blieben meine lidschweren Augen an einer Rothaarigen hängen.

Sie saß allein am Nebentisch, einen häßlichen Hund an der Leine. Vor sich auf der Marmorplatte ein Bier und eine gelackte Handtasche, die mit Glitzerwerk besetzt war. Die Gesichtszüge aufgeschwemmt vom Alkohol, vom Alter oder von der Müdigkeit. Sie trug einen falschen Pelz, der vorne offenstand. Ein spitzer, zu tiefer Ausschnitt. Ein Blickfänger, aber eigentlich nicht provokant. Zu gleichgültig, um provokant zu sein. Man sah den mürben Ansatz einer schweren Brust, die etwas Gutmütiges hatte.

Man sah auch, daß sie privat hier saß, nicht in Geschäften. Die stumpfen, rotgefärbten Haare trug sie schulterlang ... Übrigens war es genau der Typ, der mich in meinen Knabenjahren so wild erregt hat.

Ein Dienstmädchen war es damals. Sie kam eine Zeitlang ins Haus. Eine Rothaarige mit der diesem Typ oft eigenen sehr weißen, träge wirkenden Haut. Krank hat sie mich damals gemacht und zu heimlichen Exzessen mit mir selbst verführt. Endlich merkte sie etwas und lachte. Lachte mit einer leicht scheppernden, angerauhten Stimme und gab nach. Gar nicht geil oder lasziv. Eher in einer Art gutmütigen Trägheit überließ sie sich der Aufregung des Knaben und half sogar noch.

Mein Gott, war ich außer mir damals. Es war das erste Mal. Eine wüste Mischung aus Gier, Angst, Triumph, aber auch Ekel und Haß sogar. Liebe oder Zärtlichkeit war nicht dabei. Auf beiden Seiten nicht. Sie ließ mich einfach. Ich glaube nicht, daß sie irgend etwas empfand. Ich weiß nur, daß sie sich kratzte. Ich seh das genau vor mir, daß sie sich kratzte, während ich schrie und biß und schluchzte. Ich schämte mich, aber ich konnte das Schluchzen nicht unterdrücken. Als ich dann soweit kam, daß ich den Gipfel erreichte, war es nur mehr die rein physische Lösung einer unerträglich gewordenen Spannung. Nichts von der unerhörten, phantastischen Lust, die ich mir immer vorgestellt, über die wir Buben endlos geredet haben. Ich fühlte mich, als löste ich mich auf, ränne auseinander, eine fast suizidale Selbstaufgabe. Ich fühlte mich wie ein Leichnam.

Keine meiner späteren Begegnungen mit Frauen verschiedenster Art war so beschaffen gewesen, daß sie ausschließlich einem Drang der physiologischen Chemie nachgab. Daher vergaß ich diese Episode ganz; jedenfalls die Art der Empfindungen, die sie begleitet hatten. Und jetzt war mir plötzlich die ganze Szene wieder gegenwärtig, im Bild und im Gefühl. In diesem verrauchten, fuselstinkenden Café war *sie* es, die am Nebentisch saß, das Dienstmädchen von damals. Gerade so war sie oft in der Küche gesessen, wenn sie sich ausrastete. Mit breiten Knien, eine Zigarette im Mundwinkel und etwas vorgebeugt, so daß man in die Bluse sah, was sie aber nicht beabsichtigte, es war ihr nur gleichgültig.

Die Prostituierte im Café, wissen Sie, das war keine Person für mich, das war ein Typus in einer individuellen Ausstaffierung: hochhackige Schuhe an schwarz bestrumpften Beinen, den engen Rock etwas hochgerutscht, sodaß man sich zu den für ihr Alter wohlgeformten Waden üppige Schenkel vorstellen konnte. Einen schlaffen Bauch. Dann die scharfe Einziehung der Taille und darüber eine schwere Brust.

Als sie aufstand und ging, zahlte ich und ging auch. Ich ging ihr nach und dachte mir dabei gar nichts. Nicht einmal zwanghaft, eher in einer müden Automatik ging ich ihr nach. Mein Blick hing an den Routineschwankungen ihrer Rückseite. Gar nicht gierig. Sachlich zur Kenntnis nehmend. Es ist mir völlig aus dem Gedächtnis geschwunden, wie und warum ich sie angesprochen habe. Es war mir klar, daß sie im Augenblick nicht auf Geschäft aus war. Warum sie mich mitgenommen hat? Ich weiß es nicht. Wahrscheinlich gehörte sie zu der Art, die nicht nein sagen kann. Und ich! Ich ging nicht eigentlich, es schwemmte mich ab wie ein zäher Schwall öligen Hafenwassers. – Eine Kellerwohnung. Nach einer Weile war es geschehen. Ohne Reiz oder Lust, ohne Notdurft, auch jenseits des Ekels oder der Scham, so wie die Pflegeleistung an einem Schwerkranken. Es schmeckte nach Desinfektionsmittel und der muffigen Obszönität des Todes.

Eigentlich wollte ich gleich wieder gehen, aber mir fehlte die Energie. Ich fiel in einen ausgehöhlten Schlaf aus Blei.

Vom Geschepper einer schadhaften Traufe, Rattern über dem Pflaster und dem Rütteln des Windes an den heruntergelassenen Jalousien wachte ich auf. Draußen dämmerte der Morgen. Im Raum hing eine träge Rauchschwade bläulich gelb in halber Höhe. Dann ein Geruch nach feuchtwarmen Bettüchern, fischig mit etwas Bitterem vermengt, und der süßlich mehlige Duft

444

von Puder; und eine Spur Spitalsaroma. Ich fühlte mich völlig leer im Kopf, todmüde, aber nicht zum Schlafen; eine saure Schärfe im Magen. Allmählich erst begriff ich, wo ich war. Da habe ich dann auch die Frau neben mir gespürt und gesehen. Die verschmierten Schminkreste im Gesicht und auf dem Polster, bläulich faltige Lider, die verwaschenen Lippen halb offen und unter der Decke die zerfließenden Konturen gelöster Üppigkeit, vom flachen Atem rhythmisch gehoben und gesenkt, wie ein Quallentier ans Ufer der Dämmerung gespült ... ein Tier, weder erregend noch abstoßend ... Jetzt zogen mir Erinnerungsfetzen wie Schleimspuren durchs Gehirn. Keine klaren Bilder. Gallerte von Erinnerungen. Aber es ekelte mich nicht einmal. In einer halbgelähmten Art war ich sogar einverstanden mit dem, was geschehen war, einverstanden damit, daß mich dieser grindige Nachmittag in jene Absteige gespült hat.

Die Erschöpfung kroch mir wieder unter die Lider, aber der Wind pfiff schrill, Dachziegel schepperten, und dazwischen, einen falschen Frühling vortäuschend, gurrten Tauben. Ich sah das räudige Federwerk dieser Großstadttauben vor mir, aussätzig, geil und krank, und da fiel mir wieder der Gilgamesch ein: ›da wurde ich ganz und gar in eine Taube verwandelt, daß mir die Arme befiedert sind im Hause der Finsternis‹.

Ein jäher Stoß Sodbrennen hat mich völlig wach gemacht, und mit größter Vorsicht, um sie nicht aufzuwecken – das Hohlgerede nach solchen Begegnungen wäre jetzt gräßlich gewesen –, habe ich meine Kleider zusammengesucht und bin zur Tür geschlichen, die nur angelehnt war, in die Küche. Dort hab ich mich rasch und leise angezogen, das hat mich so erschöpft, daß ich auf einen Hocker gesunken bin. Durch das nackte Fenster sah man draußen einen blaßblauen, ungestümen Himmel, jagende Wolkenbäuche, die strichelnde Fäden zogen und dauernd die Form veränderten, irgendwelches Wassergetier.

Unfähig, mir den zweiten Schuh anzuziehen, sah ich

mich um in der Küche: billige abgeschabte Aufgeräumt-
heit, in der Ecke lag der häßliche Hund auf seiner Dek-
ke und leckte sich. Mich fröstelte auf dem Sessel in meiner Ohnmacht. Den Schuh in der Hand, nickte ich kurz
ein. Da zwang mich etwas, aufzuschauen. Ich sah den
Hund. Er saß jetzt aufrecht und starrte mich an. Sta-
tuenhaft der sehnige, ordinär gewachsene Köter, die
verhältnismäßig großen Ohren steil aufgerichtet, spitz-
schnäuzig, mit blanken, hervorquellenden Augen, zwischen stumpfem Schwarz und schillerndem Gelb chan-
gierend. So saß er im giftigen Föhnlicht, die Lefzen
verzogen, als feixe er, zweideutig, schakalhaft, und für
ein paar Augenblicke geriet die dürftige Kreatur ins
Flimmern wie knapp vor einer Verwandlung oder Entlarvung, einer Enthüllung, die keine Erkenntnis war,
sondern Entkleidung, obszön. Alles kam ins Schleudern
– Anubis, platzte es in meinem Hirn wie eine träge Blase, der Totenhund, in Nekropolen streunend. Zuhälter,
in lehmige Behausungen verlockend, wo die Lebenskraft erstickt und der Wille in schlüpfrigen Moor-
schleim sackt. Freiwillig, mit einer müden Gier nach
Tod. Kein Schrecken. O nein. Der Schrecken ist längst
überstanden. Den hast du hinter dir. Auch keine Scham,
daß man aufgesessen ist der kupplerischen Hyäne, die
dich angrinst.

Und da fiel mir erst wieder der Handschuh ein. Daß
ich auf den Friedhof wollte und es nicht gewagt hatte,
als mir der Gedanke kam: das Grab ist nicht leer; es ist
etwas Alleingelassenes drinnen in seiner ganzen häßlichen Armseligkeit, das sich selbst überlassene Fleisch,
dem der Geist den Schutz versagt hat. Und ich begriff,
daß dieser Gedanke, nein, nicht der Gedanke, daß es
dieses plötzliche Gefühl war, das mich gerade hierher
getrieben hatte. Es ist absurd. Ich sah die Zusammenhänge nicht, aber manchmal ist man sich einer Sache
sicherer, als wenn man sie verstehen und analysieren
kann.

Da saß dieser Hund vor mir und war wieder ganz gewöhnlich, ohne mythische Aura. Jetzt konnte ich mir

446

die Schuhe anziehen und Hut und Mantel nehmen. Wie ein Lösegeld legte ich einen überhöhten Betrag auf die geblümte Plastikdecke des Küchentischs und stahl mich aus der Kellerwohnung, die Stiegen hinauf durch den Flur in die Winkelgasse, deren Pflaster im Verwesungsglanz des Föhnmorgens strahlte.

Jetzt habe ich Ihnen eine mehr als unappetitliche Geschichte zugemutet«, sagte Singer etwas geniert und sah zu Boden. Dann gab er sich fühlbar einen Stoß und sagte: »Und jetzt muß ich Ihnen noch etwas Ärgeres zumuten und sagen, daß dies alles sehr eng mit meiner toten Frau zusammenhing. Nicht mit ihr, wie sie war, nicht mit meiner Erinnerung an sie, sondern mit ihrem verlassenen Leichnam unter der Erde. Dem konnte ich jetzt sagen: sei nicht traurig, ich bin nichts Besseres als du. Ein armer Haufen seelenverlassenes Fleisch ... Es war etwas wie ein Akt der Solidarität mit dem, was von einem Menschen übrigbleibt, der einem, als er lebendig war, viel bedeutet hat.«

Singer hatte das wie im Traum gesagt, jetzt blieb er jählings stehen und sah mich mit erschrockenen Augen an.

»Verzeihen Sie mir bitte diese scheußliche Sache. Ich hätte sie bei mir behalten sollen. Ich weiß gar nicht, es ist sonst nicht meine Art ... es bedeutet mir nur so viel, daß Sie verstehen, was ich selbst nicht verstehe, jedenfalls nicht erklären kann ... Es war plötzlich dieses wahnsinnige Erbarmen in mir mit dem armen Körper, in dem die obszöne, unzüchtige Verwesung wühlt, wenn der Geist ihn verläßt, dem er anvertraut ist wie ein schwächerer Bruder ... der Geist aber überantwortet den Leib den lasziven, beschämenden Machenschaften des Todes; der feine Bruder hält sich die Nase zu, um ja nicht angehaucht zu werden vom Hautgoût der Verwesung, statt auch seine Ehre hochzuhalten, wo sie doch so lang zusammen waren ...

Das habe ich empfunden angesichts dieses abgetragenen Handschuhs, ich habe die Totenhand gesehen und was sie jetzt vermutlich war da unten im zermorschten

Sarg. Ich bin diesem gemeinen Wink des Todes nicht blind auf den Leim gegangen, absichtlich folgte ich ihm aus Trotz in seinen unflätigen Bereich, wo das gottverlassene Fleisch sich zersetzt, unappetitlich und widerstandslos wie die Lefzen des Totenhundes. Der lief mir voraus, sah sich um, ob ich nachkam, und schien zu grinsen; und ich ging ihm nach. Nicht willensgelähmt, sondern um die gespenstische Form einer Hand zu ergreifen, wie sie jetzt vermutlich war, mit meiner lebendigen. Ich sage nicht, die Hand meiner Frau, die in meiner Erinnerung ist, sondern die verlassene Totenhand ... Was mich antrieb, war Zorn auf den Tod und auf Gott, Trotz und ein qualvolles Mitleid mit diesem ausgesetzten Fleisch. Es war ein Akt der Loyalität und der einzige Weg. Ich weiß, es klingt absurd, und etwas anstößig auch ... aber – und das wirkt wieder unerträglich pathetisch – für den Lebendigen geht der Weg in die Unterwelt durch ein Hurenbett, durch die Vereinigung zweier Körper, die nichts dabei fühlen, nicht einmal Gier.

Da reden die Leute so daher: Vereinigung mit dem geliebten Toten als geistige Versenkung und Inbrunst der Seele, edel und säuberlich. Aber der Tote hat ja keine Seele mehr, das macht ihn ja zum Toten. Er hat einen Leib, und den hat der Geist verlassen, und dieser Leib ist da unten alles andere als edel und rein, der ist schmutzig, ekelhaft und sinister geworden, und der ›Inbrunst der Vereinigung‹ haftet etwas Vettelhaftes an, Dreck und Unflat ... Verzeihen Sie bitte, wie kommen Sie dazu ... ich weiß, es ist eine recht undelikate Verirrung, Sie damit zu überfallen.«

Es war ganz finster geworden, und ein dünner Wind drang durch die Kleider bis auf die Haut mit Nadelschärfe.

Der Nebel verfremdete das Geräusch der vorbeiziehenden Autos und zerfranste es in Fetzen. Die Laternen hingen wie blasse Monde und strahlten kein Licht aus. Man sah keine zwei Schritt weit. Nur schneidende Kälte, die einem in Böen durch die Rippen fuhr.

In der Aufregung des Redens hatte Singer an seinem Schal herumgezerrt, der Mantel stand offen und schützte nicht vor der Kälte.

Er zog ein Taschentuch aus dem Mantelsack, und dabei fiel etwas Dunkles heraus und zu Boden. Er bückte sich rasch, aber ich hatte schon gesehen: es war der Handschuh. Ich nahm ihn ihm aus der Hand und zog ihn langsam an. Dann hieß ich ihn stehenbleiben, richtete ihm den Schal, sodaß er rundum abschloß und wärmte, und knöpfte ihm den Mantel zu.

»Das hätte jetzt meine Frau auch getan«, sagte er leise.

»Das ist ja unser ganzes Menschentum, auch mit unserer Geschichte. All die Scheußlichkeit und Leidensverstrickung, wie oft schon zu Lebzeiten vom Geist alleingelassen und der Fäulnis überantwortet. Das bißchen Geist, gerade so groß, daß er merkt und sich schämt, wenn er fällt, aber den Fall verhindern kann er nicht! Aber was nützt es, wenn wir uns dauernd selbst verwerfen, auch wenn wir erbärmlich sind! Wir haben uns nicht gemacht.«

»Sicher! – schon von der Anlage her leidende Versager«, sagte Singer, »aber es hat ebensowenig Sinn, uns in Klagen darüber zu erschöpfen wie uns großartig vorzukommen. – Wir waren imstande, Chartres, Mozart und das Hohelied zu machen und gleichzeitig Scheiterhaufen, Folterkammern und Glaubenskriege zu veranstalten. Wir leben gleichzeitig im Salon und im Abstellraum, über und unter der Erde, im Finsteren und im Licht.«

»Wir wissen nicht, ob Gott uns absichtlich so gemacht hat, oder ob wir ihm passiert sind, wie jedem Handwerker Abfall passiert. Mag sein, er hat uns vergessen und verlassen mit unserer unglückseligen Mischung aus Fleisch und Geist, die nicht zusammenpassen. Wir selbst dürfen uns aber nicht verlassen und mit der einen Seite versuchen, zu Gott abzufahren, und die andere unten verfaulen lassen. Das gehört sich nicht. Das ist gegen jede Loyalität. Und sehen Sie, das ist auch noch in diesem Handschuh. Nicht nur das Gespenst der Verwesung. Auch das Gefühl und die alte Zärtlichkeit und Sorge. Der Mensch ist nicht nur aus Geist und schmutzigem Fleisch. Das haben die Kirchenväter gegeifert. Sie haben das Bindeglied unterschlagen, das Gefühl. Sie haben viel von der Liebe geredet, verstanden haben sie nichts davon, sondern einen Abgrund gesetzt zwischen Körper und Geist, in dessen Finsternis wir uns heut noch ängstigen und verirren.

Nehmen Sie den Handschuh und weinen Sie darüber, wie es sich gehört. Als es Zeit dafür gewesen war, haben Sie sich im Geist versteckt, und als es Ihnen wieder einfiel, haben Sie sich in einer Absteige verlaufen, ein christlicher Orpheus, für den die Unterwelt nicht nur traurig ist, sondern obszön. Wenn Sie demnächst auf den Friedhof gehen, dann stellen Sie sich vor, daß die armen Reste unten in der Erde einmal zärtlich waren, und damit geben Sie ihnen die humane Ehre wieder, die ihnen der arrogante, dünkelhafte und selbstgefällige Geist verweigert hat.«

Ich nahm seinen Arm, wir hängten uns ein und wärmten uns aneinander ein bißchen gegen die beißende Kälte. »Das hätte jetzt meine Frau auch getan«, sagte er noch einmal. – »Sicherlich«, antwortete ich, »es ist das, was Menschen füreinander tun können. Einfach, wohltuend und ohne geistige Erleuchtung. Und auf diese Weise kann man vielleicht dem Tod ein Bein stellen, statt sich von ihm in die Unterwelt verlocken zu lassen.«

THUGUT BEGIBT SICH IN DIE THEBÄIS

Thugut hatte uns beide – seltsamerweise schriftlich, was irgendwie beunruhigend feierlich wirkte – für den späten Nachmittag in das Wirtshaus auf dem Ruprechtsplatz bestellt. Er würde jetzt Wien für längere Zeit verlassen. Die Arbeit, die seine Anwesenheit erfordert habe, sei beendet. Er wollte sich von uns verabschieden.

Ich war als erste dort, nahm Platz und wartete auf die beiden Herren. Trotz der vorgerückten Jahreszeit standen die Tische noch im Freien. Es war ein sehr warmer Tag gewesen. Tiefviolett das Himmelsviereck über den steilen Dächern der alten Häuser. Nur noch der obere Teil der Fassaden lag im Licht; taubenhalsfarben rosig schillernd. Leuchtend auch der Grünspan des Turmkreuzes. Auf dem Kopfsteinpflaster blautintige Schatten.

Manchmal kann ein Spätherbstnachmittag die Quintessenz eines ganzen Sommers heraufbeschwören und ist doch nur gespenstische Äffung, die Übel voraussagt: in der Weichheit der Luft, in der seidenen Färbung des Himmels und in einem intensiven Rosenduft, der nicht wahr sein kann, weil die Stöcke schon kahl und in der Winterverpackung sind.

»Viel zu süß«, sagte Singer, der herantrat, stirnrunzelnd und schnobernd; »zu geil. Morgen haben wir Allerseelenwetter.«

»Fallobstaroma, das die Wespen lockt«, antwortete ich und scheuchte eine, die besonders zudringlich war; »sie saugen sich voll und berauschen sich, damit sie nicht nüchtern sterben müssen.«

»Lassen wir uns trotzdem Wein kommen«, sagte Thugut, der nun auch eingetroffen war und sich einen Sessel heranzog; »die werden heut vermutlich zum letztenmal in diesem Jahr im Freien stehen. Aber für ein Viertel Wein wird's wohl noch reichen vor dem Wettersturz.«

»Du gehst also ins Kloster zurück?« fragte Singer, während Brot und Wein auf den Tisch gestellt wurden; »warum hast du uns eigentlich so feierlich einberufen mit Brief und Siegel? Sonst hat ein Anruf genügt.«

»Hat es feierlich gewirkt?« lächelte Thugut; »vielleicht ist mir auch ein wenig feierlich zumut!«

»Weil du zurück ins Stift gehst? Ihr seid ja keine Karthäuser. Soviel ich weiß, habt ihr euch das Leben ganz behaglich eingerichtet?«

»Ich geh nicht ins Stift. Ich ziehe mich für eine Weile

zurück ... Ja, schaut nur, und dann mokiert euch, soviel ihr wollt. – Ich geh in die Berge!«

Kurz dachte ich, Thugut triebe einen Scherz mit uns. Aber Singer horchte auf. Er kannte ihn besser. »Das klingt wie Gustav Mahler: ... ›ich geh, ich wandre in die Berge und suche Ruhe für mein einsam Herz!‹«

Thugut spannte uns nicht auf die Folter. Zum Besitz des Klosters gehören, erfuhren wir, am Südhang der Bergkette Wälder, in denen sich ein kleines Blockhaus befindet, eigentlich nicht viel mehr als ein Jagdunterstand. Ein großer steinerner Herd, ein Truhenbett, tagsüber in eine Sitzbank zu verwandeln. Ein Tisch. Ein paar einfache Regale. Die wichtigsten Geräte.

»Du gehst also«, sagte Singer, »in die Thebäis, und statt auf Höhlenstreu schläfst du in einem rustikalen Sarg. Und so willst du es einen Winter lang aushalten? Ich sag dir gleich: *ich* besuch dich dort nicht!« – »Das möcht ich mir auch ausdrücklich verbeten haben, daß mich wer besucht. Weder ihr beide noch einer meiner Mitbrüder, geschweige denn Fachkollegen. Ich will nur den Gemeindetrottel vom nächsten Dorf sehen, der mich einmal in der Woche mit dem nötigen Proviant versorgen wird. Kochen und Holz hacken tu ich mir selber.« – »Um Gottes willen, was ist in dich gefahren«, regte Singer sich auf, »warum willst du plötzlich gesund leben in frischer Luft und bei körperlicher Arbeit?« – »Nun, ich hoffe, nicht krank zu werden davon ... Ich will nur eine Weile allein sein und nachdenken ... Ihr beide seid übrigens nicht ganz unschuldig daran.« – »Waren wir so anstrengend, daß Sie in die Wälder gehen müssen und die Menschen scheuen?« – »Bisweilen schon, aber es war auszuhalten. Die Sodalitas ist der Floh im Ohr des Flohs«, lachte Thugut, beutelte unwillkürlich sein Ohrläppchen und verlor sich dabei in einen sinnierenden Ausdruck. – »Darf man Näheres erfahren«, bohrte Singer nicht ohne Schärfe, »du weißt: Andeutungen hasse ich!« – Thugut schwieg beharrlich, man wußte nicht, ob aus Verlegenheit oder um in Ruhe nachdenken zu können.

Da ich es nicht mehr aushielt, stellte ich eine direkte Frage: »Sie sagten, die Sodalitas habe mit diesem Wüstenprojekt zu tun. Wohl Ihr zentrales Thema: das ›Große Spektakel‹? Darf man daraus schließen, daß die Kirche, genauer Ihre Existenz als Ordensmann, Sie ›in die Berge‹ treibt?«

»Sagen wir: warum ich es geworden und geblieben bin.«

»Das hab ich mich schon oft gefragt«, sagte Singer, »aber als Mensch von Erziehung habe ich mir diese Frage verkniffen.«

»Diese Überanstrengung wäre nicht notwendig gewesen. Mir ist die Frage nicht peinlich. – Der Grund war – wie fast alle Lebensentscheidungen in unserer Generation – das Erlebnis des Krieges. Ich gehöre ja zu dem Jahrgang, der gewissermaßen die Schulbubenexistenz mit der Front vertauscht hat, übergangslos. Aus einem katholischen bürgerlichen Wiener Haus stammend, war ich nicht anfällig für die Wonnen des Nazitums. Für mich war der Krieg ein Unfall, in den mich die Zeitläufte unseligerweise verwickelt hatten. So habe ich mich all die Jahre hindurch verhalten, wie sich eben einer verhält, der in eine Katastrophe geraten ist, die ihn persönlich nichts angeht und die er möglichst heil durchstehen möchte.«

»Konnte man das?«

»Ja, auch der Krieg ist bis zu einem gewissen Grad ein Handwerk, das man erlernen kann. Dazu war vor allem Fleiß nötig. Ich habe die Schaufel mehr gebraucht als das Gewehr, habe mich, wie man es in der Ausbildung gelernt hatte, auf Schritt und Tritt eingegraben. Diese Maulwurfsmethode war der sogenannten Schneid weit überlegen. Die zu faul dazu gewesen sind oder denen das zu wenig fesch war, haben es bezahlt. Ich hab's nicht weiter gebracht als bis zum Obergefreiten, dafür gesund. So konnte ich meinen Kadaver schützen. Ungeschützt blieben meine fünf Sinne. Ich war – wie schon gesagt – nicht einer, den die Begeisterung mit Blindheit geschlagen oder gesegnet hat. Ich konnte auch nie vergessen, daß der Wahnsinn von unserer Seite ausgegangen ist. Ich habe die eigenen Leute tot oder mit entsetzlichen Verstümmelungen schreien und sich gegen das Sterben auflehnen gesehen. Aber das hat keinen Haß auf die Gegenseite in mir geweckt, sondern die beklemmende Vorstellung, daß es jetzt drüben genau so zugeht wie bei uns, daß Menschen Schmerzen leiden, sich fürchten und verrecken, und das womöglich an einer Kugel, die aus meinem Gewehr gekommen ist ... Solange man den Kopf oben hat, schießt einer wie ich ja ohnehin in die Luft; wenn einem die Sache aber an die Haut rückt, beginnt man scharf zu schießen. Automatisch! ... nachher kein angenehmes Gefühl ... Ich habe auch gesehen, was Partisanen mit unseren Leuten gemacht haben, und gleichzeitig hab ich gesehen, wie die Unseren Dörfer ausgerottet und kleine Kinder wie Hühner erschlagen haben, nur wenn der Verdacht bestand, es hätten sich da Partisanen versteckt. Gar nicht will ich von den Juden reden, deren Vertilgung auch zu den täglichen ›Aufgaben‹ der Soldaten gehörte, ehe sie die Gaskammern hatten, wo es rascher und billiger ging.

Nach außen hin habe ich – wie ich schon sagte – alles getan, um zu überleben und mich, was durchaus möglich war, aus den erwähnten Exzessen herauszuhalten. Ich wurde immer sicherer und routinierter im Überleben, und an die Angst gewöhnt man sich erstaunlich schnell. Dann habe ich mich auch bemüht, mir einzureden, daß Krieg an sich, die Abnormität und Außergewöhnlichkeit des Krieges, die Menschen verroht. Wenn es um die vitale Existenz geht in der direkten Konfrontation mit dem Gegner, da denkt man nicht; man hat auch keine Gesinnung oder Religion. Da tritt der reine Instinkt in Aktion: er oder ich.

Das war es also nicht! – Was mich – ganz langsam, dafür aber fürs Leben – innerlich aus den Angeln gehoben hat, war der unfaßbare Umstand, daß die grauenvollsten Unmenschlichkeiten nicht von Sadisten, Psychopathen, krankhaften Kriminellen ausgeführt wurden, sondern von scheinbar ganz normalen Leuten, Durchschnittsmenschen, die – in der Sprache meiner Profession ausgedrückt – mit drei Ave als Buße aus dem Beichtstuhl entlassen werden und drinnen nicht einmal gelogen haben. Mit SS oder Sonderkommandos hatte ich nie zu tun, immer nur diese Männer, die zu Soldaten geworden waren, weil Krieg war. – Aus den Angeln hat es mich gehoben, daß sich eben diese Soldaten nach den erwähnten ›Aktionen‹ ganz ruhig und unbetroffen zum Essen oder zum Kartenspielen hinsetzen konnten.

Ich bin, wie wir alle, mit einem ganz bestimmten, humanistisch gefärbten Menschenbild aufgewachsen; von zu Hause erzogen, von der Schule darauf gedrillt. Ich habe dieses Menschenbild ganz naiv und ohne mir darüber den Kopf zu zerbrechen, mit an die Front genommen. Nun sah ich plötzlich den Menschen als eine Spezies von Lebewesen, die nicht nur im Zustand der Todesgefahr, sondern auf nichts als einen Befehl hin bestialisch handeln konnte, wie kein Tier es tut – und daraufhin einen gesunden Appetit und einen geruhsamen Schlaf hat.

Durch die reine Anschauung lernte ich – mein späteres Studium war nur eine rationale Bestätigung –, daß der Mensch von seiner Natur her eine Mißbildung ist, eine Deformation, die aus einem unerfindlichen Grund nicht, wie es sonst in der Natur geschieht, ausstarb. Unser Instinkt ist nur rudimentär ausgebildet. Die Vernunft, die dafür eintreten sollte, ist zu schwach entwickelt, um die Lücke zu füllen. Instinkt und Ratio sind nicht ineinander verzahnt. Es klafft ein Riß dazwischen, eine labile Zone. Wenn sich eine Macht mit genügend Nachdruck dieser Zone annimmt, unterwirft der Mensch sich gern, weil ihm das Sicherheit gibt, und da fragt er nicht viel, ob diese Macht gut oder schlecht, irdisch oder göttlich ist, nur stark genug muß sie sein und Halt geben.

Als dann der Krieg vorbei war, versuchte ich, mir einzureden, es sei dies alles ein Alptraum gewesen, ein Ausnahmezustand. Jetzt im Frieden würden die Menschen wieder so sein, wie man es gelernt, wie man sich's vorgestellt hat: weder besonders gut noch besonders schlecht. Nur in der Minderzahl zu schweren kriminellen Handlungen geneigt, in der großen Mehrzahl entsetzt von dem, was geschehen war.

Da kamen die ersten Kriegsverbrecherprozesse. Nicht das Schaustück in Nürnberg, sondern die in den lokalen Gerichten. Dabei haben mich weniger die Angeklagten interessiert, welche die Befehle zum Morden gegeben oder sich durch Überstunden hervorgetan haben. Was mich zutiefst erschüttert hat, waren die Freisprüche, die teils durch die Richter, vor allem aber durch die Geschworenen bedingt wurden. Diese Geschworenen waren nicht, wie man oft im Ausland glaubte, gewesene oder immer noch heimliche Nazis, die mit dem Geschehenen einverstanden waren, sich damit identifizierten. Es waren eben diese ganz unauffälligen, völlig ›normalen‹ Menschen, die es für selbstverständlich hielten, Befehle auszuführen und dabei innerlich unberührt blieben, auch wenn der Auftrag bestialisch war. Es sind solche gewesen, die ganz ehrlich und ohne Hintergedanken zu sagen vermochten: ›ich habe ja nur meine Pflicht getan‹; vielleicht sogar der eine oder andere: ›angenehm war's mir ja nicht‹.

Nun, wozu lang herumreden. Die Lust, mich als Familie mit Frau und Kind in dieser Welt zu etablieren, war mir ein für allemal vergangen. Als Studienfächer wählte ich mir die Zoologie und die Psychologie, in der Hoffnung, etwas vom ›Menschen‹ zu lernen; dabei kam ich bald zur Verhaltensforschung.

Jetzt werdet ihr fragen: warum die Kirche, warum ein Orden? Schließlich kann man auch als Junggeselle sein Interessengebiet verfolgen und dabei freier leben als in einer Klosterzelle! Das ist doch ein bißchen überspannt und riecht nach Weltflucht. – In Wirklichkeit war es nüchterner.

Von einem Verwandten wußte ich, wie sich das Leben in einem Benediktinerkloster abspielt. Man hat dort persönlich wie interessenmäßig einen ziemlich großen Spielraum und steht anderseits, was auch nicht schlecht ist, in einem festen Rahmen, einer sinnvollen Ordnung. Was aber das Entscheidende war für mich, ist die Erkenntnis gewesen, daß die Kirche heute jene Institution ist, die das nüchternste, rationalste Menschenbild hat: sie weiß, daß der Mensch ein moralischer Krüppel ist und rechnet damit. Zum Unterschied aber etwa von der Wissenschaft spricht sie ihn trotzdem nicht frei von der Verantwortlichkeit für das, was er tut, auch dann nicht, wenn er seine Bestialitäten unter Zwang, Nötigung oder Vorspiegelung begangen hat. Die Kirche kennt nicht, wie jedes weltliche Gericht, den Begriff der ›mildernden Umstände‹. Was man getan hat, dafür muß man einstehen, darüber muß man Rechenschaft ablegen.«

»Aber gerade die katholische Kirche hat doch die Beichte, die Absolution und schließlich die Erlösung für jeden Sünder«, wandte ich ein.

»Sie bringen die Begriffe durcheinander. Die Kirche kennt die Verzeihung und die Gnade, aber nicht den Freispruch. Die Verzeihung löscht nicht das Vergehen; im eigenen Bewußtsein bleibt es präsent. Als Freigesprochener geht man aus dem Gericht, als hätte man sich nichts zuschulden kommen lassen. Das ist ein großer Unterschied. Die Kirche setzt den freien Willen voraus, sie zwingt ihn dem Menschen sogar gewissermaßen gewaltsam auf. Auch ein nach psychiatrischem Gutachten kindheitsgeschädigter Verbrecher ist für seine Taten verantwortlich. Die Schädigung enthebt ihn nicht des Wissens, des Entschlusses, Böses getan zu haben. Die katholische Kirche setzt – wie das Judentum – auf den Willen und auf das Bewußtsein und schiebt nicht, wie die scheinbar strengeren Protestanten und Calvinisten, die Entscheidung Gott in die Schuhe, der alles schon vor der Geburt festgesetzt hat.«

Da mischte sich aber Singer ein, der lange schweigend und sehr aufmerksam zugehört hatte: »Vieles an deiner Apologie der katholischen Kirche geht mir durchaus ein, und ich muß dir recht geben. Aber andererseits sollte man doch nicht vergessen, daß gerade die Kirche mit ihrem Mysterienspektakel von der Erlösung

durch den Glauben an eine ›einzige Wahrheit‹ immer
wieder Situationen heraufbeschworen hat, in denen der
Mensch zur Bestie für den anderen Menschen wurde,
der den Glauben an diese Wahrheit nicht geteilt hat;
zur mörderischen Bestie, die getrieben und auch gedeckt war durch eine Art göttlichen Befehl, unter dem
alles erlaubt, sogar geboten war. Wir Juden waren ja oft
genug diejenigen, an denen sich diese ›Befehle‹ vollzogen haben, wenn eure Kirche die Menschen – aus welchen Gründen immer – zu Massenräuschen stimuliert
und sie dann exkulpiert hat. – Sicher kann man die Kirche nicht verantwortlich machen für das, was in unserer Generation geschehen ist, aber das Modell hat sie
geliefert; ungewollt sicher, aber die Geleise waren aus-
gegraben von ihr: hier das Volk Gottes, dort das Volk Sa-
tans, und gegen die Mächte des Bösen sind alle Mittel
recht.

Es war eine indirekte Exkulpation. Was für ein Unterschied, ob verrückte Kreuzfahrer Juden als Ungläubige
im Namen Jesu umbringen, oder ob es die SS im Namen
des ›Führers‹ tut als Ungeziefer? Die Namen ändern
sich, die Rollen nicht und nicht das Spektakel. Und das
Spektakelhafte ist es, was den Verstand durch den Glauben ersetzt. Sicher kann man auch von einer miß-
brauchten Vernunft her Böses anrichten. Die Französische Revolution hat es gezeigt und vieles, was im
Namen des Kommunismus geschehen ist. Aber diesem
Bösen ist nur eine profane rationale Rechtfertigung gegeben worden, keine von Gott. Man hat die Metzelei als
Notwendigkeit der Vernunft und Gerechtigkeit ausgelegt, und dafür als Belohnung höchstens irdisches
Glück versprochen, aber nicht die ewige Seligkeit, sei es
im Himmel, sei es in den Pulsadern eines gereinigten
Volkstums. Sicher war letzteres ein elendes Plagiat des
›Großen Spektakels‹, aber die Kirche war es, die die
Menschen jahrhundertelang dafür vorpräpariert hat.
Ich gebe ihr keine Schuld daran, alles kann der Mensch
mißbrauchen und zu Dreck machen. Aber besonders
gehindert hat sie ihn auch nicht, muß ich hinzusetzen.«

»Du hast mit allem recht, was du gesagt hast«, antwortete Thugut.

»Und trotzdem kannst du in dieser Kirche sein?«

»Ich bin wohl in dieser Kirche, aber ich habe mich nie mit ihr identifiziert, habe immer meine Kritik und meine Vorbehalte gehabt. Meine Einwände gegen die Kirche als Institution an sich sind nicht so beschaffen, daß mir der humane Anstand die Zugehörigkeit zu meinem Orden verbietet, wie es etwa die Zugehörigkeit zu den Nazis gewesen wäre. Die Kirche hat oft genug Schlechtes getan, im allgemeinen hat sie es gut gemeint. Und gerade, weil sie sich über den Wert des Menschen keinen Träumen hingibt, sondern ihn sehr nüchtern sieht, hat sie es nicht leicht. Und vergiß nicht, daß die Kirche eine von Menschen getragene Einrichtung ist, und wo gibt es eine menschliche Einrichtung, in der eine gute Absicht nicht sehr böse ausschlagen kann. – Und für mich – vielleicht sollte das ein Ordensmann nicht sagen – für mich sind die Kirche und alle ihre Teile und auch Lehren immer von Menschen gemacht gewesen, nicht von Gott.«

»Du glaubst also nicht an die Offenbarung?«

»Glaubte ich an die Offenbarung, müßte ich an Gott verzweifeln.«

»Glaubst du an Gott?«

»Ja! – Aber nicht die Kirche hat mich zu diesem Glauben gebracht, sondern die Naturwissenschaft ... Ich will versuchen, es zu erklären: Vom Standpunkt der Naturwissenschaft sind wir nur sehr beschränkt lebensfähig. Nun ist es aber ein Gesetz der Natur, daß sowohl Individuen wie ganze Arten, die nicht lebensfähig sind, aussterben. Ich frage also: wieso ist der Mensch nicht ausgestorben? Wieso hat er sogar die Herrschaft in dieser Natur an sich gerissen, obwohl er schlechter ausgestattet ist für das Leben als jedes Tier?«

»Ist das ein Gottesbeweis?«

»Es ist ein Umstand, der den Verdacht nahelegt, daß es eine Kraft gibt, die in diesem speziellen Fall gegen die Natur handelt, und wenn sie das tut, dann ist anzunehmen, daß ein Grund dafür besteht. Ins Religiöse umgesetzt, heißt das: Es besteht die Möglichkeit, daß der Schöpfer der Spezies Mensch diese – an anderen Schöpfungen gemessen – Fehlgeburt mit Absicht am Leben erhält, wobei wir den Grund nicht kennen.«

»Er erhält uns am Leben, aber er läßt es zu oder bewirkt es sogar, daß der Großteil dieses Lebens Leiden ist beziehungsweise Wegschieben von Leiden, und noch dazu sinnlose Plage, weil am Ende trotzdem der Tod steht. Dieser Gott, der uns geschaffen hat und erhält, hat uns neben wenigem Guten auch viel Böses einbeschert und vorbehalten! Er hat uns außerdem so anfällig für das Böse gemacht, daß wir uns selbst und einander unaufhörlich Böses tun. In eurer Sprache heißt das: er führt uns dauernd in Versuchung, angefangen vom Paradies. Er hält sich sogar einen eigenen Versucher, der sich gerade an die heranmacht, die bemüht sind, das Böse zu meiden, wie Hiob oder Jesus. Wie würde man einen solchen Charakter beurteilen, wenn es sich um einen Menschen handelte? Dabei schreibt uns jede Religion vor, ihn zu ehren und zu lieben und um seinetwillen eben das Böse zu scheuen, mit dem er selbst so verschwenderisch umgeht.«

»Das ist alles richtig und immer Anlaß zu großem Kummer und großer Ratlosigkeit gewesen; auch zu allen möglichen spitzfindigen Spekulationen über IHN, der uns so unbegreiflich ist.

Seit Menschen über Gott ernsthaft nachdenken und es sich nicht leicht machen, indem sie seine Existenz einfach leugnen, zergrübelt man sich die Köpfe darüber, wie man Gott von der Schuld am Bösen freisprechen kann. Manche, die sind aber schon sehr großzügig und von nobler Resignation, nehmen das Böse als einen notwendigen Bestandteil der großartigen Gesamtharmonie der Schöpfung hin, so wie die Erde es geduldig hinnimmt, wenn sie vertrocknet oder vereist, weil die Sonne ihre unverrückbare Bahn abrollen muß. Aber wer denkt und fühlt schon so überlegen, wenn er sich in den Krallen des Leidens windet?

Andere haben versucht, das Böse von Gott abzulösen, es herauszuschälen und zu einer eigenen Wesenheit zu machen, einen Gottesfeind.

So hat man den Satan zum bestallten Versucher gemacht, der die Menschen auf Geheiß Gottes heimsucht, um sie zu prüfen. Das nimmt IHM aber viel von seiner Omnipotenz.

Damit macht man Gott zum kleinlichen, boshaften Charakter. Alles andere als ein guter Vater. Da gibt er uns einen freien Willen, aber nicht die Kraft, diesen Willen vernünftig und anständig zu gebrauchen, und über alles das setzt er uns noch einen in den Nacken, der uns zum Bösen und Dummen verleitet. Was ist das für ein Gott?

Man kann ihn nur leugnen, hassen oder sagen, daß er unbegreiflich ist. Eben dieser Unbegreiflichkeit wegen hat man ihm immer wieder Mittlergottheiten beigesellt, die auch etwas vom Menschen wissen und sich seiner Schwäche erbarmen. Gottesmütter und Gottessöhne, die in die Unterwelt steigen, sich selbst dem Tod ausliefern, um kraft ihrer Göttlichkeit den armen Verlorenen wieder heraufzuholen aus der Finsternis des Bösen und des Leidens, des Todes.

Das ist die Wurzel des ›Großen Spektakels‹, dem leidenden Menschen ausgepreßt als Trost und Hoffnung und gegen die schwarze Verzweiflung. Der hilflose Mensch – die Person des Bösen – die rettende Gottheit. Isis, Ischtar, Astarte, Maria; bei den Juden der Messias und der Gottesknecht des Jesaias; bei den Griechen Dionysos Soter: gestorben und wiederauferstanden von den Toten, er ›sitzet zur rechten Hand Gottes‹.«

»Sie haben Christus nicht erwähnt? Er müßte Ihnen am nächsten liegen!«

»Nicht als Messias, nicht als Christos, der Gesalbte, und schon gar nicht als fleischgewordener Logos.«

»Also als Jesus von Nazareth, des Zimmermanns Josef Sohn?«

»Ja, als dieser. Ein Mensch, der einmal gelebt hat in einer Zeit und Umgebung, wo man viel über Gott nachgedacht hat, viel von ihm erwartet, aber auch bitter gezweifelt hat. Vorgelogen hat er sich nichts.«

»Aber er hat den Leuten eingeredet, daß Gott ein liebender Vater ist.«

»Er war ein Mensch. Und welcher Mensch wünscht sich das nicht, und welcher glaubt nicht manchmal an seine eigenen Wünsche? Oft hat er es sicher nicht getan, denn sonst hieße der Kernsatz seines Gebets nicht: ›Führe uns nicht in Versuchung, sondern erlöse uns von dem Übel!‹ – Er war sich bewußt, daß die Versuchung von Gott ausgeht, hat gewußt, daß der Mensch zu schwach ist zum Widerstand gegen das Übel und daß nur Gott uns davon erlösen kann. Welcher von den Propheten und Gotteskündern sonst hat so klar, so nüchtern und schonungslos die Situation des Menschen gesehen und erkannt wie Jesus?«

»Und doch hat er den Glauben gepredigt, seine Gottessohnschaft und seine Erlöserkraft!«

»Wer sagt nicht oft als eine Wahrheit, was er so inbrünstig wünscht? Was wissen wir von seinen Zweifeln und Ängsten, von denen er nicht geredet hat? Nur von der großen Angst auf dem Ölberg wissen wir und von der Bitte, ›den Kelch vorübergehen zu lassen‹, ihn von dem, was er für seine Aufgabe und Sendung hielt, zu entbinden. Und dann wissen wir von dem furchtbaren Eingeständnis, daß Gott ihn in der Todespein allein gelassen hat. – Das klingt alles viel echter und authentischer als die blassen Geschichten vom leeren Grab und den Erscheinungen des Auferstandenen. So etwas wie das ›mein Gott, mein Gott, warum hast du mich verlassen‹, das denkt man sich nicht aus, das dichtet man nicht hinein in eine Geschichte, die berichten will, daß sich Gott auf Erden befunden hat.«

Wir waren lange still und bedachten die erstaunlichen Eröffnungen Thuguts. Dann fragte Singer leise: »Du glaubst also nicht an Jesus Christus, den eingeborenen Sohn und Erlöser?«

»Ich glaube an Jesus von Nazareth, der ein besonderer Mensch war und aus seinem Judentum heraus es sich schwer gemacht hat mit Gott und mit ihm gerechtet hat. Der wie Moses am Sinai alle auf den Menschen bezogenen Gebote zusammengefaßt hat in dem einen: ›Liebe deinen Nächsten wie dich selbst‹, das heißt, tu ihm nichts Böses an, das du selber nicht erleiden möchtest.«

»Das kommt mir fast so vor«, sagte ich, »als hätten Moses wie Jesus dieses Gebot nicht nur den Menschen ans Herz gelegt, sondern in aller Stille auch Gott. Als hätten sie es dem Menschen hinter die Stirn geschrieben, damit er es auf Erden Gott gewissermaßen vorspielt, um ihn damit zu verführen, es uns nachzumachen.«

»Tu uns nichts Böses an, das du nicht selbst erleiden möchtest«, sagte Singer grüblerisch, »wie sollen wir denn IHM das begreiflich machen, wo ER doch nicht weiß, was Leiden ist, wie sich Angst anfühlt und Schmerz und das unbeschreibliche Entsetzen vor dem Tod, vor dem Verlust dieses elenden Lebens, an dem wir mit allen Fasern hängen.«

»Nun, sind das nicht Fragen genug, einen in die Wüste zu treiben, zum inständigen Grübeln und Hadern?« sagte Thugut und lächelte, aber man sah, wie ernst es ihm war: »Was begreifen wir denn schon von Gott und Universum und unserer elenden Rolle darin? Fehlzeugungen, die wir sind. Von allem etwas, von nichts genug, nicht einmal genug zum Sterben. Unsere Erkenntnisse stellen sich meist bald als Irrtümer heraus, unsere Offenbarungen und Gesichte lassen uns in Rausch und Ekstase tanzen und dann in die Bestialität oder die Gewöhnlichkeit hineintaumeln. Rauschkinder sind wir, leidende Spottgeburten, gezeugt und geworfen auf der Schwelle, wo stocktief unter der Erde die Krypten mit den Weinkellern aneinanderstoßen. ›Sacer‹ – heilig und verflucht, als Opfer den Göttern und den Dämonen zugleich bestimmt und ausgeliefert.«

Es war rasch dunkel geworden, und ein fast heißer Wind blies, der deutliche Vorbote eines Wetterumschlags.

Wir waren die letzten Gäste, und die Stühle und Tische wurden bereits weggeräumt.

Finsterblockig dem Wirtshaus gegenüber im fahlen Laternenlicht die Ruprechtskirche. Gottes- und Weinhaus einander nahe gekrochen auf dem engen Platz, im ineinanderfließenden Geruch von Weihrauch und Weindunst, eine insgeheime Komplizenschaft offenbarend.

Durch das geschlossene Portal gedämpftes Orgelspiel.

»Was ist das, was da gespielt wird?«

»Kirchenlied ist es keins.«

Die feierliche Trockenheit einer Bach-Fuge taumelt in ein Sauflied, schwillt stufenweise an zum Orgasmus einer Opernarie und zerbirst knapp vor der Klimax in das halbirre Tiergekreisch einer Rockband. Aber der hackende Rhythmus wird von der solennen Monotonie eines gregorianischen Chorals überrollt, durch den sich das heisere Diskantgeschnatter einer äffischen Horde feilt. Gefugtes Chaos.

»Kirchenlied ist das keines.«

»Auf Notenlinien geflochtener Irrsinn. In Musik gesetzte Menschengeschichte.«

»Was hat Menschengeschichte in einer Kirche verloren?« – »Heilsgebäude waren immer eine Bühne für das Menschheitsspektakel Geschichte, durch Falltüren verbunden mit Rauschkellern. Wie hier die älteste Kirche von Wien auf den Trümmern eines Römertempels steht.« – »Und tiefer unten noch die Reste archaischer Heiligtümer bis zum nackten Opferstein, der noch klebrig ist vom Blut der Schlachtopfer zur Bestechung launischer Dämonen.« – »Heut ist es nur mehr eine blasse Oblate.« – »Das täuscht. Da unten auf dem Morzinplatz sprießt der Rasen auffallend fett aus dem gestockten Grauen verschütteter Folterkeller. Schwarze Messen, zwischen Kirche und Spelunke zelebriert, in Weihrauchwolken und Fuseldunst; Meßwein, ausgeschenkt in heilig unheiligen Kellern, berauschend im Namen einer Heilsversprechung, die munter macht zum Töten und zum Sterben.«

»Was diese Orgel dröhnt und jault und hämmert, verspricht kein Heil.«

»Menschengeschichte ist kein Kirchenlied; sie spielt auf Orgeln, deren Pfeifen gesprungen, deren Windkanäle löchrig sind. Menschengeschichte ist Leidensflucht in knochensaugender Angst vor dem Tod. Blindes Tasten durch die Wühlgänge hechelnder Pein, dem Schemen einer Heilshoffnung nach.«

»Und zwischendurch hochstelzende, sich spreizende, trompetende Berauschung, prangende Hochkultur in Gold und Weiß und Purpur. – Was ist der Mensch doch ein mordgieriger, pathetischer, todtrauriger Narr, ein weinerlicher Halunke, der auf geweihten Orgeln Kantaten der Jenseitsgewißheit spielt, durch welche die Rasseln, Pfeifen und Trommeln des Urwalds dröhnen.«

»Da helfen kein Weihwassergesprenge und die Namen der drei Könige auf dem Türsturz. Da gehört in jede Schwelle ein Drudenkreuz gekerbt.«

EIN BRIEF AUS DER THEBÄIS

Singer und ich hatten uns mit den üblichen Schwellenhemmungen wieder so langsam in eine neue Arbeit gefunden, wobei wir natürlich zu unserer ursprünglichen Produktionsart zurückgekehrt waren, die sich ja nur aus einer Notlage heraus vorübergehend verzwillingt hatte. Singer durfte nun wieder streng und trocken wissenschaftlich sein, mit gelehrten Fußnoten für ein ausschließlich gelehrtes Publikum, und ich konnte ohne entnervendes Studium von Fachliteratur meinem unseriösen Fabulierdrang frönen.

Oft sprachen wir davon, wie sich Thugut wohl in seiner selbstauferlegten Einsamkeit fühlen mochte. Es war Winter geworden, und wir stellten ihn uns tief eingeschneit vor. Ein Anruf im Stift hatte uns bestätigt, daß er sein Vorhaben ausgeführt und bis jetzt durchgehalten hatte. Wir bewunderten das und hofften, Kälte und Ödnis würden ihm nicht allzu sehr zusetzen.

Da langte eines Tages zu unserer größten Verwunderung ein dicker Brief von ihm ein, mit der Hand geschrieben, daher nicht leicht entzifferbar. Allein das Couvert sprach von einer mühsamen Reise; es sah abgegriffen und leicht befleckt aus, als wäre es durch viele nicht allzu saubere und papiergewohnte Hände gegangen, und trug den Poststempel eines Ortes, dessen Namen wir nie gehört hatten und auch auf der Landkarte nicht fanden. Thugut selbst hatte uns keine genaue Adresse angegeben.

Zu Anfang des Briefes erging sich der Klausner in einer etwas melancholischen Stimmungsschilderung. Der Spätherbst war noch schön gewesen, nur nachts hatten ihn die Urlaute der röhrenden Hirsche geschreckt, bis ihn sein verkropfter Jäger, der ihn versorgte, über die Herkunft dieser gespenstischen Geräusche aufklärte. Jetzt war alles tief verschneit, ein weißes Meer von Almflächen und Gebirgsschroffen, Horizont und Himmel meist unklar ineinanderfließend; wenn nicht der Sturm um die Hütte heulte, von einer ganz besonderen Totenstille, die einen dauernd zum Horchen zwang. Aber Thugut hatte wenig Zeit zum Grübeln. Hütte und Weg mußten täglich ausgeschaufelt, Holz für die Feuerung gehackt werden. Auch bekochte er sich regelmäßig mit den Vorräten, die der Jäger vom Dorf heraufbrachte, und erzeugte in seiner Behausung einen stehenden Selchgeruch, in dem der Speck behaglich brutzelte, unserer Vorstellung nach nicht gerade die klassische Eremitennahrung. Nun aber kam er zum Eigentlichen.

Nicht die körperliche Plage, Kargheit und Einsamkeit machten ihn leiden, dafür aber offenbar beträchtlich die Fragen, derentwegen er sich in die Einöde begeben hatte, um sich ihnen ohne Ablenkung auszusetzen. Er schrieb von Heimsuchungen, »denen des heiligen Antonius in der Penetranz vergleichbar, aber leider nicht unanständigen, sondern ausschließlich geistlichen Charakters«.

Thugut erinnerte uns an das letzte Gespräch im

Wirtshaus vor der Ruprechtskirche, in welchem viel von der Undurchschaubarkeit Gottes und seiner Beziehung zum Menschen die Rede gewesen war und wir uns die schwermütige Überzeugung von der eigenartigen Gefühllosigkeit des Omnipotenten nicht verhehlt hatten. Nun suchte der arme Thugut in den Schneetunneln seiner kühlen Abgeschiedenheit nach einem wärmenden Grubenlicht.

Er hatte sich offenbar beim Aufstieg in seine hölzerne Solitude mit großen Mengen theologischer Literatur versehen; dickleibige und unbeschreiblich detailscharfe Werke aus zweitausend Jahren, schrieb er, Christliches und Jüdisches, »der Jammer ist nur, daß das logische Filigrangespinst nicht auf einem soliden, rationalen Fundament errichtet ist, sondern auf der Voraussetzung des Glaubens, wodurch man sich einem hochzerbrechlichen Gebilde auf tönernen Füßen gegenübersieht, was einen nervös macht und in einen Dauertremor stürzt, es könnte jeden Augenblick in sich zusammenkrachen.«

»Das sag ich ja immer«, regte sich Singer auf, »was hat einer von der schärfsten Logik, wenn sie nicht auf beweisbaren Fakten aufgebaut ist, sondern auf dem vagen und störanfälligen Phänomen des Glaubens? Was immer Glaube sein mag, in unser menschliches Gehirn sind dafür keine Prüfungs- und Kontrollstellen eingebaut!«

Man komme dann, führte Thugut weiter aus, zum Begriff des sogenannten ›schlichten Glaubens‹, der keinen Zweifel kenne und der Wissenschaft und Theologie angeblich haushoch überlegen sei, auch moralisch. Man deute ihn zur Tugend hinauf. Nur frage er, Thugut, sich dauernd, ob etwas, was so eine Wohltat und Annehmlichkeit sei wie der unerschütterliche Glaube, immer eine echte Gnade von oben sei und nicht vielmehr etwas, das man sich selbst, auf Seelenruhe bedacht und dem Zweifel gegenüber höchst wehleidig, mit all der geistigen Fingerfertigkeit einrede, über welche der Mensch in seiner Not verfügt.

Wir mußten dem von den Teufeln seines ehrlichen Gehirns Heimgesuchten da recht geben und verziehen ihm das fette Brutzeln.

»Es klingt vielleicht unerlaubt pathetisch«, schrieb er weiter, »aber vielleicht neigt man in der Einöde zum Pathos, weil man kein sarkastisches Gesicht vor sich sieht. Ich quäle mich ernst und sorgenvoll um ein annehmbares Gottesbild, quäle mich um ein erträgliches Verhältnis zwischen Mensch und Gott, aber meine geistige wie seelische Ausrüstung versagen vor dieser Aufgabe. Ich habe nicht das richtige Werkzeug dafür und frage mich, ob das an mir persönlich liegt oder ob uns bei der Schöpfung diese Hilfsmittel absichtlich vorenthalten wurden, weil ER eben nicht erkannt werden wollte. Und dann fragt man sich wieder, warum?

Nun, wenn die seriösen Möglichkeiten versagen, greift der Mensch in seiner Not früher oder später zu den unseriösen, wobei – unter uns gesagt – die Unterscheidung zwischen seriös und unseriös keineswegs klar gezogen werden kann und auch abhängig ist von Zeit und Mode.«

»Jetzt umkreist er wie die Katze einen heißen Brei!« sagte Singer, »er will was von uns!« Und dann beim Weiterlesen: »Ha, ha, Sie sind dran! Hören Sie zu:«

»Sie, verehrte Frau Doktor, haben mich oft und oft unterhalten, belustigt und auch in Erstaunen versetzt, wie Sie dem armen Singer, in seinem Streben nach seriöser Wissenschaft, helfend unter die Arme gegriffen haben mit Machwerken, die alles andere waren als seriös, aber doch keine Lügen, sondern gewissermaßen Gesichte, Einblicke in Realitäten, deren Wirklichkeitsgehalt gerade deshalb so stark empfunden wurde, weil sie – in durchwegs ernsten Zusammenhängen – einen starken, oft derben Schuß Komik hatten, die für die Wirklichkeit das ist, was die Punzierung für ein Goldstück. Wenn auf einem Breughelschen Kreuzigungsbild ein Hund seine Notdurft verrichtet, ist das keine Blasphemie, es macht das Bild nur erschütternder, weil eben Hunde auch bei einer Kreuzigung von ihren Gewohnheiten nicht lassen und die Ungeheuerlichkeit der Marter sich mitten in der Gewöhnlichkeit abspielt.«

»Wie ich meinen Floris kenne«, unterbrach Singer die Lektüre, »setzt er jetzt zum Flohsprung an!«

So war es auch, und es kam ganz lapidar und ohne Umschweife: »Ich brauche jetzt dringend ein Windei! Und da ich Sie trotz Ihres oft aufmüpfigen Gewesens als eine gute Seele kenne, werden Sie es einem in Kälte, Angst und Einsamkeit darbenden Bettelmönch nicht versagen. Schicken Sie es nach Hintertrum, Post Hirschedel, Gasthof zum ›Grünen Hirschen‹, z. H. Kröpflechner Kaspar, z. H. Pater Florian; und frankieren Sie bitte reichlich, sonst geht es zurück.

Ihr Thugut
Einsiedel!«

DER UNSELIGE ODER CHAIMOWITSCH SETZT EINEN SCHLUSSAKT

Chaimowitsch junior war als Kompagnon in die altehrwürdige Firma »Reliquien und Devotionalien, Chaim Chaimowitsch & Gebr.« eingetreten. Bald war er dem greisen Vater immer lästiger mit einschneidenden Neuerungsideen in den Ohren gelegen, von denen er sich eine Belebung des Umsatzes versprach. Vor allem zielte er auf eine radikale Umstellung von dem heute kaum mehr gefragten Reliquienhandel auf das durch den Sozialtourismus steil aufblühende Andenkengeschäft. Erst wehrte sich der Alte, tobte und verwarf. Dann wurde er es müde. Schließlich überließ er dem Junior die Firma ganz. Dieser modernisierte mit Geschick und Umsicht und erzielte fortan stattliche Einnahmen mit kleinen Stephanskirchen, Mozarten mit und ohne Klavier, Wienpanoramen auf Bierkrügen sowie Maria Zeller Madonnen in Elfenbein und wohlfeileren Materialien.

Dem Vater mißfiel der neue Betrieb unsäglich. Der litt unter der Hektik des Geschäftsgebarens, die den

Reiz gemächlicher, anregend gewitzter Basar-Handels-gespräche nicht zuließ. Auch war ihm die geistliche Minderwertigkeit der Ware zuwider und beschämte ihn.

Als Retirement bezog er einen abgelegenen Teil des weitläufigen Gebäudekomplexes, den das Geschlecht seit Jahrhunderten behauste und dessen Kellergewölbe mit den Katakomben in Verbindung standen. Der Flügel, den er für sich auswählte, war feucht und düster und längst nicht mehr bewohnt. Der Alte fühlte sich hier aber heimisch. Es gab da unter den Wohnräumen in zweistöckiger Tiefe ein Gelaß, das vorzeiten ein kleines Heiligtum gewesen zu sein schien. Man konnte Gewölberippen mit abgebröckelter Verzierung ausnehmen, und wo sie sich kreuzförmig trafen, sah man – stark beschädigt und abgemodert – die Skulptur eines Lammes oder Dämons; man konnte das nicht mehr feststellen und schon gar nicht in der vagen Kerzenbeleuchtung, welche die verwitterten Konturen unstet überschattete. Der Rest einer eisernen, vom Rost zerfressenen Kette hing von dieser Stelle in die Mitte des Raumes herab. Hatte sie ein Ewiges Licht getragen oder zur Fesselung und Tortur gedient? Niemand wußte es mehr.

In diesen Raum ließ der alte Chaimowitsch seinen ganzen Schatz an übriggebliebenen Reliquien bringen und ordnete sie, streng nach Herkunft und Art geschieden, in Truhen und Regale ein. Dann saß er oft in einem bequemen Ohrenstuhl, den er sich hatte hinuntertragen lassen, und sann und träumte.

Eines Tages nun drang plötzlich aus diesem Kellergelaß dröhnende Grammophonmusik, die dank der verwirrenden Akustik, die in diesem Gebäude herrschte, auch die von der jüngeren Generation bewohnten Räumlichkeiten überschwemmte. Es war aus dem Brahms-Requiem immer wieder der Passus: »Und alles Fleisch, es ist wie Gras, und alle Herrlichkeit des Menschen wie Grases Blüten.« – Diese Todesmahnung scholl tagelang durch Zimmer und Gänge bis in die Geschäftsräume; verstummte, hob wieder an, bald lauter, bald leiser, und verstörte das ganze Hauswesen. Kunden wurden verschreckt, und die Damen trieben einer Nervenkrise zu. Der Sohn suchte zum Vater vorzudringen, doch ohne Erfolg. Dieser hatte sich eingesperrt und stellte sich taub. Er ließ sich nur von einer alten Magd, einem urtümlichen Faktotum des Hauses, mit dem wenigen an Speise und Trank versorgen, das er brauchte.

Ebenso plötzlich, wie die musikalische Heimsuchung begonnen hatte, hörte sie auch auf. Es wurde totenstill im Haus. Diese Stille aber beruhigte nicht. Sie war geschwängert von der durchdringenden Ausstrahlung des Greises, welche die Nerven der Familie noch unerträglicher drillte als vorher die funebrale Musik.

Chaimowitsch aber hatte in seinem Gewölb zu werken begonnen.

Bei den Klängen des Requiems war in seinem Kopf die Idee und der inständige Wunsch gewachsen, als Denkmal und Krönung der ehrwürdigen »Sodalitas judaica atque catholica«, deren letzte Mitglieder dahinstarben, aus den vorhandenen Restgebeinen einen vollständigen jüdischen Märtyrer zusammenzusetzen.

War es doch sein, das jüdische Volk gewesen, das bis in die Gegenwart hinein die Hauptlast des ›Großen Spektakels‹ zu tragen gehabt hatte, in welchem ihm die Rolle des Bösen zugeteilt war, als welcher es geschlagen, getreten, gefoltert und umgebracht werden mußte nach den uralt geheiligten Regeln des Mysterienspiels.

Märtyrer waren sie also alle, ob als standhafte Bekenner, die nicht von ihrem Gottesbild ließen, oder nur als stumme Opfer, die man ohne den Vorwand eines Gottes ins Schlachthaus trieb.

Seit jeher waren die Reliquien der Firma streng nach jüdischen, heidnischen und christlichen Bekennerresten getrennt gewesen, sodaß ein Fehlgriff ausgeschlossen war. Chaimowitsch mußte nicht lange suchen. Bald fand er das eindrucksvoll beschädigte Haupt eines rheinischen Märtyrers aus den Tagen der Kreuzzüge. Der Schädel war eingeschlagen worden, und ein schartiger

Sprung zog sich von der Schläfe über eine Augenhöhle zum Nasenbein. Das Haus Chaimowitsch war niemals der seichten Unart verfallen, die heiligen Knochen mit allerlei Putzmitteln zu bleichen und zu polieren. Nur, was verweslich war, hatte man vorsichtig abgeschabt. So zeigte auch dieses Knochenhaupt die erdig fahle Farbe vermodernder Gebeine; schorfig bemoost waren das Schädeldach, die Stirn und die zarten Schattenhöhlen der Augen.

Chaimowitsch arbeitete mit feinem Golddraht. Früh erworbene, fast schon angeerbte Kunstfertigkeit erlaubte den zittrigen Greisenfingern raschen Fortschritt. Bald aber mußte er, der über die genauesten anatomischen Kenntnisse verfügte, feststellen, daß ihm hier und da und immer häufiger ein jüdisches Knöchlein fehlte. Zur Ehre des Hauses, das Jahrhunderte hindurch die ausgefallensten Wünsche einer orbitalen Kundschaft zu befriedigen wußte, glaubte er, seinem Martyr vor allem Vollständigkeit zu schulden. Nun fehlte ihm da ein Mondbein, dort ein Cornu sacrale! Was tun? Er sann lange und eindringlich. Dann sprach er laut vor sich hin: »Weiß der Mensch, was in der Aufregung des Jüngsten Gerichts aus falschen Gräbern und Schädelstätten gerafft werden wird? Er, der Herr, Herr, wird da nicht so kleinlich sein!«

Dies gesagt, entnahm er seinen Vorräten je nach Bedarf hier einmal ein heidnisches Rippenstück, dort ein katholisches Fingerlein, und ehe er es an der richtigen Stelle einsetzte, betete er darüber. Bald aber warf er im Drang des Schaffens nur mehr einen Blick nach oben und entschuldigte sich kurz damit, daß es sich doch auch bei diesem Gebein um einen Bekenner gehandelt habe, der für einen Glauben gelitten, den er für den rechten hielt. – Noch ein Zugeständnis mußte er machen, je weiter die Arbeit fortschritt. Er mußte sich da und dort bequemen, weibliche Knöchelchen einzusetzen. Aber er fand das bald gerecht und beruhigte sich darüber. Waren es doch nicht nur Männer gewesen, die im Namen ihres Gottes gestorben waren.

So wuchs der Märtyrer von oben nach unten. Zur Erleichterung und allseitigen Übersicht hatte ihn Chaimowitsch an der Kette befestigt, die vom Kreuzpunkt des Deckengewölbes hing.

Es dürstete den Alten nach Vollendung des Werkes. Ihn hatte Schaffensfieber befallen. Er aß kaum, trank wenig und hielt seinen kurzen leichten Greisenschlaf auf einem abgenützten Diwan, den man behelfsweise in der Kapelle aufgestellt hatte.

So hing der Bekenner mit dem fragwürdigen Glauben und Geschlecht bald vollständig bis zu den letzten Phalangen von Finger und Zeh an der rostigen Kette und schwankte im fahlen Licht der Kerzen, die in der Moderluft nur niedrig und bläulich brannten.

Nun schritt Chaimowitsch zur Bekleidung des Gerippes.

Es schwebte ihm eine Art Tallit vor; ein weißer Mantel mit dunklen Streifen und Fransen sollte in feierlicher Raffung Haupt und Schultern des Gemarterten umhüllen. – Da traten neue Schwierigkeiten auf. Wohl war der Vorrat an heiligen Stoffen groß, doch waren auch sie nur in Stückwerk vorhanden. Von frommer Besitzbegierde waren sie zerschnitten und zertrennt, zerschlissen und abgenutzt von flehender Betastung oder vermodert vom langen Aufenthalt in feuchter Grabeserde. Die Herkunft der Fetzen war allerdings genau verbrieft und überliefert.

Für Chaimowitsch begann eine mühsame Näh- und Klebearbeit. Und bald erging es ihm wie bei den Gebeinen. Die jüdischen Textilien reichten nicht aus. Immer mehr entfernte er sich vom Konzept des schlichten Gebetsumhangs und vergriff sich im Farbigen. Brokat von byzantinischer Kaiserpracht, goldbesticktes Bischofsornat und graue Büßerkutten, damastenes Tuch von Altären zwischen dem schlichten Linnen von Sterbehemden; Taufkleider und Hochzeitsschleier verbanden sich mit den zerfetzten Resten von Standarten und Vexillen, die in irgendeinem heiligen Krieg geflattert waren.

Tage- und nächtelang währte die Arbeit. Dann hielt

Chaimowitsch einen Mantel in Händen von geistlich anfechtbarer, aber düster schillernder Pracht. Er schlug ihn dem Gerippe um die Schultern, nahm es mit Mühe – er wollte keine Hilfe – vom eisernen Henkerstrang und band es an einen schmalen, geradlehnigen Thronsessel, der wurmzerfressen auf Löwenfüßen stand, deren Vergoldung abgebröckelt war.

Aber nun kam das Hauptstück des Werkes, die Märtyrerkrone.

Chaimowitsch sichtete seine Vorräte: zerspellte Helmzier aus grünspanigem Kupfer, vergilbtes Elfenbein und der Edelsteinbesatz geborstener Diademe. Bizarre Muschelbänder barbarischer Despoten und goldene Bruchstücke von Kronreifen. Dann aber auch Dorniges von Martergehölz, der Zweig eines verschollenen Lorbeerkranzes und viel Stroh von den Schmerzenslagern Gefolterter und von den Narrenkränzen solcher, die man zum Spott des Volks auf den Schinderkarren zur Richtstätte geführt hatte.

Chaimowitsch arbeitete nicht mehr. Er schuf. Er berechnete nicht oder bedachte. Seine Hände träumten unter dem schwimmenden Blick seiner greisen Augen. Und schließlich drückte er seinem Bekenner die Krone tief in die Moderstirn: Kaiserkrone und Narrenkranz, Tiara und Diadem. Funkelnd, dornenstarrend und strohgeflochten umzirkte es breit den knöchernen Schädel. Rückwärts und an beiden Seiten hingen bis auf die Schultern Schmucktrauben aus Perlen, Muschelbändern und Korallen, auch dornigen Hagebuttenzweigen von wunderbaren Rosensträuchern.

Chaimowitsch schob sich seinen Ohrenstuhl nahe an den Thron und betrachtete lange sein Werk. Das Gerippe hing etwas schräg vorgeneigt an den Fürstensitz geschnallt. Die reich beringten Finger umkrallten die Löwenköpfe der Armlehnen. Der hundertfetzige Mantel leuchtete in den schillernden Farben, die edle Stoffe annehmen, ehe sie zerfallen. Das matte Feuer der Edelsteine gleißte im Kerzenlicht. Und von den unsteten Reflexen bewegt, glomm in der bohrenden Blicklosigkeit der knöchernen Augenhöhlen etwas Herrisches, finster Strahlendes auf.

Zutiefst erschrocken weidete sich der greise Chaimowitsch an der wüsten Pracht seines Märtyrers, am düster flirrenden Glanz feierlicher Hinfälligkeit. Und er geriet in schwere Zweifel. Denn er konnte an dieser Leidensgestalt, zusammengefügt aus den Reliquien Unzähliger, die ihr Martyrium im Namen irgendeiner Gottheit auf sich genommen und erlitten hatten, nichts von stolzer Glorie, vom erhabenen Frieden schwer errungenen Sieges finden – und nichts von Seligkeit. Wenn etwas groß war an diesem Bekenner, dann war es die herrische Strenge, die sich selbst die Linderung der Traurigkeit versagte.

Der Alte saß in seinem Ohrenstuhl, die Stirn in die Hand gestützt, die großen braunen, von einem bläulichen Faltenkranz umgebenen Augen auf seinen Märtyrer gerichtet, und es befiel ihn eine große Bangigkeit. Es verlangte ihn nach seinen Genossen. Er ließ sie in sein Haus bitten. Sie kamen alle. Es waren ja nur mehr wenige. Er führte sie hinunter in sein Gewölb und zeigte ihnen den dreifachen Märtyrer, offenbarte ihnen auch die Art seiner Entstehung und Zusammensetzung.

Die Alten waren tief betroffen.

»Beim Allmächtigen! Das ist der Mensch!« sagte Schlesinger leise; »der Mensch, der Gott gesucht hat, ohne sich zu schonen ... Warum ist er so unselig? ... Weil er nicht gefunden hat? Es ist keine Schande, wenn man nicht findet! Wir können nur suchen, ohne Hilfe und Hoffnung, suchen, bis sich die Erde unser erbarmt und unsere Narrheit in ihr Dunkel bettet.«

»Martyr«, grübelte Rubenjew, »das Wort heißt nicht nur der Bekenner, es heißt auch der Selbstgewisse. Die Gewißheit, im Besitz der Wahrheit zu sein, nimmt die Furcht vor dem eigenen Tod, aber auch die Scheu, einen anderen zu töten, der diese Gewißheit bezweifelt. Hat ihn eine Ahnung dieses schrecklichen Irrtums berührt? Vielleicht fielen ihn im letzten Augenblick Verdacht und Zweifel an seiner ›Wahrheit‹ an, das kreideweiße Entsetzen, als er sah, daß kein Gott ihn auffing in seinen Armen, sondern nichts war als ein einsames Verrecken am Marterkreuz.«

»Was bleibt uns dann noch an Sinn und Hoffnung für all die Plage lebenslanger Mühen um Gott? Er ist zu groß, als daß wir ihn mit unseren bescheidenen menschlichen Mitteln finden und erkennen könnten. Es ist nicht viel Staat zu machen mit uns. Der Verstand ist schwach, am Instinkt fehlt es uns auch, der uns die rechte Spur erwittern ließe. Findelkinder, wir alle, Ausgesetzte, die zeitlebens vergeblich nach dem Vater suchen«, klagte Monsignore Borromé Gianfredo.

»Zerschlissen ist seine Pracht, die Knochen mürb. Viel räudig gewordenes Juwelengeglitzer an Haupt und Gliedern«, sagte Ištarovič; »aber auch Stroh seh ich in seiner Krone und bunte Flicken in seinem Königsmantel. In all dem anspruchsvollen Elend seiner zerrütteten Majestät spüre ich etwas von Karnevalsmaskerade und die Anspielung auf heimliches Narrenspiel. Das macht ihn mir fast vertraut. Ist er doch ein Mensch wie wir. Nicht der stolze Lorbeer des Siegers, auch nicht das Dornendiadem des Opfertiers krönt unsere Müdigkeit, sondern ein strohener Narrenkranz. Schmeichelhaft ist das nicht. – Aber sehen wir's doch einmal von Gottes Schöpfertum her. Da ist ihm mit uns Menschen eindeutig ein Mißgriff unterlaufen. Mag sein, er hat Großes mit uns vorgehabt. Wir sind ihm aber nicht geglückt. Wer darf ihm das übelnehmen? Denken wir nur an uns selbst. Wieviel von dem, was wir da versuchen in unserem kleinen Menschenmaß, kommt auf den Abfall. Und IHM ist ja wahrhaftig viel gelungen bei seiner Schöpfung; nur eben wir Menschen nicht!«

»Dann hätte er uns, wie alles Mißgeschaffene, vertilgen sollen. Dann hätten wir wenigstens unsere Ruhe gehabt«, murrte Rubenjew, »aber dazu konnte er sich offenbar nicht entschließen. Er hat sich uns nur aus den Augen geräumt und dann uns selbst überlassen. Recht geschieht ihm, daß sich dieser da in seiner düsteren Schwermut und strengen Unseligkeit vor SEIN Ange-

sicht setzt, daß ihm das Grausen kommen soll beim Anblick dessen, was ER angerichtet hat.«

Da erhob sich die Sodalin, trat ganz nahe an den Märtyrer heran und beschaute ihn nochmals genau bis ins
kleinste Detail. Dann legte sie die Hand auf das knö-
cherne Knie des Unheimlichen, lächelte ein wenig und
wandte sich den Alten zu:

»Sicher, er setzt sich IHM vor die Augen und erspart
ihm nichts. Aber auch ich sehe die vielen Anspielun-
gen, Zeichen und Hindeutungen auf das Narrenhafte an
seiner Erscheinung, die Ištarovič schon erwähnt hat.
Sind sie nicht wie ein Augenzwinkern? Ein Augenzwinkern der Verständigung über das Schwierige alles
Schöpferwesens – und Unwesens: ›Auch dir ist es eben
einmal passiert, so wie es dauernd uns Menschen zu-
stößt, daß wir Unrat in die Welt setzen, Fehlgeburten –
abgesehen davon, daß die unseren harmloser sind –,
aber dafür bist du ja auch GOTT und kannst dir's leisten. Aber weil wir schon beim Rechten sind, so laß es
dir gesagt sein in aller Deutlichkeit: Schuld an unserem
Elend bist DU durch deine majestätische Patzerei, der
du dann nicht die Gnade der Vernichtung gegönnt hast.
Sitzen hast du uns lassen in unserer unseligen Verpatzt-
heit. – Aus Gleichgültigkeit? Oder wolltest du dich uns
noch einmal vornehmen und ein bißchen zurechtba-
steln? Nun, wir bilden es uns nicht ein, daß du dich un-
sertwegen noch einmal in Unkosten stürzen wirst. Es
bleibt wohl zwischen uns bei diesem Augenzwinkern.
Für uns ist es in der großen Kälte ein kleines Gelächter,
und dir helfen wir damit über die Verlegenheit hinweg.
Das haben wir dir ja voraus. Wir sind nicht so gnadenlos wie DU.

Das ist unsere Ehre und das ganze bißchen spröde
Würde unseres anrüchigen Daseins.«

Chaimowitsch ließ – ohne seiner Sippe einen Grund anzugeben – das Gewölbe zumauern, in dem sein Bekenner saß. Er war nichts für fremde Augen. – Schließlich
beschlossen die wenigen noch übriggebliebenen Soda-

len, die ehrwürdige Gesellschaft, die nur mehr in ihrer eigenen Erinnerung lebte, im Rahmen einer Feier aufzulösen und beizusetzen in einem Requiem. – So wanderten an einem Tag der Rosenblüte zwölf Alte zu der Kapelle im Heiligenkreuzerhof. Ištarovič besaß einen Schlüssel. Messe wurde keine gelesen, aber der Dr. Schlesinger intonierte auf der Orgel das ›Herr, lehre mich doch, daß es ein Ende mit mir haben muß und ich davon muß‹, welch letzterer Passus mehr als eine Oktave überspringt. Das regte einen der Alten stimmlich an, und er fuhr heraus mit dem Klageruf eines Maultiers in einer Neumondnacht. Das nahm auch den anderen die Scheu, aber sei es, daß sie wegen fortgeschrittener Taubheit die Melodie nicht erkannten oder falsch deuteten, jeder sang für sich einen anderen Text nach einer anderen Weise.

Monsignore Gianfredo, ein fülliger Herr von immer noch stattlichem Wuchs, intonierte mit dünner Greisenstimme Händels »Messias«, »Und wenn Verwesung mir gleich drohet«, wogegen der spindelige Rubenjew in einem dröhnenden Baß die Führung mit dem »Tuba mirum spargens sonum« des Mozart-Requiems an sich zu reißen suchte, das er wiegend im Kantus des Tempelgesanges zum Vortrag brachte. Dahinein brach der Kapuzinerfrater František, mit einem nicht ganz reinen, aber rhythmisch flott bewegten »libera nos ex ore leonis«, worauf der stark geschrumpfte Solomo, der zeitweilig in Schlummer fiel, in trillerndem Falsett den Herrn pries mit »Setze dich an meine Seite, bis ich dir deine Feinde unter den Schemel deiner Füße lege«.

Allmählich aber drang immer klarer der überraschend volle Bariton des zarten Mirko Ištarovič durch, der das Preislied auf die Aphrodite angestimmt hatte, »poikilothron athanata«, was nur deshalb in diesem Kreise nicht verärgerte, weil jeder ausschließlich sich selbst hörte und sonst nichts.

Chaimowitsch, das Kinn auf die Elfenbeinkruke seines Stockes gestützt, horchte und lächelte in sich hinein. Er war noch feinhörig. Zuerst hatte er das Haupt geschüttelt über den zerfetzten Rhythmus und das dissonante Stimmenchaos seiner Freunde. Da aber fiel ihm sein vermauerter Märtyrer ein, und mit einem Mal erschien ihm diese wüste Hymne von einer schrecklichen, ergreifenden Großartigkeit. Es war die richtige Musik zu seinem gemarterten Menschenbild.

Narrheit war darin und Verzweiflung und die wilde, verbissene Hartnäckigkeit der Irrfahrt, von welcher der Mensch nicht abläßt, bis seine Knochen zu Staub zermahlen sind im Schüttkasten des Todes.

INHALT

Der »Illuminismo« versackt im Pachypygismus (Breitsteißigkeit)

Das »Ressort für irrationale Erscheinungen in der Politik«

Das Schisma von Tulln und die Zerstörung der Phantasie

Die Sodalitas löst sich auf